D1162879

MOZART und die Nachwelt

Herausgeber
INTERNATIONALE STIFTUNG MOZARTEUM

Printed in Austria by Welsermühl, Wels
ISBN 3-7017-0397-3

MO

Gernot Gruber

MOZART

und die Nachwelt

Residenz Verlag

Vorwort

Dieses Buch geht einer Prophezeiung nach, die Goethe vor über 150 Jahren machte, als er meinte, von Mozart gehe eine »zeugende Kraft aus, die von Geschlecht zu Geschlecht fortwirket und sobald nicht erschöpft und verzehrt sein wird«. Aufgesucht wird sie primär in der Ideengeschichte, die sehr unterschiedliche sachliche Bereiche umfaßt. In Gesprächen mit Fachkollegen über mein Vorhaben wurde ich immer wieder gefragt: »Wie haben Sie das Thema eingeschränkt?« Meine Antwort, »überhaupt nicht«, löste peinliches Schweigen aus. Ich bin mir also meines Dilettantismus wohl bewußt geworden. Er scheint mir vertretbar, da es mir nicht um spezifisch musik-, literatur-, kunst-, philosophie- oder sozialhistorische Gegenstände, sondern um übergreifende Ansichten zum Phänomen Mozart geht.

Der Stoff, nicht die Ideen, mußte aber doch eingeschränkt werden, um ein lesbares und überschaubares Ergebnis zu erlangen. Das Weglassen stellte sich als weit größeres Problem als das Auffinden des Materials heraus. Die Subjektivität ist bei einer symptomatischen Vorgangsweise unvermeidbar. Der Intention nach sollte trotzdem ein repräsentatives Gesamtbild entstehen. Verzichtet wurde auf die Datenfülle in der Aufführungs-, Druck- und Interpretationsgeschichte, auf die Dokumentation der Unmenge an Mozart-Kitsch und Trivialliteratur, auch auf eingehende Musikanalysen. Die Ergebnisse der Forschungen zu diesen Bereichen werden aber sehr wohl bedacht. Verzichtet werden konnte auch auf ein Literaturverzeichnis, da die Bände der »Mozart-Bibliographie« leicht greifbar sind; die Literaturhinweise wurden jedoch so angelegt, daß sie für ein weiterführendes Studium hilfreich sind.

Die chronologische Einteilung in vier Kapitel ergab sich aus der historischen Gewichtung und Entwicklung des Gegenstands. Sie deckt sich in etwa mit jener in Alexander Hyatt Kings Buch »Mozart in Retrospect« (London 1956). Mein besonderes Interesse galt dem schwer durchschaubaren posthumen Erfolg Mozarts in den ersten Jahrzehnten nach seinem Tod, der genau besehen falschen Vorstellung vom »romantischen« Mozart-Bild des 19. Jahrhunderts und der offenen Frage nach der Zielrichtung der Mozart-Rezeption in unserer Zeit, vor allem aber dem Phänomen einer stets vorhandenen Spannung zwischen Historie und dem Wunsch, sie zu transzendieren, mit anderen Worten dem Oszillieren des Themas »Mozart und die Nachwelt« zu dem in Hesses »Steppenwolf« geäußerten und auf Mozart bezogenen Gedanken »Es gibt in der Ewigkeit keine Nachwelt, nur Mitwelt«.

I

Die Zeit vor 1800

Nach wie vor ist es ein Rätsel, warum Mozarts Reputation in seinen letzten Lebensjahren nachließ und er in ein Abseits der »öffentlichen Meinung« geriet. Vielleicht gibt es den bestimmten Grund, den man einmal da und einmal dort gefunden zu haben meinte, gar nicht. Viele historisch-politische, gesellschaftliche, psychologische und musikästhetische Ursachen sind uns einsichtig. Aber es kann auch Uneinsichtiges, scheinbar oder tatsächlich Grundloses mit hereingespielt haben: wie es eben Dinge, die im Fluß sind, so an sich haben. Es hätte nach einem Wellental auch wieder einen Aufschwung geben können; alles spricht dafür, daß Mozart im Herbst 1791 voll Hoffnung auf Erfolg sein durfte. Durch seinen unerwarteten Tod bekam aber die Krise der vorangegangenen Jahre eine fatale Folgerichtigkeit. Für die Nachwelt mußte Mozarts letzter Lebensabschnitt den Nimbus einer rätselvollen Katastrophe erhalten. Schon ein Jahrzehnt nach seinem Tod waren die Dinge noch in anderer Weise entschieden: Die musikalische Welt wußte, daß er nicht bloß als Wunderkind ein europäisches Ereignis war und als Pianist Hervorragendes geleistet hatte, sondern daß über all dem ein kompositorisches Werk steht, das zum Höchsten unter den Zeugnissen abendländischer Kultur zu zählen ist.

Nun wurde also Mozart endlich jene Gerechtigkeit zuteil, die ihm seine Zeitgenossen durch Jahre hindurch sträflich vorenthielten: Fast jede Mozart-Biographie schließt mit Sätzen dieser Art. Ganz selbstverständlich geht die Biographik mit der Tatsache um, daß sich sein Werk schließlich doch und noch dazu relativ rasch durchzusetzen vermochte. Ja, bei der Avantgarde unseres Jahrhunderts verstärkte das Vorbild von diesem posthumen Erfolg eine Erwartungshaltung auf eine künftige Wirkung, die Stefan Zweig bereits 1912 zu der spöttischen Aufforderung an junge Künstler veranlaßte: »Sei eine Zeitlang verkannt, oder scheine es, das macht Freunde.« Sicher ist es naiv, aus den Beispielen eines Mozart, Schubert, Bruckner oder auch eines Anton von Webern eine Regel für künftige Anerkennung ableiten zu wollen. Aber auch davon abgesehen bleibt es erstaunlich, daß nur wenige Gedanken in den Unmengen an Mozart-Literatur auf die Frage verwandt wurden, wie denn aus einem ungerecht behandelten Genie eine anerkannte Größe wurde.

Zweifellos bringt der Wandel im Ansehen Mozarts während der 90er Jahre des 18. Jahrhunderts einen effektvollen Anfang für eine Geschichte seiner Wirkung. In der verlockend einfachen Formel »Aus dem Dunkel der Vergessenheit zum Licht zeitenthobener Berühmtheit« aber ist dieser Wandel zu sehr ins Spektakuläre gerückt. Mozart war zu Lebzeiten von vielen, das heißt von der die Neuigkeiten aufmerksam registrierenden Öffentlichkeit nur mehr wenig beachtet worden, und er ist um 1800 von vielen meinungsprägenden Persönlichkeiten als ein Großer der Musik angesehen worden – nur sind dies keine zwei isolierten Punkte, die allein ein unbegreiflicher Widerspruch miteinander verbindet. Vielmehr ist Mozarts posthumer Erfolg latent in seiner Wirkung zu Lebzeiten angelegt, und umgekehrt sind die Schwierigkeiten in der Rezeption seines Werkes mit dem Beginn des 19. Jahrhunderts nicht verschwunden. Was sich aber ändert, ist faszinierend genug: Aus einer offensichtlichen Unsicherheit gegenüber einem Phänomen wird die Gewißheit einer Qualität, die auch bald Züge einer Gewißheit über die Charakteristik dieser Qualität bekommt.

Um diesen Prozeß einer Bewußtseinsbildung plausibel zu machen, müssen wir etwas weiter ausholen und greifbare Faktoren wie Unwägbarkeiten in ihrem Zusammenwirken diskutieren. Nur an einem Beispiel sei das Gemeinte vorneweg veranschaulicht: Ein aufmerksamer Beobachter des Musiklebens war der Sondershausener Jurist, Musiker und Musikgelehrte Ernst Ludwig Gerber. In seinem 1790 – also noch zu Mozarts Lebzeiten – erschienenen »Historisch-biographischen Lexikon der Tonkünstler« fand er zu keiner eindeutigen Bewertung der kompositorischen Leistungen Mozarts. Gerber resümiert folgendes: »Dieser große Meister hat sich durch seine frühe Bekanntschaft mit der Harmonie so tief und innig mit selbiger vertraut gemacht, daß es einem ungeübten Ohre schwer fällt, ihm in seinen Werken nachzufolgen. Selbst geübtere müssen seine Sachen mehrmals hören. Ein Glück für ihn, daß er noch jung, unter den gefälligen und tändelnden Wienschen Musen, seine Vollendung erhalten hat; es könnte ihn sonst leicht das Schicksal des großen Friedemann Bachs treffen, dessen Fluge nur wenige Augen der übrigen Sterblichen noch nachsehen konnten. Daß er noch immer unter unsere itzt lebenden besten und fertigsten Klavierspieler gehört, wird man ohne mein Erinnern glauben.« 1813 bekannte Gerber in seinem Neuen Tonkünstlerlexikon freimütig seine frühere Unsicherheit ein und begründete sie auch, indem er über Mozart sagte: »Er war ein Meteor am musikalischen Horizonte, auf dessen Erscheinung wir noch nicht vorbereitet waren.«

Auch für Gerbers kritische und später selbstkritische Überlegungen gibt es eine, vor und nach ihm immer wieder genannte oder unterschwellig wirksame, historische Ausgangsposition: Mozarts Wunderkindruhm. Im Europa der sechziger Jahre des 18. Jahrhunderts hatte das Auftreten der beiden Mozart-Kinder neben dem Sensationswert noch eine andere hochaktuelle Bedeutung. Mozart und seine Schwester Nannerl waren lebendige Beispiele für den immer noch vieldiskutierten barocken Leitbegriff des Wunderbaren wie für die moderne aufklärerische Idee der bonté naturelle; sie wurden als Zeichen der Gnade Gottes oder als unerklärliche Phänomene der Natur bewundert. Zeitgenössische Berichte und schon die Briefe Leopold Mozarts lassen deutlich diese Auffassungen erkennen. Und es hat etwas Berührendes an sich, wenn wir vom alten Goethe lesen, daß er sich »des kleinen Mannes in seiner Frisur und Degen noch ganz deutlich erinnere«.

Der Wunderkindruhm war, vor allem für die breitere Öffentlichkeit, ein Hemmnis, auch noch einen anderen Mozart zu akzeptieren. Mozart ist von Kindheit an bestaunt, von Musikern geprüft, von Philosophen gedeutet, von den Fürstinnen halb Europas gehätschelt worden. Stets vermochte er zu reüssieren, und diese Überfülle an kindlichen Erfolgserlebnissen wird für seine Psyche kaum ohne Folgen geblieben sein. Ob er sich dieses Umstands und seiner prägenden Bedeutung jemals bewußt geworden ist, wissen wir nicht. Der Briefwechsel zwischen Vater und Sohn vermittelt uns den Eindruck, Wolfgang Amadeus Mozart sei wie der ägyptische Joseph in Thomas Manns Roman durchs Leben gegangen, und sein naives Vertrauen, alle Menschen wollten nur sein Bestes, sei in bedrohlicher Diskrepanz zur Realität gestanden. Ob dem tatsächlich so war und warum dem so war und wenn Mozart sich wirklichkeitsfremd verhalten hätte, in welcher Wirklichkeit er lebte, das sind grundsätzliche Fragen, die stets von neuem herausfordern und mit zur »zeugenden Kraft« des Phänomens Mozart gehören.

Schieben wir diese Fragen vorderhand beiseite, so erscheint im Rückblick um so deutlicher ein etwas starr anmutender Raster seines Lebenslaufs. Danach hat Mozart ungewöhnlich gut seinen Wunderkindruhm ins Jünglingsalter hinübernehmen können – mit etwa 17 Jahren aber hat er den Höhepunkt ungetrübten Erfolgs überschritten – als kaum 25jähriger sich von den ungenügenden künstlerischen Entfaltungsmöglichkeiten in Salzburg und vom direkten Einfluß des Vaters durch die Übersiedlung nach Wien befreit – in den ersten Wiener Jahren als Pianist und zumindest als Klavierkomponist neuen und anhaltenden Ruhm erreicht – ab etwa der Mitte der achtziger Jahre mußte er negative Kritiken vor allem an seiner Kammermusik und an seinen Opern hinnehmen – die Hoffnungen auf ein ehrenvolles Kapellmeisteramt erfüllten sich nicht – Mozart geriet in finanzielle Bedrängnis – öffentliche Erfolge in Wien blieben bis knapp vor seinem Tod aus. Warum aber war Mozart in seinen Unternehmungen glücklos? Ging er nur halbherzig oder bloß ungeschickt vor – wollte er gar kein ernsthaftes Angebot nach auswärts erhalten – sah er nicht ein, daß das Hofkapellmeisteramt in Wien mit Antonio Salieri gut und sicher besetzt war? Hat er sich durch irgendwelche Taten kompromittiert – hatte er Feinde – machte er sich und den Seinen ganz bewußt etwas vor – oder lebte er naiv in einer »anderen Welt«? Die Ratlosigkeit über diese Fragen bestimmt die Dynamik der konkurrierenden Antworten, die Gegenstand, aber nicht Ausgangspunkt der Wirkungsgeschichte sein können.

Was an Fakten übrigbleibt, bildet nur eine nüchterne, ja dürre Historie. Nichts ist für Mozarts Abstieg bezeichnender und wurde für die Wirkungsgeschichte folgenreicher als die großen Lücken in unserem Wissen und wohl auch im Wissen der zeitlich naheliegenden Nachwelt. Wie nicht anders zu erwarten, setzte bald nach Mozarts Tod mit dem steigenden Ruhm auch die Legendenbildung ein. Überraschenderweise gaben viele Informanten, die Mozart noch erlebt und mit ihm Umgang gehabt hatten, ihre Erinnerungen sehr spät, in etlichen Fällen erst nach 30 bis 40 Jahren preis, das heißt, daß Augenzeugen – tatsächliche wie angebliche – sogar dann noch lange schwiegen, als Mozarts Ruhm längst gefestigt war. Warum sie das taten, ist ein Feld für Spekulationen. Die sich Erinnernden selbst erweckten gern den

Eindruck, als sei eben Jahrzehnte hindurch niemand auf den Gedanken gekommen, sie über Mozart zu befragen. Der Skeptiker wird annehmen, sie hätten wohl gewußt, warum sie so lange warteten, bis kaum jemand sie berichtigen konnte. Und der wohlmeinende Betrachter wird zumindest bedenken müssen, daß ein Versuch, sich über weite Zeiträume zurückzuerinnern, leicht der Lust zum Fabulieren erliegt. Wesentlich mag auch sein, ob Anekdoten und Enthüllungen über berühmte Musiker beim Publikum Interesse finden. Im späten 18. Jahrhundert war dies allgemein viel weniger der Fall als dann eine Generation später. Wie dem auch sei, gesichert an diesen Erinnerungen ist nur, daß sie viel eher Gegenstand der Wirkungsgeschichte als Informationsquellen dafür sind, wie Mozart wirklich war.

Der Umstand, daß derlei Berichte von zweifelhafter historischer Treue so lange, ja vielfach bis zum heutigen Tag wirksam blieben, hat eine seiner Ursachen in einem sehr paradoxen Phänomen. Über das Leben berühmter Musiker lang vergangener Zeiten wissen wir in kaum einem Fall so genau Bescheid wie bei Mozart. Die Dokumentarbiographien enthalten über weite Strekken nahezu lückenlose Diarien; vieles ist von dem eifrigen Briefeschreiber Mozart erhalten geblieben. Und doch sind die tieferen Beweggründe nach wie vor im dunkeln. Die Mystifikation der Person Mozarts ist daher schwer zu vermeiden. Selbst die Strenge der historischen Quellenkritik dient ihr indirekt. Am stärksten wird dies für Mozarts letzte Lebensjahre spürbar. Der Zwiespalt zwischen künstlerischem Höhenflug und äußerer Misere, von dem die Biographen berichten und der als extremes Beispiel menschlicher Tragik erscheint, hat in den zeitgenössischen Quellen gleichsam nicht stattgefunden. Einzig die finanziellen Schwierigkeiten sind, vor allem durch Mozarts Bettelbriefe an seinen Logenfreund Michael Puchberg, aktenkundig. Aber wo bleibt der Spieler, der revolutionäre, der sich kompromittierende, der leichtlebige, der von Todesahnungen geplagte, der in freimaurerischen Machinationen verstrickte Mozart? Seine Briefe sind bis zuletzt meist fröhlich, schalkhaft, optimistisch gehalten. Freilich läßt sich diese, vielleicht bloß vorgeschützte, Fröhlichkeit psychologisch als etwas ganz anderes enträtseln, vor allem, wenn man von vornherein zu durchschauen meint, was dahintersteckt. Doch nüchtern betrachtet wissen wir sehr wenig

Eindeutiges über Mozarts Situation und seine seelische Verfassung.

Ich bin nun in der glücklichen Lage, nicht angeben zu müssen, wie es sich eigentlich zutrug und wie Mozart wirklich war. Die Historie hilft uns aber, wenigstens die äußeren Bedingungen für Mozarts Verhalten und für das seiner Umwelt ihm gegenüber besser zu verstehen. Eine schon erwähnte, banale Tatsache ist es, daß das Leben, die persönlichen Eigenschaften oder gar das Sendungsbewußtsein eines Musikers im 18. Jahrhundert viel weniger Interesse erregten als das vergleichbare Persönlichkeitsbild eines Dichters wie Klopstock oder eines Philosophen wie Rousseau (wenngleich dieser sich in seinen »Bekenntnissen« gerne als Musiker sieht). Mozarts geringe briefliche Mitteilsamkeit über das, was ihn »wirklich« bewegte, fällt nicht aus dem Rahmen des damaligen Musikerbildes (außergewöhnlich ist viel eher sein artifizieller Umgang mit der Sprache). Im Gegensatz zur Heroenverehrung des 19. Jahrhunderts und dem zwanghaften Kultus der sich jagenden Musikerjubiläen unserer Zeit gab das Musikverständnis des 18. Jahrhunderts in der Regel gar keinen Anlaß, Musikerpersönlichkeiten aufs Podest immerwährender Bewunderung zu stellen. Dafür galt die Musik zu sehr als eine flüchtige Kunst – und dies in einem durchaus positiven Sinne. Der Erlebniswert der einzelnen musikalischen Aufführung wurde entschieden höher veranschlagt als die Tradierung von Meisterwerken oder auctores classici. Sieht man von kirchenmusikalischen Erscheinungen wie der Gregorianik oder dem Werk und Stil Palestrinas ab, so fehlen weitgehend die altehrwürdigen Vorbilder. Die beliebten Diskussionen über die Vorzüge der alten oder der neuen Kunst wurden wohl auch auf dem Gebiet der Musik geführt; sie haben aber bei der Bezugnahme auf die Antike mangels Vorbildern etwas unüberwindlich Abstraktes an sich und dienten konkret vor allem der Parteinahme für eine bestimmte zeitgenössische Stilrichtung. Wie überhaupt das ästhetische Räsonnement gegenüber dem historischen Interesse völlig dominierte. Bewußten Anteil an der weiten historischen Dimension der Kunst hatte die Musik nur mittelbar durch die Texte oder Sujets, mit denen sie als Vokalmusik und besonders in der Oper verknüpft wurde. Diese – falsche, aber wirksame – Ansicht von einer relativen Geschichtslosigkeit der Musik erleichterte auch die Beweglichkeit im Musikschaffen, den Anreiz, Neues zu versuchen. Die Grenze für das Originalitätsstreben – und damit kommen wir zu einer dritten Voraussetzung für die Rezeption – bezeichnete die nicht rigorose, aber selbstverständliche Verankerung der Musik, ihrer Gattungen und Stile, in gesellschaftlichen Funktionen geistlicher und weltlicher Art. Musik konnte Ernsthaftes unterstützen oder geistvolle Unterhaltung bieten; sie geriet aber in die Gefahr, als unangebracht schwierig betrachtet und beiseite geschoben zu werden, sobald sie sich zu einem ästhetischen Gegenstand mit Eigenwert aufschwang. Eine geistige Strömung wie die sogenannte Empfindsamkeit, die breit wirksam eine betont kontemplative, verinnerlichte Einstellung zur Musik forderte, verherrlichte deren Simplizität und widersetzte sich damit notwendigerweise einem Fortschritt in den kompositorischen Ansprüchen. Jene Musik schließlich – nachträglich und wenig glücklich als Sturm und Drang bezeichnet –, die ohrenfällig wie in den Fantasien Carl Philipp Emanuel Bachs traditionelle Fesseln sprengte, entstammt, mitsamt ihren tiefschürfend existenzbezogenen theoretischen Begründungen, dem nord- und mitteldeutschen und eben nicht dem süddeutsch-österreichischen Kulturraum.

Auf Gegebenheiten solcher Art hatte sich ein Komponist, wollte er reüssieren, einzustellen. Mozart war auf diesem Felde des musikalisch Angemessenen sicherlich kein Weltfremder, sondern durch Erziehung und Erfahrung von Kindheit auf ein Wissender geworden. Vielleicht war es gerade die Virtuosität, mit der er sein Wissen zu handhaben vermochte, die seine Imaginationskraft reizte, in manchen – keineswegs in allen – Bereichen für die Ohren der Zeitgenossen in seiner Umwelt zu schwierig zu komponieren. Dies mag als vordergründige Erklärung erscheinen, doch auch hier möchte ich nicht entscheiden, welche verborgene Ursache maßgeblich war. Fest steht nur die Paradoxie, daß Mozart einerseits traditionelle Grundanschauungen vertrat – er wußte um die Funktion von Gattungen und Stilen; ganz selbstverständlich hat er für ein konkretes Gegenüber, Musiker oder Hörer, komponiert; nie wäre es ihm eingefallen, etwa eine Oper ohne Auftrag bloß zur Selbstverwirklichung zu schreiben; letztlich blieb ein Hofkapellmeisteramt und kein freies Künstlertum sein Lebensziel –, daß er aber andererseits in so manchen Werken, bei denen es darauf angekommen wäre, erfolgreich zu sein, jene geforderte Balance mißachtete. Er tat es in einer Weise, die überwiegend erst die Nachwelt als qualitativen Sprung erkennen lernte. In dieser offensichtlichen Spannung zwischen Konvention und künstlerischem Ergebnis liegt ein weiterer Aspekt der »zeugenden Kraft« Mozarts. Welche Problematik des Verständnisses hier verborgen ist, erweist schon der flüchtigste vergleichende Gedanke an Joseph Haydn. Bei aller wechselseitigen Anregung und Wertschätzung erwies sich doch Haydn als der Konziliantere, die Wünsche des Publikums besser Erfassende. Nie wurde gegen Werke Haydns eine gleich intensive Kritik wie gegen Mozart laut. Trotzdem zweifelt heute kaum jemand an der Ebenbürtigkeit des Haydnschen Genies mit dem Mozarts. Damit wird aber der Hinweis auf Mozarts Genialität, die sich über alles Risiko des Scheiterns hinweg ihren Weg suchte, als naheliegende Ursache für die erwähnte Paradoxie in seinem kompositorischen Verhalten zu einer allzu einfachen Erklärung.

Einsichtiger sind die Gründe für die Kritik. Am schärfsten artikulierte sie sich gegen Kammermusikwerke und Opern. In beiden Fällen scheint Mozart gegen vertraute Gattungsvorstellungen verstoßen zu haben. Doch steht er nicht allein. Die Entwicklung von der galanten Spielmusik zu dem, was wir etwa klassisches Streichquartett nennen, beinhaltet insgesamt eine Veränderung in den Ansprüchen und in der musikalischen Grundeinstellung, die der Trägheit eingefahrener Publikumserwartungen viel abverlangte. Vor diesem Hintergrund bleibt es aber immer noch erstaunlich, wie geschickt der eigentliche Vorreiter dieser Entwicklung, Joseph Haydn, seinen Weg Kennern wie Liebhabern der Musik plausibel zu machen verstand und wie sehr Mozart, der sich ja gerade im Streichquartettschaffen eng an Haydn anschloß, auf Schwierigkeiten stieß. Der sehr einflußreiche Berliner Komponist und Musikschriftsteller Johann Friedrich Reichardt rügte in seinem »Musikalischen Kunstmagazin« 1782 Mozarts Instrumentalmusik als »höchst unnatürlich«, da es in ihr »erst lustig, denn mit einmahl traurig und straks wieder lustig hergeht«, ihr also der einheitliche Charakter fehle. Genauer besehen richtet sich ein Unverständnis in voller Schärfe allerdings nur gegen Einzelerscheinungen in Mozarts Werken. Einen Extremfall bildet die Introduktion des

Haydn gewidmeten sogenannten »Dissonanzenquartetts« in C-Dur KV 465. Anekdoten, die vielleicht falsch, sicher aber bezeichnend sind, kamen in Umlauf. Dem Verleger Artaria sollen die »fehlerhaften« Noten zurückgeschickt worden sein; Giuseppe Sarti schätzte Mozart als »Klavierspieler mit einem verdorbenen Gehör« ein; der Musikliebhaber Fürst Anton Grassalkovics aus Preßburg soll die Noten wegen der vielen Dissonanzen wütend zerrissen haben. Nach Georg Nikolaus Nissens Bericht hat der mit Mozart befreundete Verleger und Komponist Franz Anton Hoffmeister die Klavierquartette KV 478 und 493 so schlecht verkauft, daß er Mozart das volle Honorar mit der Auflage ausbezahlte, die vertraglich vereinbarten weiteren vier Stücke nicht zu komponieren, und das mit der Ermahnung: »Schreib populärer, sonst kann ich nichts mehr von Dir drucken und bezahlen.« Am anschaulichsten wird die Diskrepanz zwischen dem kammermusikalischen Kunstanspruch und der Publikumserwartung durch den Umstand, daß Joseph Haydn im Februar 1785 ausgerechnet an einem Hausmusikabend, als Mozarts Dissonanzenquartett gespielt wurde, jenen berühmten, authentisch überlieferten Ausspruch Leopold Mozart gegenüber machte: »Ich sage Ihnen vor Gott, als ein ehrlicher Mann, Ihr Sohn ist der größte Componist, den ich von Person und dem Namen nach kenne: er hat Geschmack, und über das die größte Compositionswissenschaft.«

Die Widerstände, denen sich der Opernkomponist Mozart vor allem in Wien gegenübersah, haben Gründe in einer Vorbildorientierung, die vielerorts noch lange anhalten sollte, aber im Wien der 80er Jahre zu besonderen Spannungen führte. Gemeint sind die Auseinandersetzungen bei Hofe zwischen einer starken italienischen Tradition und dem von Joseph II. nachdrücklich geförderten »Nationalsingspiel«. Mozart war dazu prädestiniert, sich zwischen die Stühle zu setzen. Im Verhältnis zum italienischen Vorbild erschien bei ihm die Deklamation in den Singstimmen zu virtuos, zu wenig kantabel, und die von der Nachwelt so bewunderte musikalische Aufwertung des Orchesterparts galt als inakzeptabel, da sie die herkömmliche Dominanz der Singstimmen zu stören drohte. Auf der anderen Seite komponierte Mozart zu anspruchsvoll opernhaft, um dem Ideal der Schlichtheit, Volkstümlichkeit und Leichtverständlichkeit im deutschen

Singspiel entsprechen zu können. Dem weiteren, Bedeutung gewinnenden deutschen Opernvorbild (deutsche Fassung der »Iphigenie auf Tauris«), nämlich jenem Christoph Willibald Glucks mit der ihm »eigenen Kühnheit und Stärke des Ausdrucks«, entsprach das Unpathetische, Bewegliche, Lebensvolle der Mozartschen Musik aber ebenfalls nicht.

Eine allzu reiche Zitatensammlung negativer Kritiken würde aber ein falsches Bild ergeben. Tatsächlich war Mozart nie ein völlig verkannter oder mißachteter Komponist. Gerade die besten Musiker seiner Umgebung schätzten ihn am meisten. Auch in den immer schon beliebten Aufzählungen großer Zeitgenossen findet sich sein Name; freilich stehen unter diesen Größen auch so manche, die heute selbst Historikern kaum mehr geläufig sind. In einigen Schriften, Nachschlagewerken u. ä., wo Mozarts Erwähnung zu erwarten wäre, fehlt sie ohne erkennbare Absicht. Aus all dem spricht ein hohes Maß an Zufälligkeit der Kenntnis und fehlender Fundierung der Beurteilung Mozarts. Zum Ausdruck kommt diese Unsicherheit auch im Grundgehalt des Bildes, das sich die Zeitgenossen von dem Komponisten Mozart machten. Er ist in den eingangs zitierten Aussagen Gerbers enthalten und wird bestimmt durch die Diskrepanz zwischen der Bewunderung für die geniale Begabung, den überströmenden Phantasiereichtum Mozarts und der Warnung vor Irrwegen und Maßlosigkeit. Insgesamt sahen die Zeitgenossen in Mozart eher einen genialen Stürmer und Dränger als einen sein Tun reflektierenden, um Ausgleich bemühten, also »klassischen« Künstler.

Dieses Bild war auf Grund seiner Labilität leicht veränderbar und den geistigen Wandlungen im ausgehenden 18. Jahrhundert unterworfen. Noch wichtiger ist, daß es dadurch eine prägnantere Gestalt fand. Dieser Wandel setzte mit Mozarts Tod ein. Durch ihn haben Werk und Leben Mozarts etwas Abgeschlossenes und damit Überschaubares erhalten. Zunächst hat diese Abgeschlossenheit als unverständliche Tatsache vor allem Betroffenheit ausgelöst. Sie äußerte sich nicht in den Begräbnisfeierlichkeiten, wohl aber auf andere Weise. Freunde und Bekannte halfen der erst 28jährigen Witwe und sorgten für die Kinder. Großzügige ausländische Spenden trafen ein. Wenige Tage nach Mozarts Tod empfing Kaiser Leopold II. Constanze in Audienz; ihr Pensionsgesuch wurde daraufhin in ungewöhnlich kurzer Zeit positiv erledigt. Joseph Haydn hatte mitten im Hochgefühl großer Erfolge in London von Mozarts Tod erfahren und äußerte in etlichen Briefen und Tagebucheintragungen seine Bestürzung. Kondolenzbriefe mögen höfliche Übertreibungen enthalten; gegenüber der mit Haydn befreundeten Wiener Arztgattin Marianne von Genzinger fallen solche Rücksichtnahmen weg, um so bemerkenswerter ist, was Haydn ihr schrieb: »... ich freue mich kindisch nach Hauß um meine gute Freunde zu umarmen. Nur bedaure ich dieses an dem großen Mozart zu Entbehren, wan es anderst denn also, welchs ich nicht wünsche, daß Er gestorben seyn solte. die nachweld beckomt nicht in 100 Jahren wider ein solch Talent.«

Das Gefühl für die Unabänderlichkeit des Geschehenen scheint eine klare Formulierung der Größe Mozarts geradezu herausgefordert zu haben. Die Aussage Haydns spiegelt kein allgemeines Urteil wider, sie hat aber plötzlich mehr Chance, allgemein akzeptiert zu werden als seine hohe Wertschätzung zu Lebzeiten Mozarts. Durchaus bemerkenswert ist ein Nachruf, den Heinrich Boßler in der »Musikalischen Korrespondenz für das Jahr 1792« veröffentlichte. Neben den üblicherweise zugebilligten Positiva wie »Feuer der Imagination« und »Fruchtbarkeit« steht der noch ungewöhnliche Satz: »Mozarts musikalisches Genie war vollkommen musikalisch reif.« Wie ein Vorgriff auf Späteres liest sich ein Gedenkartikel aus der Stadt des ersten Mozart-Enthusiasmus; in der »Prager Oberpostamtszeitung« vom 17. Dezember 1791 steht zu lesen: »Sein Verlust ist nicht zu ersetzen. Es gibt und es wird immer Meister der Musik geben, aber einen Meister über alle Meister hervorzubringen – dazu braucht die Natur Jahrhunderte.« Und völlig aus dem Rahmen der bisherigen Urteile fällt die im selben Artikel gebrachte, wohl erstmalige eindeutige Charakteristik Mozarts als Klassiker: »Alles, was er schrieb trägt den deutlichen Stempel der klassischen Schönheit. Deshalb behagte er jedes Mal noch mehr, weil die eine Schönheit sich aus der anderen entwickelte, deshalb wird er auch ewig behagen, da er immer neu erscheinen wird; Vorteile die einem Klassiker gehören. Oder beweisen dies nicht seine Opern?« Überhaupt werden in den ersten Wochen nach Mozarts Tod Worte gesprochen und Taten gesetzt, die sich in unserer nachträglichen

Betrachtung wie Samen der weiteren Entfaltung des Mozart-Bildes ausnehmen, wenn sie auch vorderhand nur »unrealistische« Vorstöße ins Unbekannte gewesen sein mögen. Das erste Zeichen setzte Constanze mit der folgenden Eintragung in Mozarts Stammbuch:

Was Du einst auf diesem Blatte an deinen freund schriebst,
eben dieses schreibe nun ich tiefgebeugt an dich
Vielgeliebter Gatte! mir, und ganz Europa unvergeßlicher Mozart –
auch dir ist nun wohl – auf ewig wohl!! – – –
Um 1. U. nach Mitternacht vom 4^{tn} zum $5:^{tn}$ dezember dieß jahres
Verließ er in seinem $36:^{ten}$ jahre – O! nur allzufrühe! –
diese gute – – aber undankbare Welt – – O Gott! –
8 jahren knüpfte uns daß zärtlichste, hinieden unzertrennliche Band! –
O! könnte bald auf ewig mit dir verbunden seyn.
deine äußerst betrübte Gattin
Constance Mozart neè Weber
Wien den 5^{tn} decem: 1791

Bereits die Authentizität des Textes ist etwas unklar. Daß er von Constanzes Hand stammt, bezweifelte noch niemand, wohl aber ist der frühe Zeitpunkt der Niederschrift, Mozarts Todestag, fraglich. Der Verzweiflungsschrei einer verwirrten, hilflosen Witwe fand jedenfalls Nachfolge. Der Ausruf »ganz Europa unvergeßlicher Mozart« entsprach kaum dem gegenwärtigen Ruhm des Verblichenen; trotzdem kehrt er in leichter Abwandlung und mit der Steigerung, Mozart habe »die Stufe der größten Meister erstiegen«, in einer Todesanzeige der »Wiener Zeitung« vom 7. Dezember wieder, die ihrerseits nachgedruckt wurde. Am 9. Dezember taucht er auch in einer ungarischen Zeitschrift auf, ergänzt durch den Hinweis auf »eine hilflose Witwe mit zwei Waisen« und durch den ersten Versuch, den Wunderkindmythos des Vaters in den Kindern neu erstehen zu lassen: »Das eine von diesen Kinderchen, obwohl noch sehr klein, schlägt schon das Clavichord auf eine Art, dass es alle mit Staunen hören.« Die Verknüpfung vom Wunderkindruhm mit den Leistungen des reifen Künstlers, die in den meisten Nachrufen aufgegriffen wurde, findet ihre prägnanteste Fassung in der Grabinschrift (sie wurde in der »Wiener Zeitung« vom 31. Dezember veröffentlicht – Grabstein wurde dann aber keiner gesetzt): »Qui jacet hic, Chordis Infans Miracula Mundi / Auxit; et Orpheum Vir superavit.«

Welches Gewicht Constanzes Ausruf »O! nur allzufrühe!« und »diese gute – – aber undankbare Welt« erlangen sollte, konnte sie nicht ahnen. Einen früh Verstorbenen besonders zu betrauern und die Klage über die Zeit sind an sich Klischees, die aber hier zur wohl wirksamsten Mythenbildung führten. Die Sehnsucht nach einer Vereinigung im Tode, in die sich Constanze hineinsteigert, ist freilich keine vorweggenommene Tristan-Romantik; unentscheidbar bleibt aber, was daran ehrlich empfundene Exaltation und was Kalkül ist.

Um in ihrer schwierigen Situation zu Geld zu gelangen, ist Constanze begreiflicherweise schon bald nach Mozarts Tod verschiedentlich, nicht nur in der Pensionsangelegenheit, aktiv geworden. Das autographe »Requiem«-Fragment übergab sie Joseph Leopold von Eybler, der die Partitur fertigstellen sollte, denn nur so konnte das Honorar des Auftraggebers gesichert werden. Das gab den äußeren Anstoß für das steigende Interesse an diesem Werk und seine bald geheimnisumwitterte Geschichte. Wenige Tage später bot – als erstes von vielen derartigen Angeboten – Constanze dem in Bonn tätigen Tenor Luigi Simonetti Kopien der »Clemenza di Tito« und der »Zauberflöte« zu einem überhöhten Preis, allerdings erfolglos, an. Haydn versprach in einem Brief vom Jänner 1792 an den Mozart-Freund Michael Puchberg, sich in London um Mozart-Aufführungen zugunsten der Witwe zu bemühen und Mozarts älterem Sohn unentgeltlich Kompositionsunterricht zu geben. Wichtig war für Constanze im März 1792 der Verkauf von etlichen Autographen und einer Abschrift des »Requiem« (war dessen zweiter Vollender, Franz Xaver Süßmayr, mit seiner Arbeit damals schon fertig?) an König Friedrich Wilhelm II. von Preußen. Noch im Dezember 1791 wurden die ersten Akademien für die Hinterbliebenen veranstaltet. Ob auf die Förderung Leopolds II. hin ein Benefizkonzert in Wien stattfand, ist unsicher, nachgewiesen ist dagegen eine Akademie im Prager Nationaltheater. Die innige Beziehung der Prager zu Mozart bezeugen auch die Exequien, die in der Nicolaikirche mit prunkvollem Trauergerüst und musikalisch aufwendigem Requiem (von Franz Anton Rosetti) gefeiert wurden. Mozarts Schüler und Constanzes späterer langjähriger Helfer Anton Eberl hat in den ersten Tagen nach Mozarts Tod gemeinsam mit seinem dichtenden Bruder Ferdinand eine Kantate »An Mozarts Grab« verfaßt, in der Terpsichore und die übrigen Musen, der Genius Deutschlands und die Künstler über die Parzen klagen. Diese erste Komposition zum Gedächtnis Mozarts dürfte aber unaufgeführt geblieben sein. Tatsächlich erklungen ist am 18. März 1792 in Berlin eine Kantate »Mozards Urne« von Bernhard Wessely (Text von Gottlob Wilhelm Burmann) im Rahmen eines Gedächtniskonzerts. Schon vorher, am 31. Jänner, wurde in Kassel eine Form der Mozart-Huldigung gewählt, die viel Nachahmung finden sollte: Ein Konzert mit Mozart-Werken mündete in einem als Apotheose aufzufassenden Schlußchor.

In Anbetracht dieser Aktivitäten überrascht es, wie lange sich in Wien weder eine Institution noch eine Freundesgruppe zu irgendeiner wenigstens halboffiziellen Trauerfeier für Mozart bereitfand. Und selbst wenn es eine gegeben hätte, bliebe es immer noch erstaunlich, daß in den damaligen Zeitschriften nichts darüber berichtet wird. Erst Ende April 1792 versandte die Loge »Zur Neugekrönten Hoffnung« eine Maurerrede auf Mozarts Tod (von Karl Friedrich Hensler) und hielt anläßlich einer Meisteraufnahme eine Gedächtnisfeier ab. Der Text der Rede und des abschließenden Gedichts ist allgemein erbaulich gehalten, Mozart wird als wohltätiger Mensch gelobt.

Sehr früh tauchen auch schon bösartige Gerüchte, Verdächtigungen und Enthüllungen auf, die sich als nicht weniger folgenreich erweisen sollten. In einem Prager Korrespondentenbericht des Berliner »Musikalischen Wochenblattes« vom 31. (?) Dezember 1791 ist erstmals von der Vergiftungshypothese zu lesen: ». . . Weil sein Körper nach dem Tode schwoll, glaubt man gar, dass er vergiftet worden.« Ohne Ausdrückliches zu behaupten, spielt der Schreiberling doch sensationslüstern mit dem Gedanken an Vergiftung. Eine Mischung aus richtigen und falschen Informationen gibt der nächste Satz: »Eine seiner letzten Arbeiten soll eine Todtenmesse gewesen seyn, die man bei seinen Exequien aufgeführt hat.« Darauf folgen Spitzen gegen Wien und

Mozart: »Nun er todt ist, werden wohl die Wiener erst wissen, was sie an ihm verloren haben. Im Leben hatte er immer viel mit der Kabale zu thun, die er indessen wohl zuweilen durch sein Wesen sans Souci reizte.« Ein derartiger Boulevardjournalismus ist deshalb erwähnenswert, weil die Nachwelt ihre Neugierde großenteils aus solchen Quellen und Formulierungen, die aus »bedeutsamen« Andeutungen gespeist werden, befriedigen muß. Noch makabrer klingt ein Gerücht im Zusammenhang mit dem Mordversuch des Wiener Kanzlisten Franz Hofdemel an seiner Frau Maria Magdalena und seinem Selbstmord am Tage von Mozarts Begräbnis. Das Ehepaar war mit Mozart bekannt. Hofdemel hatte 1789 Mozart Geld geliehen; seine Frau soll Mozarts Schülerin gewesen sein. Daraus zog man den Schluß, Hofdemel habe seine Frau aus Eifersucht attackiert, weil sie von Mozart ein Kind erwartete. Tatsächlich brachte Frau Hofdemel im Mai des darauffolgenden Jahres einen Knaben zur Welt. So lebt auch diese nicht widerlegbare Behauptung weiter.

Selbstverständlich hat nach einiger Zeit die durch Mozarts Tod ausgelöste Betroffenheit wieder nachgelassen. Das hatte auch positive Auswirkungen: Die Sensationspresse nach damaligen Begriffen, also ein Schrifttum im Stile des vielversprechend übergetitelten Wiener »Heimlichen Botschafters«, begann Mozart wieder zu vergessen. Aber auch in der ersten Bestürzung gemachte Versprechen wurden nicht eingelöst. Haydn war in London nicht sehr erfolgreich in dem Bemühen um Mozart-Aufführungen; nach Wien zurückgekehrt, hat er Mozarts Sohn keinen Unterricht erteilt. Eybler gab seinen Versuch, Mozarts »Requiem« fertigzustellen, bald wieder auf. Auch Akademien und Benefizkonzerte für die Familie Mozart sind nicht zur Regel geworden. Der Autographenverkauf an den preußischen König hatte keine unmittelbaren Auswirkungen. 1793 versuchte Constanze vergeblich, die Instrumente ihres Mannes zu veräußern.

Um die weitere Entwicklung zu verstehen, ist davon auszugehen, daß die zunehmende Wirkung Mozarts durch zwei Faktoren gefördert worden ist. Den einen bilden gezielte Aktivitäten einzelner, von Constanze, Nannerl, von Freunden und Verehrern Mozarts, der andere ist eher anonym, allgemeiner, mit Worten wie Meinungsbildung und Werkverbreitung vage zu umschreiben. Die Aktivität des einzelnen geht immer das Risiko ein, ohne Resonanz zu bleiben, und andererseits können ohne irgend jemandes Intention sich plötzlich neue Möglichkeiten ergeben. Daß der Einzelne allgemeine Entwicklungen ebenso wie Zufälle auszunützen trachtet, liegt ebenso nahe wie der Umstand, daß die anonyme Seite einer Entwicklung von Einzelaktivitäten beeinflußt werden kann. Dieses einfach, wenngleich abstrakt erscheinende Kräfteparallelogramm stellt sich, konkret betrachtet, komplizierter, aber auch anschaulicher dar.

Was die individuellen Aktivitäten anlangt, sind die der Witwe die wichtigsten und auch greifbarsten. Sicherlich haben sich viele aus dem Schüler- und Freundeskreis für die Familie und das Werk Mozarts eingesetzt; was darüber an Nachrichten sich erhalten hat, ist aber sporadisch und oft unklar. Der Gönner mit der einflußreichsten Stellung war Gottfried van Swieten (Sohn des Leibarztes Maria Theresias, Diplomat, Hofbibliothekar, Anreger eines musikalischen Historismus in Wien und damit für alle drei Klassiker von Bedeutung, Librettist von Haydns »Schöpfung« usw.), doch auch über seinen Einsatz sind wir im unklaren. Vermutlich war er es, der Constanze bei Hofe behilflich war, es mag auch sein, daß er sich zunächst um die Erziehung der Kinder kümmerte, eine legale Vormundschaft übernahm er allerdings nicht. Wie sehr zunächst private Initiativen zur Aufführung von Mozarts Werken nötig waren, zeigt das Beispiel Münchens: Die nicht sehr zahlreichen Aufführungen in den Liebhaberkonzerten vor der Jahrhundertwende kamen überwiegend durch Sänger zustande, die dem Freundes- oder zumindest Bekanntenkreis Mozarts zuzurechnen sind. In Graz war dem Logenbruder Franz Deyerkauf und den Mozart-Enthusiasten Josef Bellomo und Eduard Hysel schon im Februar 1793 die Veranstaltung einer Akademie mit »durchgehend Meisterstücken des unsterblichen Mozart« und darüber hinaus zwischen 1791 und 1797 rund 70 Mozart-Aufführungen zu danken. Persönliche Beziehung zum Mozart-Umkreis und persönliches Engagement konnte auch in viel weitläufigerer Weise nutzbringend sein, wie etwa im Falle des schwedischen Grafen Frederik Samuel Silverstolpe, der von 1796 bis 1802 als Chargé d'affaires in Wien tätig war. Er lernte dort Haydn und auch die Witwe Mozarts kennen und setzte sich später in seiner Heimat nachdrücklich für die Pflege der Wiener Klassik, freilich besonders der Musik Haydns, ein.

In der Regel dürfte es so gewesen sein, daß Constanze die auf Unterstützung Drängende war, mit mehr oder weniger Erfolg. Die finanzielle Bedrängnis und die psychische Belastung waren aber auch groß. In den fünfzig Jahren, die sie ihren Gatten überlebte, ist sie sicherlich einem gewissen, noch längst nicht ausgestorbenen Typus von Künstlerwitwen nahegekommen, der als eine Mischung aus Gralshütertum, Geschäftstüchtigkeit und Mißtrauen zu beschreiben ist. Die psychologische Ursache dafür mag bei Constanze in der Diskrepanz zwischen dem, was sie vertrat, und dem, was sie war, liegen. Dabei nimmt für sie durchaus sympathisch ein – was ihr später vorgehalten wurde –, daß sie im Hinblick auf die Interessen der Nachwelt sorglos war und mit dem entstehenden Kunstpriestertum nichts im Sinne hatte. Der Geniekult setzte viel eher mit Mozarts Vater ein, ihm folgten seine Tochter Nannerl und dann an der Stelle Constanzes deren zweiter Gatte, Georg Nikolaus Nissen. Constanzes und später Nissens Bestrebungen konzentrierten sich auf die Veranstaltung von Akademien und Konzertreisen, die Erziehung und Präsentation der Kinder und die Verwaltung des Nachlasses.

Ein vereinzelter Erfolg war ein Gedächtniskonzert, das van Swieten am 4. Jänner 1793 in Wien veranstaltete. Vermutlich wurde da zum ersten Male und in Unkenntnis des Auftraggebers Mozarts »Requiem« aufgeführt. Ein Aufschwung stellte sich erst ein, als 1794 die Mozart-Begeisterung allgemein eine beachtliche Höhe erreicht hatte. Verständlicherweise suchte Constanze diese günstigen Vorbedingungen zu nutzen. In Prag waren sie ja stets gegeben. Am Zustandekommen der beiden Akademien in Graz war wohl Franz Deyerkauf beteiligt. Die beiden Wiener Akademien Ende 1794 und zu Ostern 1795 hatten endlich den gewünschten offiziellen Charakter: Mit kaiserlicher Bewilligung konnten sie im Kärntnerthor- und Burgtheater stattfinden; in Zeitungsnotizen und durch Anschlagzettel machte Constanze entsprechende Reklame.

Im Herbst 1795 trat Constanze eine längere Konzertreise an, bei der ihre Schwester Aloisia Lange und anfänglich Anton Eberl sie begleiteten. Ziele waren Berlin und Hamburg; der Weg führte bei der Hin- und Rückreise über Prag und Leipzig; eine weitere, durch Konzertankündigungen uns bekannte Station war Dresden;

Aloisia Lange trat auch während Constanzes Berliner Aufenthalt in Hamburg auf. Daß Constanzes einziges großes Unternehmen dieser Art sie nicht in den Süden oder Westen Deutschlands, sondern nach Sachsen und Preußen führte, hat seinen Grund in der Erinnerung an Mozarts Reise im Jahre 1789 und an die wohlwollende Aufnahme, die er damals dort fand. Der von der Geschichtsschreibung wenig vorteilhaft als genußsüchtiger Monarch gezeichnete Friedrich Wilhelm II. von Preußen erwies sich immer mehr als Mozart-Verehrer. Er empfahl gegen den Willen seines Theaterdirektors die Aufführung der »Zauberflöte«, zeigte sich gegenüber Constanze wohlwollend und gestattete zu deren Gunsten eine Aufführung der »Clemenza di Tito« im Königlichen Operntheater. In einem Handschreiben äußerte sich Seine Majestät sehr gnädig und sprach vom »wahren Vergnügen, durch die Gewährung des Wunsches der Wittwe Mozart zu beweisen, wie sehr Sie das Talent ihres verstorbenen Mannes geschätzt, und die ungünstigen Umstände bedauert haben, welche ihm die Früchte seiner Werke einzuerndten verhinderten«. Ob dieses »Vergnügen« allein der Kunstsinnigkeit des Monarchen entstammte oder ob er dem Wiener Hof auch gerne ein Vorbild im Umgang mit den Untertanen geben wollte, bleibe dahingestellt.

Die Bevorzugung wenig bekannter Werke bei Benefizkonzerten – der »Clemenza di Tito«, des »Requiem« und auch des »Idomeneo« (für dessen Drucklegung Constanze mit einer »Ankündigung« vom 1. Mai 1795 warb) – spekulierte nicht bloß auf deren Sensationswert beim Publikum, sondern lenkte darüber hinaus die Neugierde auch auf nachgelassene Werke Mozarts. Den besten Einblick in Constanzes Vorgangsweise gibt das »Requiem«, zumal es doch das für sie wichtigste Werk war. Nachdem Eybler aufgegeben und daraufhin Süßmayr im Laufe des Jahres 1792 die Fertigstellung übernommen hatte, übergab sie die Partitur nicht gleich an den Besteller Graf Walsegg, sondern ließ zwei Kopien machen, eine für sich und eine für den Verlag Breitkopf & Härtel. Von ihrer Abschrift ließ sie später noch weitere herstellen, um sie hochgestellten Persönlichkeiten zum Kauf anzubieten, Abbè Maximilian Stadler hat wohl die Partitur vor der Übergabe auch noch für sich abgeschrieben. Im Laufe der Zeit begann Graf Walsegg Constanzes Schliche zu durchschauen und war begreiflicherweise ungehalten. Für unser

Rechtsempfinden hat aber vor allem er Diebstahl an geistigem Eigentum begangen, als er auf seine Partiturkopie schrieb »Requiem composto del Conte Walsegg« und das Werk als sein eigenes am 14. Dezember 1793 in Wiener Neustadt zum Gedenken an seine verstorbene Gattin öffentlich aufführte. In der Frühzeit eines musikalischen Urheberrechts ging es durchaus in Ordnung, wenn ein Käufer über das erworbene Werk auch in dieser Art frei verfügte. Unkorrekt war es dagegen von Constanze, das »Requiem« verschiedentlich und ohne Wissen des Grafen Walsegg aufführen zu lassen. Doch die Piraterie in Sachen Musik gehörte damals zu den üblichen Geschäftspraktiken. Schwierigkeiten bekam Constanze erst gegen Ende der 90er Jahre, als sie mit dem Verlag Breitkopf & Härtel wegen der geplanten »Œuvres complettes« verhandelte und den Notennachlaß verkaufen wollte. Doch auch diese Angelegenheit ließ sich applanieren. Kontakt mit Breitkopf & Härtel und auch mit dem Verleger André hatte Constanze seit der Konzertreise 1795/96. Der Verkauf wurde zu einem taktischen Kabinettstück, das allerdings mehr das Geschick Nissens als das Constanzes verrät. An sich mußte ja vor allem der Leipziger Verlag für seine Gesamtausgabe an dem Nachlaß interessiert sein – in einem Gegeneinander-Ausgespieltwerden hatte folglich der Offenbacher Verleger Johann Anton André eine für die damalige Zeit hohe Summe von 3150 fl. W. C. zu bezahlen, um in den Besitz der Autographen zu kommen.

Bei der Erziehung der Kinder hatte Constanze noch lange das verlockende Ziel vor Augen, an den Wunderkindruhm des Vaters anzuknüpfen. Nichts ist für diese Absicht bezeichnender als die Umbenennung des Franz Xaver Wolfgang getauften jüngeren Sohnes in Wolfgang Amadeus. Als Constanze mit den Kindern im Frühjahr 1794 in Prag weilte, sollte der neunjährige Carl Thomas als Opferknabe in der Oper »Axur« (einer italienischen Fassung von Antonio Salieris »Tarare«) auftreten. Es kam dann allerdings nicht dazu; Constanze lancierte daraufhin eine Nachricht in der »Prager Neuen Zeitung«, in der das Publikum lesen konnte: »Der Knabe Mozart, der Sohn des unsterblichen Mannes, dessen himmlische Harmonien uns noch spät entzücken werden, wird auf Veranlassung Sr. Exzellenz des Herrn Baron van Swieten, seines edlen Wohltäters, im Vertrauen auf den Geist der böhm. Nation nach Prag zur Bildung und Erziehung gegeben.« So kam Carl Thomas in die Obhut des alten Bekannten der Familie Mozart und späteren Mozart-Biographen Franz Xaver Niemetschek, der rückblickend berichtete, daß »Karl mehr als 3 Jahre in meinem Zimmer schlief und unter meiner Aufsicht stand«. Während Constanzes Reise nahm die Familie Niemetschek unentgeltlich auch den jüngeren Sohn für ein halbes Jahr auf. Carl Thomas wurde kein Wunderkind; vielleicht hat es mit Einsicht dieser Tatsache zu tun, daß Constanze ihn noch vor Abschluß des Gymnasiums 1798 in ein Handelshaus nach Livorno in die Lehre schickte. Sein Bruder trat im Alter von sechs Jahren erstmals in Prag mit dem Vogelfängerlied im Rahmen einer Akademie vor das Publikum, um »einen kleinen Beweis seines ehrfurchtsvollen Dankes zu geben und zu zeigen, daß er Eifer zu fühlen anfängt dem großen Beispiele seines Vaters nachzustreben«. Wenn sich auch der von Constanze vermutlich gehegte Traum, mit ihren Kindern wie der selige Leopold Mozart umjubelt durch Europa zu reisen, nicht erfüllte, blieb für Wolfgang Amadeus den Jüngeren immerhin die Hoffnung auf eine Musikerkarriere bestehen.

Constanze hat es sicherlich schwer gehabt; nicht alle Verwandten und Bekannten waren ihr wohlgesonnen. Eine gravierende Verunsicherung brachte für sie das immer schon schlechte Verhältnis zwischen den Familien Weber und Mozart, das eben mit zum Erbe ihres Gatten gehörte. Schwester Nannerl fühlte sich als letzte Angehörige der eigentlichen Familie Mozart und suchte das Andenken ihres Bruders in ihrem Sinne zu verwirklichen. Sie vertrat sozusagen das, was mit Leben und Werk Mozarts vor seiner Übersiedlung nach Wien 1781 zusammenhing. Zum Teil gab sie unverfänglich sachliche Auskünfte; so wandte sich etwa der Verlag Breitkopf & Härtel ab 1799 mit einschlägigen Fragen an sie. Ihre Informantenrolle konnte aber leicht abgleiten ins Verfolgen polemischer Absichten. Warum der erste Verfasser eines Nekrologs über Mozart, Friedrich Schlichtegroll, sich über einen Mittelsmann an Nannerl und nicht an Constanze – die ihm diesen Fauxpas nicht verzieh – wandte, wissen wir nicht – vielleicht ist er ahnungslos in den Zwist der zwei Frauen hineingeraten. Nannerl reagierte jedenfalls intensiv und ließ Schlichtegroll viel Material zukommen, das sie durch die

Erinnerungen des Salzburger Musikers und alten Freundes der Familie Mozart, Andreas Schachtner, ergänzte. Ihr sachlicher Bericht beschränkt sich auf die Salzburger Zeit Mozarts. Was Nannerl anschließt, besteht aus Eigenlob und einer kurzen, aber wirkungsvollen Polemik. Diese richtet sich unterschwellig gegen ihren Bruder, der nie zum »Mann« geworden sei, und trifft voll Constanze: ». . . er konnte das Geld nicht regieren. heyrathete ein für ihn nicht passendes Mädchen gegen den Willen seines Vatters, und daher die grosse häusliche Unordnung bay und nach seinem Tod.« Hier spricht eine Gekränkte, die ihrem Bruder, zunächst auf der Ebene der Kunst, nicht mehr zu folgen vermochte und ihn dann auch menschlich mehr und mehr verlor; nach dem Tod des Vaters bestand kaum mehr ein brieflicher Kontakt zwischen den Geschwistern. Wir wissen nicht, wieweit Nannerl bei ihrer Charakterisierung negativ übertrieb; die Folgen für das entstehende Mozart-Bild sind jedenfalls offenkundig. Schlichtegroll strich in seiner Schrift zwar die kompromittierenden Aussagen über Constanze; doch trotz der freundlichen Worte, die er einfügte, spürte diese, aus welcher Quelle so manches in dem Nekrolog stammte, und bekämpfte die 1793 in Druck erschienene Schrift nach Kräften. Von einem 1794 in Graz erschienenen Nachdruck kaufte sie alle 600 Exemplare auf – was die Verbreitung jedoch auch nicht verhinderte.

Bedenklicher als diese offenbar unvermeidlichen Querelen stimmen jene Reserven gegenüber Constanze, die von an sich ihr gewogenen Personen kamen. Der schon erwähnte Mozart-Schüler Anton Eberl zum Beispiel hatte sich als Komponist und Pianist nicht nur für das Andenken seines Lehrers, sondern auch für Constanze eingesetzt und sie sogar nach Norddeutschland begleitet. Er brach die Reise vorzeitig ab – heiratete kurz darauf in Wien und ging mit seiner Frau für einige Jahre nach St. Petersburg. Gewisse Schlüsse liegen allzu nahe, daher vermeiden wir es lieber, ein neues Gerücht über Constanzes Liebesleben in die Welt zu setzen. Eine Verstimmung scheint von da an jedenfalls bestanden zu haben. Eberl wehrte sich dagegen, daß Werke von ihm unter Mozarts Namen gedruckt wurden, und ließ 1798 Warnungen unter dem Titel »Suum cuique« erscheinen. Sie sind ohne direkte Vorwürfe, aber in einer redaktionellen Notiz zu einer solchen Warnung im Leipziger »Allgemeinen litterarischen

Anzeiger« vom 28. August 1798 fallen, wohl kaum gegen den Willen Eberls, sehr böse Worte: Da ist von »Mozart's Wittwe« die Rede, die »so wenig Achtung für die Asche ihres Mannes besitzt, daß sie nicht allein zu allen solchen widerrechtlichen Handlungen die Hand willig darbietet, sondern auch selbst in Leipzig einem berühmten Komponisten ähnliche Anträge zu machen sich nicht schämte«. Und auch der gutmütige Niemetschek meinte über das Informationsmaterial, das Constanze ihm für seine Mozart-Biographie übergab: »ich konnte nicht alles brauchen, theils wegen der noch lebenden Personen, theils weil ich nicht alles glaube, was Mad. Mozart sagt oder zeigt.«

Insgesamt ist der Anteil der individuellen Aktivitäten aus Mozarts Verwandten- und Freundeskreis am steigenden Ruhm Mozarts, so weit bekannt, nicht allzu hoch zu veranschlagen. Denn von dieser Seite gingen eher Bestärkungen des Vorhandenen als neue Antriebe aus. Wenden wir uns daher der »anonymen« Seite der frühen Mozart-Rezeption zu. Daß sie in ihren Motiven noch schwerer zu durchschauen ist, liegt auf der Hand. Daher seien zunächst greifbare Fakten angesprochen und erst danach die Frage nach dem ideengeschichtlichen Wandel gestellt.

Ein Wandel, und zwar jener der äußeren Bedingungen einer Komponistenkarriere, ist vorweg zu erwähnen. Für Mozarts Selbstverständnis galt noch eine hervorragende Stellung bei Hofe oder Kirche – trotz all seiner negativen Erfahrungen und seiner Ausbruchsversuche – als beste Voraussetzung für den Ruhm eines Künstlers. Ansehen, Mäzenatentum und Schutz des Dienstherrn förderten die Verbreitung der Werke durch entsprechend qualitätvolle Aufführungen, Drucklegung etc. und lösten – was ebenso wichtig war – beim Publikum von vornherein positive Erwartung aus. Diese alte feudale Struktur war zu Mozarts Lebzeiten in Österreich durchaus noch wirksam. Gleichzeitig aber trat im europäischen Musikleben eine Gegenkraft hervor, der die Zukunft gehören sollte: der Markt. Ein freies Unternehmertum gewann die sozusagen inoffizielle Macht über die Verbreitung und das Ansehen musikalischer Werke, doch war der Unternehmer wiederum dem Wechselspiel von Angebot und Nachfrage ausgeliefert. Der Komponist konnte sich einerseits aus feudalen Zwängen lösen und sich mit seinem Werk an ein anonymes Publikum wenden, andererseits wurde er vom Geschmack oder vielleicht bloß von der Laune des großen Anonymus abhängig. Diesen Wandel dokumentiert ein Ausspruch Joseph Haydns, den dessen Vertrauter Griesinger an den Verleger Härtel übermittelte: »Haydn stellt es Ihnen frey, die Ausgabe zu dediciren wem Sie wollen, Er für seine Person widmet sie dem Publicum.« Stellte ein Komponist so gehobene Ansprüche wie Mozart, so wendete er sich traditionsgemäß an eine vielseitig gebildete Aristokratie oder setzte, bewußt oder unbewußt, seine Hoffnungen auf den kulturellen Aufstieg des Bürgertums. Offensichtlich nützte Mozart die Chancen des entstehenden Marktes nicht gezielt aus. Sein Vater hatte die Situation besser erfaßt, als er ihn mahnte: »vergiß also das so genannte populare nicht, das auch die langen Ohren kitzelt!« Nachträglich gesehen, hat Mozart mit seinem unpragmatischen Weg recht behalten; seine Musik hatte sich schließlich durchgesetzt, als so mancher populare Musiker der 80er Jahre schon wieder vergessen war.

Das rasche Wachsen des Musikalien- wie auch des Instrumentenmarktes förderte darüber hinaus das Bewußtwerden einer übergeordneten Idee: der der Öffentlichkeit. Am sinnfälligsten erlebten die Zeitgenossen die neue Möglichkeit, sich bloß durch ein Eintrittsgeld den Zugang zu einer Öffentlichkeit ohne ständische Schranken zu verschaffen, in der Institution des Konzerts. Die Rücksichtnahme auf ein breiteres Publikum war auch hier gefordert. Soweit er es mit unmittelbarer Anschauung verbinden konnte, besaß Mozart von Kindheit auf ein feines Gespür für sein musikalisch anzusprechendes Gegenüber. In den Klavierkonzerten etwa unterschied er, je nachdem, ob das Werk für eine öffentliche oder eine private Aufführung bestimmt war, zwischen einfacherem, und vor allem in der Kontrapunktik anspruchsvollerem Satz. Für ein Lavieren mit der Anonymität fehlte ihm aber das Organ. Freilich gab ihm das zu seinen Lebzeiten noch in den Anfängen stehende Wiener Konzertleben wenig Anreiz, ein solches zu entwickeln.

Die wachsende Breitenwirksamkeit der Kunstmusik hinterließ vor allem auf dem Gebiet des Musikalienmarktes greifbare Spuren. Ohne die Aussagekraft von Zahlen bei der Wertung von Kunst überschätzen zu wollen, wäre es doch hilfreich, Statistiken über die Verbreitung von Musikalien, nach einzelnen Komponisten, Ländern und Gattungen geordnet, zum Vergleich vorliegen zu haben. Immerhin erlaubt es unser Wissensstand, gewisse Tendenzen anzugeben. Im letzten Drittel des 18. Jahrhunderts konkurrierten Druck und handschriftliches Kopieren von Musikalien. Die traditionell wichtigsten Druckorte waren Paris, London und Amsterdam. Um etwa 1770 dominierte in Frankreich, England und in den Niederlanden der Druck von Noten, in den übrigen Ländern, besonders in Italien, Deutschland und Österreich, das Kopieren. Ab etwa 1780 breitete sich der Notendruck immer mehr aus, so auch in Wien. Zur Drehscheibe des deutschen Musikalienhandels wurde Leipzig durch die Messe, durch große Musik-Kopier-Betriebe (J. G. J. Breitkopf und Chr. G. Thomas) und in zunehmendem Maße durch den allbekannten Verlag Breitkopf & Härtel. Kirchenmusik und Opern waren eher handschriftlich, Instrumentalmusik und Lieder dagegen mehr durch Druck verbreitet (Auflagenhöhe z. B. bei André 200 Stück). Diese Praxis spiegelt freilich auch eine unterschiedliche Einschätzung der Musik als traditionsverbunden oder neuartig wider.

Daß der heutigen Musikforschung die Druckproduktion eher überblickbar ist als die sich in einen Raum zwischen Handel und privater Liebhaberei hinein verästelnde Kopierpraxis, leuchtet von vornherein ein. Über den Notendruck sind aber doch Merkmale für die Verbreitung des Mozartschen Œeuvres zu gewinnen. Das weitgehende Fehlen gedruckter Kirchenmusik, Oratorien etc. überrascht nicht; selbst Joseph Haydns Messen sind trotz ihrer Berühmtheit erst nach 1800 herausgekommen. Der Druck freimaurerischer Werke (KV 471, 619 und 623) 1792 hat auch freimaurerische Gründe und solche der Pietät. Keineswegs aus dem Rahmen des Üblichen fällt die Tatsache, daß keine Opernpartitur Mozarts vor der Jahrhundertwende in Druck erschienen ist. Beachtlich ist dagegen die Verbreitung der Opern durch Klavierauszüge, die bei den Opern Haydns fast völlig fehlt. Dabei ergibt sich folgende chronologische Schichtung: 1785 »Entführung aus dem Serail«, 1791 »Don Giovanni«, 1792 »Die Zauberflöte« und »Der Schauspieldirektor«, 1794 (?) »Così fan tutte«, 1795 »La clemenza di Tito«, 1796 »Le nozze di Figaro«, 1797 »Idomeneo«. Einzelstücke aus »Il re pastore« und »La finta giardiniera« wurden 1795 gedruckt. Mehrfache Ausgaben erschienen vor 1795 nur von der »Zauberflöte«. Die Streuung dieser Zahlen besagt, daß sich vor 1795 das Interesse der Öffentlichkeit auf Mozarts Singspiele im weitesten Sinne konzentrierte. In Hinblick auf mehrfache Ausgaben von vollständigen Klavierauszügen oder von Einzelstücken vor etwa 1800 ergibt sich folgendes Bild: An der Spitze rangiert die »Zauberflöte«, die etwa dreimal so häufig berücksichtigt wurde wie die übrigen etwa folgendermaßen zu reihenden Opern »Così«, »Entführung«, »Don Giovanni«, »Idomeneo«, »Figaro«, »Titus« usw. Gedruckt wurden diese Ausgaben von neuen bzw. aufstrebenden deutschen (Breitkopf & Härtel, Simrock, Schott) und weniger von Wiener Verlagen (positiv ausgenommen die »Zauberflöte«). Nur weniges ist in Londoner Verlagen erschienen. Bei den übrigen Vokalwerken (Liedern, Chören etc.) sind die nationalen Grenzen ähnlich stark ausgeprägt; die Verbreitung nahm nach 1795 deutlich zu; für die Zeit davor fällt der Druck von Mozart-Liedern in Kinderliedersammlungen auf.

Der Druck Mozartscher Instrumentalmusik vor 1800 ist ungefähr folgendermaßen geschichtet: Von den Sinfonien lag etwa ein Viertel, meist in Stimmen, vor. Im Vergleich zu Joseph Haydn sind Anzahl und internationale Streuung viel geringer. Abgesehen von der in Paris komponierten Sinfonie KV 297 und der Opernsinfonia KV 318, die beide erstmals in Paris erschienen, nahmen sich nur deutsche und Wiener Verleger – in den 90er Jahren fast ausschließlich ein einziger, Johann André (dem vor allem die Publikation der späten Sinfonien zu danken ist) – des sinfonischen Werkes an. Zur Popularisierung trugen sicherlich die 1793 und 1794 erschienenen (1801 nachgedruckten) und von dem Prager Johann Wenzel verfertigten Klavierauszüge der »Linzer« (KV 425) und der großen Es-Dur-Sinfonie (KV 543) bei. Mehr internationales Verlegerinteresse (London, Paris) erreichten in den 90er Jahren die Divertimenti, Serenaden etc.; eine Sonderstellung nimmt dabei das besonders häufig gedruckte Divertimento KV 563 ein – die später so beliebte »Kleine Nachtmusik« (KV 525) blieb noch ungedruckt. Mozarts Tänze und Märsche erreichten viele Ausgaben (vor allem in Wien, daneben sogar außerhalb Deutschlands). Die Bläser- und Violinkonzerte wurden übergangen (ausgenommen das 1793 bei André erschienene, allerdings in der Echtheit zweifelhafte Violinkonzert KV 268). Viel Interesse fanden die Klavierkonzerte, von denen etwa zwei Drittel noch im 18. Jahrhundert gedruckt vorlagen; davon bevorzugt, auch international gesehen, die Konzerte KV 413, 414 und 451, während die übrigen fast nur von deutschen und Wiener Verlegern angeboten wurden. Die Kammermusik erschien insgesamt und vor allem in den 90er Jahren in viel reicherer Zahl und internationaler Streuung in Druck, als man es auf Grund der teilweise herben Kritik in den 80er Jahren erwarten konnte. Speziell die Streichquartette kamen sowohl in Einzel- wie in Sammelausgaben (auch in englischen und französischen Verlagen) heraus. Für die Etablierung des Kammermusikwerkes Mozarts spricht eine von dem Wiener Verlag Artaria 1790 bis 1808 unternommene »Collection complette des Quatuors, Quintetti, Trios et Duetti«. Während die Bläserkammermusik wenig beachtet wurde, ist die Druckproduktion an Klavierkammermusik sehr umfangreich, zuungunsten der großen Besetzungen (Klavierquartette und besonders -quintette) und mit dem Schwergewicht auf Klaviertrios und auf der wohl bevorzugten Mozartschen Kammermusikgattung der Klavier-Violin-Sonate (erste einschlägige Werke wurden bereits 1764 in London und Paris gedruckt). Ähnlich günstig ist die Situation bei den reinen Klavierwerken.

Ein uns nahezu unbekannt gewordenes, aber bezeichnendes Phänomen der Zeit waren die seit den 80er Jahren zunehmend beliebten periodischen Musikpublikationen. Sie gaben dem Käufer die Möglichkeit, das in Konzert oder Oper Gehörte nachzuerleben, ohne ihn als Musikliebhaber technisch zu überfordern. Vielmehr kamen Auswahl und Bearbeitung der Stücke der Neigung zum Populären entgegen. Mozarts Musik wurde nach seinem Tod von diesen Periodica in rasch steigendem Ausmaß aufgenommen; bevorzugt wurden Klavier- und Liedkompositionen und die Klavierbearbeitung von Opern. Ihre Bedeutung für die sich ausbreitende bürgerliche Hausmusikpflege erhellt das Beispiel der zufällig erhalten gebliebenen 25 handschriftlichen Musikhefte eines Saarbrückener Bürgers aus der Zeit von 1789 bis 1800: Sie enthalten vor allem leicht spielbare Klavier- und empfindsame Liedkompositionen, u. a. auch von Mozart, die aus Musikperiodica abgeschrieben worden sind. Eine ähnliche Funktion wie diese Musikperiodica hatten die zahlreichen »Sammlungen« von Klavierstücken, Liedern, Operngesängen etc. Ihr

Konnex mit dem Konzert- und Opernleben kommt zum Teil sogar in den Titeln zum Tragen; so veröffentlichte der Berliner Verleger Johann Karl Friedrich Rellstab 1788 eine »Neue Auswahl von Gesängen aus Opern die auf der Nationalbühne zu Berlin verzüglich gefallen haben fürs Clavier und Gesang eingerichtet...«. Die im späten 18. Jahrhundert einsetzende Variationenmode fand hier ebenfalls früh ihren Niederschlag. Rellstab brachte 1792 sogar eine freilich unvollständige »Collection complette des Variations de Mozart« heraus.

Der Mozart-Popularisierung diente auch die in den 90er Jahren einsetzende, sehr »zukunftsträchtige« Flut von Bearbeitungen. Der seriöse Mozart-Bewunderer heutiger Zeit rümpft über derlei Trivialisierungen die Nase. Er kann aber nicht leugnen, daß der Bildungswert einer selbstgespielten Bearbeitung mit dem des Besitzes einer Stereoanlage Schritt hält. Und geschäftlich betrachtet, wurde einfach eine steigende Nachfrage durch ein entsprechendes Angebot beantwortet. Von der Qualität einmal abgesehen, war das Angebot sehr vielfältig. Bearbeitungen wurden nicht nur fürs Klavier, sondern für alle möglichen, damals gängigen Instrumente und Besetzungen eingerichtet, sei es für Violine, Flöte, Guitarre, allein, im Duo, in Kombination mit dem Klavier etc.; auch Bläserbearbeitungen für »Harmonie« (2 Oboen, 2 Klarinetten, 2 Fagotte und 2 Hörner) waren beliebt. Bevorzugtes Material gaben Einzelstücke aus Mozarts Opern und seine Tänze ab. Ihren Ausgang nahm diese Bearbeitungswelle von Wien und dem deutschen Raum.

Aus diesen trockenen Angaben zur Druckproduktion lassen sich zumindest einige aufschlußreiche Hinweise gewinnen. In der kulturgeographischen Streuung fällt folgendes auf: Die Kammermusik ist international, das heißt an den traditionellen großen Druckorten, wie national einigermaßen ausgewogen und insgesamt stärker vertreten, als es bestimmte alte Vorurteile in bezug auf ihre Schwierigkeit erwarten lassen; die Vokalwerke Mozarts (auch die Opern!) bleiben vorderhand auf den deutschen Verlagsraum beschränkt; die Tänze haben ihren bevorzugten Druckort in Wien (Mozarts Hauptaufgabe als Hofkomponist lag ja auf diesem Gebiet). Die teilweise extrem unterschiedliche Gewichtung zwischen den einzelnen Gattungen der Instrumentalmusik läßt sich weder auf Unterschiede in der Qualität noch auf solche in den spieltechnischen Ansprüchen rückführen. Die Ursache für die große Verbreitung von Klavierwerken aller Art (Solowerke, Konzerte, kleinbesetzte Klavierkammermusik) liegt im Ansehen des Pianisten und Klavierkomponisten Mozart zu Lebzeiten. Einen Grund für das Ignorieren der Streicher- und Bläserkonzerte und für das geringe Interesse an der Sinfonik kann ich nicht erkennen; vielleicht fehlte bloß ein markanter Anlaß, der die Aufmerksamkeit auf diese Werkgruppen gelenkt hätte. Bemüht, dies zu ändern, war vor anderen der Offenbacher Verleger Johann André. Sein Einsatz entsprang keiner selbstlosen Mozart-Schwärmerei, sondern der richtigen Einsicht eines aufstrebenden Geschäftsmannes, sich neuen, noch unbesetzten Bereichen zuwenden zu müssen; dies freilich tat André in der Überzeugung von der Qualität der Mozartschen Musik.

Was einem derartigen Versuch, die Werkverbreitung zu profilieren, fehlt, sind die Vergleichsmaßstäbe. Mozarts Stellenwert läßt sich schwer sachlich abschätzen. Für Pariser Verleger zum Beispiel zählte er sicher nicht zu den Favoriten; seine Werke hatten da gegen etablierte Namen wie Haydn, Pleyel, Carl Stamitz, Vanhal oder Rosetti anzutreten. Gut überblickbar ist in Deutschland die Verlagsproduktion Andrés. Bis 1800 sind Mozart 118 Verlagsnummern gewidmet; damit erreicht er die zweite Position, der überlegene Sieger aber heißt Ignaz Pleyel mit 226 Nummern. Bemerkenswert bei diesem Zahlenspiel ist als Ergebnis die eindeutige Dominanz des Wiener Kreises – dem ja auch Pleyel angehörte – in der Reihe der nachfolgenden Komponisten: Joseph Haydn (82), Hoffmeister (70), Gyrowetz (65), Wranitzky (54). Johann André selbst (50) schneidet viel besser ab als etwa Muzio Clementi (25) oder François Devienne (25). Zu deutschem Patriotismus kommt noch ein anderer Antrieb: Der Verleger förderte offensichtlich auch den Komponisten André. Komponisten in solcher Doppelfunktion blieben allgemein auffällig erfolgreich: Hoffmeister zählte zu ihnen ebenso wie Pleyel (allerdings erst ab 1797). Ein prinzipiell ähnliches Bild wie bei André gibt die Produktion des Mainzer Verlegers Bernhard Schott. Aus den Verlagsverzeichnissen von 1779 bis 1797 leitet sich folgende Reihung ab: Pleyel (41), Sterkel (33), Mozart (20), Vogler (20), Hoffmeister (10), Dalberg (8), Dittersdorf (8), Joseph Haydn (8), Clementi (7), Grétry (7). Auch hier dominieren

Komponisten aus dem Wiener Umkreis; die Häufigkeit der Herausgabe von Werken Johann Franz Xaver Sterkels hat lokale Gründe.

Ein anderes, für uns aufschlußreiches Dokument ist ein Verkaufskatalog des Breslauer Händlers Franz Ernst Christoph Leuckart aus den Jahren 1787 bis 1792; es gewährt Einblick in eine eher durchschnittliche Situation. Breslau zählte nicht zu den führenden, aber zu den achtenswerten Musikzentren; das Publikumsinteresse entsprach vermutlich diesem Niveau. Verkaufskataloge haben außerdem den Vorteil, daß sie mehr von den Vorlieben des Publikums als denen der Verleger aussagen. Die musikalischen Favoriten in Breslau – ohne erkennbaren Lokalpatriotismus – waren Pleyel (mit 481 Nennungen in sechs Jahren) und Hoffmeister (368); sozusagen im geschlagenen Feld liegen Joseph Haydn (134) und Mozart (83), aber noch deutlich besser als Dittersdorf (25) oder Vanhal (21). Beim Vergleich fällt auf, daß Mozart 1787 und dann wieder 1792 Haydn übertrifft. Für 1792 sind bereits sechs der achtzehn Nummern aus der »Zauberflöte« angeboten, obwohl diese erst am 25. Februar 1795 in Breslau aufgeführt wurde. Von den 83 Mozart-Nummern haben 24 mit Opern zu tun; der Rest verteilt sich bevorzugt auf Klavierwerke aller Art, dann Kammermusik (besonders Klavier-Violin-Sonaten und Klaviertrios) und letztlich Orchestermusik (nur Tänze und Klavierkonzerte); die Sinfonien fehlen völlig. Das Bild anhand des Leuckartschen Verkaufskatalogs entspricht also gut dem aus der gesamten Druckproduktion gewonnenen. Freilich darf, dies sei nochmals betont, die Exaktheit der Zahlen nicht über ihre Zufälligkeit und ihren fragmentarischen Charakter hinwegtäuschen. Immerhin dokumentieren sie aus heutiger Sicht überraschende Tatsachen: etwa, daß Pleyel ein beliebterer Instrumentalkomponist als Mozart war. Klavierschüler kennen den Namen vielleicht noch; in Konzertprogrammen taucht er heute kaum mehr auf. Für den Musikliebhaber Arthur Schopenhauer gehörte in Erinnerung an diese Berühmtheit ein Flötenkonzert von Pleyel noch um die Mitte des 19. Jahrhunderts zum ständigen Repertoire neben Werken von Mozart und Rossini.

Einen guten Einblick in die Werkverbreitung gewährt auch das »Verzeichniß alter und neuer, sowohl geschriebener als gestochener Musikalien«, das der Wiener Musikalienhändler und

Verleger Johann Traeg 1799 herausbrachte. Traeg ordnete seinen Katalog nach altem Brauch (aber in bezeichnender Umkehrung der Reihenfolge!) nach »Cammer-Music«, »Theatral-Music« und »Kirchen-Music«. Anhand etlicher als Beispiele herausgegriffener Gattungen sei der Stellenwert Mozarts in Zahlen umrissen (da die im Traeg-Katalog enthaltenen Inkonsequenzen im folgenden sachlich nicht aufgelöst werden, geben die angeführten Zahlen nur Näherungswerte): Bei den angebotenen Ausgaben von Sinfonien führt Joseph Haydn (mit 111 Nummern) vor Dittersdorf (34), Pleyel (30), Mozart (19), Gyrowetz (18), Vanhal (13), Wranitzky (10); bei den Klavierkonzerten steht Mozart (13) an erster Stelle, ihm folgen C. Ph. E. Bach (10), E. W. Wolf (8), Haydn (7) und Vanhal; bei den Violinkonzerten nimmt Mozart (1) immer noch einen geringen Platz ein, an der Spitze stehen Dittersdorf (12), Anton Stamitz (10), Vanhal (7), Viotti (5); bei den Streichquartetten rangieren Händel-Arrangements (23) überraschenderweise vor Werken von Haydn (13), Mozart (12), Pleyel (12), Wranitzky (10) und Cambini (9); bei den Klaviersonaten lautet die Reihenfolge: Haydn (34), Mozart (25), C. Ph. E. Bach (25), Clementi (11), Kozeluch (9), Händel (5); bei den Klaviervariationen: Mozart (18), Gelinek (7), Philipp Carl Hoffmann (7), Kirmair (7), Beethoven (6) und Haydn (5); die beliebtesten Tanzkomponisten waren offensichtlich Bock und Gyrowetz. Im Bereich der »Theatral-Music« dominieren bei »Balletten und Pantomimen« Starzer und Joseph Weigl, bei »Singspielen und Melodramen« sind neben Mozart auch Benda, Grétry, Haydn, Hiller und Winter etwa gleich stark vertreten. Bei deutschsprachigen, für Gesang und Klavier eingerichteten Opernausschnitten führt Mozart (13) vor Wenzel Müller (9), Hiller (4), Hoffmeister (4), Weigl (4), Grétry (3), Dittersdorf (2), Salieri (2), Schenk (2) und Wranitzky (2); bei den fremdsprachigen Opernausschnitten steht ebenfalls Mozart (6) vor Gotifredo Jacopo Ferrari (4), Cimarosa (3), Martín (3), Salieri (3) und Weigl (3). Bei den »Oden und Liedern für Klavier und Gesang« stehen Zumsteeg (9) und Bornhardt (8) vor Mozart (7), Haydn (6), Müller (6), Reichardt (6), Schulz (6), Sterkel (6) und Neefe (5). Im Rahmen der Kirchenmusik ist Mozart unterschiedlich stark vertreten: Bei den Messen rangiert er (9) sogar vor Joseph Haydn (8), doch hinter dem heute völlig vergessenen Cajetan Freundthaler (10); unter der Rubrik »Oratorien, Graduale, Offertorien in Partitur oder ausgeschrieben« steht Mozart (2) nicht unter den häufig gekauften Autoren; hier führt Händel (17) vor Freundthaler (11), Monn (vermutlich Matthias Georg) (6), Joseph (5) und Michael Haydn (4). Insgesamt ist bemerkenswert, wie sehr sich gewisse Einseitigkeiten in der Mozart-Rezeption gegen das Jahrhundertende schon zu einer allgemeinen Wertschätzung seines Œuvres hin geglättet haben. Freilich gibt das Traeg-Verzeichnis nur die Wiener Verhältnisse wieder.

Diese Hinweise lassen sich nun mit den eher spärlichen Informationen über Mozart-Aufführungen konfrontieren. Der heutige Usus der Selbstrechtfertigung von Musikinstitutionen durch Tätigkeitsberichte, Aufführungsstatistiken und ähnliches war noch unbekannt, so daß eine nützliche Informationsquelle für den Historiker entfällt. Korrespondentenberichte in den eben erst Bedeutung erlangenden Musikzeitschriften und schöngeistigen Journalen geben sporadische Auskunft über herausragende Ereignisse. Am ungünstigsten ist die Situation bei der Kirchenmusik; hier wäre nur über die Streuung des handschriftlichen Notenmaterials und die gelegentlich darin festgehaltenen Aufführungsdaten ein Einblick in die Beliebtheit Mozartscher Werke zu gewinnen. Am günstigsten ist sie bei den Opern; hinter dieser Gattung standen in der Regel alte höfische Institutionen oder neue Unternehmungen, die sich zumindest den Anschein des Repräsentativen gaben – und repräsentative Ereignisse erregen stets jene Aufmerksamkeit, die sich wiederum in Publizität niederschlägt. Am verwirrendsten ist die Situation auf jenem Gebiet, das uns heutzutage als ein Gegenüber von privatem Laienmusizieren und dem Konzertbetrieb – mit festen Plänen, Abonnements und professionellem Künstlertum – klar umrissen erscheint. Die alte musica da camera, als geistvolle Unterhaltung bei Hofe verstanden, hat durch den Aufstieg des Bürgertums und all die Marktphänomene, die ihn begleiteten, eine Aufsplitterung erfahren, deren Realität mit der Alternative zwischen privatem und öffentlichem Musizieren nicht hinlänglich zu erfassen ist. Auch hier gilt die simple Regel, daß ungewöhnliche Ereignisse – sei der Anlaß im offiziellen und repräsentativen Charakter oder in der musikalischen Leistung gelegen – eher in die Überlieferung eingingen als die »Normalfälle«. Die eigentliche Breitenwirkung des Musizierens fand in einer privaten bis halböffentlichen Sphäre der Geselligkeit statt, die sich vor allem in der gewaltig zunehmenden Notenproduktion, aber kaum in Aufführungsberichten oder gar Statistiken niederschlug.

Noch zu Lebzeiten Mozarts hat sich ein Konzertbetrieb in Wien zu etablieren begonnen. Es gab schon Abonnementkonzerte, aber größer war die Zahl an Gartenkonzerten, an musikalischen Darbietungen in Casinos und Restaurants etc., mit einem Wort, die Institution des Konzerts lebte von günstigen Gelegenheiten, Zufällen und der Initiative einzelner. Einen speziell für Konzertzwecke errichteten Bau gab es in Wien erst 1831 (in Hamburg bereits 1768, in Leipzig 1781). Die Orchester bestanden meist aus Dilettanten und von irgendwoher ausgeliehenen Berufsmusikern. Für eine mehr oder minder gehobene Gesellschaft wurden unterschiedlich exklusive Konzerte in Adelspalästen und Bürgerhäusern veranstaltet. Diese Situation war keine spezifisch Wienerische, sondern eine allgemeine, wenngleich die dahingehende Entwicklung in Städten Mittel- und Norddeutschlands und vor allem in den europäischen Kulturmetropolen London und Paris um Jahrzehnte früher einsetzte. Dies gilt auch für die diversen Formen »musikalischer Gesellschaften«, die als Zentren einer bürgerlichen Musikpflege immer wichtiger wurden, schienen sie doch am ehesten geeignet, einem »neuen Geist« in der Musik und im Musizieren zu Halt und Kontinuität zu verhelfen.

Der Stellenwert Mozarts in der Frühgeschichte des europäischen Konzertwesens läßt sich eher im einzelnen als global bestimmen. In den alten Musikzentren London und Paris dominierten andere Komponisten. In London hat bei der Ablösung der Johann-Christian-Bach-Generation durch modernere deutsche und italienische Komponisten Joseph Haydn eine viel bedeutsamere Rolle gespielt. Wenn auch 1788 zwei Sinfonien, ein Klavierquartett und die sechs Haydn gewidmeten Streichquartette Mozarts in Programmen auftauchen, so blieben doch bis zur Jahrhundertwende seine Werke unpopulär. Einzelne Sinfonien wurden von Konzertunternehmern (Bach/Abel, Salomon u. a.) in gewisser Regelmäßigkeit berücksichtigt; Johann Wilhelm Häßler und Johann Nepomuk Hummel spielten 1792 zwei Klavierkonzerte; in den übrigen buntgestreuten Gelegenheitsaufführungen kommen Gesangsnummern selten, Streichquartette kaum vor.

In Paris hatten die revolutionären Ereignisse seit 1789 für das Musik- und Theaterleben teils Einschränkungen, teils neue Impulse gebracht. Die Orchesterkultur jedenfalls stand – wenn wir Reiseberichten wie dem des Berliner Musikers Johann Friedrich Reichardt glauben – in Europa an der Spitze. Die schon lange währende Polarität der Vorliebe für italienische und jener für deutsche Instrumentalmusik wurde zugunsten der deutschen Musik entschieden. 1801 resümierte ein Korrespondent: »Paris ... strebt in seinen Konzerten nach nichts eifriger, als nach deutscher Musik.« Vor allem waren es die Sinfonien Joseph Haydns, von denen die Faszination einer neuen Qualität ausging – und in deren Schatten Mozarts Musik stand, die vor der Jahrhundertwende nur sporadisch aufgeführt wurde. Selbst ein Mozart-Verehrer von Rang wie Luigi Cherubini erreichte wenig, da er bei Napoleon in Ungnade stand.

Die Vorreiter-Funktion, die Haydns Sinfonik in London und Paris innehatte, wurde zum weitreichenden Vorbild. Wenn die Leipziger »Allgemeine musikalische Zeitung« 1802 schreibt, Haydns Musik werde »von Lissabon bis Petersburg und Mosko, und hinter dem Ozean wie am Eismeere bewundert«, so verweist diese Hochschätzung Mozart wohl zunächst ins zweite Glied, kam seinem Werk aber letztlich doch zugute. Tatsächlich fällt noch vor die Jahrhundertwende die erste Aufführung einer Mozart-Sinfonie in Amerika, 1797 in Charleston in South Carolina (bereits 1786 spielte bei einem Konzert in Philadelphia der Pianist Alexander Reinagle, der österreichischer Abstammung war, eine Klaviersonate Mozarts).

Eine reiche Mozart-Pflege entstand früh in Schweden. Gefördert durch das Engagement von Persönlichkeiten wie Frederik Samuel Silverstolpe oder dem in Stockholm wirkenden deutschen Musiker Joseph Martin Krause (genannt der »schwedische Mozart«), war das Interesse für die Instrumentalmusik des Wiener Kreises groß. Ungewöhnlich an der Stockholmer Mozart-Rezeption ist die Dominanz der Sinfonien (ab 1789). Unter den 35 nachweisbaren Mozart-Aufführungen während der 90er Jahre sind 11 Sinfonien, 5 Klavierkonzerte etc., aber nur wenige Vokalwerke. Die letztgenannten wurden außerhalb des deutschen Sprachraums schon auf Grund der Sprachbarrieren zunächst weniger beachtet, zumal das eigentlich Neue in der Instrumentalmusik gesucht wurde.

Während Haydns internationaler Ruhm als Instrumentalkomponist der patriotisch gefärbten Verehrung seiner Person voranging, entwickelte sich Mozarts Renommee etwas anders. Anhand der Druckproduktion und des Musikalienmarktes zeigte sich bereits eine auch international recht gute Verbreitung seiner Instrumentalmusik, die aber sehr stark von »älteren« Gattungen wie dem Divertimento oder der Klavier-Violin-Sonate bestimmt wurde und gerade die als eigentlich modern empfundene Sinfonie eher aussparte. Der sich zugleich aber abzeichnende positive Wandel hat verschiedene Motive und ist keineswegs ein auf Mozarts Werk beschränktes Phänomen. Ein wichtiges Motiv war der deutsche Patriotismus, der sich gegen eine kulturelle Überfremdung wandte und sich dabei überraschend gut mit aufklärerischen Ideen, die ja auch aus dem Ausland übernommen worden sind, vertrug. Der Gegner, gegen den der Patriotismus anzukämpfen hatte, war auf dem Feld der Musik primär die seit dem späten 16. Jahrhundert dominierende italienische Musikkultur. Patriotisch gesinnte einflußreiche Musiker, wie etwa der in Leipzig, Berlin und Breslau tätige Johann Adam Hiller (oder der spätere Thomaskantor August Eberhard Müller), waren seit den 80er Jahren mit Erfolg bemüht, in den Programmen den Anteil der italienischen Musik zugunsten der deutschen zurückzudrängen. Je nach Stärke der italienischen Tradition ging dies an manchen Orten leichter, an anderen schwerer. Am beherrschendsten waren die Italiener in Wien selbst. Daher waren die Voraussetzungen für einen Wandel der Rezeption in Nord- und Mitteldeutschland günstiger als dort, wo sich ein solcher in der musikalischen Komposition vollzog, im italiennahen Süden.

Doch mag dies zu sehr nach einer einseitigen Bevorzugung der Rolle der Musik aus Wien in dem doch komplizierten Entwicklungsprozeß klingen. Sicher ist, daß sich etwa seit der Mitte des 18. Jahrhunderts ein Gegensatz zwischen dem Norden und dem Süden herausgebildet hatte. Unterschiede in musikalischen Geschmacksfragen haben immer sowohl mit dem Stil der Musik als auch mit der allgemeinen Kultur und Politik zu tun. Ersteres ist beim gegenständlichen historischen Beispiel zunächst schwer greifbar, letzteres kaum zu übersehen. Durch den Siebenjährigen Krieg (1756–1763) hatte sich der politische Konflikt zwischen Österreich und Preußen zu einem Kulturkampf vertieft, der für das Selbstbewußtsein des militärisch unterlegenen Österreich bedeutsam war und selbst die Musik mit einbezog. In einem 1766 erschienenen Aufsatz – mit unüberhörbaren Spitzen gegen »Leute in Deutschland« – ist erstmals »Von dem wienerischen Geschmack in der Musik« die Rede; unter den dort aufgezählten Wiener Komponisten wird bereits Joseph Haydn als »Liebling unserer Nation« hervorgehoben, der damals zehnjährige Mozart freilich noch nicht erwähnt. Eben jener Haydn klagt in einer autobiographischen Skizze 1776: »In dem camer Styl hab ich ausser denen Berlinern fast allen Nationen zu gefallen das glück gehabt.« Wenn auch für den Aufstieg des deutschen Konzertlebens weniger Berlin als Leipzig vorbildlich war, so standen immerhin die Vorzeichen für den Erfolg der Wiener Musiker nicht günstig. Daß sie ihn dennoch erreichten, hat sicherlich keine politischen Hintergründe, sondern musikalische Ursachen. Mit hereingespielt mag auch ein Generationswechsel haben: Nach den Bach-Söhnen und den Mannheimern, nach Musikern wie Hasse, Graun oder auch Hiller verblieb doch eine Lücke, in die ein Wiener Komponistenkreis vordringen konnte. Bezeichnend und beispielgebend waren die Vorgänge in Leipzig: Beim ersten Konzert im neuen Gewandhaus 1781 wurden eine Sinfonie von Johann Christian Bach und Werke von heute vergessenen Zeitgenossen aufgeführt. Unter der Leitung von Johann Gottfried Schicht wurden die Programme (bei jährlich 24 Konzerten!) etwa ab der Mitte der 80er Jahre auf den Wiener Kreis hin umorientiert, wobei Haydns Sinfonien dominierten; ab 1790 wurden auch Sinfonien Mozarts zunächst gelegentlich und dann in steigender Zahl aufgeführt. Häufig spielte man sie ab 1793 bei den Leipziger »Dilettanten-Konzerten«. Selbst in Berlin wandelte sich, sogar von höchster Stelle her initiiert, der Geschmack. Von König Friedrich Wilhelm II. hoher Wertschätzung für die Musik Mozarts war schon die Rede, sein erklärter musikalischer Liebling war allerdings ab 1787 Carl Ditters von Dittersdorf, der ja auch dem Wiener Umkreis angehörte. Für die Breitenwirkung dieser Tendenz spricht die bereits besprochene Ausrichtung der Verlagsproduktionen.

Vermutlich hat der Erfolg der Musik aus Wien primär mit dem Aufstieg des Konzertwesens zu tun. Diese als zukunftweisend empfundene Institution forderte die Suche auch nach einem neuen Repertoire heraus, das die Wiener offenbar besser als andere zu bieten hatten. Die Bedeutung Haydns als Focus des Interesses ist dabei gar nicht hoch genug einzuschätzen. Da dieses Konzertwesen wie ganz allgemein das bürgerliche Selbstbewußtsein sich in Mittel- und Norddeutschland früher etablierte als in Wien, konnte das gegenüber den politischen Verhältnissen paradoxe Phänomen auftreten, daß das Moderne der Musik aus Wien in Preußen und Sachsen früher erkannt und mit Emphase aufgegriffen wurde als in Wien selbst.

Die Modernität wurde bevorzugt mit zwei Gattungen assoziiert: mit der Sinfonie und dem Oratorium. In beiden trat Mozart keineswegs als führende Größe auf. Diese waren im einen Fall Haydn, im anderen Händel. Den Rückgriff auf Händel dürfte die Vorbildrolle Londons mit ausgelöst haben. Im Konzertleben der englischen Hauptstadt spiegelten die monumentalen Händel-Feste die wirtschaftliche Macht und den kulturellen Glanz des Landes wider, Phänomene, auf die die Deutschen nur neidvoll blicken konnten. Haydn zeigte sich von den dortigen Oratorienaufführungen tief beeindruckt; Abbé Vogler berichtet, in der Westminster Abbey das Zusammenwirken von 500 Sängern und 400 Instrumentalisten erlebt zu haben. Die Oratorien Händels sind zudem von völlig anderem Zuschnitt als die eher pietistisch angehauchten, empfindsamen eines Graun, C. Ph. E. Bach oder Reichardt. Da weder die geistigen noch die institutionellen Voraussetzungen vorhanden waren, konnte auf dem Gebiet des Oratoriums die Suche nach Neuem nur schrittweise zum Erfolg führen. Die erste »Messias«-Aufführung in Deutschland, Mannheim 1777, mündete in einem Skandal. Einen Umschwung markierte die denkwürdige Aufführung von 1786 im Berliner Dom unter Mitwirkung der Königlichen Kapelle, der dann 1787 und 1788 weitere in Leipzig und Dresden folgten. Mit ihnen hatte ihr Leiter, Johann Adam Hiller, einmal mehr eine zukunftweisende Initiative ergriffen; vor allem indem er nach englischer Gewohnheit die Chöre stark besetzte und so eine monumentale Wirkung erreichte. Hiller, der ähnlich wie Mozart Händels »Messias« bearbeitete und dem gängigen Klangbild annäherte, erhoffte sich von der Händel-Retrospektive eine Reform der Kantatenkomposition. Die Gründung der Berliner »Singakademie« Anfang der 90er Jahre unter Karl Fasch diente ebenfalls der niveauvollen Pflege großer Chormusik. Die Kontinuität von Händel-Aufführungen in Wien ist ungewiß, obgleich sie, durch van Swieten initiiert, mit den Mozartschen Bearbeitungen der Oratorien »Messias«, »Alexanderfest«, »Cäcilienode« und »Acis und Galathea« 1788 bis 1790 relativ früh einsetzte. Der exklusive Darbietungsrahmen im Palais Lobkowitz ist aber von den Hillerschen Monumentalaufführungen grundverschieden. Mozarts Bearbeitungen sind während der 90er Jahre einige Male wiederaufgeführt worden. Die dafür am geeignetsten erscheinenden Akademien der Tonkünstler-Sozietät brachten erst ab 1820 Händel-Oratorien, Chöre von ihm wohl schon 1792, gleichwohl insgesamt viele Oratorien, Kantaten u. ä.

In die Reihe einer barockes Erbe in neuem Licht aufgreifenden Oratorienpflege gehörte bereits Mozarts »Davidde penitente« (auf dem großartigen Fragment der c-Moll-Messe basierend und 1785 aufgeführt). Zu dem allgemeinen Charakter, den die Sozietäts-Akademien vertraten, paßt es auch, daß 1795 Mozarts »Titus« konzertant aufgeführt wurde. Im übrigen boten sie wohl viel an Musik von Haydn, Süßmayr, Salieri u. a., aber kaum etwas von Mozart. Jenes seiner Werke, das dem pathetischen Musikgeschmack am ehesten entsprach, war das »Requiem«. Diese Auffassungsweise bestätigt das Eintreten Hillers für das Werk. Hiller hatte es durch Constanze Mozart bei deren Leipziger Aufenthalt kennengelernt; begeistert überschrieb er seine Abschrift mit »Opus summum viri summi«; in einem Brief an Ernst Ludwig Gerber nannte er das »Requiem . . . das letzte, aber größte Werk Mozarts«. Von besonderer Bedeutsamkeit für den Geist des bürgerlichen Konzertlebens ist der Umstand, daß Hiller den Text des »Requiems« verdeutschte und damit das Werk bewußt aus dem religiösen Kultus herauslöste und zum Konzertstück mit ethischem Anspruch umfunktionierte. Von diesem Gesichtspunkt aus ist der Gedanke an eine Kontinuität bis hin zu Johannes Brahms' »Ein deutsches Requiem« durchaus berechtigt. Als ein in Deutschland bis dahin noch unbekanntes Werk führte Hiller das »Requiem« am 20. April 1796 im Leipziger Gewandhaus auf. Für einen Zusammenhang mit der Händel-Renaissance spricht auch, daß die überhaupt erste Aufführung, am 4. Jänner 1793 in Wien, van Swieten veranstaltet hatte. Schließlich wurden kaum zufällig in London als erste der großen Werke Mozarts erfolgreich das »Requiem« (20. Februar 1801) und, eher erfolglos, die Oper »Titus« (1806) aufgeführt.

Auf dem Gebiet des Musiktheaters ist das Gewicht entschieden anders, für Mozart viel günstiger, verteilt. Hier kommen die anerkannten Paradigmata nicht von Haydn oder Händel, sondern zunehmend von Mozart. Allerdings trifft dies zunächst nur für den deutschen Sprachraum zu; außerhalb desselben wurden Mozarts Opern nur sporadisch und selten mit Erfolg aufgeführt. (Erst 1818 sollte Thomas Busby in seiner »General History of Music« Mozart als Vollender der Oper neben Haydn als dem der Instrumentalmusik nennen.) 1798 brachte man in Kopenhagen »Così fan tutte« als im Aufwand billigste Oper heraus, in Paris 1793 »Le nozze di Figaro« mit dem Hintergedanken an Beaumarchais' Bekanntheit und, vermutlich aus ähnlichen Motiven wie in Kopenhagen, »Così fan tutte« 1797 in Triest – freilich ging diese frühe und auch erfolgreiche italienische Aufführung in einer damals österreichischen Stadt über die Bühne. Im politischen oder zumindest kulturellen Umkreis Österreichs standen weitere frühe Aufführungsorte wie Budapest, Preßburg, Warschau, Riga, Hermannstadt u. a. Relativ zahlreich waren die Produktionen in Amsterdam (»Entführung« 1791 deutsch, 1797 holländisch, »Don Giovanni« 1794, »Die Zauberflöte« 1794). Als Raritäten sind die Aufführungen des »Don Giovanni« 1797 in St. Petersburg und des »Figaro« 1787 in Monza (möglicherweise 1788 in Florenz) zu bezeichnen.

Es ist wohl kaum übertrieben, im spontanen Erfolg der »Zauberflöte« die wichtigste Antriebskraft im komplizierten Geflecht von Mozarts wachsendem posthumen Ruhm zu sehen. Das Sensationelle dieses Erfolgs scheint irgend etwas auszulösen. Im Zusammenhang mit der Geschichte des deutschen Singspiels könnte man von einem Erwartungsstau sprechen, der sich löste; so als ob die Horazsche Maxime des »delectare prodesse«, von der jahrzehntelang die Rede war, nun endlich ihren Gegenstand der Erfüllung gefunden habe. Dessenungeachtet artikulierten die Zeitgenossen ihr Interesse für das Neue der »Zauberflöte« recht unterschiedlich. Die Identifikation mit dieser Oper – oder sollte man es das Modische, das sich mit allem verträgt, nennen? – kommt selbst in so skurrilen Phänomenen einer manichäischen Überzeichnung von Gut und Böse zum Tragen, wie der jakobinischen Deutung 1792 (wonach die Königin der Nacht mit der »Regierung Ludwig des XVI.«, Pamina mit der »Freiheit als Tochter des Despotismus«, Tamino mit dem »Volk«, Sarastro mit der »Weisheit einer besseren Gesetzgebung« und die Priester mit der »Nationalversammlung« gleichgesetzt wurden) oder der freimaurerischen Deutung (mit der Parallele von Königin der Nacht und Kaiserin Maria Theresia – die den Freimaurer-Bund verfolgte –, Tamino und Joseph II., Pamina und dem österreichischen Volk, Sarastro und dem Großmeister Ignaz von Born) und in der nicht minder skurrilen Passauer Transposition ins Rittermilieu aus dem Jahre 1795 (bei der Tamino als »irrender Ritter ... in einem Flitterharnische mit einer abgesprengten Schwertklinge gegen eine Schlange kämpfend« vorgestellt wird).

In der Geschichte des Singspiels war Mozart bereits 1782 mit der »Entführung aus dem Serail« erfolgreich. Diese Geschichte ihrerseits ist nicht frei von Zwiespältigkeiten. Der beim Publikum hochwillkommenen unterhaltend-volkstümlichen Komponente wuchs rasch eine aufklärerisch-lehrhafte und patriotische zu, die den Verdacht einer von oben verordneten Beglückung, wie mit dem von Kaiser Joseph II. begründeten »Nationalsingspiel«, erregte. Ein Musterbeispiel naiv spielender Penetranz, sozusagen einer aufklärerischen Holzhammermethode, gibt das Textbuch zu Mozarts »Zaide«. Wer dieses Stück kennt, weiß das Libretto der »Entführung« zu schätzen und versteht die im Vergleich zur »Zaide« sehr gestiegenen kompositorischen Ansprüche. Wenn sich auch im mitteldeutschen Singspiel ein Wandel von volkstümlich schlichter zu opernhaft musikalischer Dimension abzeichnete, so ging Mozart entschieden weiter. Die »Entführung« machte ihn als Opernkomponist einer breiten Öffentlichkeit bekannt (Aufführungen 1783 in Prag, Leipzig, Frankfurt am Main, Bonn, 1784 in Mannheim, Salzburg, Schwedt, 1785 in Dresden, München, Kassel etc.) –, zugleich wurde die Schwierigkeit und Überladenheit seiner Partitur kritisiert. Einerseits trat die »Entführung« gerade zur rechten Zeit auf den Plan – zum hoffnungsvollen Beginn des Josephinischen »Nationalsingspiels« und mitten im Aufstieg neuer Theaterunternehmungen (Schikaneder, Böhm, Seconda u. a.) im süddeutsch-österreichischen Raum –, andererseits kam ihre kompositorisch anspruchsvolle Faktur zu früh, und zehn Jahre später war die Mode der Türkenopern schon im Abklingen. So konnte nur die »Zauberflöte« die Entscheidung für eine »deutsche Oper« (wie sie Mozart selbst in seinem Werkverzeichnis nannte) bringen.

Zwischen »Entführung« und »Zauberflöte« liegen die in italienischer Sprache geschriebenen Meisteropern »Le nozze di Figaro« (1786), »Don Giovanni« (1787) und »Così fan tutte« (1790). Wie schlecht Mozart mit ihnen beim Wiener Publikum reüssierte, ist allbekannt; der »Don Giovanni« wurde nach den ersten Aufführungen vier Jahre lang in Wien nicht gespielt. Die Verbreitung außerhalb Wiens ist beachtlich; trotzdem sind gewisse Grenzen nicht zu übersehen. So waren in Norddeutschland die Aufführungen der Mozart-Opern zunächst dünn gesät: Als erste ist die der »Entführung« am 5. Juli 1786 in Rostock anzusehen, ihr folgten 1789 der »Don Giovanni« im damals operngeschichtlich wenig bedeutsamen Hamburg und 1790 in Berlin »Figaro« und »Don Giovanni«. Geringer sind allgemein die Aufführungszahlen von »Figaro« und »Così fan tutte« als von »Don Giovanni«. Wie über die Ablehnung dieser drei Opern durch das Wiener Publikum viel gerätselt worden ist, so auch darüber, warum der »Don Giovanni« andernorts bevorzugt wurde. Ein Grund mag in der Vorliebe für eine mythische Opernaura anstelle kritischer Realitätsnähe liegen. Jedoch ist auch hier davor zu warnen, Ursachen für eine Ablehnung herauszustellen, wo vielleicht bloß positive Anstöße für die Rezeption fehlten. So muß auch die ungewöhnliche dramaturgische Anlage des »Figaro« nichts Negatives bewirkt haben, zumal der »Don Giovanni« ebensowenig konventionell gebaut ist.

Unter den Beweggründen für die positive Aufnahme der Opern Mozarts fällt am meisten der patriotische Aspekt auf. Selbst die große Begeisterung, mit der die Prager Mozart über seine Wiener Enttäuschungen versöhnten, spricht wohl für den Kunstverstand und die Aufgeschlossenheit der Bürger dieser Stadt, aber auch für den Patriotismus der Deutschen in Prag. Mozart war auch ein Faktor im Kampfe gegen die tschechische

Nationalbewegung. (Mit geringerem Erfolg auch in Brünn.) Das allgemein zunehmende deutsche Selbstbewußtsein entfaltete sich auf dem Gebiet des Musiktheaters nicht in der Oper schlechthin, sondern vor allem im Singspiel. Die bürgerlichen Ideale der Innigkeit und Schlichtheit, die auf die aristokratische Kultur auszugreifen beginnen, treffen sich mit dem Versuch, etwas eigenständig Deutsches im Wesen der Kunst zu verwirklichen. Die ungewöhnlichen Ansprüche in Mozarts Opern kamen diesem Streben nach Neuem entgegen. Um sie aber aufgreifen zu können, war doch ein Kompromiß vonnöten. Nichts beweist das Aristokratische, einen Zug zur »Überlegenheit über die Welt« in Mozarts Kunst besser als jene Korrekturen, die erst seine Werke populär machten.

Aufschlußreich ist die Art, wie Mozarts italienische Opern ins Deutsche übertragen wurden. Für sich sprechen allein schon die Personenverzeichnisse. Bei der vermutlich ältesten deutschen »Don Giovanni«-Übersetzung Christian Gottlob Neefes 1788 (die erste gedruckte stammt von Heinrich Gottlieb Schmieder, Frankfurt am Main 1789) wird aus Don Giovanni ein Hans von Schwänkereich, aus Donna Anna das Fräulein Marianne, aus Don Ottavio ein Herr von Frischblut, und aus Leporello wird Fickfack, aus Masetto der Gürge. In Christoph Friedrich Bretzners deutscher Fassung von »Così fan tutte« (woraus »Weibertreue, oder die Mädchen sind von Flandern« wurde), heißt das Damentrio bieder Lottchen, Julchen und Nannchen. Sozusagen Flagge zeigen muß jeder Übersetzer bei Passagen, die eine Bühnenfigur in Extremsituationen darstellen. Der knappe, aber rückhaltlose Ausbruch leidenschaftlicher Sinnlichkeit in der sogenannten Champagner-Arie Don Giovannis bringt die Annäherung an einen singspielgemäßen Sprachton in Verlegenheit. Friedrich Rochlitz (1801) findet einen akzeptablen Kompromiß: »Öffne die Keller! Wein soll man geben! Denn wird's ein Leben herrlich und frey! Artige Mädchen führst du mir leise, nach deiner Weise zum Tanze herbey! ... Unter dem Toben fisch' ich im Trüben: führe mein Liebchen trotz Weh und Ach ins Schlafgemach.« Bei späteren Übersetzungen wurde der Ton noch viel gouvernantenhafter; Franz Grandaur (1868) übersetzt dieselben Passagen so: »Auf denn zum Feste Froh soll es werden, Denn meine Gäste Lieben den Wein! Kannst du erspähen, Artige

Kinder, Laß sie nicht gehen, Führe sie ein! . . . Rosige Mündchen Küß ich indessen, Nutze dies Stündchen Redlich und gut.«

Von Verniedlichung zu reden ist in hohem Maße bei Produkten berechtigt, die auf die Bedürfnisse wandernder Theatertruppen bzw. deren zahlendes bürgerliches Publikum abgestimmt waren, weniger bei Übersetzungen, die an höfischen Theatern verwendet wurden. Bedingt durch die jeweiligen lokalen Gegebenheiten entstand eine große Vielfalt, wobei stets auf eine bestimmte Erwartungshaltung Bedacht genommen wurde. Anstand und Sitte, im Alltag geübt, sollten von der Bühne her bestätigt werden; eine verdünnte aufklärerische Lebensphilosophie von der Art, wie sie Adolf von Knigge (der auch ein »Figaro«-Übersetzer war) in seinem Buch »Über den Umgang mit Menschen« 1788 erfolgreich predigte, durchzog auch so manche Bühnenhandlung. Die Brisanz von Bildern menschlicher Gefährdung wurde nach Möglichkeit ins Harmlose abgeschliffen. Das brachte nicht nur in extremen Fällen wie der Champagner-Arie Schwierigkeiten (in Berlin 1790 ließ man sie einfach von Leporello singen), sondern erforderte durchgehende Eingriffe in die Substanz der Stücke. Als besonders heikel galten daher »Figaro« und noch mehr »Così fan tutte«. Doppelbödigkeit und Ironie mußten eingeebnet werden, selbst auf die Gefahr hin, die Handlung unwahrscheinlich und den feinsinnigen Kommentar der Musik gegenstandslos zu machen. Trotzdem wäre es übertrieben zu behaupten, daß »Figaro« und »Così fan tutte« wenig rezipiert wurden. Die Streuung der Aufführungen hebt sich nicht entscheidend von der des »Don Giovanni« ab, vor allem aber zeigt die Druckproduktion (Klavierauszüge, Ausgaben einzelner Nummern und Bearbeitungen), wie sehr zumindest Teile der Musik geschätzt wurden. Und nimmt man die aufgewendete Mühe um ansprechende Übersetzungen als Kriterium für ein vorhandenes Interesse, so überrascht es, daß selbst »Così fan tutte« zwischen 1791 und 1797 elfmal übersetzt wurde. Es gab auch ausgesprochene »Figaro«- und »Così«-Liebhaber; so schreibt ein Rezensent der Berliner »Musikalischen Monatsschrift« 1792 über eine Bearbeitung des letztgenannten Werkes (»Eine machts wie die andere«): »Nach der Hochzeit des Figaro, welche . . . unter allen theatralischen Werken Mozarts den Vorrang behauptet, ist diese Oper unstreitig die vorzüglichste.«

Auf die Gefahr hin, einen allzu subjektiven Eindruck wiederzugeben, sei doch, nach dem Durchstöbern des vorhandenen Materials, in groben Zügen die Popularität der einzelnen Opern skizziert: Die Beliebtheitskurve der Singspiele »Entführung« und »Schauspieldirektor« sinkt ungefähr nach 1795 etwas ab; umgekehrt steigen die des »Don Giovanni« und gegen 1800 hin auch die des »Titus« an; »Figaro« und »Così fan tutte« sind etwa um die Mitte der 90er Jahre in den Produktionsdaten gut vertreten und verlieren erst um die Jahrhundertwende stark an Boden; wenn auch mit Abstand, nimmt das Interesse für den »Idomeneo« gegen Ende des Jahrhunderts zu; eine deutliche und anhaltende Vorzugsstellung hält die »Zauberflöte« ab 1792.

Ihr Erfolg beinhaltet verschiedene Überraschungen: Er setzte spontan in Wien ein, wo Mozart mit seinen Opern davor in der Regel weniger Glück hatte. Vermutlich spielte dabei eine Rolle, daß die Schikaneder-Bühne andere Publikumsschichten als die der Hoftheater erreichte. Auch die Schnelligkeit erstaunt, mit der die »Zauberflöte« weithin und selbst an Orten, wo sie noch gar nicht am Theater gespielt worden war, bekannt wurde. Der Musikalienmarkt war allerdings auf einen sensationellen Erfolg vorbereitet. Wohl war die Musik der Papageno-Sphäre und der Drei Knaben besonders populär; die »Zauberflöte« besaß da eine Chance auf unmittelbare Wirkung beim breiten Publikum, die vielleicht noch der »Don Giovanni« mit der Figur des Leporello, »Figaro« und »Così fan tutte« aber kaum erlangen konnten. Trotz »niederer« Effekte aus der Tradition der Altwiener Volkskomödie beeindruckte die »Zauberflöte« so erlauchte Geister wie Goethe, und ihre Verwurzelung in der Wiener Tradition verhinderte nicht ihre Verbreitung in ganz Deutschland.

Der Erfolgsweg der »Zauberflöte« fand etwa um 1794 seinen ersten Höhepunkt. Die Oper war bis dahin in den wichtigsten Theaterzentren Deutschlands gespielt worden (Leipzig, Frankfurt am Main, München, Dresden, Mannheim, Weimar, Berlin, Hamburg), in Klavierauszügen und Bearbeitungen allgemein zugänglich. Eine Welle von Textbuch-Ausgaben setzte ein; die Weimarer Bearbeitung von Christian August Vulpius erschien gleichzeitig in zwei Ausgaben und wurde mehrmals nachgedruckt. Zu dieser Zeit wurde die »Zauberflöte« häufig als »Singspiel« bezeichnet. Der Trend, Mozartsche Opern als Singspiele aufzufassen, verlagerte sich gegen Ende des Jahrhunderts etwas zugunsten einer klassizistischen Richtung, die sich ebenfalls in Gattungsbezeichnungen für die »Zauberflöte« (ab 1793 als »heroisch-komische Oper«) manifestierte. Sehr unterschiedliche Vereinnahmungen sprechen für die Berühmtheit des Werkes. Bei günstigen lokalen Gegebenheiten wurde die »Zauberflöte« sogar von der italienischen »Gegenpartei« adaptiert. Für Prag und Dresden (jeweils 1794) hatte Giovanni de Gamberra das Libretto ins Italienische übersetzt und die Dialoge in Rezitative umgewandelt. Für eine sogar nationale Schranken überspringende Begeisterung der Prager spricht, daß neben der deutschen und italienischen vermutlich bereits 1794 auch eine tschechische »Zauberflöten«-Fassung gespielt wurde. Selbst die mit Vulpius beginnende und in Peter von Brauns Bearbeitung »in verdeutschter Form« sich fortsetzende Herummäkelei an Schikaneders Libretto ist nicht bloß als Kritik zu verstehen, sondern zugleich als ein unfreiwilliges Kompliment für Schikaneders Bühneninstinkt. Die Nachahmung folgte dem Erfolg auf den Fuß. Schikaneder suchte mit der Oper »Das Labyrinth oder Der Kampf mit den Elementen, der zweyte Theil der Zauberflöte« am eigenen Erfolg anzuknüpfen, und, wenngleich mit entschieden anderer inhaltlicher Tendenz, setzte auch Goethe einbekanntermaßen bei dem von ihm verfaßten zweiten Teil auf die Popularität des ersten. Schließlich ist dessen Wirkung auf die weitere Geschichte der Zauberoper unüberschaubar vielfältig.

Deutschland war in einen wahren »Zauberflöten«-Taumel geraten. Ja, das Werk wurde neben der »Beggar's Opera« in London und Beaumarchais' »Mariage de Figaro« in Paris zu einer der Sensationen in der Theatergeschichte des 18. Jahrhunderts. Noch zwei Jahrhunderte später bleibt in den Formulierungen eines im August 1794 im Weimarer »Journal des Luxus und der Moden« erschienenen Berichts etwas von dem lebendigen Eindruck spürbar:

»Sie ist nun schon seit einem Paar Jahren auf allen Bühnen und Buden, wo es nur noch anderhalb Kehlen, ein Paar Geigen, einen Vorhang und sechs Coulissen gab, unaufhörlich gegeben worden, hat die Zuschauer viele Meilen weit in die Runde, wie die Zaubertrommel eines Schamanen die Zoben an sich gezogen, und die Theater-Cassen gefüllt. Für unsre Notenstecher und Musikhändler war sie eine wahre Goldgrube von Potosi; denn sie ist in allen Noten-Offizinen theils ganz, theils en hachis in einzelnen Arien und Fragmenten, im Clavier-Auszuge, mit oder ohne Gesang variirt und parodirt, gestochen und geschrieben herausgekommen, und auf allen Messen und Jahrmärckten zu haben. Unsern Stadpfeifern, Prager-Musikanten, Bänkelsängern und Marmotten-Buben hat sie Brod und Verdienst gegeben, denn auf allen Messen, in Bädern, Gärten, Caffeehäusern, Gasthöfen, Redouten und Ständchen, wo nur eine Geige klingt, hört man nichts als Zauberflöte, ja sie ist sogar auf alle Walzen der Dreh-Orgel und Laterne-Magique verpflanzt worden. Sie liegt auf allen Klavieren unsrer lernenden und klimpernden Jugend; hat unsren großen und kleinen Buben Papageno-Pfeifchen, und unsern Schönen neue Moden, Coeffüren und Stirnbänder, Müffe und Arbeitsbeutel à la Papagena gegeben; uns schon mit einem jungen Ableger, den die allezeitfertige liebe teutsche Nachahmungssucht davon gemacht hat, der Zauber-Cither, beschenkt: – kurz eine allgemeine Bewegung, Thätigkeit, Lüsternheit und Genuß in Teutschland hervorgebracht.«

Der Erfolg und eine sich ausbreitende Mozart-Welle sind unlösbar miteinander verquickt. An Orten, an denen man zunächst Mozart reserviert gegenüberstand, erwies sich die »Zauberflöte« als wirklich bahnbrechend: In Rostock etwa, wo zwar erstmals im Norden Deutschlands eine seiner Opern aufgeführt worden war, wurde Mozart trotzdem lange wenig beachtet. Man bevorzugte Dittersdorf, Grétry, Salieri, Gluck, Benda u. a. – bis 1795 die Aufführung der »Zauberflöte« eine Wende brachte. Prag war sicher ein für Mozarts Werk auch nach seinem Tod günstiger Ort. Wenn in einem Bericht von dort 1794 zu lesen ist: »Im Grunde hat keine Oper, seit Mozartische existieren, im eigentlichen Sinn des Wortes, ihr Glück gemacht«, so läßt sich dieser Satz allerdings nicht rundweg verallgemeinern, die weitere Entwicklung lief aber in diese Richtung. In einem 1795 in Chemnitz erschienenen polemischen Artikel gegen die »allgemeine Vergötterung« Mozarts wird eine vielleicht überspitzte Behauptung aufgestellt: »In diesem 1794sten Jahre kann und darf nun nichts gesungen und gespielt und nichts mit Beifall angehört werden, als was den allgewaltigen Zaubernamen Mozart, an der Stirn führt. Opern, Sinfonien, Quartetten, Trios,

Duetten, Klaviersachen, Lieder, sogar Tänze, alles muss von Mozart seyn, wenn es Anspruch auf allgemeinen Beifall machen soll.« Die ebendort zu findende Wortprägung »Mozartisieren« – drei Jahre nach Mozarts Tod! – spricht für sich. Mozarts Musik scheint jedenfalls eine zumindest vorgeschützte Vorbildfunktion übernommen zu haben, wenngleich unklar bleibt, was dieses Mozartisieren beinhaltet. Dies gilt auch für das Präludium und die Kadenz »alla Mozart«, die Muzio Clementi bereits 1787 in seiner Londoner Sammlung von »Musical Characteristics« veröffentlichte. Seine Motive waren geschäftlicher Natur – und zeugten insofern für die Beliebtheit des Klavierkomponisten Mozart. Von Clementi ist zu sagen, daß er eindeutige Zitate vermeidet; was er bietet, ist eine knappe Aneinanderreihung von Allerweltsfloskeln, die sich mit bestimmten Klavierwerken Mozarts assoziieren lassen (KV 414, 415, 485 usw.). Worauf es aber angekommen wäre, nämlich diese Floskeln in Mozartscher Weise zu verarbeiten und formal zu fassen, das hat Clementi nicht einmal ansatzweise versucht. Und was ist von dem Vorwurf gegen Süßmayr zu halten, daß er »auf seinen wahren Lehrer Mozart schimpft, ihn aber doch abschreibt« oder vom Lob der Oper »Fratelli rivali« Peter von Winters, die »einen lieblichen Abdruck des Mozartischen Geistes« liefere? Daß etwa der slowenische Komponist Johann Baptist Novak seinen »Figaro« 1790 unter dem Eindruck des Mozartischen Schaffens schrieb oder daß Mozarts »Figaro« für die erste polnische Volksoper, Jan Stefanis »Die Krakowiter und das Bergvolk« (1794), musikalisch Pate gestanden habe, sind wohl allzu direkte Behauptungen.

Die für Mozart günstige Atmosphäre und ihr Inhalt sind schwer in Worten einzufangen. Zeitgenössische Formulierungen haben für uns in der Abstraktion, in der sie uns entgegentreten, etwas trügerisch Sicheres. So können wir in Briefen, Berichten, Gutachten aus den 90er Jahren recht häufig viel Schmeichelhaftes über den »großen Mozart« und sein Werk lesen. Was es aber damit noch auf sich haben kann, sei an einem Beispiel erläutert: Ein »k. k. Böheimisch österreichischer Hofagent« namens Augustinus Erasmus Donath schreibt in einem Gutachten über Emanuel Aloys Förster folgendes: »Was nun seine Kunst im Fliegschlagen [= Klavierspielen] anlanget, da hat der verstorbene grosse Meister Mozard ihm ... gar öfters das öffentliche Zeugniss ... angedeihen lassen, dass dieser letztere ganz sicher nach ihm Mozard der stärkste und geschickteste Meister ... seye. Weiters lassen ihm H Förster alle Tonkünstler die Gerechtigkeit widerfahren, dass er im Compositions-Satze immer zwischen Haydn und Mozard gesetzt werden kann.« Ist Förster deshalb ein zu Unrecht vergessenes, Haydn und Mozart ebenbürtiges Genie? Als Donath sein Gutachten schrieb, war Mozart eben gestorben, und Förster hatte sich um seine Nachfolge als Hofkomponist beworben. Durch den Vergleich hebt Donath das Renommee Försters; er beruft sich auf das persönliche Urteil Mozarts und auf das objektive »aller Tonkünstler« und zeigt im Lob für Mozart zugleich Pietät. Da er Försters Bewerbung unterstützen wollte, wirken seine großen Worte fadenscheinig. Wenn Johann Albrechtsberger bei einer ähnlichen Gelegenheit Joseph von Eybler als »größtes Genie« nach Mozart preist, sind die gleichen Fragezeichen angebracht. Oder wenn in der »Musikalischen Korrespondenz« aus Speyer (vom 30. November 1790) das Streichquartett KV 499 und das Klavierquartett KV 493 angeboten werden und dabei vom »Feuer der Einbildungskraft und Korrektheit«, vom »Ruhm eines der besten Tonsezer in Deutschland« die Rede ist, sprechen daraus klar die Interessen des Verlegers Hoffmeister und nur vage ein Verständnis für Mozarts schwieriges Quartettschaffen. Ähnliches gilt für die Anzeige Artarias in der »Wiener Zeitung« (vom 7. Jänner 1792), wonach die »jüngst ... mit so allgemeinen Beyfall aufgenommenen Quartetten (= KV 575, 589, 590) ... noch zu haben sind«.

Die Tatsache, daß nach und nach ein Schrifttum über Mozart entstand, ist allein schon ein Beweis für die Aufmerksamkeit, die er erregte. Nur haben wir in diesen Aussagen nicht schlechthin die Realität der Wirkung Mozarts zu Gedanken komprimiert vor uns, sondern lediglich eine bestimmte, eben literarisch gefaßte Realität. Mozart beginnt in den ästhetischen Diskussionen – wie sie vor allem in Norddeutschland, aber kaum in Wien geführt wurden – eine Rolle zu spielen. Ähnlich wie dann einige Jahrzehnte später bei der Rezeption von Beethovens Spätwerk, ging es zunächst gar nicht um ein adäquates Werkverständnis, sondern darum, überhaupt einen Zugang zu finden.

Der modische »Aufklärungsnebel«, der in den 80er und 90er Jahren auf breitem Feld die literarische Kritik und die Zukunftserwartungen der Bürger umhüllte, darf freilich nicht über das, was er an Ungereimtheiten verbarg, hinwegtäuschen. Wenngleich aufklärerische Ziele im deutschen Singspiel dem Ruhme Mozarts sehr zugute kamen, ist ebensowenig zu übersehen, daß der Erfolg seiner Opern die Gattungsidee zu sprengen drohte. Ein Beispiel für die Irritation über die »Zauberflöte« gibt der Hamburger Johann Friedrich Schink in den »Dramaturgischen Monaten«: »Unser musikalischer Geschmack ist vornehmer geworden. Mit einer so gemeinen Sache, als gesunder Menschenverstand, giebt er sich in der Oper nicht mehr ab. Die leichte Symplizität des Hillerschen Gesanges macht uns Langeweile, wir wollen Gambaden und Seiltänzersprünge.« Schink konstatiert einen Wandel und läßt zugleich den alten Einwand gegen das Gesuchte und Schwierige von Mozarts Opernmusik anklingen. Verschärft zeigt sich dieselbe Denkungsweise in »Teutschlands Annalen des Jahres 1794«. Ausgehend vom Faktum des Mozart-Enthusiasmus, gelangt der anonyme Autor zu herber Kritik, die inhaltlich nichts Neues bringt: Mozart, zweifellos begabt, aber »noch in seinen Brausejahren«, habe Sinfonien wohl mit viel »Feuer, ... Pompe und Glanz«, aber im Gegensatz zu denen Haydns ohne »Einheit, ... Klarheit und Deutlichkeit der Darstellung« geschrieben; die Vokalwerke hätten »noch mehr Gebrechen«, seien unnatürlich, »lauter verwürzte Kost«.

Die Apologie besitzt noch keine festen Topoi, sie sucht nach geeigneten Worten, aber findet das Natürliche nicht anderswo, sondern bei Mozart selbst. Schink, der Mozart nicht nur kritisierte, läßt in seiner »Hamburgischen Theaterzeitung« (7. Juli 1792) einen lobenden Bericht über die Singspielfassung des »Figaro« und über den »Geist der Gefällig- und Leichtigkeit« in Mozarts Musik erscheinen. Carl Spazier (im Berliner »Musikalischen Wochenblatt« vom 25. [?] Februar 1792) erkennt in Wranitzkys »Oberon« eine »affektirte, gesuchte Fülle«, der er den »wahren, unerborgten, ungekünstelten Ideenreichthum« Mozarts entgegenhält. An anderer Stelle spricht Spazier (in der Berliner »Musikalischen Monatsschrift« vom November 1792) von Mozarts »Don Juan« als einem Werk, »worin einzelne Arien mehr innern Werth haben, als ganze Opern von Paisiello«. Im selben

Blatt sieht ein Anonymus eine derartige Hochschätzung des »Don Juan« als »höchst übertrieben und einseitig« an und meint, daß ein Kenner Mozart weder »für einen correkten viel weniger vollendeten Künstler« halten werde. Einen Einzelfall stellt die wohl früheste Einstufung Mozarts als Klassiker in einem Prager Nekrolog (in der »Prager Oberpostamts-Zeitung« vom 17. Dezember 1791) dar; der geläufige Vorwurf, Mozart sei »zu reich an Gedanken«, wird hier aufgegriffen und gezielt in sein Gegenteil verkehrt: »Alles was er schrieb trägt den deutlichen Stempel der klassischen Schönheit. Deshalb behagte er jedes Mal noch mehr, weil die eine Schönheit sich aus der anderen entwickelte, deshalb wird er auch ewig behagen da er immer neu erscheinen wird, Vorteile die einem Klassiker gehören. Oder beweisen dies nicht seine Opern? Und hört man sie nicht zum achtzigsten Male mit dem gleichen Vergnügen wie zum ersten Male?«

Derlei kontroverse musikästhetische Parteinahmen in Journalen reichen kaum über das Apercuhafte hinaus. Trotzdem lassen die geäußerten Vorwürfe eine recht schale Auffassung von »gesundem Menschenverstand« erkennen. Mozarts Musik aber, selbst in einem so sehr von aufklärerischem Ideengut getragenen Werk wie der »Zauberflöte«, entzieht sich durch ihren Ideenreichtum und durch eine die alte Affektdarstellung von innen her aufbrechende Beweglichkeit des Ausdrucks im Detail jeglicher, auch der aufklärerischen Affirmation. Hinter unterhaltend verpackter Didaktik erreicht Mozart durch seine Musik eine Illusion des Spontanen und damit, in einer tieferen Schicht, eine vorurteilslösende Wirkung im Sinne der Aufklärung. Die Diskrepanz zwischen diesem Moment ästhetischer Freiheit und einer ihrerseits zum Vorurteil heruntergekommenen Aufklärungsphraseologie ist innerhalb des Mozart-Schrifttums vor 1800 nicht bedacht worden. Es entstand vielmehr die andere Diskrepanz, daß jene Gedanken, die rückblickend betrachtet, geeignet erscheinen, Wesentliches der Kunst Mozarts zu erfassen, ohne ausdrücklichen Bezug auf sein Werk formuliert worden sind.

Gemildert ist diese Diskrepanz allein in Christian Gottfried Körners ästhetischen Ansichten. Der Leipziger Patrizier, habilitierter Jurist, vielseitig gebildeter und künstlerisch sich betätigender Förderer und lebenslanger Freund Schillers, könnte Mozart 1789 in Dresden bei seiner Schwägerin Dora Stock (die

die bekannte Silberstiftzeichnung Mozarts anfertigte) persönlich kennengelernt haben. Jedenfalls sah er in Mozart einen führenden Komponisten. Er billigte ihm in einem Brief an Schiller sogar eine Sonderstellung in der Universalität des Ausdrucks zu: »Die Namen Gluck, Haydn, Mozart, Bach werden immer ehrwürdig bleiben. Indessen ist der Charakter der deutschen Musik mehr Würde als Anmuth. Mozart war vielleicht der einzige, der ebenso groß im Komischen, als im Tragischen sein konnte.« In seinem 1795 auf Anregung Schillers für die »Horen« geschriebenen Aufsatz »Über Charakterdarstellung in der Musik« erwähnt er zwar Mozart nicht, dürfte aber dessen Musik in seinen Ansichten miteingeschlossen haben. Körner visiert ein Musikideal an, das zwischen einer barocken Affektdarstellung mit ihrer Einförmigkeit und dem »unzusammenhängenden Gemisch von Leidenschaften« in der Musik des Sturm und Drang in einer höheren Mitte liegt. In prägnanten Begriffen postuliert er für die Instrumentalmusik einen »Charakter«, der nicht als Einförmigkeit, sondern als »Einheit in Mannigfaltigkeit« zu verstehen sei. Damit bringt Körner einen frühen Ansatz zu einer klassischen Musikästhetik, der ohne die 1793 bis 1795 verfaßten großen ästhetischen Abhandlungen Schillers kaum entstanden wäre.

Schiller hat sich selbst nie ausführlich, aber in doch bemerkenswerter Weise zur Musik als Kunstform geäußert. Am radikalsten sind seine Ansichten in den Briefen »Über die ästhetische Erziehung des Menschen«. Im 22. Brief lehnt er die Ausrichtung auf die »Einzelwirkung« ab und postuliert: »Je allgemeiner nun die Stimmung und je weniger eingeschränkt die Richtung ist ..., desto edler ist jene Gattung ...« Den Weg dorthin bahne eine prinzipielle Angleichung der Künste. Schiller gelangt aber damit in Hinblick auf die Musik zu einer klassizistisch anmutenden Aussage: »Die Musik in ihrer höchsten Vollendung muß Gestalt werden und mit der ruhigen Macht der Antike auf uns wirken.« Er nennt keine Beispiele, aber am ehesten läßt sich an die zeitgenössische Händel-Pflege, an Opern Glucks, an Mozart-Werke wie den »Titus« oder das »Requiem« denken. Doch Schiller geht noch weiter, wendet sich gegen die Beschränkung durch den »spezifischen Charakter seiner Kunstgattung« und sieht selbst in der für ihn zentralen Gattung der Tragödie »keine ganz freie Art«, da sie unter dem Zwecke des Pathetischen stehe.

Es liest sich wie eine treffende Beschreibung der Mozartschen Musikdramatik, die sie freilich nicht ist, wenn er sagt: »Der frivolste Gegenstand muß so behandelt werden, daß wir aufgelegt bleiben, unmittelbar von demselben zu dem strengsten Ernste überzugehen.« Am Extrempunkt des Gedankengangs steht der Satz: »Der Inhalt, wie erhaben und weit umfassend er auch sei, wirkt also jederzeit einschränkend auf den Geist, und nur von der Form ist wahre ästhetische Freiheit zu erwarten.« Die Konsequenz einer derartigen Ansicht scheint, auf die Musik bezogen, ein Ideal absoluter Musik, mit klassizistischer Pointe, zu sein. Selbst die prinzipiell gesuchte Nähe der Künste zueinander zum Zwecke eines Transzendierens ist dem später formulierten »Poetischen« der Romantiker noch gemeinsam; der Begriff der »Gestalt« und vor allem das Ziel nach »ästhetischer Freiheit« im Sinne einer »Unverletzlichkeit« des Zuhörers sind mit der romantischen »unendlichen Sehnsucht« aber nicht mehr vereinbar. Warum hier von diesen Dingen die Rede ist, hat den einfachen Grund zu zeigen, daß es in den 90er Jahren noch vor dem Sich-Auseinander-Entwickeln von Klassik und Romantik eine die gesellschaftliche Funktion übersteigende Aufwertung der Musik gab, die sich als Denkmodell anbot, auch die Instrumentalmusik Mozarts von ihrer »schwierigen« Seite her zu erfassen. Dieses Denkmodell richtet sich ebenso gegen die ältere, nur dem Divertimento-Charakter dieser Musik gerecht werdende Auffassung (z. B. sieht Sulzer die Instrumentalmusik als »ein artiges und unterhaltendes, aber das Herz nicht beschäftigendes Geschwätz«) wie gegen die bürgerliche moralisierende Gefühlsästhetik.

Um nicht mißverstanden zu werden: Die Zuspitzung des Gedankengangs hat nichts mit Mozart zu tun, auch richtete sich Schillers Musikinteresse viel mehr auf den vokalen als den instrumentalen Bereich, und auf dem Gebiet der Oper hatte er sich in begeisterten Worten allein über Werke Glucks, besonders dessen »Iphigenie auf Tauris«, geäußert. In einem über Gattungsgrenzen in der Dichtung geführten Briefwechsel mit Goethe kommt Schiller am 29. Dezember 1797 auf »ein gewisses Vertrauen zur Oper« zu sprechen. Es geht ihm einmal mehr darum, die Gattung der Tragödie mit dem Postulat der »ästhetischen Freiheit« möglichst eng zu verbinden; dabei erkennt er eine besondere Funktion der Musik: »Die Oper stimmt durch die

Macht der Musik und durch eine freiere harmonische Reizung der Sinnlichkeit das Gemüt zu einer schönern Empfängnis, hier ist wirklich auch im Pathos selbst ein freieres Spiel, weil die Musik es begleitet, und das Wunderbare, welches hier einmal geduldet wird, müßte notwendig gegen den Stoff gleichgültiger machen.« Schiller dachte wohl an Gluck, Goethe dagegen meint in seiner Antwort vom 30. Dezember: »Ihre Hoffnung die Sie von der Oper hatten würden Sie neulich in Don Juan auf einen hohen Grad erfüllt gesehen haben, dafür steht aber auch dieses Stück ganz isoliert und durch Mozarts Tod ist alle Aussicht auf etwas Ähnliches vereitelt.« Doch auf Goethes dezidierten Mozart-Hinweis geht Schiller in seinem Brief vom 2. Jänner 1798 mit keinem Wort ein.

Was sich hier abzeichnet, ist nicht nur ein Unterschied im musikalischen Geschmack zwischen Schiller und Goethe, sondern der sonderbare Sachverhalt, daß Schillers ästhetische Ansichten, auf die Goethe ausdrücklich eingeht, zur Verknüpfung mit sehr unterschiedlichen Paradigmata führen. Sobald Schiller in seinen Reflexionen den Weg zum Konkreten beschreitet, wird die Musik in Relation zur Tragödie, die Oper als tragisch mit traditionellen Merkmalen der opera seria (Hinweis auf das »Wunderbare«), bei einer weitherzigen Auslegung vielleicht noch als »eroico-comico«, gesehen. So berührt sich seine klassizistische Dramentheorie mit einer auch auf musikalischem Gebiet in den 90er Jahren zunehmenden Neigung fürs »Erhabene«. In der bereits besprochenen neuen Oratorienpflege trat sie ebenso auf wie in der Oper und in der Sinfonie. In Mozarts Opern weisen etliche Merkmale in diese Richtung: Zum einen sind es jene, die gerne als »Einflüsse von Gluck« betrachtet werden (speziell im »Idomeneo«, allgemein im schlichten Pathos von Chören und Märschen, etwa in der »Zauberflöte«), zum anderen bestehen sie in einer ernsthaften, ausdrucksfördernden Bezugnahme auf musikalisch Altes (extrem in der Geharnischten-Szene der »Zauberflöte«). Von daher betrachtet, war Mozarts letztkomponierte Oper »Titus« kein Mißgriff, auch kein anachronistischer Rückgriff, vielmehr erwies sich diese opera seria, wie in eingeschränktem Maße sogar der »Idomeneo«, als zukunftsreich im Sinne eines aktuellen Opern-Klassizismus. Die Druckproduktion und die Aufführungsdaten gegen Ende der 90er Jahre unterstreichen dies. Constanze Mozart besaß dafür etwa um 1795 das richtige Gespür, und Mozart selbst hatte dazu in seinen letzten Lebensjahren mit beigetragen. Mozarts Position umreißt ein anonymer Bericht aus Prag für das »Allgemeine Europäische Journal« 1794 mit treffenden Worten zum »Titus«: »Es ist eine gewisse griechische Simplizität, eine stille Erhabenheit in der ganzen Musik, die das fühlende Herz leise, aber desto tiefer trifft . . . kurz, Glucks Erhabenheit ist darin mit Mozarts origineller Kunst, seinem strömenden Gefühle und seiner ganzen hinreissenden Harmonie vereinigt.« Der von seinem Ideal begeisterte Autor meint schließlich: »Die Kenner sind im Zweifel, ob Titus nicht sogar den Don Giovanni übertreffe« – heute, nach 200 Jahren Wirkungsgeschichte, eine fast absurd erscheinende Wertung.

Für diesen geistigen Wandel ist Anschaulichkeit von der Inszenierungsgeschichte zu erwarten. Wenn auch nicht viel Bildmaterial zu Mozart-Opern aus dem 18. Jahrhundert erhalten geblieben ist, sind doch markante Stationen der Entwicklung kenntlich. »Figaro«, »Don Giovanni« und »Così fan tutte« wurden zu Lebzeiten Mozarts zeitgemäß, also bereits im etwas schlichteren Louis-Seize-Stil, ausgestattet. Von den Dekorationen und Kostümen der Uraufführung der »Zauberflöte« und des »Titus« sind keine authentischen Bilder erhalten geblieben. Ob die »Zauberflöten«-Kupferstiche von Josef und Peter Schaffer aus den Jahren um 1795 die Uraufführung zum Gegenstand hatten, ist ungewiß. Pamina und Tamino erscheinen im Kostüm der Zeit, Sarastro und sein Gefolge im ersten Finale erinnern in ihrer Kleidung ans Genre der Türkenoper; die Architektur der Priesterwelt ist klassizistisch. Ältere Kupferstichfigurinen zur Leipziger Aufführung 1793 entsprechen in ihrer Einfachheit den Singspielkonventionen. Prunkvoll dagegen dekorierte Joseph Quaglio 1793 in München die »Zauberflöte«, wobei er die Barockbühne mit klassizistischen und ägyptisierenden (Obelisken) Versatzstücken versah. Sensation, schon wegen ihrer Kostspieligkeit, machte die am 29. März 1794 erstmals aufgeführte »Zauberflöten«-Inszenierung Ifflands am Mannheimer Nationaltheater in der dreiaktigen Singspielfassung von Vulpius. Aus den im »Rheinischen Merkur« (1794 und 1795) abgebildeten Figurinen von Franz Karl Wolff ist eine betont klassizistische Note herauszulesen: Sarastro tritt bartlos, in einer Tunika mit Hieroglyphenschmuck, auf, Tamino als römischer Jüngling in Sandalen und in einer Tunika, deren Saum mit einem Mäandermuster verziert ist. Zu einem berühmten Höhepunkt fand dieser römisch-monumentale Inszenierungsstil in der Frankfurter »Titus«-Aufführung 1799, die der Mailänder Giorgio Fuentes ausstattete. Bezeichnenderweise schwenkte auch Schikaneder bei seiner Wiener Neuinszenierung der »Zauberflöte« 1798 mit prächtigen Dekorationen Vincenzo Sacchettis auf diese Linie ein. Vollendung erreicht das Streben nach schlichter Größe, das den modischen Antikenprunk klärt und sublimiert, in einem erhalten gebliebenen Entwurf zur Erscheinung der Königin der Nacht, den vermutlich Lorenzo Sacchetti für die »Zauberflöten«-Aufführung im Wiener Kärntnertortheater 1801 zeichnete.

Goethe vertrat als Theaterleiter eine andere Richtung. Sein musiktheatralisches Interesse galt in den 80er Jahren primär dem Singspiel. Ein Mozart-Erlebnis mit der »Entführung« veränderte 1791 seine Ansichten tiefgreifend und zeitigte bezeichnende Folgen in seiner Zusammenarbeit mit dem Berliner Komponisten Johann Friedrich Reichardt. Als Persönlichkeit stand ihm der gebildete und vielseitige Reichardt näher als andere Musiker. Dieser war ein glühender Händel-Verehrer, bewunderte Gluck, den er in Wien kennengelernt hatte, ob der »edlen Einfalt« seiner ernsten Opern und blieb lange ein Verächter Mozarts, dem er »sklavische Nachahmung italienischer conventioneller Formen« und »Vermischung der entgegengesetzten Charaktere und Style« vorhielt. Besonders scharf mißbilligte Reichardt den »Titus« und die 1802 im Druck erschienene »Messias«-Bearbeitung. Reichardt nahm also jene klassizistische Haltung ein, die dem Musikgeschmack Schillers nahestand, aber zu Divergenzen mit dem Goethes führte. Zum gemeinsam mit Reichardt geplanten Singspiel »Claudine von Villa Bella« forderte Goethe den Komponisten indirekt, da auf sich selbst bezogen, auf, »nach dem edlen Beispiel der Italiener alle poetische Scheu aufzugeben«. Bei der Aufführung 1795 in Weimar (zuvor 1789 in Berlin) war Goethe innerlich enttäuscht. Freilich erst sehr viel später deutete er gegenüber Eckermann seinen Einwand gegen den »vortrefflichen« Reichardt an: »Nur ist die Instrumentierung, dem Geschmack der früheren Zeit gemäß, ein wenig schwach.« Was er als Mangel an Reichardts Musik konstatiert, nimmt sein Maß an der Mozarts.

Goethes Weimarer Theater ist denkbar weit entfernt von den sensationellen Prunk-Inszenierungen der Zeit. Es ist bescheiden, aus ökonomischen Gründen wie aus innerer Überzeugung. Die Mängel und Nöte einer Provinzbühne führt uns die Sängerin Caroline Jagemann in ihren Erinnerungen an die Weimarer »Zauberflöten«-Aufführung vom Jänner 1794 köstlich vor Augen: »Während die drei Genien in der Zauberflöte in Mannheim (wie auf allen Theatern) von hübschen Mädchen in hübschen Kostümen gegeben wurden, fanden hier d. h. in Weimar drei Seminaristen Verwendung, unbeholfene Bauernjungen, denen man ziegelrote Trikots anzog, so weit, dass die Aermel wie Hautwülste ausschauten, nicht gerade rein gewaschene Tuniken überwarf, nicht kurz genug, die griechische Form anzudeuten, nicht lange genug, die schmutzigen Stiefel zu bedecken, die struppigen Köpfe mit plumpen, einfarbigen Rosenkränzen zierte und die Backen purpurn schminkte wie Ostereier. Doch das Spiel kann keine Feder schildern; die Hauptsache war, dass sie die Palmzweige wie Zepter von sich weghielten und gelegentlich damit den Takt schlugen.« Kaum nur Ökonomie, Vorhandenes wiederzuverwenden, ist in der Wahl barocker Kostüme zu vermuten, sondern ebenso Goethes Gespür für die Tradition, in der die »Zauberflöte« steht. Die These vom »barocken Unterbewußtsein« Goethes, das im zweiten Teil des »Faust« hervorbreche, und die Rolle, die »Der Zauberflöte zweiter Teil« in diesem angenommenen Prozeß spielt, haben in der Germanistik einen sublimen Nord-Süd-Konflikt zwischen Ablehnung und Zustimmung ausgelöst: Hatte Weimar mit Wien etwas zu tun? Ist Goethes Fragment eine von vielen Nebenarbeiten oder ist es ein bedeutsamer Ansatz zu neuen Gattungsdimensionen? Vordergründig hat Goethe an die Popularität der »Zauberflöte«, an die Bekanntheit ihrer dramatischen Konstellationen anknüpfen wollen. Zu dieser Theaterpraktikergesinnung paßt seine die Nachwelt befremdende Absicht, das Libretto von einem Musiker namens Paul Wranitzky komponieren zu lassen. Die Zusammenarbeit wäre auch zustande gekommen, wenn die Verhandlungen nicht an Goethes überzogener Honorarforderung von 100 Dukaten gescheitert wären. Über das, was er unausgesprochen im

Hintergrund gesucht haben mag, läßt sich nur spekulieren. Falls wir dem »Zauberflöten«-Fragment aber eine erhöhte Bedeutung zuerkennen, sollten wir Goethe auch eine tiefere Einsicht in Mozarts Musik zubilligen, denn sie löste – um mit Hofmannsthal zu sprechen – aus, daß Goethe den »Zauberflöten«-Stoff im Vergleich zu Schikaneder »veredelt und vertieft« hat.

Hans Georg Gadamer, Arthur Henkel und zuletzt Walter Weiss sehen als Kern der Goetheschen Konzeption einen Ausspruch Paminas an, der bei der Wiederholung der Feuer- und Wasserprobe fällt (Pamina und Tamino dringen durch Feuer und Wasser zu ihrem in einer Gruft gefangenen Kind vor): »Und Menschenlieb und Menschenkräfte / Sind mehr als alle Zauberey.« Zweifellos betont Goethe damit einen »sittlich humanen Zug«, der das Vertrauen auf die magische Kraft der Flöte überwindet: ein im Grunde aufklärerischer Gedanke, der in Schikaneders Libretto bei der betreffenden Stelle nicht ausgesprochen wird, in dem Umstand, daß Pamina und Tamino die letzte Prüfung in Liebe vereint bestehen, aber immerhin anklingt. Das Entscheidende sagt Mozarts Musik aus. Sie schildert den Gang durch Feuer und Wasser nicht in der üblichen, lautstark-grellen Weise der Gewittermusiken, auch ist es nicht bloß der Zauber des zarten Flötenklangs, der die Naturgewalten bezwingt, vielmehr gestaltet Mozart den Flötenmarsch in Art einer Improvisation (ein zuvor bei Paminas Aufforderung »Spiel Du die Flöte an, sie leite uns auf grauser Bahn« gebrachtes musikalisches Motiv greift Tamino auf und löst es zur Fortspinnung immer kleinerer Einheiten hin auf). Paminas Vertrauen auf die Magie der Flöte vereinigt sich in einem musikalischen Sinnbild mit dem spontanen Handeln Taminos. Genau dieser musikalische Aspekt ist aber als Ansatz für Goethes Umgewichtung vom Magischen zum Humanen zu verstehen.

Goethe war wohl die erste der geistig führenden Persönlichkeiten Europas, die Wesentliches der Kunst Mozarts erfaßte, wenngleich sich sein Mozart-Eindruck eher im Verborgenen, abseits seiner von Musikern wie Zelter und Reichardt geprägten Musikanschauung, festgesetzt hatte. Jene »Zauberflöte«, die bei Goethe Bedeutsames auslöste, sahen die meisten Zeitgenossen eher unreflektiert für das an, »was sie ist, für einen schönen Guckkasten, für ein Ragout von Unsinn und Vernunft, mit einer reizenden Musik und kostbaren Dekorationen gewürzt«. Auf den einfachsten Nenner gebracht, liegt das Besondere der Goetheschen Auffassung darin, daß sie Mozart weder einseitig auf das »Erhabene« auszurichten sucht noch ihn als Außenseiter beiseiteschiebt.

In den 90er Jahren erwiesen sich jedenfalls sowohl Mozarts Opern wie jene Werke, die in den Komplex des neuen Oratoriums paßten, nur bedingt mit der Kategorie des »Erhabenen« vereinbar. Am schwierigsten, schon auf Grund der mangelnden Werkverbreitung, ließ sich bei den Sinfonien ein entsprechendes Verständnis erreichen. Wenn in der Leipziger »Allgemeinen musikalischen Zeitung« 1801 Carl Philipp Emanuel Bach als ein »anderer Klopstock« bezeichnet wird, wenn Ludwig Tieck in seinem Aufsatz »Symphonien« die Macbeth-Ouverture seines Schwagers Reichardt behandelt oder wenn um einiges früher Schubart das »musikalische Ganze« der Sinfonien von Christian Cannabich lobt, während Mozart und Haydn unerwähnt bleiben, so deutet dies auf Verschiedenes hin: auf das Nachwirken des Nord-Süd-Konflikts im Musikgeschmack, auf eine Diskrepanz zwischen Idee und Gegenstand, aber auch auf die Fragwürdigkeit der heute geläufigen Stilbegriffe, denn jene Suche nach der Erhabenheit der Instrumentalmusik, die ihre Kategorie von Klopstock oder Kant entlehnte, findet sich am ehesten in einer Musik bestätigt, die wir dem Sturm und Drang zuordnen.

Es überrascht allerdings nicht, daß eher die Vokalmusik als die selbständige Instrumentalmusik – ohne Verständnisbrücken eines Textes oder einer Szenerie und in ihrer neuartigen Aufwertung – sich in bestimmteren Linien fassen ließ. Um so höher ist der denkerische Ansatz Körners zu schätzen. Aber die eigentliche Voraussetzung einer adäquaten Beziehung zwischen Idee und Gegenstand bildet das sich mehr und mehr durchsetzende Bewußtsein von der außerordentlichen Qualität der Musik Haydns und Mozarts. Wie dieser Vorgang inhaltliche Positionen zu ändern beginnt, zeigt sich am Beispiel der »Ideen zu einer Ästhetik der Tonkunst« Christian Friedrich Daniel Schubarts. Er hat sie vermutlich 1784/85 verfaßt; zunächst in Teilen gedruckt wurde das Werk erst nach seinem Tod 1791. In den ausführlichen Berichten zur Musik seiner Zeit kommt Mozart so gut wie nicht vor. Der Herausgeber der »Ideen«, Ludwig Schubart, findet eine

Entschuldigung für nötig, daß »die große Epoche, welche in unsern Tagen der unsterbliche Mozart in der Musik hervorgebracht hat«, in dieser Publikation unberücksichtigt blieb. In gewissen Korrekturen fließt der Wandel aber doch in den alten Text ein; der Abschnitt über Haydn beginnt mit der Feststellung: »Ein Tonsetzer von grossem Genie; der in den neuesten Zeiten nebst Mozart Epoche gemacht hat« – oder bei einer Einzelheit, der unbefriedigenden Verwendung der Posaunen, heißt es: »Auch hier hat Mozart Rath geschafft, und man findet seit ihm in den meisten neuern Opern Posaunen angebracht.«

Ein anderes, noch deutlicheres Beispiel gibt der Musiker und wohl bedeutendste Musiktheoretiker der Zeit, Heinrich Christoph Koch. Sieben Jahre vor Mozart geboren und in seinen Ansichten traditionsgebunden, reagiert Koch doch stark auf den Wandel in der Instrumentalmusik. So beschließt er in seinem »Musikalischen Lexikon« (1801) den Artikel über die Gattung des Divertimentos mit dem Hinweis: »Seit geraumer Zeit hat es dem Quartett und Quintett ziemlich weichen müssen, nachdem diese Sonaten Arten durch Haydn und Mozart so fleissig bearbeitet und vervollkommt worden sind.« Entschieden bemerkenswerter ist eine bereits 1793 in seinem »Versuch einer Anleitung zur Composition« zu findende Formulierung. Koch geht bei Erklärung der einzelnen Gattungen, wenn irgend möglich, von Zitaten aus Sulzers »Allgemeiner Theorie der schönen Künste«, einer nicht gerade modernen Quelle, aus. Im Abschnitt »Von den Quatuor« kommt Koch auf die jüngste Entwicklung der Komposition zu sprechen, erwähnt den großen Publikumserfolg von Haydn, Pleyel und Hoffmeister, hebt aber zuletzt Mozarts Quartette besonders hervor, »die unter allen modernen vierstimmigen Sonaten, am mehresten dem Begriffe eines eigentlichen Quatuor entsprechen, und die wegen ihrer eigenthümlichen Vermischung des gebundenen und freyen Stils, und wegen der Behandlung der Harmonie einzig in ihrer Art sind«. Leider ohne auf Details einzugehen, gibt Koch eine positive und vorbildliche Charakteristik jener Haydn gewidmeten Streichquartette, die zunächst die stärkste Kritik gefunden hatten. Ihm ist es also schon sehr früh geglückt, das Befremdliche der Mozartschen Instrumentalkomposition als Strukturphänomen auf den Begriff zu bringen. (Zum Teil vorausgegangen ist ihm Heinrich Boßler, der

1790 das Quintett KV 593 als »nach den strengen Regeln der Satzkunst gearbeitet« sah und im Menuett des Quartetts KV 589 gerade die schwierige kontrapunktische Arbeit lobend hervorhob.)

Koch beginnt seine Erläuterung des »Quatuor« mit dem Hinweis, daß es »anjezt das Lieblingsstück kleiner musikalischer Gesellschaften« sei; womit unausgesprochen die Verlagerung des Interesses auf eine anspruchsvollere Kammermusik impliziert ist; damit wiederum läuft die Ausbreitung der einschlägigen Werke Haydns und Mozarts einher; und beides zusammen bildet die Basis und den Anreiz für Kochs Reflexion. Anders gesagt: Ein irgendwie ins Rollen gekommener Vorgang forderte zum Begreifen heraus. Einen leicht zu unterschätzenden anderen Aspekt hat dieser Vorgang der »Geburt eines Inhalts« in der enorm anwachsenden Bearbeitungsliteratur. Ihr Erfolg hat »äußere« Gründe (Vermarktung der Musik, Aufstieg des Bürgertums usw.), er hat modische Züge und läuft seinerseits bereits vorhandenen Erfolgen, besonders dem der »Zauberflöte«, nach. Schon 1792 brachten Artaria in Wien und Johann Julius Hummel in Berlin Bearbeitungen dieser Oper für Flöte auf den Markt, denen eine wahre Flut von Noten für die unterschiedlichsten Instrumentalbesetzungen folgte. Der Erfolg breitete sich auf andere Opern Mozarts aus. Texte und szenische Hinweise konnten angesichts der überwiegenden Bestimmung der Adaptionen für die Hausmusik wegfallen; sie waren bei den ausgesprochenen Schlagern ohnehin allbekannt. An vielen Orten fand die Bearbeitungsliteratur noch vor den lokalen Opernaufführungen Anklang; bei Klavierbearbeitungen von Ouverturen nahmen die »Zauberflöte« und der »Don Giovanni« im Gegensatz zu den tatsächlichen Opernaufführungen und den Klavierauszugdrucken keine Vorzugsstellung im Vergleich zu »Così fan tutte«, »Titus« und »Figaro« ein. Diese Symptome sprechen für eine Tendenz, bei der Opernmusik die Musik von der Oper abzukoppeln. Damit wird indirekt durch den Opernerfolg Mozarts auch ein breiteres Interesse für seine Instrumentalkompositionen gefördert. Und vor allem wird, sozusagen von den Niederungen der Rezeption her, dem Verständnis der esoterischen Idee der absoluten Musik schon vor 1800 der Boden bereitet. Die Annahme einer derartigen Verknüpfung mag gesucht wirken, sie hat aber einen realen

Hintergrund und führte zu bestimmten Ergebnissen: Friedrich Rochlitz etwa gelangte in einem 1801 erschienenen Essay zu einem Gedankengang, der von der Ablehnung des Nachahmungsprinzips über die Ansicht, daß die Singstimmen in der Musik »nichts als Mittel zum allgemeinen Zweck – Instrumente« seien, zum Begriff der »reinen Musik« und zur Verteidigung der Musikalität von Opernszenen führt, da die »ununterbrochen fortgehende Musik« von sich heraus der Idee des Ganzen diene. Arthur Schopenhauer wiederum, ein extremer Verfechter der absoluten Musik, sieht seine Idee nicht in Streichquartetten oder wie zu erwarten wäre, in Sinfonien verwirklicht, sondern in einer Opernmusik, bei der die Musik ihre Funktion für Text und Drama übersteigt. Der reale Anlaß dieser sonderbaren Vorstellung liegt im eigenen Musizieren des Philosophen: Schopenhauer hatte sich wie zahllose Dilettanten des frühen 19. Jahrhunderts als Flötist mit der Opernmusik Mozarts und später dann mit der Rossinis bevorzugt beschäftigt. Seine ins Ideale überhöhte Identifikation mit Musik, seine Sicht von ihrem Wesen, haftet am Gegenstand von »bloßen« Bearbeitungen.

War über dem großen Erfolg des Werkes zunächst die Persönlichkeit Mozarts vergessen worden? Sein Andenken wurde vielfach geehrt, aber das Bild der Person blieb blaß. Wurden da Erinnerungen verdrängt? – Doch vielleicht gerät ein psychologisierendes Hinterfragen bei den wenigen vorhandenen Informationen zu einem allzu leichten Urteil. Wie auch immer es sich verhalten haben mag, es bleibt unbegreiflich, daß – als irritierendstes Beispiel – erst nach dem vorwurfsvollen Bericht eines Europa bereisenden Engländers in Christoph Martin Wielands »Neuem teutschen Merkur« 1799 über das in Wien unbekannte Grab Mozarts sich die Witwe mit Nissen und Griesinger auf – vergebliche – Suche begab.

Kritik fordern die ersten Biographen heraus, gerade weil ihre zeitliche Nähe zu Mozarts Leben unsere Neugierde reizt, die sie aber nicht befriedigen. Der erste unter ihnen ist Friedrich Schlichtegroll. Er kam nicht nur bei Constanze Mozart, sondern auch bei der gelehrten Nachwelt schlecht an. Schlichtegroll war kein Musikfachmann, aber ein hochangesehener Professor, Hofrat, Mitglied der Akademie der Wissenschaften in München und, wie auch aus dem, was er über Mozart schrieb, erkennbar ist, sehr gebildet. Er verfaßte zwischen 1791 und 1806 Nekrologe »merkwürdiger Personen«. Wie bei solchen Nachrufen üblich, brachte Schlichtegroll zunächst eine Charakterschilderung, dann eine Lebensgeschichte; die persönliche Beziehung zu den Toten fehlt allerdings. Ihn interessierte an Mozart etwas anderes als seine auf diesen fixierten Kritiker. Für ihn war Mozart ein Beispiel für die aufklärerische Idee vom Menschen. Wohl ist Schlichtegroll auch vom Sensationellen angezogen, vom »Andenken jener Menschen mit seltenen Kräften und Anlagen zu einzelnen Fertigkeiten«, er beschreibt »Phänomene, die man anstaunt«, »Kabinettstücke«; doch insgesamt führen ihn seine unterschiedlichen Beispiele zum allgemein Menschlichen hin, zur Bewunderung für den »unbegrenzten Umfang des menschlichen Geistes«. An Mozart bewundert er den »unerschöpflichen Reichtum seiner Ideen«, die musikalische Universalität, die frühe und rasche Entwicklung der Anlagen (das Wort vom »Zauberer« fällt bereits, ohne daß Schlichtegroll in irgendeinen Zusammenhang mit der Romantik gebracht werden kann). Die nachfolgende Lebensgeschichte betont die Vor-Wiener Zeit Mozarts. Das entspricht des Autors Interesse für das »Wunder an Anlagen und früher Entwicklung derselben« und der noch wirksamen Erinnerung an Mozarts Wunderkindzeit, freilich auch Schlichtegrolls Informationsstand. Mozarts Erscheinung wird als klein, unansehnlich, »in ständiger Bewegung« befindlich beschrieben. Das Wort »Genie« verwendet Schlichtegroll wohl nicht, und doch beginnt mit seinem Nekrolog die nicht endende Reihe von Erörterungen, die Mozart als ein Exemplum classicum für den Geniebegriff betrachten. Eine Kluft trenne die zwei Hälften von Mozarts Persönlichkeit: »früh schon in seiner Kunst Mann« – »in allen übrigen Verhältnissen beständig ein Kind«, »ein höheres Wesen am Klavier« – »ein immer zerstreuter, immer tändelnder Mensch«. Mögen diese Charakterisierungen auch letztlich von Nannerl stammen, sie beleuchten doch treffend das Unbegreifliche und Unbeschränkte menschlicher Geistesleistung, die zu veranschaulichen Schlichtegrolls Anliegen war. Zugleich taucht hier die These von der Unvereinbarkeit von Kunst und Leben, von einer künstlerischen Existenzform »neben dem Leben« auf, die erst jüngst durch Wolfgang Hildesheimer hohe Aktualität erhielt.

Der einzige Biograph, der Mozart selbst sicherlich persönlich und vielleicht sogar recht gut kannte, ist Franz Xaver Niemetschek, Universitätsprofessor, ein Philanthrop, dem die Stadt Prag für sein soziales Wirken die Ehrenbürgerschaft verlieh und der sich gemeinsam mit seiner Frau auch der Familie Mozarts annahm. Er ist demnach ein viel stärker als Schlichtegroll persönlich engagierter Apologet Mozarts. Daher kommt es, daß sein 1798 in Prag erschienenes Buch uns als Biographie wie als erste resümierende Quelle für die Wirkungsgeschichte der 90er Jahre dient. Schon durch den Titel »Leben des k. k. Kapellmeisters Wolfgang Gottlieb Mozart« ist als erklärtes Ziel des Buches zu erkennen, was der Autor in seinem Vorwort erläutert, nämlich von der Begeisterung für Mozarts Musik die Aufmerksamkeit auf dessen Person zu lenken. Im Untertitel weist er darauf hin, daß Mozarts Leben »nach Originalquellen beschrieben« werde, und nennt am Schluß als solche den eigenen Umgang mit der Familie Mozart, Zeugnisse von Bekannten, Informationen von der Witwe und für die Beschreibung der Jugend den Nekrolog Schlichtegrolls. Trotzdem enttäuscht Niemetscheks Buch als Biographie. Zum einen wählte er eine anekdotische Darstellungsweise, die Friedrich Rochlitz noch 1798 in seiner Fortsetzungsreihe für die Leipziger »Allgemeine musikalische Zeitung«, als »Verbürgte Anekdoten aus W. G. Mozarts Leben« aufgreifen sollte, sozusagen in Vorausnahme einer biedermeierlichen Literaturmode. Der »Graue Bote« tritt da ebenso auf wie anschauliche Bilder von Mozarts Todesahnungen; trotzdem spricht Niemetschek von einem »unerwarteten Tod«. Zum anderen ist seine Apologie für Mozart mit einer für Prag und den deutschen Patriotismus verknüpft, was freilich rezeptionsgeschichtlich von Interesse ist. Niemetschek ignoriert keineswegs die Schwierigkeiten, in die Mozart in seinen späteren Wiener Jahren hineingeraten war, er sucht sie vielmehr in ganz bestimmter Weise zu begründen. Mozart habe »zwar oft beträchtliche Einnahmen gemacht; aber bey der Unsicherheit und Unordnung der Einkünfte, bey den häufigen Kindbetten, den langwierigen Krankheiten seiner Gattin, in einer Stadt wie Wien, mußte Mozart doch im eigentlichen Verstande darben«. Doch die »Schuld« sei nicht bei ihm gelegen, »man müßte denn seinen geraden und offenen zum Bücken und Kriechen untauglichen Charakter als Schuld annehmen. – Aber er war nur ein Teutscher.« So konnten die Intrigen italienischer Sänger in Wien ihm das Leben um so schwerer machen: »Dieser feige Bund verdienstloser Menschen blieb bis an das frühe Ende des unsterblichen Künstlers in voller Thätigkeit.« Und den als berechtigt anerkannten Vorwurf, Mozart »hätte den Werth des Geldes besser kennen sollen«, quittiert Niemetschek mit dem Horaz-Zitat »Quid tu? nullane habes vitia?« und fügt ihm noch die entwaffnende Frage hinzu: »Und seyd ihr in irgend einer Kunst Mozarte?« In dieser Weise sucht er dunkle Seiten im Leben Mozarts zu beschönigen, um damit – im Unterschied zu Schlichtegroll – den Kunst-Leben-Gegensatz zu mildern.

Mit Schlichtegroll deckt sich Niemetscheks Beschreibung der Person Mozarts; auch er spricht vom »Unansehnlichen in seinem Aeußern« und bringt es mit der »Überanstrengung von Kindheit an« in Verbindung. »Aber in dem unansehnlichen Körper wohnte ein Genius der Kunst, wie ihn nur selten ihren Lieblingen die Natur verleiht.« Diese Wendung zur apologetischen Kunstreflexion scheint überhaupt für Niemetschek bezeichnend zu sein, sie taucht immer wieder auf und läßt hinter der Biographik eine wesentlichere Absicht erkennen. Ihm geht es darum, das ihm persönlich nahe Phänomen Mozart zu begreifen. Hierin ist, neben der Ehrenpflicht, eine andere, der eigenen Kreativität nähere Motivation Niemetscheks zu vermuten. Sein Weltbild ist durchaus das Schlichtegrolls. Sätze wie »So weckt die frühe Entwicklung und die schnelle Reife dieses schöpferischen Genies in dem Forscher der menschlichen Natur die größte Bewunderung« oder »Den Forscher der menschlichen Natur wird es nicht befremden, wenn er sieht, daß dieser als Künstler so seltne Mensch, nicht auch in den übrigen Verhältnissen des Lebens ein großer Mann war« bestätigen dies hinlänglich. Den Geniebegriff differenziert er in fünf Merkmalen Mozarts: den »beispiellos schnellen Gang seiner Entwicklung«, die »hohe Stufe der Vollkommenheit«, die musikalische Universalität, die »Neuheit und Originalität« und die »unbegreifliche Leichtigkeit«. Völlig decouvriert Niemetschek seine Geisteshaltung, wenn er in Abwehr eines romantischen Künstlerbildes in der 1808 erschienenen zweiten Auflage seines Buches gegen die Annahme einer »instinktartigen Beschaffenheit« des Mozartschen Geistes die wichtige Rolle von »Bildung und Uebung« stellt. Schon 1798 wendete er sich gegen den Vorwurf, Mozart habe keine höhere Bildung besessen, mit der rhetorischen Frage: »Wer mag indeß die Gränzlinien seiner Geisteskräfte so genau ziehen, um behaupten zu können, Mozart habe außer seiner Kunst zu nichts sonst Anlage oder Fähigkeit gehabt? Man setzt freylich das Wesen des Künstler-Genies in eine überwiegende Stärke der untern oder ästhetischen Kräfte der Seele, aber man weiß auch, daß die Künste besonders die Musik häufig einen scharfen Ueberblick, Beurtheilung und Einsicht in die Lage der Dinge erfodern [!]; welches bey Mozart um so gewisser vorauszusetzen ist, da er kein gemeiner mechanischer Virtuose eines Instrumentes war, sondern das ganze weite Gebieth der Tonkunst mit seltner Kraft und Geschicklichkeit umfaßte.«

Über dieses sich abzeichnende aufklärerische Weltbild hinaus – dessen Gültigkeit auch das wiederholte Lob für Kaiser Joseph II. unterstreicht – möchte ich die Behauptung wagen, daß es Niemetschek gelungen ist, ein Bild des Klassikers Mozart in einem wertenden wie inhaltlichen Sinne zu entwerfen, bevor es noch die Voraussetzungen für eine romantisierende Sicht überhaupt gab. Die Vorzugsstellung Prags als Traditionsträger erleichterte es ihm, das Klassische im Werk Mozarts zu formulieren. In Prag bildete sich früh eine Aufführungstradition heraus, die nie, wie etwa auch in Wien, unterbrochen wurde. Wie weit sich die Pflege originaler Tempi etc. tatsächlich erhalten hat, läßt sich nicht überprüfen, wohl aber die Tatsache, daß viele Sänger und Musiker, die mit Mozart gearbeitet hatten, noch lange wirkten, oder daß trotz allem deutschen Patriotismus Mozarts italienische Opern weiterhin vorherrschend in Italienisch aufgeführt wurden, wie sonst nirgendwo in dem Maße. Niemetschek geht von dem gängigen und damals auch zutreffenden Gedanken aus: »Unter den schönen Künsten ist keine so sehr Sklavin der Mode und des Zeitgeschmackes, als die Musik.« Um diese Vergänglichkeit der Musik zu beheben, seien für sie ein »Vereinigungspunkt«, eine sie pflegende »Anstalt« und eine entsprechende »Theorie« nötig. Ohne diese Voraussetzungen überwinde Mozarts Musik die Vergänglichkeit. »Wie viel Kraft, wie viel klassischer Gehalt muß also in den Werken Mozarts liegen, wenn ihre Wirkung von dieser Erscheinung eine Ausnahme machet?« Über die Sinfonien sagt er, sie seien »wahre Meisterstücke des Instrumentalsatzes . . ., voll überraschender Uebergänge und haben einen raschen, feurigen Gang, so, daß sie sogleich die Sache zur Erwartung irgend etwas Erhabenen stimmen«. Die »Schönheit« Mozartscher Musik steige mit jenem öfteren Hören, das der »Probirstein des klassischen Werthes« sei. »Wer mag in Worten das Neue, Originelle, Hinreißende, Erhabene, Volltönende seiner Musik beschreiben?« Das Neue findet Niemetschek immer wieder in Synthesen, das Originelle basiere auf »Oekonomie mit dem geeigneten Aufwand«. Im »Titus« bewundert er »die Verbindung der höchsten Kompositionskunst mit Lieblichkeit und Anmuth«; sieht aber ganz allgemein »die größte Manigfaltigkeit und die strengste Einheit vereinigt«; im Gesang seien »reiner Ausdruck der Empfindung und die Individualität der Person und ihrer Lage« miteinander gepaart. Den Grund für den Opernerfolg erkennt er in Mozarts »gewissem feinen Sinn, den Charakter jeder Person, Lage und Empfindung aufs genaueste [zu] treffen; reddere convenientia cuique«. In Niemetscheks Vokabular, Geisteshaltung und Zielvorstellungen wird Mozart – wie die angeführten Details beweisen – zu nichts weniger als einem Paradigma für das, was gemeinhin klassische Musikästhetik genannt wird. Ich vermute übrigens, daß Niemetschek der Autor jenes anonymen Nekrologs in der »Prager Oberpostamts-Zeitung« 1791 und auch anderer Prager Korrespondentenberichte ist, in denen erstmals das »Klassische« in der Erscheinung Mozarts hervorgehoben wird.

Doch nicht nur aus Biographien ist die Einstellung zu Mozarts Persönlichkeit abzulesen. Daß Gedenkkompositionen und Gedächtnisfeiern in den späteren 90er Jahren nicht ausblieben, sondern zumindest in ihrer geographischen Streuung zunahmen, deutet auf einen sich langsam etablierenden deutschen Mozart-Kult. Inhaltlich besonders interessant ist der Text zu Carl Cannabichs Kantate »Mozarts Gedächtnisfeyer« (1797), und zwar in dreierlei Hinsicht: In ihm wird der seit Johann J. Winckelmanns Ermordung in der deutschen Literatur beliebte Topos von »Gipfel und Krise der Lebenskurve« drastisch dargestellt. Weiters wird die zuvor problematisch gesehene Mischung der Affekte in Mozarts Musik nun gerühmt: »Ach, leider ist es nur zu wahr / Nur er allein verstand die Art, / Die mit dem lautern frohen Scherz / Den sanften Ernst geziemend part.« (verbunden mit einem musikalischen Zitat der Stelle »Mann und Weib...« aus dem Duett Pamina/Papageno der »Zauberflöte«) – diese Strophe muß einigermaßen bekannt geworden sein, da sie auch als Inschrift einer Mozart-Büste verwendet wurde, die auf einem Berliner Kupferstich aus dem frühen 19. Jahrhundert festgehalten ist. Zum Schluß nimmt das Stück unverkennbar einen Gebetscharakter (in Form eines Accompagnato-Rezitativs) an: »O du, der jetzt von Fesseln frey, / In Harmonien aufgelöst, / Im reinen lichten Aether schwebst, / Besele [!], wenn du uns vernimmst / Der hier Vereinten Geist und Herzen!«. Diese bei Gedächtniskantaten freilich naheliegende Neigung, die Weihe ins Kunstreligiöse zu heben, weist auf die Mozart-Rezeption des 19. Jahrhunderts voraus.

Ebenso ins Vorfeld späterer Usancen gehören die ersten Denkmäler. 1792 hat ein Logenbruder Mozarts, der Musikalienhändler Franz Deyerkauf, in Graz das erste Mozart-Monument errichtet. Er hatte es in seinem Garten als Zeichen persönlichen Gedächtnisses aufgestellt (vielleicht in Art der »Freundschaftstempel«, wie sie bereits Friedrich der Große im Park von Sanssouci erbauen ließ), nicht ahnend, daß er damit ein Vorläufer des Heroenkultes werden sollte. 1799 berichtete das Weimarer »Journal des Luxus und der Moden« und kurz darauf die Leipziger »Allgemeine Musikalische Zeitung«, ein vom Hofbildhauer Klauer verfertigtes Mozart-Denkmal sei »von Wielands Olympia in den Gartenanlagen zu Tiefurt bey Weimar errichtet« worden. Mozart wurde als Opernkomponist mit Lyra, komischen und tragischen Masken und unter Hinweis auf die »Entführung« und den »Titus« geehrt. Dennoch hat es Symbolcharakter für den noch vermiedenen Ewigkeitsrang, daß dieses Denkmal aus Ton hergestellt war und offensichtlich nicht lange hielt. Einige Jahrzehnte später ist es aus festem Material geformt erneuert worden.

Auch begann sich das Gedenken an Mozart an markanten Daten zu orientieren. Zum fünften Todestag 1796 wurde eine Silbermünze geprägt (Entwurf von Carl Emanuel Baerend). Weniger wertvolle Gedenkmünzen wurden später ebenso üblich, wie die Gedenkfeiern immer größere Formen annehmen sollten. Doch spricht es für den Geschmack der Zeit, daß diese erste vervielfältigte Mozart-Devotionalie eine Miniatur aus edlem Metall ist.

II

1800 – 1830

Mozart im Zeitalter der deutschen Klassik und Romantik – Empire und Mozart – Mozarts Opern und die Rossini-Begeisterung – Der europäische Ruhm folgt dem deutschen nach –: so und ähnlich ließen sich die Facetten des Mozart-Bildes im ersten Drittel des 19. Jahrhunderts umschreiben. Doch diese Stichwörter ergeben keine chronologische Abfolge, ihre Prägnanz ist bei näherem Besehen nur teilweise aufrechtzuerhalten, und die Divergenzen zwischen ihnen sind groß. Trotzdem bietet sich kein diffuses Bild, vielmehr ist ein Verlaufsbogen deutlich zu erkennen. Der um 1800 in Deutschland stabilisierte posthume Erfolg Mozarts erfaßt nunmehr auch international viele Bereiche des Œuvres. Die naive Mozart-Begeisterung wandelt sich zu einer reflektierten. Mozart ist ein Ideal geworden, das in aktuellen künstlerischen wie weltanschaulichen Bestrebungen und Konflikten eine Rolle spielt. Sein musikalischer Stil findet breite Nachfolge, zugleich lösen sich von ihm neuere kompositorische Wege, die um 1830 das musikalische Interesse mehr erregen als er und seine Zeitgenossen. Die Lebendigkeit seiner Musik ist mit dem ästhetischen Wandel um 1830, dem Ende der »Goethezeit«, der Wiener Klassik und der deutschen Romantik strengen Sinns zum Problem geworden, das zur polarisierenden Parteinahme herausfordern sollte.

1800 erwiderte Friedrich Rochlitz in der Leipziger »Allgemeinen Musikalischen Zeitung« einem anonymen Rezensenten, der im »Don Juan eine ganze Welt der erhabensten und lieblichsten Tonweisen« sah, die größten Verdienste Mozarts lägen »in der höheren Instrumentalmusik, vor allem, im Quatuor und Konzert« und nicht in der Oper, »worin er doch – wenigstens im ganzen Auslande – noch immer nicht wenig Gegner findet und vielleicht immer finden wird«. Mag es auch um gegensätzliche ästhetische Ansichten gehen, die zum Übertreiben verlocken, so gibt Rochlitz' Argument knapp den Stand der Rezeption wieder. Im selben Jahr brachte diese Zeitung eine ausführliche Besprechung der ersten Hefte der bei Breitkopf & Härtel erscheinenden »Œuvres complettes« Mozarts. 1801 druckte sie einen Aufruf zur Gründung einer »Gesellschaft zur Beförderung der Tonkunst« ab; unter deren Zielen wird als dritter Punkt angegeben: »Daß die musikalischen Ideen der besten Tonkünstler aller Zeiten und Völker ein canonisches Ansehen erhielten und zu einer Regel erhoben würden, wornach sich alle ausübenden Tonkünstler bilden lernten.« Diese drei Zeitungsausschnitte haben etwas Grundsätzliches gemeinsam, sie umreißen, was mit der Fixierung des Ruhmes Mozarts gemeint ist. Höhere Instrumentalmusik und Oper – jene Bereiche also, in denen Mozart am meisten Kritik hinnehmen mußte – sind anerkannte Größen geworden, über deren Vorrang sich streiten ließ. Die Gesamtausgabe ist sichtbares Zeugnis für ein »canonisches Ansehen« der Musik nach dem Vorbild der Literatur. Die Kanonisierung bezog sich ja vorzüglich auf das Werk Haydns und Mozarts und stellte es in zum Teil ahistorischer Weise neben das eines Händel und Bach. Modern ist dieser Vorgang auch insofern, als er parallel zur Umorientierung des literarischen Kanons von den antiken auf jüngere Autoren erfolgte, wodurch die Musik in ihrer historischen Dimension der Literatur nahekam. Die begriffliche Parallelität zwischen Wiener und Weimarer Klassik hat unter anderem hierin ihren Sinn.

Die Idee, eine Mozartsche Werkausgabe zu veranstalten, ging von dem wenig bekannten Braunschweiger Verleger Johann Peter Spehr aus, der bei der Leipziger Ostermesse 1797 eine »Collection complette« ankündigte. Damit hatte Spehr die Leipziger Firma Breitkopf & Härtel in Zugzwang gebracht. Wenn auch Spehr früher mit der Herausgabe begann, so wurde allein die Breitkopfsche Ausgabe zum vielbeachteten Ereignis, dem andere »Œuvres complettes« Mozarts, Haydns, Clementis, Dusseks usw. folgten. Komplett waren sie alle nicht. Das höchste Maß an Vollständigkeit erreichte die Mozart-Ausgabe von Breitkopf. Weitgehend übergangen wurden vor allem die Jugendwerke; das Publikumsinteresse hatte sich auf die Kompositionen aus der Wiener Zeit konzentriert. Diese Prägung sollte sich ohne deutliche Lockerung über sehr weite Zeiträume erhalten. Gewisse alte Vorlieben waren aber aus Mozarts Lebzeiten unverändert geblieben. Zunächst erschienen bei Breitkopf bevorzugt Soloklavierwerke und Klavierkonzerte, Klavier-Violinsonaten, Lieder; den neuen Geschmacksrichtungen entsprachen eine Reihe von Streichquartetten und der Partiturdruck des »Don Giovanni«. Andere Werkausgaben, wie die der Wiener Verlage Steiner, Haslinger und Magazin de l'imprimerie chymique, von Simrock in Bonn und Pleyel in Paris, beschränkten sich weitgehend auf Klavier- und Kammermusik. Doch lagen Stimmdrucke der späten Sinfonien, der wichtigsten Bläserkonzerte und auch vieler Werke aus der Gruppe älterer Gattungen wie Divertimento, Serenade, Cassation usw. etwa um 1810 vor. Der Mozart-Forscher Alexander Hyatt King schätzt, daß bald nach 1820 fast zwei Drittel des Mozartschen Gesamtschaffens vom auch international gut funktionierenden Musikalienhandel angeboten wurden.

Verzichtet sei darauf, der Notenproduktion im einzelnen nachzugehen. Die Mengen an Drucken und Abschriften sind gewaltig, außerdem hat sich im Vergleich zum späten 18. Jahrhundert etwas Prinzipielles geändert: Jene Verleger, die wichtige Anstöße zur Verbreitung von Mozarts Werk gaben, hatten jeweils bestimmte Ziele verfolgt, die nun in der eifrigen Produktion von überwiegend schon bekannten Werktiteln aufgingen. Selbst der als Anreger so verdienstvolle Offenbacher Verleger André schwenkte auf diese Linie ein und veröffentlichte wenige »neue« Werke aus dem von ihm erworbenen Mozart-Nachlaß. Akzente konnten neben den »Œuvres complettes« nur noch besonders wertvolle, auf bibliophile Interessen von Liebhabern abgestimmte Ausgaben setzen. Die erwähnte »Don Giovanni«-Partitur zählte ebenso hierzu wie das 1829 bei André erschienene Kuriosum eines Drucks der »Zauberflöten«-Ouverture »in genauer Übereinstimmung mit dem Manuscript des Komponisten, so wie er solches entworfen, instrumentiert und beendet hat«.

Wenngleich die von Hyatt King angegebenen Zahlen sicherlich, zum Teil sogar erheblich, zu ergänzen sein dürften, geben sie doch einen Überblick. Er zählte für den Zeitraum von 1792 bis 1830 insgesamt 121 Verleger, die Werke Mozarts veröffentlichten, davon 34 in 19 Städten Deutschlands, 14 in Wien, 37 in Paris, 23 in London, je 2 in Edinburgh, Liverpool und Manchester, 4 in Prag, 3 in Amsterdam, je einen in Kopenhagen und Mailand.

Ohne Übertreibung omnipräsent war Mozarts Musik in Bearbeitungen. Ausmaß und Vielfalt des Geschäfts wären unschwer durch seitenlange Listen, aber sehr schwer repräsentativ oder gar vollständig zu dokumentieren. Die Hypertrophie dieser Praxis veranschaulicht eine Jux-Ankündigung eines frei erfundenen Wiener Musikalien-Bearbeitungs-Instituts in der »Berlinischen musikalischen Zeitung« des Jahres 1806. Sie sei auszugsweise wiedergegeben – auch wenn Mozarts Name zufällig fehlt: »Bei Veitl in Wien, Steigbahn Nro. 1703, ist ganz neu zu haben:

a) Hillers Jagd, arangirt für sieben Flöten und sechs Waldhörner 2 Fl.

b) Der Tollkopf von Méhul, für vier Posaunen und einer obligaten türkischen Trommel 2 Fl.

c) Cherubinis Wasserträger, für Guitarre und Contrafagott 4 Fl.

d) Das Donauweibchen von Kauer, eine Quintette für drei Piccol., Flöten, einer Maultrommel und zwei Paar Doppelpauken 2 Fl. 7 Kr.

... Auch werden Bestellungen auf einzelne Auszüge aus Opern und Oratorien für soviele und für alle Instrumente, die man dabei zur Begleitung zu haben wünscht, mit Vergnügen angenommen; nach Gefallen auch neue Instrumente dazuerfunden, und die Jokey's dazu auf der Stelle abgerichtet.«

Doch bestand auch eine Vielfalt in dem, was die Rezipienten an Empfindung in diese Musik hineinlegten. Der Verfasser der Jux-Ankündigung wollte sich sichtlich über den modischen, nicht gerade tiefgehenden Reiz von ungewöhnlichen und nicht zusammenpassenden Instrumentalklängen lustig machen. Die Flöte als ein Lieblingsinstrument der Zeit tritt besonders hervor. Aber Jean Paul in seinen »Flegeljahren« (1804/5) setzt vermutlich ebenfalls bei derlei Flötenbearbeitungen zu einem Flug ins romantische Reich an, wenn er schreibt: »Wohl lieb' ich die Flöte, den Zauberstab, der die innere Welt verwandelt, wenn er sie berührt; eine Wünschelrute, vor der die innere Tiefe aufgeht.«

Die Omnipräsenz Mozarts förderten bzw. bespiegelten auch Parodien, sowohl im alten, ernsthaften wie im neueren, persiflierenden Sinne, wenngleich manchmal die Entscheidung schwerfällt, wie sie aufzufassen sind. Ein, zugegeben extremes, Beispiel geben geistliche Parodien aus dem schlesischen Kloster Grissau (heute Krzeszów): aus »Ah che tutta in un momento« (»Così fan tutte« Nr. 18) wurde »Alma redemptoris mater«, aus »Non mi dir, bell'idol mio« (»Don Giovanni« Nr. 25) ein »Ave Jesu qui sacratum« und aus »Bewahret Euch vor Weibertücken« (»Die Zauberflöte« Nr. 11) ein »Regina coeli laetare«. Will man nicht über das Parodieren als Sakralisierung des Weltlichen spekulieren, ist es das beste, derartige, gar nicht so seltene ernsthafte

Beispiele von der heiteren Seite zu nehmen. Unter den von vornherein als Persiflage beabsichtigten Opernparodien seien eine sehr naheliegende und eine sehr entfernte herausgegriffen: 1818 führte Carl Meisl im Wiener Theater in der Josefstadt eine Posse mit Gesang und Tänzen, Musik von Wenzel Müller, unter dem bezeichnenden Titel »Die travestierte Zauberflöte« auf. 1817 erschien in London (1819 in New York) die erste englische Mozart-Parodie »Don Giovanni, or, A Spectre on Horseback!« von Thomas Dibdin; hier spricht noch mehr der Untertitel für sich: »Eine komisch-heroisch-musikalisch-tragisch-pantomimisch-burlesk-sensationelle Zauberposse.«

Ausbreitung und Kanonisierung des Mozartschen Werks sind zwei unterschiedliche Tendenzen. Logischerweise setzt das letztere das erste voraus. Außerhalb des deutschen Kulturraums mußte sich Mozarts Werk erst einmal in größerem Umfang durchsetzen. Dies geschah unter verschiedenen Gesichtspunkten, die sich einerseits aus den nationalen Traditionen ergaben, und andererseits jener Aktualität entsprechen, die sie wiederum in einen Zusammenhang mit der deutschen Entwicklung bringen. Daher sei auch mit ihr begonnen; ihre breitere Darstellung ist durchaus wertend gemeint und soll der tatsächlichen Situation gerecht werden.

Die nach 1800 verstärkt geäußerte Forderung nach einer besseren handwerklichen wie ästhetischen Basis des Musizierens fand den Ort ihrer Verwirklichung in den aufstrebenden Musikvereinen, Singakademien und ähnlichen bürgerlich dominierten Institutionen. Zugleich hatte unter dem Eindruck des Endes des Heiligen Römischen Reiches und der Napoleonischen Bedrohung die Zeit eines kulturellen und nationalen Aufbruchs in Deutschland eingesetzt, in der der Kunst eine besondere Rolle im Kampf um eine innere Selbstbehauptung zukam. Gerade die Musik eignete sich gut zur nationalen Identifikation, selbst über politische Divergenzen hinweg. Im Zenit stand aber kein Werk Mozarts, sondern Haydns »Schöpfung«. Ihre Aufführungen hatten etwas unvergleichlich Erhebendes, sie waren Ventil für eine Sehnsucht nach Größe, sei es im vaterländisch-österreichischen Sinn wie bei der berühmten Aufführung am 27. März 1808 im Wiener Universitätssaal unter Anwesenheit des greisen Haydn, oder im deutsch-nationalen Sinn wie bei der mit schlichtem Pathos gestalteten ersten Aufführung in Leipzig 1801. Wie schon zuvor zeigt sich auch nunmehr, daß Mozarts Werke sich für das Pathos einer weltanschaulichen Vereinnahmung schlecht eignen. Nur indirekt, in Form der Händel-Bearbeitungen, oder mit dem »Davidde penitente« (in der Hillerschen Fassung) scheint Mozarts Musik diesem Zug der Zeit zu entsprechen. So führte die »Gesellschaft der Musikfreunde des österreichischen Kaiserstattes« in ihrer Gründungszeit 1812 Händels »Alexanderfest« in Mozarts Bearbeitung mit tendenziöser Absicht auf. Eine Aura nationaler Würde sollten die recht häufigen Aufführungen von Mozarts »Requiem« bei Traueranlässen erzeugen. Friedrich Gottlieb Klopstock wurde, prunkvoll wie kein deutscher Dichter vor ihm, am 22. März 1803 in Hamburg zu Grabe getragen; bei der Totenfeier erklang Mozarts »Requiem«. Die Enthüllung eines Denkmals für den 1811 verstorbenen antinapoleonischen Patrioten Heinrich von Collin wurde am 1. September 1812 in Wien ebenso mit diesem Werk begangen wie am 5. März im Berliner Nationaltheater die Totenfeier für die Königinwitwe, oder von 1808 bis 1810 im Schloß Ludwigslust die jährlichen Gedächtnistage zu Ehren der verstorbenen Herzogin Louise von Mecklenburg-Schwerin. Doch scheint sich die Verwendung des »Requiems« als Staatskomposition schon früh auch außerhalb Deutschlands eingebürgert zu haben; sie erfolgte in Frankreich und im Winter 1812/13 in Neapel bei der Totenfeier für einen französischen General. Mehr und mehr wurde es üblich, das »Requiem« bei offiziellen Trauerakten aufzuführen, so etwa auch für Beethoven, Chopin und viele andere Komponisten.

Krieg und wirtschaftliche Schwierigkeiten – Österreich geriet 1811 in einen Staatsbankrott – wirkten sich auf das Konzertleben ungünstig aus. Von einer »Krise des Konzerts um 1800« ist im Schrifttum zu lesen. Neben äußeren mögen auch innere Gründe mit zu dem Rückschlag beigetragen haben. Der anscheinend unaufhaltsame Aufstieg des Konzertwesens im ausgehenden 18. Jahrhundert führte schließlich zu einem Überangebot, also etwas, das störungsanfällig ist. In Berlin wie Wien, und um so mehr in kleineren Städten, häuften sich Klagen über leere Konzertsäle. Die Leipziger »Allgemeine Musikalische Zeitung« brachte den Zustand 1807 auf die einfache Formel »Sinkender Wohlstand, sinkende Kunst«. Das betraf auch die Aufnahme Mozartscher Werke im Konzert. Mozarts Sinfonien aus der Wiener Zeit waren nunmehr wohl bekannt und geschätzt, aber nach wie vor weniger beliebt als seine Klavierkonzerte. Die Gründe dafür dürften einerseits in der immer noch steigenden Beliebtheit des Klaviers liegen, derzufolge Mozarts Konzerte zu Standardwerken des Konzertbetriebs wurden, andererseits in der Tatsache, daß immer noch Haydn als der Meister moderner Sinfonik galt, nicht zuletzt gerade in Paris, dem Zentrum der Orchesterkultur.

Die Situation der Oper war ähnlich. Die Klagen über eine Flaute in Interesse und Angebot waren allgemein; aus Wien kamen sie zu Recht besonders massiv. »Die Zauberflöte« ausgenommen, waren während der 90er Jahre Mozarts Opern von Wiens Bühnen fast verschwunden. Ein Wiener Korrespondent der »Berlinischen musikalischen Zeitung« gelangte 1805 zu dem ernüchternden Ergebnis: »Das Merkwürdigste, was ich Ihnen für Ihre Zeitung von hier zu schreiben habe, ist, daß ich nichts zu schreiben habe, das irgend verdiente darinnen aufgenommen zu werden.« Mit der Auflösung der italienischen Operntruppe setzte 1806 allerdings ein beachtlicher Aufschwung der deutschen und im besonderen der Mozartschen Opernpflege ein. Für die Aufführungs-Kontinuität wurde einmal mehr Prag zu einem wichtigen Faktor; besonders deswegen, weil die Prager an den originalen Fassungen festhielten, was speziell für ihre Lieblingsoper »Don Giovanni« gilt. Dies ist insofern bemerkenswert, als die gleichzeitige, von Nord- und Mitteldeutschland ausgehende Auf- und Umwertung des »Don Giovanni« (1801: Übersetzung von Rochlitz, Partiturerstdruck, diverse Interpretationen) in eine deutsch-nationale Richtung weist, die sich von der italienischen Operntradition zu lösen sucht.

Die Gleichsetzung des sinkenden Wohlstandes mit der sinkenden Kunst widerspricht jener vom Aufstieg des Bürgertums mit dem der Nationalbildung. Wilhelm von Humboldt sah eine Einheit von Kunstgenuß und Empfänglichkeit für Höheres in einer Nation und räumte der Musik dabei eine popularisierende Funktion ein: »Durch welche Kunst aber ließe sich dieselbe bis zu den untersten Volksklassen hin reiner, mächtiger und leichter verbreiten als durch die Musik?« Womit selbst ein Phänomen wie die Bearbeitungspraxis einen höheren Wert zugesprochen erhält.

Diese Aufbruchstimmung konnte nur als innere Kraft überleben, für die die Aufführungen von Haydns »Schöpfung« emphatische Zeichen setzten (stand doch der Optimismus dieses Werkes in Kontraposition zur Misere der Gegenwart).

Die üblichen Worte vom Hinabsinken der Welt des Rokoko und dem Aufstieg eines neuen Zeitalters klingen nach leeren Phrasen. Ein anschauliches, wenngleich negativ überzeichnetes Bild des tatsächlich eingetretenen Wandels gibt das Beispiel der ursprünglichen Heimat Mozarts. Salzburg, immer schon in einer prekären Situation zwischen Bayern und Österreich, fand im Strudel der Napoleonischen Kriege sein Ende als geistliches Fürstentum. Ohne Universität, Hofhaltung oder irgendwelche Oberbehörden und nach der Abwanderung des alteingesessenen Adels wurde die Stätte ruhmreicher Tradition zur bedeutungslosen Kreishauptstadt im österreichischen Herzogtum ob der Enns. Die kulturelle Lethargie spricht aus der unbegreiflich erscheinenden Tatsache, daß Mozarts Name oder Werk in Salzburger Tageszeitungen während der beiden ersten Jahrzehnte des 19. Jahrhunderts kein einziges Mal erwähnt wurden. Die geistige Entwurzelung des Gedächtnisses an Mozart in seiner Heimatstadt mag als ein Symbol für seine historisch bedingte Fremdheit gelten (die nicht mit der »Fremdheit des Genies« als philosophisches Problem zu verwechseln ist).

Ähnliches bedeutet der 1810 mit der Übersiedlung Constanzes und Georg Nissens nach Kopenhagen eingetretene Umstand, daß kein Angehöriger der Familie Mozart mehr in Wien ansässig blieb. Aber auch die durch die Förderung der Söhne angestrebte künstlerische Kontinuität der Familie sollte sich nicht aufrechterhalten lassen. Der ältere Mozart-Sohn Carl lebte ab 1805 in Mailand. Durch die Vermittlung Haydns konnte er beim dortigen Konservatoriumsdirektor Bonifazio Asioli nochmals ein Musikstudium aufnehmen, doch blieb es ohne Erfolg. Carl verbrachte sein weiteres Leben als neapolitanischer, später österreichischer Beamter und engagierter Mozart-Verehrer in Mailand. Sein jüngerer Bruder, Wolfgang Amadeus, hatte in Wien eine ganze Reihe hervorragender Lehrer, nur nicht Haydn. Die Absicht einer zum 75. Geburtstag Haydns vom 10jährigen Wolfgang Amadeus am 8. April 1805 in Wien gegebenen Akademie liegt auf der Hand. Doch der Versuch, an dem bereits bestehenden

Mythos von »Haydn und Mozart« anzuknüpfen, fruchtete wenig. Der jüngere Wolfgang Amadeus war sehr ehrgeizig – nach einer Aussage Beethovens angeblich auch sehr eitel –, er vermochte als Komponist aber nie aus dem Schatten seines Vaters zu treten. Als Pianist führte er das Leben eines reisenden Virtuosen, wie manche andere und berühmtere Musiker der Zeit. Der Wunsch nach einer angesehenen festen Stellung erfüllte sich beim Sohn ebensowenig wie seinerzeit beim Vater; die längsten Bindungen an ein örtliches Musikleben ging er in Lemberg in Galizien ein. Der dänische Maler Hans Hansen, ein Freund des Ehepaars Nissen, hatte 1798 die beiden Knaben porträtiert. Nissen sprach von einem »Tableau brüderlicher Zärtlichkeit«. Steht man vor diesem Bild in Mozarts Geburtshaus in Salzburg, ist es schwer, nicht etwas herauszulesen, was gar nicht enthalten ist: Melancholie und eine leise Betretenheit über das Schicksal zweier Nachgeborener. Franz Grillparzer empfand wohl Ähnliches, als er in seinem Gedicht »Am Grabe Mozarts des Sohnes« schrieb: »Des Vaters Name war es eben, Was Deiner Tatkraft Keim zerstört... Der Name, Dir ein Schmerzgenosse, Er wandelt sich von heut in Glück.«

Den inhaltlichen Wandel, dem das Mozart-Bild in der damaligen Situation ausgesetzt war, möchte ich, wie schon zu Beginn dieses Kapitels gesagt, nicht voreilig mit den Begriffen der Klassik und Romantik etikettieren und vielmehr versuchen, ihn anhand von drei Merkmalen zu beschreiben: dem eines stärker reflektierenden Zugangs zur Musik – dem der Idealisierung – dem eines Verständnisses unter dem Aspekt des »Erhabenen« und »Heroischen«.

Natürlich sind nachträglich nur insoweit, als die Zeitgenossen ihr Interesse gegenständlich artikulierten, Vermutungen darüber möglich, was alles in Mozarts Musik hineingedacht und an Empfindungen hineinprojiziert worden ist. Die Zunahme an Reflexion hat verschiedene Gesichter, sie besitzen aber als gemeinsame Voraussetzung die Methode, etwas nicht mehr völlig Selbstverständliches, eine bewußt gewordene Distanz, eine Einsicht in die Komplexität des Werkes als Spannungspotential zur Interpretation zu nützen. Von diesem Wandel zeugt allein schon der Umstand, daß eine literarische Musikkritik nunmehr an Quantität und vor allem an gedanklichem Gewicht gewann. Das

Bewußtsein für die Eigenart von Mozarts Musik wurde vom aufkeimenden Historismus stimuliert. Kanonisierung eines Repertoires und historisches Bewußtsein sind unterschiedliche Dinge, dennoch konnte ein sich weitendes und festigendes Repertoire die Neugierde für die Geschichte wecken. Carl Maria von Weber zum Beispiel begründete 1818 sein Interesse für die »Entführung aus dem Serail« so: »Es gibt wohl nicht leicht eine wichtigere Angelegenheit für den Kunstfreund, als den Entwicklungsprozeß der großen, ihre Zeit gestaltenden und beherrschenden Geister zu beobachten.«

Dem Wiener Kreis um Gottfried van Swieten, dem auch Mozart und Haydn angehörten, wird zugeschrieben, durch seine gezielte Pflege der Musik Johann Sebastian Bachs und Händels am Beginn eines musikalischen Historismus zu stehen. Mozarts Bearbeitungen Bachscher Fugen und Händelscher Oratorien – so folgenreich sie für sein eigenes Komponieren gewesen sein mögen – sind allerdings nicht von historistischen Gedanken getragen; ganz im Gegenteil sind sie von dem Empfinden veranlaßt, daß es nötig sei, diese alten Werke gleichsam durch eine Übersetzung in die zeitgenössische musikalische Sprache verständlich zu machen. Dahinter steht immerhin ein Bewußtsein von der Andersartigkeit der alten Musik. Dieses Verhältnis zwischen Distanz und deren Überwindung beginnt sich wenige Jahre später zu verschieben. Mozarts Händel-Bearbeitungen sind im frühen 19. Jahrhundert verschiedenenorts aufgeführt worden, sie fanden aber Kritik. Als im Dezember 1804 im Berliner Königlichen Operntheater der »Messias« mehrmals dargeboten worden war, rühmte ein Rezensent (vermutlich Reichardt) die »stille Größe« und den »inneren Glanz« des Händelschen Werkes, fand aber »diese seltenen Eigenschaften« von Mozarts »zerstörendem Zusatz beleidigt«. Mit ebenfalls historistischen Argumenten wurde im April 1805 eine Hamburger »Messias«-Aufführung kritisiert.

Ein ähnlicher Wandel ist in der Gestaltung der Opernbühnenbilder zu beobachten. Der Lauf der Zeit ließ hier wie von selbst Distanzen entstehen. So ist die Gegenwart der 80er Jahre des 18. Jahrhunderts, in der »Le nozze di Figaro« spielen, schon von den Kostümen und dem Interieur der Räume her nicht mehr die Gegenwart des frühen 19. Jahrhunderts. Der »Don Giovanni«

wurde zu Mozarts Lebzeiten der Gegenwart anverwandelt; erst nach der Jahrhundertwende tauchen historische Reminiszenzen an die italienische Renaissance auf, wie in Anton de Pians Bühnenbildern für die Wiener Inszenierung 1810. Die märchenhafte Zeitlosigkeit bzw. Assoziationsfülle der »Zauberflöte« wurde eingefangen und auf einen sinnvoll erscheinenden historischen Punkt bezogen. Es begann die Reihe ägyptisierender Bühnenbilder, deren bei weitem berühmtestes Beispiel Karl Friedrich Schinkel für die Berliner Inszenierung des Jahres 1816 schuf. Schinkels Erfolg rief die Nachahmer auf den Plan; auch Goethe veranlaßte 1817 in Weimar, die alten Dekorationen von 1794 aufzugeben, und engagierte Friedrich Beuther, der eine historisierende Architektur entwarf. (Eine klassisch-griechische war vorgesehen, eine ägyptisierende kam zur Verwendung.) Die historische Treue der Bühnenbilder war vielenorts verbunden mit einem Zug zur monumentalen Strenge; hierin gleichen sich die Renaissance de Pians und das in schweren Farben prunkende Ägypten Schinkels.

Wie die Beachtung historischer Treue sind auch andere Merkmale des Schauspiels auf die Oper übertragen worden. So besetzte man vor 1800 Sängerrollen in Mozart-Opern nicht selten mit Schauspielern. Der erste Papageno war ja Schikaneder selbst, also ein Schauspieler. Die Absicht einer solchen Besetzungspraxis richtete sich natürlich nicht auf die Musik, sondern darauf, die Aktion als solche und besonders das realistisch Possenhafte stärker herauszuspielen. Diese Singspielauffassung büßte in der Zeit nach 1800 an Überzeugungskraft ein. Daraus resultierten zum einen Travestien von Mozart-Opern und phantastische biographische Szenen (wie Joachim Perinets »Jupiter, Mozart und Schikaneder«) – ein mit der Distanz zu Erfolgsstücken wie der »Zauberflöte« oder dem »Don Giovanni« spielender, eher reflektierender Zugang zu Mozart. Daneben gab es weiterhin Aufführungen im Milieu der Volkskomödie, die der spontanen Bühnenwirkung vertrauten; noch Johann Nestroy debütierte 1822 als Sarastro. Zum anderen richteten sich gegen das ältere Singspiel die Ziele einer neuartigen Operninterpretation. Wenn Friedrich Rochlitz in seiner erfolgreichen »Don Juan«-Fassung ganze Szenen und grüblerische Betrachtungen des Titelhelden einfügte, so suchte er das Drama zu Lasten der Aktion zu betonen. Oder wie es ein Zeitgenosse bündig ausdrückte: »Die Handlung ist hier, um den Charakter der Personen zu entfalten, nicht die Personen, blos um die Handlung zu beleben.« Die zuvor meist überzeichnete Figur des Leporello wird nun zurückgedrängt. Papageno und Papagena, im abgezirkelten ägyptischen Kostüm und in einer archaisch monumentalen Szenerie, müssen mit ihren Späßen und ihrer Natürlichkeit recht deplaciert gewirkt haben (extrem in der Mailänder Inszenierung 1816). Das Bewegliche, Offene in der Struktur der Opern Mozarts erschien korrekturbedürftig. Das bekannteste und bald ein Jahrhundert lang als notwendige Verbesserung verstandene Exempel gibt der Schluß des »Don Juan«. Rochlitz strich das Schlußsextett – wie bereits Friedrich Lippert bei der Berliner Aufführung 1790 – und tilgte damit an einem entscheidenden Punkt das »giocoso« in Mozarts »Dramma giocoso« (in seinem Werkverzeichnis sprach Mozart sogar von einer »opera buffa«), um die Tragödie sinnvoll mit der Katastrophe des Helden abschließen zu können. Die Tendenz ging dahin, die empfundene Kluft zwischen herrlicher Musik und schlechten Libretti zu schließen. Johann Gottfried Herder drückte es 1801 in seiner »Adrastea« sehr emphatisch aus: »Wie bedauern wir, zauberischer Mozart, Dich in deinen Così fan tutte, Figaro, Don Juan u.f. Die Töne setzen uns in den Himmel, der Anblick der Scenen ins Fegefeuer, wo nicht gar tiefer.« Auf den ersten Blick scheinen die so motivierten Eingriffe zu Lasten der Musik zu gehen. Sie beeinträchtigten sicher auch die musikalische Seite der »buffa«-Sphäre. Darüber hinaus aber warf das Umlenken der Aufmerksamkeit von der Aktion zu den Gefühlen, Gedanken und Leidenschaften der Protagonisten doch wiederum ein verstärktes Licht auf die Musik selbst. Die Dramatisierung der Oper verdrängte – paradoxer- und zugleich konsequenterweise – den singenden Schauspieler und forderte die musikalische Gestaltungsfähigkeit des Sängers heraus.

Kritische Reflexion äußerte sich ebenso im Zugang zur Instrumentalmusik. In einem Aufsatz aus dem Jahr 1805 bezog sich ein mit »C.F.« signierender Autor auf zentrale Gedanken Schillers, die er in dem Titel »Etwas über sentimentale und naive Musik« andeutete. Naive Musik drücke »in der größten Einfalt und Ruhe die sanften Gefühle des mit sich selbst harmonischen Gemüths, des von der Unruhe der heftigen Affekte und Leidenschaften freien, in sich selbst zufriedenen Herzens aus«. Diese Naivität käme in der sentimentalen Musik nur in Spuren vor. »Die Seele sucht in dieser Musik auf mancherlei Wegen ihr schönes Ziel sich zu vergegenwärtigen und ihm sich zu nähern. Das befangene Gemüth ahnt die nahe Befriedigung und erweitert sich selbst immer mehr.« Hinter der alten Schwierigkeit, die Mischung der Affekte in der Musik als sinnvoll zu begreifen, vermutet der Autor eine Einsicht des Komponisten in Unvereinbarkeiten, die ihn voll Sehnsucht nach einem schönen Ziel verlangen lassen. »Unsere meiste und beste neue Musik ist sentimental... Jos. Haydn, Mozart, Eman. Bach, Reichardt, Zumsteeg, Beethoven, Cherubini u. a. Meister.« Schillers Ästhetik scheint sich hier hin zu einer romantischen Sehnsucht zu öffnen.

Es macht wohl das metaphysische Wesen dieses »schönen Ziels« aus, daß es sich nicht so recht bestimmen läßt. Die biblische Metaphorik von Licht und Dunkel, in der Aufklärung bis zum Überdruß zur Veranschaulichung einer säkularen, vernünftigen Erwartung genutzt, wird nun in entschieden anderer Weise auf die Kunst eines Mozart angewandt. Das Licht seiner Musik steht gegen eine unerfreuliche Gegenwart. Was dieser gegenübergestellt wird, ist historisch vergangen und zugleich eine Hoffnung für die Zukunft. Der konservative Niemetschek fügte in der zweiten Auflage seines Buches 1808 folgende Passage neu ein: »Wie gern hört man nach dem Wirrwarr neuester Kompositeurs die stillerhabenen, klaren, so einfachen Gesänge unsers Lieblinges! Wie wohl thun sie unserm Gefühle – es ist als wenn man aus einem chaotischen Gewirre, aus dichter Finsterniß ins Licht und eine heitere Ordnung versetzt würde.« Dieses in der Folge gern beschworene goldene Zeitalter im tönenden Bilde Mozartscher Musik hat Franz Schubert in einer Tagebucheintragung nach einem Konzerterlebnis am 14. Juni 1816 wenn möglich noch emphatischer in Worte gefaßt: »Ein heller, lichter, schöner Tag wird dieser durch mein ganzes Leben bleiben. Wie von ferne leise hallen mir noch die Zaubertöne von Mozarts Musik. Wie unglaublich kräftig und wieder so sanft ward's durch Schlesingers meisterhaftes Spiel ins Herz tief, tief eingedrückt. So bleiben uns diese schönen Abdrücke in der Seele, welche keine Zeit, keine Umstände verwischen, und wohltätig auf unser Dasein wirken.

Sie zeigen uns in den Finsternissen dieses Lebens eine lichte, helle, schöne Ferne, worauf wir mit Zuversicht hoffen. O Mozart, unsterblicher Mozart, wie viele o wie unendlich viele solche wohltätige Abdrücke eines lichtern bessern Lebens hast du in unsere Seelen geprägt.«

Vergangenes bunter, reiner und näher zu sehen als die verwirrenden Erlebnisse der Gegenwart, ist noch kein romantisches Spezifikum, sondern etwas Allzumenschliches. Bei all dem, was in den Jahrzehnten um 1800 an Erschütterungen über Europa hinwegzog, mag das Potential für positive Gegenbilder besonders groß gewesen sein. Wie schwierig eine begriffliche Orientierung fällt, zeigen die obigen »romantischen« Zitate: Niemetschek vertrat eine humanistische Geisteshaltung. Schubert zu klassifizieren ist unmöglich; die Romantik war im Wien seiner Zeit sicher keine dominante Orientierungsmarke. Irreal in seinen politischen Bedingungen und idealistisch in seinen Zielen war selbst jener deutsche wie österreichische Nationalismus, in den die Musik hineingezogen wurde. Anders wäre die Verquickung von Deutsch-Nationalem und Romantischem im Gegenstand Mozart gar nicht möglich gewesen. Die Unbestimmtheit der Ziele hat aber nicht nur mit deren metaphysischem Wesen zu tun, sie ist zugleich Teil einer historischen Entwicklung, die von einer Experimentierphase der Jahre um 1800 zu einer begrifflichen Klärung in den 20er und 30er Jahren führte.

Eine fortschreitende Konkretisierung der musikalischen Ansichten läßt sich innerhalb der literarischen Romantik selbst beobachten. Wilhelm Heinrich Wackenroder und Ludwig Tieck vor anderen ist die Aufwertung der Instrumentalmusik im Sinne einer »Idee der absoluten Musik« ein Anliegen gewesen. Auf einer weniger spekulativen Ebene fanden sie in den musikalischen Rezeptionsgewohnheiten der 90er Jahre entsprechende Voraussetzungen vor. Am einfachsten formulierte Tieck die Zielrichtung ihres Verständnisses, wenn er in seinem Aufsatz »Symphonien« von der Instrumentalmusik sagt: »Sie phantasiert spielend und ohne Zweck, und doch erfüllt sie den höchsten, sie folgt ganz ihren dunklen Trieben, und drückt das Tiefste, das Wunderbarste mit ihren Tändeleien aus.« Die frühen Romantiker entwickelten aber ihre hochgespannte Idee an einem für unser Empfinden eher simplen Gegenstand, an Musik von Stamitz,

Cannabich, Reichardt. Eine romantische Musik gab es um 1800 noch nicht, aber auch das Werk Haydns und Mozarts gab überraschenderweise nicht von vornherein den Modellfall ab, zumindest nicht expressis verbis. Diese Tatsache ist von der musikalischen Rezeptionsgeschichte her schwer verständlich. Wenn, mit den Worten Emil Staigers, die Romantik »am Berliner Pflaster erfunden« wurde, konnte sie an der Musik Mozarts gar nicht vorbeigehen. Daß sie es dennoch tat, kann in antiquierten Klischees der Nicht- oder Kaum-Musiker im Umgang mit Musik begründet sein; sie spricht aber sicherlich dafür, daß das Potential an Reflexion und Idealisierung die Strukturgegebenheiten des musikalischen Gegenstandes weit überstieg.

Ein Sich-Annähern von dichterischem und musikalischem Niveau war eine Frage der Zeit und auch der musikalischen Bildung der Dichter. Im persönlichen Entwicklungsgang Tiecks zeichnet sich ein Wandel ab, der bei dem jüngeren Dichter-Komponisten Ernst Theodor Amadeus Hoffmann zur Erfüllung fand. In dessen »Don Juan«-Novelle 1813 wird Mozarts Oper zum Inspirator der dichterischen Phantasie. In seinen berühmten Rezensionen gelangte Hoffmann zu einer Einheit von poetischem Gehalt mit der Struktur der Musik, doch ihr adäquater Gegenstand ist bereits die Instrumentalmusik Beethovens; vom Spielerischen, von den »Tändeleien« ist nicht mehr die Rede. Mozart ist für Hoffmann (wie zuvor für Tieck und danach für Eichendorff) als Opern- und nicht so sehr als Instrumentalkomponist von Bedeutung.

In ihrem Innersten zielt die Idealisierung der Musik auf einen religiösen Gehalt ab, der wohl in allen Gattungen gesucht wurde, aber selbstverständlich eine Diskussion der Kirchenmusik herausforderte. Schon bei Tieck bekam Mozart in diesem Zusammenhang schlechte Zensuren. Im »Phantasus« bezweifelt ein Gesprächsteilnehmer, daß Mozart »sowie die meisten Neueren wirklich eine geistliche Musik habe setzen können«. Und Hoffmann spricht in seinem Aufsatz »Alte und neue Kirchenmusik« von einer »ansteckenden Seuche des weltlichen prunkenden Leichtsinns« und meint von Mozarts Messen, sie seien »beinahe seine schwächsten Werke«. Etliche Jahre später rückte Hoffmann von seiner Rigorosität wieder etwas ab und gesteht im zweiten Band der »Serapionsbrüder«, 1819, Haydn, Mozart und Beethoven selbst aus dem Munde des konservativen Cyprian einen eigenen, eben modernen Kirchenstil zu. Hoffmann verklärt nicht nur eine ferne Vergangenheit, sondern er sucht in der Gegenwart der Musizierpraxis eine Hoffnung für die Zukunft – sie kann nur in einem Einzelfall, der sich vom Gewöhnlichen abhebt, in einem Gegenstand, der der Idealisierung würdig ist, liegen. Hoffmanns Identifikation mit einem Ideal als Folge einer vorangegangenen Distanzierung wird in dem bereits erwähnten Aufsatz »Alte und neue Kirchenmusik« sehr deutlich. Denn nachdem er ein negatives Urteil über Mozarts Musik, wie niemals sonst in seinen Schriften, gefällt hat, blendet er unvermittelt über auf ein emphatisches Lob des »Requiems« als einzig dastehendes Werk: »Wer wird nicht von der glühendsten Andacht, von der heiligsten Verzückung ergriffen, die daraus hervorstrahlt? Sein ›Requiem‹ ist wohl das Höchste, was die neueste Zeit für den kirchlichen Kultus aufzuweisen hat.« Nur das »Tuba mirum« findet Hoffmann zu »oratorienartig«, sonst aber entspricht hier alles seinem Ideal von Kirchenmusik; es sei »reiner Kultus ... wunderbare Akkorde, die von dem Jenseits sprechen, ja, die das Jenseits selbst sind, in ihrer eigentümlichen Würde und Kraft«. Dieses Ideal hatte Hoffmann schon 1805 veranlaßt, selbst ein »Requiem« zu komponieren, das er allerdings, kaum zufällig, nie aufführte.

Die Neigung zur Überhöhung zeigt sich nicht nur im Reden über Musik, sondern anschaulicher in den Operninszenierungen selbst. Dazu zwei Beispiele: Die Figur des Komtur im »Don Giovanni« gibt einen Angelpunkt für Deutungen ab, die den Einbruch des Überirdischen hervorheben möchten. In einem in Wien erhalten gebliebenen Alabasterrelief der Friedhofszene, vermutlich aus dem Jahre 1789, steht der Komtur auf seiner Grabplatte; ähnlich hat ihn Joseph Quaglio bei seiner Mannheimer Inszenierung 1789 dargestellt. In vielen Inszenierungen des frühen 19. Jahrhunderts sitzt die Figur auf einem Pferd und wird mit diesem zusammen als Denkmal auf ein Podest »entrückt«. Etwas prinzipiell Ähnliches trifft hinsichtlich der Szenerie für das erste Auftreten der Königin der Nacht in der »Zauberflöte« zu. Der plötzliche Einbruch des Nächtlichen fordert die Imagination jedes Bühnenbildners heraus. Sowohl bei Schikaneder wie bei der Weimarer Inszenierung Goethes ist die Königin der Nacht auf einem festen und begehbaren Bauwerk postiert. In

Joseph Quaglios Münchner Bühnenbildern des Jahres 1793 führt kein Weg zu ihr, sie thront auf Wolken und Girlanden. 25 Jahre später, wiederum in München, hat Simon Quaglio das Bedrohende der auf Wolken vor der Mondsichel stehenden und von einem sternennachtblauen Baldachin geschützten Königin durch düstere Wolkenfetzen und eine Schar starr langgestreckter Geistergestalten dargestellt. Eine andere mögliche Form der Überhöhung, die Öffnung in einen über Wolken sich lichtenden Sternenkosmos – in eine musica mundana – wählte Schinkel in seiner Berliner Inszenierung 1816. Beide Bildlösungen sind berühmte Vorbilder geworden.

Sie als Sinnbilder der Romantik schlechthin zu verstehen, verlockt, veranschaulichen sie doch die Doppeldeutigkeit des »Geisterreichs« zwischen Gefährlichem und Hohem. Im Stilistischen geben sie zugleich Beispiele für den freilich unscharfen Unterschied zwischen Romantik und Klassizismus. Doch sei auf einen ganz anderen, die Assoziationskette irritierenden Sachverhalt hingewiesen. Weder romantische Dichter noch Musiker waren auf einen dämonisierten »Don Giovanni« und eine mythisierte »Zauberflöte« hin fixiert. Vielmehr fand Mozart ebensoviel – im opernästhetischen Raisonnement bald noch mehr – Interesse als »comischer Romantiker«, wie es der Nicht-Romantiker Reichardt etwas seltsam, aber treffend formulierte. Diese Auffassung hat mit der älteren Rezeption zu tun, im speziellen mit der »Zauberflöten«-Nachfolge und der Eindeutschung der opera buffa Mozarts.

Der Riesenerfolg dieses Werkes hat ja alles Mögliche, auch tiefer reichende Folgen, nach sich gezogen. Im Hinblick auf Goethe fand Norbert Miller die mixtum-compositum-Formulierung von der »Zauberoper als weimarisch-romantisches Theater«. Schikaneder führte das Illusions- und Ausstattungstheater weiter, das ein der Operngeschichte näherliegender Antrieb war als Goethes spätes Ergebnis im Helena-Akt des »Faust II«. Beide hatten wenig Glück mit komponierenden Mozart-Nachfolgern; die Aussichtslosigkeit, einen gleichwertigen Ersatz zu finden, sah allerdings nur Goethe ein. Dabei vermied es Schikaneder klugerweise lange, wie andere Impresarii an ein Erfolgsstück unmittelbar anzuschließen. Erst als sein Theater beim Publikum an Glanz verlor, wagte er die Fortsetzung der »Zauberflöte«. Der Komponist der Oper »Das Labyrinth«, Peter von Winter, war angesehen, hatte unmittelbaren Nachruhm, war im späteren 19. Jahrhundert völlig vergessen und gilt heute als ein vieles amalgamierender, entwicklungshistorisch beachtenswerter Komponist. So wie im Libretto bestimmte Personen, Konstellationen und Situationen wohlgeordnet wiederkehren, suchte Winter ein altes Identifikationserlebnis beim Publikum musikalisch von neuem lebendig werden zu lassen. Seine Mozart-Zitate schufen eine Atmosphäre des Vertrauten, da jedermann sie erkannt haben dürfte; was er darüber hinaus den Kennern bieten wollte, wie sehr seine Musik ein »Studium über Mozarts Kompositionsweise« ist, vermag ich nicht zu durchschauen. Auch gestehe ich, daß mich das »Labyrinth« bei einer Aufführung vor einigen Jahren im Münchner Cuvilliés-Theater sehr enttäuschte: nicht deshalb, weil eben Mozarts Opern unvergleichlich sind, sondern weil Winter so geringe Ansprüche an sich selbst gestellt hatte. Vermutlich empfand auch das zeitgenössische Publikum Befremden darüber, ein Kaleidoskop von Abziehbildern nach bekannten Vorlagen vorgeführt zu bekommen. Das »Labyrinth« hatte nicht den erhofften Erfolg. Winter wandte sich von Schikaneder ab und ging zurück nach München. Nun erfolgte aber das Entscheidende: Winter sah die Unmöglichkeit einer Mozart-Nachfolge ein und begann auf seine Weise die durch Mozart gehobene Bedeutung der Musik für das Drama zu verwirklichen. Er wandte sich der Zauberwelt von Shakespeares »Sturm« zu und betrat damit das Vorfeld der deutschen romantischen Oper. Freilich wurden die Versuche von Winter und anderen, neue Bereiche zu erschließen, erst wieder von Bearbeitungen Mozartscher Werke teilweise eingeholt. Ein treffendes Beispiel gibt die Aufführungsgeschichte von »Così fan tutte« in Berlin. Die frühe, singspielmäßige Fassung kam beim Publikum nicht an. Zum Erfolg wurde erst die Bearbeitung von Georg Friedrich Treitschke 1805. Die Pikanterie des Stücks, die Schwäche Fiordiligis und Dorabellas, wurde von Treitschke nunmehr dadurch entschärft, daß die Fäden der Handlung Alfonso als Zauberer und Despina als dessen dienstbarer Luftgeist in der Hand halten. Moral und Zauberwelt gehen so eine für die deutsche romantische Oper typische Einheit ein. Aus Alfonso wurde eine Art Prospero, aus Despina ein Ariel; »Così fan tutte« trat damit ebenfalls in die Sphäre von Shakespeares »Sturm«. Das Ideal einer Einheit aus Mozarts Opern und Shakespeares Komödien hat wohl als erster Clemens von Brentano in seinem Lustspiel »Ponce de Leon« literarisch umgesetzt.

1793 bereits hatte Tieck den »Sturm« übersetzt und über Shakespeares Behandlung des Wunderbaren geschrieben. Von seinem Schwager Reichardt wurde er 1798 vergeblich gedrängt, »Was ihr wollt« in ein Opernlibretto umzuarbeiten. Tieck verfaßte dann ein »musikalisches Märchen« mit dem Titel »Das Ungeheuer und der verzauberte Wald«, rückte aber von Reichardt als dem Komponisten ab, da diesem, »nach dem Muster Glucks gebildet«, das »Phantastische« fehle. Diese Reibungsflächen in der Zusammenarbeit zweier Freunde enthalten in nuce einen ideengeschichtlichen Konflikt. Tieck, der moderne Künstler der Jahrhundertwende par excellence, war es – und zunächst nicht der traditionstreue Reichardt, der sich für Mozart begeisterte. In seinen Lebenserinnerungen hat er seine Verehrung in eine Anekdote stilisiert: 1789 habe er sich vor einer Opernaufführung in Berlin mit einem Unbekannten über Mozarts Opern angeregt unterhalten – später habe er erfahren, daß der freundliche Herr Mozart selbst gewesen sei. Trotz dieses Bildes von einem unmittelbaren Zugang blieb sein Mozart-Verständnis kompliziert, teils älteren Rezeptionsgewohnheiten verhaftet, teils ein Modell vorwegnehmend, das lange – bis zu Richard Wagner, vielleicht sogar bis Ferruccio Busoni – wirken sollte. Tieck hatte von jeher Vorbehalte gegen die Gattung Oper, sah sein Musikideal vielmehr in der Sinfonik, bewunderte in Mozart aber vor allem den Opernkomponisten. Auch für ihn ist der »Don Juan« ein Meisterwerk sondergleichen; von einer romantisch übersteigerten Interpretation dieses Werkes rückt er aber kritisch ab. Im Rückblick 1829 meint er, eine inzwischen eingetretene Fehlentwicklung erkennen zu können: »Ob man in den neusten Zeiten nicht den Weg, den uns Mozart zeigte, zum Theil verloren hat, indem man diesen Zauber, der im Don Juan die letzte Gränze des Möglichen schön berührte, hat überbieten wollen, ob man nicht in die Aufgabe der romantischen Wildheit zu viel musikalische Tragödie eingemischt hat, überlasse ich Kennern der Musik zu untersuchen und zu entscheiden.« Als Gegengewicht fordert er eine stärkere Hinwendung zur heiteren Oper: »Und diese unendliche Fülle des Humors, Witzes, Gefühls und der süßesten

Liebe und innigsten Leidenschaft ist es, was alle Werke des großen Meisters, auch seinen Belmont charakterisiert und als einzig hinstellt, als Muster und Vorbilder, die dem Genie unendlich mannigfaltige Wege und Aussichten zeigen.« Das Ideal der »unendlichen Fülle« ist wohl auch das tertium comparationis zwischen Sinfonik und Mozart-Oper in seinem Musikverständnis.

Bei seinem Lob der »Entführung« ging es Tieck offenbar darum, Kunst und Leben, Genie und Allzumenschliches im Bild zusammenzuhalten. Daher konnte in der Folge dieses Ideal bei E.T.A. Hoffmann auch eine völlig un-idealistische Seite zeigen. Hoffmann charakterisiert in seinem Dialog »Der Dichter und der Komponist« unter Hinweis auf Mozarts »Così fan tutte« die opera buffa als eine Vereinigung des »Phantastischen«, des »Komischen« mit dem »Hineinschreiten des Abenteuerlichen in das gewöhnliche Leben«. Was folgt daraus, eine Generation nach Mozart, als Herausforderung des »comischen Romantikers« für die Künstler? Sie schwanken zwischen den Lösungen, entweder die geniale Unbewußtheit Mozarts zu bewundern und im eigenen Werk durchscheinen zu lassen oder die Abweichung im eigenen Werk bis ins Bizarre, Sarkastische, Parodistische zu treiben. Tieck fordert vom guten Operndichter und -komponisten, etwas hervorzubringen, wie es »Mozart unbewußt durch seinen Genius, und seine Poeten in Unschuld, die ihre Gedichte beinah zum Naturerzeugniss machen, wirklich schon gethan haben«. Ähnlich bewundert Carl Maria von Weber die »Entführung« 1818: »Meinem persönlichen Künstlergefühle ist diese heitere, in vollster, üppiger Jugendkraft lodernde, jungfräulich zart empfindende Schöpfung besonders lieb. Ich glaube in ihr das zu erblicken, was jedem Menschen seine frohen Jünglingsjahre sind, deren Blütenzeit er nie wieder *so* erringen kann, und wo beim Vertilgen der Mängel auch unwiederbringliche Reize fliehen.« Der späte, sehr zur Zeitkritik neigende Eichendorff liebte besonders den »Figaro« und leitet so zur Hochschätzung dieser Oper durch konservative Mozart-Verehrer in der zweiten Jahrhunderthälfte über.

Bei der anderen, zur Verzerrung neigenden Reaktion liegt der Gedanke an E.T.A. Hoffmann nahe. Es zeugt von der Spannung zweier Seiten eines Ichs, wenn ein romantischer Künstler vom Schlage Hoffmanns sich Mozarts Vornamen Amadeus zulegt, und nicht genug damit, diese Doppelgesichtigkeit selbst als künstlerisches Mittel zur Darstellung eines übersteigerten Selbstbildnisses in der erdichteten Gestalt des Johannes Kreisler nützt. Der »Kapellmeister wie auch verrückte Musikus par excellence« mit »seinem überreizbaren Gemüte«, »seiner bis zur zerstörenden Flamme aufglühenden Phantasie« und seinem Scheitern im Leben ist nicht einmal vom Ansatz her ein Mozart-Bild (eine Anregung gab vielmehr das Leben von Friedemann Bach); Hoffmann läßt aber Kreisler an Mozarts Geburtstag zur Welt kommen. Tieck war umgekehrt vorgegangen: seiner mit dem Alter zunehmenden Mozart-Idealisierung gehen parodistische Distanzierungen voraus. In seinem Drama »Der gestiefelte Kater« werden aus der »Zauberflöte« die Szene Papagenos mit dem Glöckchenspiel, das die Mohren zum Tanzen bringt, und die Feuer- und Wasserprüfung parodiert. »Das Ungeheuer und der verzauberte Wald« hat mit der »Zauberflöte« die Zauberwelt, die Gegenüberstellung dreier Handlungssphären, Personencharaktere (böse Königin, edler Prinz usw.) und dramatische Konstellationen gemeinsam. Die Gattungsbezeichnung »musikalisches Märchen« ist ironisch gemeint; dahinter verbirgt sich eine Persiflage über Ämter und Institutionen. Tieck dürfte Schikaneders Libretto nicht gerade geschätzt haben; darüber hinaus dient ihm die »Zauberflöte«, um sich pars pro totò gleich nach verschiedenen Erfolgsrichtungen hin (Kotzebue, Iffland) Distanz zu verschaffen. Reflexion und Idealisierung standen also zum Teil in sehr vertrackter Beziehung zueinander.

Joseph von Eichendorff hat rückblickend in seinem späten Aufsatz »Halle und Heidelberg« ein zentrales Anliegen der Romantik, »alles Irdische auf ein Höheres, das Diesseits auf ein größeres Jenseits zu beziehen«, mit folgendem Hinweis auf die Entwicklung der Musik erläutert: »Derselbe ernstere Sinn führt die Tonkunst vom frivolen Sinnenkitzel zur Kirche, zu den altitalienischen Meistern, zu Sebastian Bach, Gluck, Händel zurück; er weckte auch in der Profanmusik das geheimnisvolle, wunderbare Lied, das verborgen in allen Dingen schlummert, und Mozart, Beethoven und Carl Maria von Weber sind echte Romantiker.« Mit dem fortwirkenden »ernsteren Sinn« stellt Eichendorff andeutungsweise eine Linie von der Oratorienpflege und der opera-seria-Tradition des späten 18. Jahrhunderts zu aktuellen Diskussionen um die »Reinheit der Tonkunst« her. Dabei spricht er die Entwicklung der Sinfonik nicht an und läßt damit die frühromantische Metaphysik der Instrumentalmusik als ein abgeleitetes Phänomen erscheinen. Es ging ihm dabei um einen romantischen Begriff des Erhabenen.

Insgesamt viel besser als die naturreligiöse Naivität in Haydns »Schöpfung« ließ sich Mozarts »Requiem« als ein Hereinbrechen des Überirdischen (als »romantische Darstellung der Totenmesse«) verstehen. So sah es auch E.T.A. Hoffmann, der konsequenterweise eine Aufführung des »Requiems« im Konzertsaal für unangemessen hielt. Trotzdem vollzieht sich ein Hinüberspielen des Erhabenen aus der irdischen Welt in eine andere zunächst am deutlichsten in der frühromantischen Metaphysik der reinen Instrumentalmusik am Gegenstand der Sinfonie. Daß zumindest die frühen Romantiker das Erhabene bevorzugt in Sinfonien und erst später in Mozarts »Requiem« oder in der ernsten Oper verwirklicht sahen, überrascht, hat seinen Grund aber in der Geschichte der Idee des Erhabenen. Der Bezugspunkt, nicht nur der Romantiker, ist die Ansicht Kants. Für ihn ist Größe ein notwendiges Merkmal dieses Begriffs; das Gefühl des Erhabenen werde durch »Grausen« und »Schwermut« bewirkt; »das Erhabene rührt, das Schöne reizt«. Wenn Rochlitz von der »Jupiter«-Sinfonie als einer »furchtbaren Sinfonie« spricht oder C. M. von Weber sie »die große, allgewaltige, ergreifende« nennt (auch die Bezeichnung als »Jupiter«-Sinfonie ab etwa 1820 kam ja nicht von ungefähr), so meinen beide das Erhabene, ohne daß irgendein Gegensatz zwischen klassischer und romantischer Ansicht mitschwingt. Jean Paul nennt das Erhabene das »angewandte Unendliche«, spricht von »Mozartischen Donnerwolken« und gibt damit einen weiteren Hinweis für das Verständnis der Erhabenheit gerade der Sinfonik. Mit Schelling, der ebenfalls die Einbindung des Unendlichen ins Endliche als wesentlich sieht, ist das Erhabene der Natur das Chaos, das sinnlich nicht faßbar zu einem »Symbol der Unendlichkeit« wird. Im Bild der Kunst wird demnach ein Detail wie die vielgerühmte Chaos-Darstellung zu Beginn der »Schöpfung« zum Erhabenen schlechthin. Am freiesten vermögen sich aber sowohl diese »Unendlichkeit« wie das »gemischte Gefühl« des Erhabenen (Schiller) in der Sinfonik zu entfalten. Die immer wieder hervorgehobene Unsagbarkeit dessen, was die reine Instrumentalmusik aussagt, kommt jener »Unendlichkeit« und damit der von Schelling angestrebten Versöhnung des alten Gegensatzes zwischen dem Schönen und dem Erhabenen nahe.

Wenn auch dieser Begriff durch E.T.A. Hoffmann seinen adäquaten musikalischen Gegenstand in Beethovens Sinfonien fand, so sind die letzten Sinfonien Mozarts mit in dieses Verständnis eingeschlossen. Davon unabhängig und an der Antike orientiert ist Beethovens Bezeichnung »Eroica« für seine dritte Sinfonie; doch selbst eine solche entschieden konkretere Auffassung wurde auch auf Mozart bezogen. So findet Christian Friedrich Michaelis, daß »in manchen großen Symphonien von Haydn, Mozart, Beethoven u. a. . . . eine Anordnung, ein Geist, ähnlich dem großen Plan und Charakter eines Heldengedichts« gegeben sei. Im einzelnen komme der »heroische Charakter« eines Themas dadurch zum Ausdruck, »daß es sich im Kampfe mit vielen entgegenstrebenden Bewegungen behauptet«. Schon Johann Abraham Peter Schulz hatte eine Sinfonie mit einer »pindarischen Ode« verglichen. Jean Paul dagegen spricht im »Hesperus« vom »dramatischen Plan« einer Stamitz-Sinfonie, und Tieck meint, »Symphonien können ein so buntes, mannigfaltiges, verworrenes und schön entwickeltes Drama darstellen, wie es uns der Dichter nimmermehr geben kann«. Hiemit öffnet sich das bestimmt Heroische zu einem unübersetzbaren musikalischen Geflecht, das vermutlich den Anlaß gab, vom Dramatischen und nicht vom Epischen zu sprechen.

Um einiges später, 1824, hat Friedrich Rochlitz in ausdrücklicher Anlehnung an Kant und Schiller das »Erhabene« als eine von vier Kategorien der Musik Mozarts bezeichnet und, wenig klar, als »Fülle der Harmonie großer, tiefer Gedanken« definiert. Interessanter sind die Beispiele, die er nennt: den ersten Satz des d-Moll-Streichquartetts KV 421, die Prager Sinfonie, das »Requiem« und das erste Finale des »Titus«; schlagen sie doch eine inhaltliche Brücke von der Instrumentalmusik über die Kirchenmusik bis zur opera seria, womit Rochlitz, wie Eichendorff, an einen älteren Begriffsinhalt wiederanknüpft. Das Wort »erhaben« war vor 1800 zu einem gängigen Epitheton für Mozarts »Titus« geworden. Rochlitz greift indirekt jenes Vorbild der Antike wieder auf, das Niemetschek vor Augen hatte, als er beim »Titus«

von »Einfachheit« und »stiller Erhabenheit«, beim »Idomeneo« von pathetischem Stil und »heroischer Erhabenheit« sprach.

Die schon vor der Jahrhundertwende gestiegene Beliebtheit des »Titus« fand nunmehr ihren Höhepunkt. Die römisch-monumentale Pracht der Frankfurter Aufführung 1799, die Goethes Mutter »zu Tränen gerührt« hatte, fand selbst in Weimar 1800 erfolgreiche Nachfolge. Der Inszenierungsstil repräsentiert den antikisierenden Klassizismus des Empire und stellt auf seine Weise eine Verwirklichung der Forderung nach Erhabenheit dar. Antike Vorbilder und orientalische Exotik gehen dabei merkwürdige Verbindungen ein. Diese Konstellation spiegeln auch Details wie zum Beispiel das Kostüm der Pamina in Schinkels »Zauberflöten«-Szenerie wider, das ägyptisierenden Kopfschmuck mit Empiregewand verbindet. Ein Extrem an strenger Ägyptisierung stellen die »Zauberflöten«-Bühnenbilder Giovanni Pedronis für die Mailänder Scala 1816 dar. Doch die Wirkung Mozarts beschränkt sich hier nicht auf die Aufführungsgeschichte, sie löste vielmehr schon um 1800 eine »Titus«-Nachfolge in der italienischen Oper aus (in Simon Mayrs »Ginevra«, Ferdinando Paërs »Achille«, Nicola Zingarellis »Giulietta e Romeo«). Sie ist in Mozart-Parodien und -Zitaten nachweisbar und vermutlich darüber hinaus in der Operngeschichte vor Rossinis »Tancredi« vorhanden, wenn auch in ihrer Bedeutung noch unerforscht.

Die weitere Entwicklung der deutschen Oper stand demnach vor der Alternative, Erhabenheit entweder romantisch oder antikisierend aufzufassen. Daß die Entscheidung auch in Form einer dritten Antwort vorweggenommen werden konnte, beweist die von Franz Horn 1802 formulierte Ansicht, daß Metastasio keine Ahnung vom »Romantischen« gehabt habe und die Musik nicht »Erhabenheit«, aber »idealistische Zartheit« erreiche, »jenen namenlosen Zauber, der wie ein leiser Blüthenhauch aus dem Lande ›wo die Citronen blühen‹ über das Ganze schwebt«; worauf Horn Mozarts »Titus« mit Goethes »Torquato Tasso« vergleicht. Das wäre also eine Deutung im Sinne der Weimarer Klassik – wie sie ein Romantiker sieht.

Der Erfolg des »Titus« widerspricht dem banalen Schluß, daß mit der Französischen Revolution die opera seria anachronistisch und in einer bürgerlichen Welt uninteressant geworden sei. Er löst aber nicht einen anderen Widerspruch, in den Mozart mit seiner Musikdramaturgie zur Tradition der Gluckschen ernsten Oper geraten war. Beider Opernwerk hatte sich durchgesetzt und blieb Vorbild. In dem Prozeß der Verselbständigung einer deutschen Oper sind Gluck und Mozart zu einer Alternative geworden, mit der sich Künstler wie Kritiker konfrontiert sahen. Dazu ein Beispiel: Der Mozart-Verehrer Tieck empfand in der Zusammenarbeit mit Reichardt dessen Bezugnahme auf Gluck als Schwierigkeit. Reichardt seinerseits mißbilligte Mozarts »Titus« und dessen »Messias«-Bearbeitung und damit das nicht richtig getroffene Erhabene in dieser Musik. Nachdem er 1802 mit Goethe zusammen die Aufführung des »Titus« zur Eröffnung des neuen Schauspielhauses in Bad Lauchstädt vorbereitet und 1808 als Kapellmeister in Kassel auch diese und ähnliche Opern näher kennengelernt hatte, änderte er seine Meinung. Bereits 1806 hatte er den »Idomeneo« als »das reinste Kunstwerk, das selbst unser Mozart je vollendet hat«, gelobt. Aber am »Idomeneo« gefällt ihm nicht das musikdramatisch geniale Aufbrechen der opera-seria-Konzeption, sondern »ein großer, durchaus heroischer Charakter, ohne alle fremde Beimischung; mitten im Sturm der Affecte und Elemente und ihres kräftigsten lebendigsten Ausdrucks im Innern doch die Ruhe, die den ächten Heldencharakter in der Kunst wie im Leben bezeichnet«. Reichardt blieb so seiner sachlichen Argumentation treu, änderte aber sein negatives Urteil in ein positives. Sein persönlicher Umgang mit Tieck, Wackenroder und vermutlich auch Novalis hat ihn kaum dazu veranlaßt, ausgerechnet den »Idomeneo« als »reinste« Oper aufzufassen, viel eher war es die Zeitstimmung für »unsern Mozart«, die ihn zur Revision bestimmte. Ähnlich verhielt sich der Musikerfreund Goethes, Carl Friedrich Zelter. Er verehrte J. S. Bach, Mozart war ihm fremd. Später anerkannte er deren Gleichrangigkeit, fand, Mozart habe »ein Mystisches an sich«, und sah »Don Giovanni« und »Zauberflöte« in Nähe zu Bach.

Die Wertschätzung der Mozartschen opera seria hatte durchaus etwas Prekäres an sich; sie war leicht durch den Fortgang der Operngeschichte zu irritieren. Und einen auch die deutsche Opernwelt beeindruckenden Fortschritt brachte Gasparo Spontini, der ab 1819 in Berlin tätig war. Kaum eine Musikerpersönlichkeit repräsentiert so sehr die Zeit des Empire wie Spontini, der sich keinen Geringeren als Napoleon zum persönlichen Vorbild genommen hatte. Er vertritt aber zugleich eine Nachfolge Glucks und der ernsten französischen Oper. In dieser Entwicklung wurde Mozarts Stellenwert in Frage gestellt. Der Mannheimer Jurist und Musiker aus Carl Maria von Webers Harmonischem Verein, Gottfried Weber, nannte 1811 den »Idomeneo« ein »klassisches« Werk und stellte ihn in eine Reihe mit Cherubinis »Medea«, Méhuls »Jakob und seine Söhne« und Spontinis »Vestalin«. 1810 brachte ein Anonymus in der Zeitschrift »Der Sammler« in diesem Zusammenhang den Namen Glucks ein, den er gegen Mozart ausspielt. Nach einer behutsamen Polemik gegen die angeblich etwas eilig komponierten Werke »Idomeneo« und »Titus« stellt er der alten opera seria eine »rein heroische Oper« bzw. ein »neueres tragisches Singspiel« gegenüber und meint damit die Opern Spontinis, die er in direkter Nachfolge Glucks sieht, wogegen Mozart keinen »Anhaltspunkt für die Beurteilung des Spontinischen Werks« abgebe. Eine dritte Möglichkeit eines Entwicklungsmodells entwarf ausführlich E.T.A. Hoffmann. In der ebenfalls 1810 erschienenen Rezension von Glucks »Iphigenie en Aulide« und im Dialog »Der Dichter und der Komponist« nimmt er eine Position zur opera seria ein, die diametral seiner romantischen Auffassung von der Sinfonik entgegensteht und die seinem kirchenmusikalischen Ideal vergleichbar ist. Er sucht in der Vergangenheit die »wahre opera seria« in ihrer schlichten Erhabenheit und findet sie im »wahrhaft tragischen Pathos« des »Riesen Gluck«. Daran gemessen erscheint ihm Mozarts »Titus« kaum erwähnenswert und kann auch der »in üppiger Fülle überbrausende Spontini« nicht bestehen. Mit herein spielt Hoffmanns Aversion gegen die französische Oper, der Spontini verpflichtet ist; übrigens steckt dahinter ein sehr wirksames deutschnationales Vorurteil, das bis zum heutigen Tag die Bedeutung der französischen für die deutsche Oper des frühen 19. Jahrhunderts unterschätzen läßt. Nach einem genauen Studium der Partitur der »Vestalin« und vielleicht unter dem Eindruck des deutschen Erfolgs von Spontini änderte Hoffmann sein Urteil – und mit der positiven Bewertung Spontinis kommt überraschenderweise wieder Mozart mit ins Spiel. Das Finale von Spontinis »Olympia« erinnere an das Finale des ersten »Don Juan«-Akts, die Arie »Ha! Tyrann«

an Donna Annas erste Arie. Hoffmann gelangt im »Kater Murr« zu einem teleologischen Modell, das sich wie eine Vorwegnahme des Fortschrittsdenkens der Neudeutschen Schule von Berlioz, Liszt und Wagner ausnimmt: Gluck, Mozart, Beethoven und Spontini. Vielleicht hat er mit dieser Versöhnung der Alternative Gluck – Mozart (indirekt auch der zwischen Oper und Sinfonik) etwas aus der eigenen Sicht Spontinis Richtiges getroffen. Vielleicht auch war es mehr als Courtoisie, als Spontini Constanze Mozart, mit der er wegen Ankauf des Mozart-Flügels in Verbindung stand, 1811 eine Farblithographie mit der Widmung schickte: »Der würdigen Wittwe des unsterblichen Mozart von seinem innigsten Verehrer Spontini.«

Nebenbei noch ein Wort zu Hoffmanns Opernauffassung: Ihr deutlicher Unterschied zu der von Tieck mag entwicklungshistorische Gründe haben. Für den jüngeren Hoffmann waren Beethoven und dann jene »musikalische Tragödie« der 20er Jahre, gegen die Tieck polemisierte, Felder der Identifikation, ja er mag auf letztere in seiner »Don Juan«-Interpretation 1813 teilweise vorgegriffen haben. Entsprechend konzentrierte sich sein Interesse für Mozarts Opern auf den »Don Juan«. Wohl erwähnt er auch die »Zauberflöte« häufig, sagt aber nichts Bedeutsames über sie aus. Die übrigen Opern, auch der »Titus«, werden nur ganz selten genannt. Ein einziges Mal, im Dialog »Der Dichter und der Komponist«, diskutiert er eingehender die opera buffa, sieht dabei im »Figaro ... mehr Schauspiel mit Gesang als wahre Oper«, lobt aber den »Ausdruck der ergötzlichsten Ironie ..., wie er in Mozarts herrlicher Oper ›Così fan tutte‹ vorwaltet«. Da Hoffmann als ein – seine Interpreten überraschendes – Merkmal der opera buffa das »Hineinschreiten des Abenteuerlichen in das gewöhnliche Leben« nennt, läßt sich vermuten, daß er die »ergötzlichste Ironie« von »Così fan tutte« weniger im romantischen Sinne Schlegels als in einem enthüllenden, sarkastischen Sinne, wie ihn dann Heinrich Heine ausprägen sollte, verstand. Er opponierte damit gegen jene andere Auffassung der »Così fan tutte«, wie sie ein Anonymus (Tieck?) in einem »Musikalischen Briefwechsel« über die in Berlin 1805 erfolgreiche Bearbeitung Treitschkes als Forderung formulierte: es sollten »alle Gestalten und Verhältnisse des reellen Lebens ... aus der Ideenwelt, und aus der idealsten Kunst, der Musik, und vorzüglich aus der Musik des Mozart verbannt werden. Wir retten dadurch den Ernst und die Charakteristik . . .«. So verstärkt sich der Eindruck, daß Hoffmann der konkret Vorausschauendste der romantischen Dichter in Sachen der Musik war.

Es liegt nach all dem die Vermutung nahe, daß diese bunte Vielfalt der Werkdeutungen auch im Persönlichkeitsbild Mozarts ein Pendant gefunden hat.

Sozusagen ins Bild paßt der Heroenkult, der schon im frühen 19. Jahrhundert zur europäischen Zeitstimmung gehörte. Er mag durch das Auftreten Napoleons ausgelöst worden sein, blieb aber keineswegs auf diesen oder auf gegnerische militärische Helden beschränkt. Thomas Carlyle, dessen Ansicht, die Weltgeschichte würde allein von großen Persönlichkeiten geprägt, Berühmtheit erlangte, stellte Napoleon etwa Goethe als »hero as man of letters« gegenüber und nahm eine Klassifizierung der Helden nach verschiedenen Arten vor. Von den »Kunstheroen unserer Zeit« zu sprechen, wurde durchaus üblich. Rochlitz nennt 1799 Haydn und Mozart wie Schiller und Goethe »Helden und Führer«. Daß gerne auf antike Vorbilder Bezug genommen wurde, versteht sich ebenso von selbst wie die Tatsache, daß neue Mozart-Bilder alte Modelle aus seinen Lebzeiten benützten. Leichter als das Werk ließ sich die Erscheinung Mozarts antikisieren. In einem Stahlstich von Franz Burchard Dörbeck, nach einer Vorlage von David Weiß, 1808, steht Mozart als Römer da, in einem togaartigen Gewand, männlich und kräftig. Ins Empire transponiert erscheint er, vor dem gewichtigen Hintergrund eines Orgelprospekts und eines purpurroten Vorhangs und durch die Embleme von Lorbeerzweig, Satyrmaske und stilisierter Leier als Heros der komischen wie der tragischen Kunst charakterisiert, in einem Farbstich von John Chapman für die »Encyclopaedia Londinensis« 1817; die beiden abgebildeten Bücher tragen die Rückenaufschriften »Don Giovanni« und »La Clemenza di Tito«: eine Darstellung, die begreiflich macht, unter welchem Gesichtspunkt der »Titus« eine beliebte Oper geworden war. Ist die Physiognomie im Chapman-Stich nach dem Vorbild von Posch-Absenker gezeichnet, so erhielt der »neue« römische Mozart-Kopf in diversen Weiter-Modellierungen einen unschönen Gesichtsausdruck, wie im Stahlstich des Nürnbergers Carl Mayer. Das Modell Posch-Absenkers diente aber leichter einer Stilisierung im entgegengesetzten Sinn: in der Lithographie C. Stadlers sind die Züge verweichlicht, dicklich. Eine wiederum andere Facette bringt die Lithographie von Eduard Lehmann nach dem Modell des unvollendeten Lange-Porträts. Die geringen Ergänzungen laufen doch auf eine Glättung hinaus: die Haare wirken geordneter, der Unterkiefer schöner, die bei Lange etwas hervorquellenden Augen sind kaschiert, wodurch Mozarts durchdringender Blick sanfter wird.

Auch Musiker durch sichtbare Zeichen zu heroisieren, war ein noch junges Phänomen. 1800 ist in einer »Nachricht« über »Monumente deutscher Tonkünstler« zu lesen, daß wohl im Pariser Pantheon und in der Londoner Westminsterabtei Denkmäler von Musikern aufgenommen worden seien, in Deutschland aber kaum Vergleichbares existiere (immerhin werden zwei für C. Ph. E. Bach, je eines für Haydn und Mozart genannt). Die wertende wie sachlich erläuternde Bezugnahme auf Autoritäten ist im Musikschrifttum dagegen ein alter Brauch; er verbindet sich mit der neuen Heroisierung in der weihevollen Art, mit der Palestrina, Händel oder Bach betrachtet werden. Die bildliche Gleichsetzung mit Apoll oder Opheus gehört eher (eine Orpheus-Darstellung zeigt die Mozart-Münze von Baerend 1796) einer späteren Zeit an. Doch gab es das verbale Epitheton eines »unsterblichen Lieblings Apolls« für Mozart und Haydn und das Wunderkind Mozart wurde häufig in panegyrischen Versen mit Orpheus verglichen. Die literarischen Autoritätenzitate erweitern das Bild jedoch primär nach einer anderen Richtung hin. Mozart galt als ein moderner Heros der Musik, folglich wurde er mit Vorbildern in Zusammenhang gebracht, die sowohl ehrwürdig wie über die Musik hinaus aktuell waren. Solche die damalige Welt der Künste faszinierenden Größen waren Raffael und Shakespeare. Bei der grundsätzlichen Bedeutung Raffaels für die Malerei der Zeit möchte man meinen, sei ein Raffaelisieren von Mozart-Bildern unvermeidlich gewesen, es war jedoch kaum der Fall; eine Bezugnahme auf Raffael oder Shakespeare äußerte sich aber in literarischen Künstler-Vergleichen.

Seit sich im Fin de siècle ein gegen Wagner opponierendes neues Mozart-Bild auszuprägen begann, entstand die Vorstellung, das 19. Jahrhundert habe Mozart romantisch und apollinisch gesehen und für die erste Jahrhunderthälfte sei er eine

Raffaelsgestalt gewesen. Das Irrige liegt im Summarischen dieser Ansicht. Bis heute finden die Raffael-Vergleiche immer wieder Interesse, wenngleich sie meist kaum über eine klischeehafte Reverenz vor dem Genie hinausgehen. Daß aber Mozart im deutschen Schrifttum des frühen 19. Jahrhunderts sogar häufiger und vor allem aussagekräftiger mit Shakespeare verglichen worden ist, blieb nicht so sehr im Gedächtnis haften. Allerdings wurde die Gemeinsamkeit der Größe von Raffael und Shakespeare von vornherein als wesentlicher empfunden als der Unterschied in ihrem künstlerischen Wollen. Nicht selten wird ein bunt besetzter Parnaß beschworen, wie in Tiecks Gedicht »Der Traum«, in dem es gegen Schluß heißt: »Sie sind's, die hochberühmten Wundergeister, / Der Greis Homer der vorderste der Schar, / Ihm folgen Raffael, und jener Meister, / Der immer Wonne meiner Seele war, / Der kühne Brite . . .« Zugleich sind Tieck und Wackenroder jene Dichter, deren Raffael-Begeisterung sich stark auf das Musikdenken auswirkte (der ältere Reflex des französischen Raffael-Kultes auf die Musik besonders Grétrys ist für die deutsche Mozart-Rezeption kaum von Belang).

Der Gedanke an Raffael beinhaltet auch den an die Verniedlichung Mozarts zum »göttlichen Jüngling« in der späteren Trivialliteratur. Er war von vornherein entschieden anders gemeint. Mit einigen Zitaten Wackenroders (bzw. Tiecks) sei das erläutert: »Ein Raffael brachte in aller Unschuld und Unbefangenheit die allergeistreichsten Werke hervor, worin wir den ganzen Himmel sehn.« In den »Kinderfiguren auf den Raffaelschen Bildern« erkennt er eine »Erinnerung der himmelsüßen Unschuld, immer tiefer, ernster und heiterer schauen wir in das spiegelnde Gewässer hinab« – und bezieht sie im Aufsatz »Die Töne« auf die Musik: »Das scheint mir eben das Große aller Kunst, absonderlich aber der Musik, zu sein, daß all ihr Beginnen so kindlich und kindisch ist, ihr Streben dem äußeren Verstande fast töricht, so daß sie sich schämt, es mit Worten auszudrücken, – und daß in dieser Verschämtheit, in diesem Kinderspiel, das Höchste atmet und den Stoff regiert, was wir nur fühlen oder ahnden können.« Der Schluß der Berglinger-Novelle, aus dem das erste Zitat stammt, läßt anklingen, daß mit Raffael oder Dürer ein Ideal anvisiert wird, das höher als die »Kraft der Phantasie« ist und ein Bewältigen des »irdischen Lebens« miteinschließt; es ist ein

Gegenbild zur modernen Musikerfigur Berglingers. Die spätere Anwendung dieser Vorstellung auf Mozart war dem Dilemma ausgesetzt, entweder dessen Aktualität mit der Ungreifbarkeit eines Ideals zu verwechseln, oder ihn in diese zu entrücken, oder Raffael zu entidealisieren.

Es wurde üblich, Mozarts künstlerische Vollendung und seinen Tod in jungen Jahren mit dem Hinweis auf Raffael zu veranschaulichen. Ähnliches bezwecken die Vergleiche mit Torquato Tasso (Hormayr), Lord Byron (Goethe) oder Alexander dem Großen (Rellstab). Friedrich Rochlitz (in »Mozart und Raphael«, 1800) geht insofern darüber hinaus, als er beiden die Begründung einer »neuen Periode ihrer Kunst« zuerkennt und damit auch Raffael historisiert. Eine ähnliche, von Wackenroders idealen Höhen in die Musikgeschichte herabführende Assoziationskette reicht von den Rochlitzschen Formulierungen »Altvater der deutschen Musik« und »Albrecht Dürer der deutschen Musik« für J. S. Bach zur Aussage Reichardts, wonach Bach in Mozart »den verwandten Geist fand, der seine tiefe Kunst . . . in die Kunstwelt von Neuem einzuführen wußte«. So gelangte man in die Nähe eines Begriffs vom Helden, der, laut Hegel, weiß, »was an der Zeit, was notwendig ist«.

Problematischer ist die Annäherung an Wackenroders bzw. Fichtes Ansicht vom Helden als »Dolmetscher des Himmels«. Wenn auch Wackenroder selbst in der Berglinger-Novelle als nächstes Beispiel nach Raffael Guido Reni nennt, »der ein so wildes Spielerleben führte« und doch »die sanftesten und heiligsten Bilder schuf«, verfolgten die üblichen Raffael-Mozart-Vergleiche eine Harmonisierung von Leben und Werk. Rochlitz zeichnet einen selbstlosen Mozart mit »Sinn für Freundschaft, für allgemeines Wohlwollen«; damit folgt er Niemetschek, der vermutlich als erster von Mozart als »unserem Raphael in der Musik« sprach. Gemeinsam ist beiden auch der Gedanke, Mozart habe sehr wohl einen Sinn für die Schönheiten der Natur und anderer Künste besessen, wenngleich er sie »gleichsam nur in der Form seiner Kunst darstellet«. Während Schlichtegroll noch einen aufklärerischen Geniebegriff vertrat, stehen Niemetschek und Rochlitz zwischen zwei unterschiedlichen Auffassungen. Rochlitz sieht die Kunst als ideale Natur bzw. als Anschauung idealer Naturformen; das Leben des Künstlers wird als vernunftgelenkt harmonisiert. Diesem älteren humanistischen Künstlerbild wird aber besonders durch den Raffael-Vergleich ein modernes Merkmal hinzugefügt: das Kindliche des Künstlers, der nicht weiß, warum die Werke, die er schafft, »grade eine solche und keine andere Gestalt annehmen«, da er einer höheren Sphäre angehört. Die sich im Grunde ausschließenden Charakteristika der Besonnenheit einerseits und der Kindlichkeit andererseits bleiben bei Rochlitz und ihm folgenden Autoren sonderbar in Schwebe. So werden Mozarts tragisches Geschick und die Enttäuschungen der letzten Lebensjahre keineswegs als eine in der Persönlichkeit angelegte innere Notwendigkeit interpretiert. Dabei hilft der Raffael-Vergleich, eine Nähe Mozarts zur Berglinger-Figur zu vermeiden. Wie stark jenseits derartiger Balanceakte der Druck des Zeitgeistes war, beweist Friedrich Reichardt, der in seinen 1802 und 1803 geschriebenen »Vertrauten Briefen aus Paris« anscheinend zur Romantik konvertierte. Was er über das Künstlertum Haydns und Mozarts sagt, verdrängt deren und seine eigene geistige Herkunft und gerät unfreiwillig zur herben Selbstkritik: »Wer weiß, ob Haydn und Mozart jenen hohen Grad der romantischen Kunst erreicht hätten, wenn ihre Jugendbildung, ihre Denk- und Lebensweise anders beschaffen gewesen wäre? und ob nicht die Werke manches verständigen und denkenden Künstlers oft des genialischen Zaubers entbehren, weil dieser beim Fühlen auch dachte, beim Phantasiren auch urtheilte?«

Die Shakespeare-Vergleiche verdienen mehr Interesse als sie bisher fanden, weil sie jene Eigenheiten der Mozartschen Musik, die zunächst kaum verstanden und dann gelobt wurden, nunmehr schärfer zu fassen imstande sind. Auch sie erwiesen sich als dauerhaft, vor allem in dem Grundmuster, das etwa Grillparzer in seinem Tagebuch 1826 verwendet: ». . . schwebten mir Goethe, Shakespeare, Mozart vor, alles Menschen, die das tiefste künstlerische Sinnen und Schaffen mit dem Erfrischenden einer bewegten, frohen Umgebung zu vereinigen wußten.« Es findet sich selbst noch bei Ernst Bloch, der das Ineinander von Buffa- und tragischer Oper »als etwas« bewundert, »das Mozarts Werk, dieses Sinns, zu einem Shakespeareschen in Musik macht«. Worin sich der Vergleich mit Shakespeare von dem mit Raffael unterscheidet, deutet Niemetschek schon 1808 mit der Formulierung an, »Mozart hatte von der Natur ein Genie empfangen wie Shakespeare, aber er übertraf diesen an Geschmack und Korrektheit«. Nicht am Genie Shakespeares stößt sich Niemetschek, sondern an dessen Ästhetik, die das mißachtet, was Haydn an Mozart gelobt hatte: »Geschmack und höchste Compositionswissenschaft.« Unausgesprochen richtet sich die Kritik gegen die überlebte Auffassung des Sturm und Drang, Shakespeare habe seine Stücke in genialer Gesetzlosigkeit geschrieben.

Von den Musikschriftstellern unbeachtet, hatte Ludwig Tieck bereits 1793 in der Einleitung zu seiner »Sturm«-Übersetzung das psychologische Kalkül, mit dem Shakespeare »den leisesten Regungen der menschlichen Seele« nachgehe, hervorgehoben und gemeint, daß in diesem Stück der Zuschauer nie auf irgendeinen Gegenstand einen festen und bleibenden Blick heftet, daß der Dichter die Aufmerksamkeit beständig zerstreut und die Phantasie in einer gewissen Verwirrung erhält. Doch dachte Tieck dabei kaum an Mozart, »Così fan tutte« oder die »Zauberflöte«, und die Musiker nicht an Tiecks Shakespeare-Auffassung (Schikaneder allerdings hatte viel Shakespeare gespielt – ob etwa die bunte Anlage der »Zauberflöte« mit einem Shakespeare-Vorbild zu tun haben könnte?).

Im Musikschrifttum taucht der Name Shakespeare vor 1800 kaum auf. Wenn Christian Friedrich Daniel Schubart in seinen »Ideen zu einer Ästhetik der Tonkunst« vom »Erhabenen, Schauerlichen, Shakespeareschen« spricht, so ist dies eine Ausnahme, ebenso wie die Charakterisierung der Friedhofszene im »Don Juan« als »Sprache der Geister von Shakespeare« in den Frankfurter »Dramaturgischen Blättern« 1789. Inhaltlich ähnlich sieht Rochlitz 1798 im ersten Finale des »Titus«, den er sehr schätzt, »Mozarts shakespearsche, allmächtige Kraft im Großen, Prachtvollen, Schrecklichen, Furchtbaren, Erschütternden«. In dem Aufsatz über »Mozart und Raphael« bringt er jedoch Shakespeare mit seiner romantischen Bevorzugung der künstlerischen inventio vor der elaboratio in Zusammenhang.

Rochlitz scheut sich nicht, als Beispiele für die Einheit von erfinderischen »Vollkommenheiten« mit einer »glücklichen Ausführung« Raffaels »Schule von Athen«, das erste Finale und die »Geisterscene« aus dem »Don Juan« und die Szenen rund um den Königsmord in Shakespeares »Macbeth« in einem Atem zu nennen. 1801 greift Triest diese Gedanken kritisch auf und gelangt zu den negativen Gemeinsamkeiten einer »gewissen Gleichgültigkeit gegen alte Kunstregeln – z. B bey Shakespeare gegen die poetische Einheit, bey Mozart gegen den reinen Satz«, eines Mangels an »geläutertem Geschmack« und an »wissenschaftlicher Bildung«, und einer »öffteren Verletzung des Schicklichen, – bey Shakespeare durch Anachronismen und Greuelscenen – bey Mozart durch zu häufigen Kontrast des Komischen mit dem Tragischen und durch bizarre Tongänge«. Diese altväterische Anschauung ist sicher nicht als romantisch zu bezeichnen – Triests Standpunkt bleibt freilich letztlich offen; denn er findet andererseits die lobendsten Worte, speziell für den »Don Juan« und allgemein für die zu Herzen gehende »lebhafte Darstellung der Affekte« bei Mozart wie bei Shakespeare.

Einen Schritt weiter geht 1805 der unbekannte Autor des schon mehrmals erwähnten »Musikalischen Briefwechsels« über »Così fan tutte«. Sein gedanklicher Ansatz läßt sich von Tiecks Shakespeare-Auffassung wie von Wackenroders Raffael-Bild herleiten; letzteres über das Charakteristikum der Kindlichkeit des Genies: »Es ist eben der rechte kindliche Sinn, die ernsten und dunklen Parthien der menschlichen Schicksale scherzend und leicht zu betrachten, ja, oft den schrecklichsten Ernst des Lebens nicht ohne ein inneres Lächeln zu begehen.« Auf die Verklärung der »Gewöhnlichkeit des Lebens« wird, wie bei Tieck, bestanden. Der zentrale Gedanke einer Einheit in der wechselseitigen Bespiegelung von Ernst und Heiterkeit erscheint in Hinblick auf die Oper sehr zugespitzt: »Alles ist nur Maske, Spiel, Scherz, Tändelei und Ironie, Dinge, die allerdings schwerer zu erfassen seyn dürften, als das gewöhnliche Einerlei des Lebens.« Diese Betrachtung der Kunst als »Spiegel von dem Leben« steht im Gegensatz zu der älteren Auffassung, wonach das Leben selbst zur Kunst wird, und mündet in der Feststellung: »Die beiden Heroen dieser Welt, der romantischen, sind Shakespeare und Mozart. Deshalb finden sich in beiden jene Gegensätze auf das innigste vereinigt.«

Damit wird aber die alte Regel von der Einheit des Affekts vollends aufgegeben – womit auch die traditionelle Formauffassung ins Wanken gerät. In einem etwas abschreckend mit »Veranlassung zur genauen Prüfung eines musikalischen Glaubensartikels« betitelten Aufsatz erörtert Rochlitz die Frage der Einheit in Opernfinali. Er ist dagegen, die dramatischen Konflikte in Rezitativ-Arien-Folgen umzusetzen und plädiert für eine »ununterbrochen fortgehende Musik« als »Ausdruck für die Empfindung der ganzen Natur, wie wir sie in der ästhetischen Idee auffassen, wie sie vor unsere Phantasie auftritt... So wird dann ein solches Finale eine Naturszene, ein einziges ungeheures Gemälde...«. Auch hier gipfelt der Gedankengang in der Überzeugung: »Dahinaus trieb ja der Genius den unsterblichen Mozart... als große Natur, wie etwa Shakespeare.« Die Naturkraft des Genies und eine über der Ebene handfester Kunstregeln in einer höheren Sphäre angesiedelte Einheit der Musik, diese »musikalischen Glaubensartikel«, lassen den Schlußsatz »Das System kann irren: das Gefühl nicht!« zu mehr als einer bloßen Floskel werden.

Die von E.T.A. Hoffmann erreichte nächste Stufe der Reflexion – nach der eine anscheinend chaotische Oberfläche auf eine tiefer gelagerte Ordnung bezogen ist, wobei die Sinfonie als »Drama« der Instrumente gesehen wird – lenkt den Shakespeare-Vergleich von Mozart weg hin zu Beethoven.

Auf einen Autor möchte ich besonders hinweisen, da seine ausführlichen Shakespeare-Mozart-Analogien geeignet sind, zur bisher vermiedenen Diskussion des Gegenbegriffspaares »klassisch« – »romantisch« überzuleiten. Gemeint ist Franz Horn, der als Literarhistoriker bekannt geworden ist, jedoch 1802 auch »Musikalische Fragmente« veröffentlichte. Sie stellen einen sehr frühen Versuch dar, ein romantisches Musikideal auf die Oper Mozarts hin zu konkretisieren. Das älteste Bezugsfeld sind für ihn die »Querelle des Anciens et des Modernes«. Horn bevorzugt die Modernen, lobt Mozart (neben den lebenden Komponisten Domenico Cimarosa und Peter von Winter), verknüpft seine Aussagen mit dem geläufigen naturhaften Geniebegriff und macht »die Deutschen aufmerksam«, »dass selbst die Irrthümer ihrer ehemaligen Meister nur aus der Tiefe des Gemüths hervorgingen..., dass aber auch diese Irrthümer hinweggenommen sind und der verkündete Tag erschienen in schönem Glanz und ruhiger Wahrheit – mit einem Wort, dass wir Mozart besitzen«. Diese Bevorzugung moderner Autoritäten verbindet die Romantiker mit der Klassik. So ist es für die Zeit um 1800 nichts Ungewöhnliches, wenn Horn Mozart »so ganz einig ... mit dem ersten der modernen Dichter«, nämlich Goethe, sieht und die romantische Kunst Shakespeares in Goethes »Wilhelm Meister« bestätigt findet. Auch Friedrich Schlegel hatte in Goethe, Shakespeare und Cervantes die großen Ironiker der Literatur gesehen.

In seinen »Fragmenten« zielt Horn einerseits auf das Lebensvolle, andererseits auf das Religiöse der Kunst ab. Gemeinsam ist beiden Gedankengängen die Ablehnung des Malerischen in der Musik, das durch eine, nur Genies erreichbare, »unsichtbare Malerey« ersetzt wird. Die auf das Religiöse gerichtete Überlegung sieht die Musik als »reine Unbegreiflichkeit«, die zu einer nicht erlernbaren, »reinen intellektuellen Anschauung« führt. Kein moderner Dichter habe sie so tief gefühlt wie Shakespeare: »wie romantisch schlingt sie sich im ›Sturm‹ durch alle die zartgebildeten Situationen« hindurch. Ähnliches erkennt er im »Don Juan« und schließt daraus, daß Mozart der einzige »unter allen modernen Künstlern« sei, »der eine Vergleichung leidet mit Shakspear«. Dieses Sprachbild erinnert an das Friedrich Schlegels: »Durch alle Töne tönet / Im bunten Erdentraum / Ein leiser Ton gezogen / Für den der heimlich lauschet«, das Robert Schumann eine Generation später als Motto für seine Klavier-Fantasie op. 17 wählen sollte, und meint wohl ein formales Prinzip höchsten Sinnes. Da das »Unbegränzte nur von der Vernunft gedacht« werden könne, müsse die Kunst durch »Begränzung« das Unendliche zur »Erscheinung für die Phantasie« bringen (ein Gedanke, der Schellings Begriff des Erhabenen entspricht). Sozusagen die Nagelprobe für den Künstler sei die Darstellung von Geistererscheinungen. Im Unterschied zur Theaterkonvention sei es allein Mozart und Shakespeare in »Don Juan« und »Hamlet« gelungen, »dem Sinn des Zuschauers einen Geist erscheinen« zu lassen, »an dessen Unbegreiflichkeit das Gemüth zu glauben gezwungen ist«. Dieses Überleiten des Endlichen ins Übersinnliche mache – nach überzeugender Ansicht eines »neueren Religionslehrers« (Horn meint wohl Schleiermacher) – den »Charakter ächter Religiosität« aus.

Andererseits bedenkt Horn das »blühendste, harmonische Leben« in Mozarts »Zauberflöte«, in »Don Juan« und »Titus«. Unter dem Lebensvollen versteht er mehr als ein Gefüge aus

Komischem und Tragischem; nämlich ein Miteinander »des Romantischen mit der Parodie desselben«; in diesem gebe es »keinen Streit mehr zwischen dem Ideelen und Reelen, dem Intensiven und Extensiven«. Damit nähert er sich dem Schlegelschen Begriff der romantischen Ironie, spricht ihn auch an, meint, daß Grétry bei seinem Versuch, »in der Musik Ironie auszudrücken«, in bloße »Persiflage« abgeglitten sei, verweist positiv auf Mozart, nennt allerdings als einziges spezielles Beispiel Axurs »Glück der stolzen spröden Irza!« aus dem dritten Akt von Salieris »Axur« (bzw. »Tarare«) und betont allgemein die Funktion der Ironie für die Oper: ». . . hier im Gebiet der Romantik sey das Spiel des Spiels, das Leben, das sich im Leben ergözt, dessen tiefste Geheimnisse nur die Tonkunst auszusprechen im Stande ist.« Dieses sich zu immer höheren Einheiten steigernde »Transitorische« sieht er als »erhabenste Frucht des modernen Geistes« und beschwört emphatisch die Freiheit in Oper und Musik: »Der Charakter der Oper sey Freiheit nach allen Seiten hin. Kein Schicksal bedinge hier die Handlungen des Helden« und »Musik ist nur bei der Freyheit, nicht bey der Notwendigkeit«.

Für Horn ist die Kunst, von oben gesehen, ein Hereinbrechen des Übersinnlichen, von unten ein Emporsteigen zur Freiheit. Konsequenterweise kritisiert er, daß Körner im Horen-Aufsatz aus dem Jahre 1795 »die Künste noch zu sehr nach dem Ausserwesentlichen (dem Materiellen) eintheilt« und stellt die Körner-Schillersche Ästhetik sachlich auf den Kopf, wenn er sagt: »Mich dünkt, es sey die Aufgabe des Compositeurs einer Oper, den Unterschied . . . zwischen Ethos (dem Festen, Ruhenden) und Pathos (dem Beweglichen, Vorübergehenden) . . . in seiner musikalischen Darstellung zu verwischen« und »das Leben in der höchsten Potenz, die Freyheit, die zu etwas Nothwendigem geworden ist, das *schrankenlos-Begränzte* darzustellen«.

In einer Zeit, die vor dem 1808 beginnenden Kampf für und gegen die Romantik liegt, hat Horn eine romantische Musikauffassung prägnant formuliert. Bei ihm, wie später bei E.T.A. Hoffmann und anderen, zeigt sich in aller Schärfe, daß unser Verständnis von musikalischer Romantik und Klassik mit dem der Zeitgenossen nicht übereinstimmt. Natürlich können wir uns diese anscheinende Diskrepanz zwischen romantischer Kunstauffassung und ihrem musikalischen exemplum classicum

Mozart durch den Hinweis erklären, die Romantik habe erst ihren adäquaten Gegenstand finden müssen, da es zu Beginn des Jahrhunderts keine romantische Musik gegeben habe. Diese Ansicht unterstellt aber Horn bzw. Hoffmann, für sie wäre die Musik Mozarts oder Beethovens ein Ersatz für Nicht-Vorhandenes gewesen. Aus ihren Schriften wird jedoch klar, daß sie ihnen nicht Ersatz, sondern Erfüllung bedeutete. Und daß diese Erfüllung weder mit unserem Begriff von klassischer noch von romantischer Musik gleichzusetzen ist, beweisen die so schwer einzuordnenden Kompositionen Hoffmanns.

Die Mozart-Rezeption zu Jahrhundertbeginn war nicht rundweg romantisch; literarisch geprägt wurde sie allerdings zunehmend von Romantikern. Von einem gleichgewichtigen Gegenpol einer pointiert klassischen Musikästhetik kann nicht die Rede sein. Die häufige Verwendung der Wörter »klassisch« und »romantisch« spricht nicht für die Klarheit ihres Inhalts, eher für das Gegenteil. Sie haben viel gemeinsam: beide sind modern, wollen etwas Neuem den Weg bahnen, sind aber auch modisch.

Der Brauch, alles Höhere, nicht Zopfige und Philisterhafte als romantisch zu bezeichnen, führt oft zu leeren Phrasen, und über den ständigen Spruch »Das ist klassisch« sollte sich Nestroy bald gehörig lustig machen. Griffiger ist der Gegensatz zwischen dem moderneren Begriff des »Poetischen« (und eines so verstandenen »Romantischen«) und dem älteren des »Charakters« in der Musik. Insofern opponieren Tieck und Horn gegen Ansichten Körners und Schillers. Erst etwa zwei Jahrzehnte später kommt es zu einem deutlichen Gegeneinander von romantisch und klassisch im Musikschrifttum.

Begründet liegt die Vorherrschaft der Romantiker im ästhetischen Raisonnement einerseits im neuen Vorzugsplatz der Musik innerhalb der Hierarchie der Künste, andererseits in der von Friedrich Schlegel und Novalis geprägten Ansicht, daß die Kunstkritik durch adäquate Vermittlung des Eindrucks, den die Kunst hervorruft, sich selbst zur Kunst aufzuschwingen vermöge. Daraus entsteht die Frage, wie diese Schriften über Musik aufzufassen sind, als Musikästhetik oder -theorie, als Interpretation bestimmter Werke oder Musiker oder eben als Kunstwerke mit eigenen, nicht mit denen des musikalischen Gegenstandes zu verwechselnden Gesetzen. Die Musikwissenschaft neigt zur ersteren, die Literaturwissenschaft zur letzteren Meinung. Sicher ist nur, daß dieser zentrale Anwendungsbereich der Romantik innerhalb der Mozart-Rezeption elitär ist und zu hochgespannten Inhalten neigt. Henrici drückte es 1806 sehr drastisch aus: »Was soll uns noch die elende Straßensingerei, die Unmusik der Gassen, wo wir durch den Zauber von Mozarts himmlischen Harmonien an die hohe Musik der Sphären gerührt worden sind!« Das Elitebewußtsein der Romantiker wird getragen von Sehnsucht nach dem Überschreiten jeglicher Grenzen und einem Ineinanderverschmelzen der einzelnen Künste. So dringt in die Kritik eine Metaphorik für das Ungreifbare ein; zugleich ist viel von dem, was E.T.A. Hoffmann über Musik schrieb und das als Dichtung gilt, als Rezension in der Leipziger »Allgemeinen Musikalischen Zeitung« erschienen. Auch in Horns »Musikalischen Fragmenten« wird der Gedankengang auf rational nicht mehr Einholbares hin zugespitzt: in Form von Zitaten aus Dramen Shakespeares oder von Naturbildern wie »Ein rauschender Bach ist romantisch, ein stürzender Fluß erhaben« oder indem das »Oscilliren der Empfindungen« in Mozarts Musik bildhaft als eine »Ruine unter Gesträuch in einer anmutigen Gegend« beschrieben wird. Und es bleibt in etwa dasselbe, was Hoffmann als Kritiker und als Dichter zur von ihm bevorzugten Mozartschen Es-Dur-Sinfonie sagt. Im Aufsatz über »Beethovens Instrumental-Musik« heißt es zu diesem Werk: »Liebe und Wehmut tönen in holden Geisterstimmen; die Nacht geht auf in hellem Purpurschimmer, und in unaussprechlicher Sehnsucht ziehen wir nach den Gestalten, die, freundlich uns in ihre Reihen winkend, im ewigen Sphärentanze durch die Wolken fliegen.« Und in den »Abenteuern der Silvester-Nacht«: »Berger war aufs neue am Flügel, er spielte das Andante aus Mozarts sublimer Es-dur-Sinfonie, und auf den Schwanenfittichen des Gesanges regte und erhob sich alle Liebe und Lust meines höchsten Sonnenlebens.« Beide Sprachbilder setzen am zeitgenössischen Beinamen »Schwanengesang« der Es-Dur-Sinfonie an. Unterschiedlich freilich ist ihre Funktion im jeweiligen Zusammenhang.

Wie kompliziert das Verhältnis von Detail und Ganzem sein kann, zeigt das berühmteste Beispiel romantischer Dichtung über ein Werk Mozarts, Hoffmanns »Don Juan«-Novelle mit dem

Untertitel »Eine fabelhafte Begebenheit, die sich mit einem reisenden Enthusiasten zugetragen«. Daß es sich um die Empfindungen eines Enthusiasten handelt, ist nicht zu übersehen, wenn es etwa über die Ouvertüre heißt: »In dem Andante ergriffen mich die Schauer des furchtbaren, unterirdischen regno all pianto; grausenerregende Ahnungen des Entsetzlichen erfüllten mein Gemüt. Wie ein jauchzender Frevel klang mir die jubelnde Fanfare im siebenten Takte des Allegro: ich sah aus tiefer Nacht feurige Dämonen ihre glühenden Krallen ausstrecken – nach dem Leben froher Menschen, die auf des bodenlosen Abgrunds dünner Decke lustig tanzten. Der Konflikt der menschlichen Natur mit den unbekannten, gräßlichen Mächten, die ihn, sein Verderben erlauernd, umfangen, trat klar vor meines Geistes Augen. Endlich beruhigt sich der Sturm; der Vorhang fliegt auf.« Sicher geht es in der Novelle auch um »die tiefere Bedeutung der Oper aller Opern«, darum, »das herrliche Werk des göttlichen Meisters in seiner tiefsten Charakteristik richtig aufzufassen«, zu verstehen, »was der Geweihte in der Begeisterung ausspricht«. Doch die dem alter ego Theodor mitgeteilte »Interpretation« fungiert als Vorbereitung und dann als Ausklang einer durch den »Don Juan« hindurch in die vielbeschworene Tiefe hinabreichenden Exaltation. Den Weg dorthin weist die Sängerin der Donna Anna. So wie die italienische Aufführung der Oper »hier am deutschen Ort« eine besondere Nähe zu Mozarts »Gemüt« verhieß, ist es das Fremdartige dieser Frau aus der Toskana, ihr Heraustreten aus der Bühnenhandlung durch ihr überraschendes Erscheinen in der Loge während der Pause, das »das wunderbare, romantische Reich« vollends erschließt. In ihm erkennen sich die Sängerin und das poetische Ich eines Opernkomponisten: »Ich habe dich verstanden: dein Gemüt hat sich im Gesange mir aufgeschlossen! – Ja ... ich habe dich gesungen, so wie deine Melodien ich sind.« Damit sind eben nicht mehr die Melodien Mozarts gemeint. Der glückliche Augenblick tiefster Übereinstimmung – er erhält durch den Tod der Sängerin in der darauffolgenden Nacht noch gesteigerte Bedeutung – erfolgt auf der Ebene der eigenen Kunst, die den »zauberischen Wahnsinn ewig sehnender Liebe« zu verwirklichen vermag. Dieses Zentrum der Handlung bestimmt freilich auch das Bild von Mozarts Oper: als das eines gleichrangigen Gegenübers und einer heimlichen

Liebe von Donna Anna und Don Juan. Konsequent, aber im Gegensatz zu Da Ponte, wird die Bedeutung von Sünde und Strafe zurückgedrängt; vielmehr ist Donna Anna vergeblich »vom Himmel dazu bestimmt..., den Juan in der Liebe... die ihm innewohnende göttliche Natur erkennen zu lassen«; und Don Juan spiegelt die Tragik des romantischen Künstlers in seiner Sehnsucht nach vollkommener Liebe wider, zerrissen in seinem Gemüt und voll »Hohn über die Menschlein um ihn her«, mit »etwas vom Mephistopheles« in der Physiognomie. Ein Drama, das bei Da Ponte und Mozart noch in der Tradition barocker Allegorie stand, wird nun als Sujet in der Novelle mythisiert. Trotzdem läßt sich nicht rundweg behaupten, Hoffmann romantisiere Mozarts Oper und führe damit von deren Kerngedanken weg. So haben bereits Mozart und Da Ponte als erste in der Geschichte des »Don Juan«-Stoffes (auch im Unterschied zu den »Don Juan«-Opern von Bertati und Gazzaniga), die Rolle der Donna Anna entscheidend aufgewertet, wenngleich das Motiv der Haßliebe noch fehlt. Und im deutlichen Gegensatz zu Goldoni und überhaupt zu den »Don Juan«-Stücken seiner Zeit hat Mozart den Einbruch des Übernatürlichen in der Gestalt des Komturs musikalisch intensiviert. Hoffmann pointiert demnach Unzeitgemäßes in Mozarts Oper und weist zudem über Mozart hinaus zurück auf die mythischen Gestaltungen des Themas im 17. Jahrhundert. Mit dem Blick in die entgegengesetzte chronologische Richtung läßt sich nicht leugnen, daß Hoffmanns große Wirkung auf die Bühnenpraxis wie auf Schriften zum Thema »Don Juan« weniger von der Dichtung als von der darin enthaltenen Werkinterpretation ausging – mag sie auch in einem Mißverständnis begründet liegen. Adolf Bernhard Marx bestätigt diese Wirkung 1824: »Hoffmann hat durch seine vortreffliche Darstellung Mozarts Meisterwerke die schönste Huldigung erwiesen und den Sängern, die im Don Juan eine Rolle auszuführen haben, das herrlichste Vorbild für ihre Leistungen aufgestellt.« Wilhelmine Schröder-Devrient hat durch ihre vielbewunderte Sängerpersönlichkeit den Wandel im Rollenverständnis der Donna Anna vom gefühlvollen Mädchen zur Heroine auf der Bühne endgültig durchgesetzt.

Wie reich die Palette Mozartschen Einflusses sein kann, beweist das erzählerische Werk Joseph von Eichendorffs. Zum einen liegt die Vermutung nahe, der Bewunderer von »Le nozze di Figaro« habe die von ihm besonders geliebte Cherubino-Gestalt in eigenen Werken aufgegriffen. Als Beispiel wird gern die Novelle »Das Marmorbild« genannt. Jedoch ist die Konstellation von Florio und den beiden Frauengestalten der Novelle, der »schönen Dame« und Bianca, mit jener von Cherubino, der Gräfin, Susanne und der kindlichen Barbarina kaum zu vergleichen. Ist Florio überhaupt eine Cherubino-Gestalt? Wenn ja, dann erreichte Eichendorff die Nähe in einer sehr sublimen Weise, die Mozarts Gestalten ebenso wie das Schloß und Gärten des Grafen Almaviva durchziehende Spiel der Gefühle und Intrigen in ein romantisches Reich verlagert, wo es »wilde Erdengeister« zu bändigen gilt, »die aus der Tiefe nach uns langen«. Die unschuldige, begeisterungsfähige Jugendlichkeit Florios mag der Cherubinos verwandt sein; aber jene Sphären der Venus, die Florio verlocken, die »durch teuflisches Blendwerk die alte Verführung üben an jungen, sorglosen Gemütern«, sind der Welt des Wagnerschen »Tannhäuser« näher als der des »Figaro« – natürlich abgesehen von dem, was, leider nur vage, die Musikalität eines Textes genannt werden kann. Hier liegen die Verhältnisse umgekehrt und erlauben die Annahme, daß Eichendorff Prinzipien der Mozartschen opera buffa – die Kunst der musikalischen Charakterisierung, Anlage und Führung von Ensembles und Tableaux in Finali – sich zu eigen machte. Man kann also von einer »szenischen Bauweise des Erzählens« nach Vorbildern Mozarts reden, nur hat sich Eichendorff diese Techniken so sehr anverwandelt, daß Wörter wie Übernahme oder Vorbild dafür im Grunde zu platt sind. (Ähnliches gilt für die Paraphrasierung der Figur des Don Juan in Tiecks »William Lovell« oder bei Jean Pauls Roquairol im »Titan«.)

Die Annäherung der Künste erfolgte auch von seiten der Musik. Früh, 1806, hat sie August Apel an Mozarts später Es-Dur-Sinfonie versucht. Unter dem Titel »Musik und Poesie« ging er über die ältere Ansicht einer »Charakter«-Darstellung in der Instrumentalmusik hinaus und forderte, das Allgemeine einer poetischen Stimmung auf bestimmtere Bilder hin zu konkretisieren. Die Konsequenz, die er zog, möchte ich, etwas gewagt, als eine prinzipielle Vorwegnahme Lisztscher Gedanken auffassen. In der Sinfonie sieht Apel die »Darstellung einer Idee durch die sinnlichen Erscheinungen der Töne« bewirkt, die Idee selbst aber »nicht an die Töne gefesselt«. »Eine Sinfonie in ein Gedicht umsetzen, heisst demnach nichts anders, als ihre Idee und die bestimmte Charakterisirung derselben, abgesondert von dem Mittel der Darstellung auffassen, und von neuem durch das Material der Dichtkunst darstellen.« Auf diesen Gedanken bezogen hat er ein Gedicht verfaßt, das er bezeichnenderweise mit »Sinfonie, nach Mozart in Es dur« betitelte. Dessen Inhalt ist auf hehre Ideale, Heldisches, letztlich auf die alles bezwingende Liebe hin ausgerichtet. Griechische Mythologie klingt ebenso an wie die sehnsuchtsvolle Ruhelosigkeit eines leidenden Jünglings à la »Werther«. Der eigentliche Grund, der zu einer Analogie mit Liszt verlockt, liegt aber in der Dramatisierung der Musik durch den Text, dessen beständiger Antrieb lautet: per aspera ad astra.

Auf dem Gebiet der im engeren Sinne musikalischen Nachfolge Mozarts ist die Situation prinzipiell ähnlich und keineswegs leichter zu durchschauen. Die Schwierigkeiten haben verschiedene Gründe. Eine – noch kaum erfüllte – Voraussetzung wäre es, den Personalstil Mozarts präzis formulieren zu können, um einen klaren Bezugspunkt zu bekommen. Freilich bleibt ebenso offen, ob nachfolgende oder eine Nachfolge bewußt vermeidende Komponisten Wesentliches dieses Stils erfaßten oder nicht, ob die Bezugnahme als bloßes Lippenbekenntnis oder in ernsthaftem Studium erfolgte. Was ist aber mozartisch in dieser Nachfolge? Damals ist darauf kaum je eine genauere Antwort gesucht worden – und heute verweist die Forschung mit Vorliebe auf notengetreue Mozart-Zitate oder weniger prägnante Ähnlichkeiten in Details. Vielleicht treffen diese Ergebnisse sich sogar mit der Vorgangsweise vieler Komponisten vor 150 und mehr Jahren. Es ist ja eine Crux jeglichen Epigonentums, daß es eher Detail-Merkmale oder -Materialien erfaßt als das, wofür sie stehen. Sicherlich bekundeten viele Zitierungen eine Reverenz vor Mozart, aber nicht jede melodische Ähnlichkeit ist aus einer bedeutsamen Absicht entstanden. Im allgemeinen verhielten sich die Komponisten nach Mozart ihm gegenüber nicht anders als er selbst sich gegenüber seinen Vorgängern. Vieles wurde einfach aufgegriffen und so manches Thema, so mancher Satzverlauf, der mozartisch aussieht und auch so klingt, entspricht einem traditionellen Typus. Allerdings machte der Ruhm Haydns und Mozarts deren Musik zum Idol auf der Suche nach Identifikation (die sich selbst nicht als epigonal, sondern auf der Höhe der Zeit empfand) und zugleich zum Vermittler einer Tradition, die langsam durch neuere Entwicklungen in eine historische Ferne gerückt wurde.

Gehen wir einen Schritt weiter, so erklärt sich unser Dilemma von selbst als Folge der Tatsache, daß Kunst mehr ist als die Übernahme von Vorbildern. Carl Maria von Weber drückte es, auf den jungen Komponisten August Fesca bezogen, so aus: »Mozart und Haydn waren ihm Vorbilder im edlen Sinne, wie es dem wahren Künstler ziemt und wie überhaupt nur alles Fortschreiten in der Kunst sich erzeugt durch den äußeren Anstoß, der Funken weckt, nicht gibt.«

So ist die Mozart-Verehrung in der Musik achtbarer Komponisten wie Johann Nepomuk Hummel oder Louis Spohr schwerer zu fassen als in der epigonalen Musik geringeren Niveaus. Hummels kompositorischer Werdegang begann – symbolhaft – in Wien, auch Züge seines Lebenslaufs erinnern an Mozart; er war ein Wunderkind, dann als Pianist und als Klavierkomponist bekannt und berühmt geworden. Auf dem Titelblatt seiner Klaviervariationen op. 6 (1798) bezeichnete er sich als Schüler Mozarts, Albrechtsbergers und Salieris. Auch veröffentlichte er noch sehr viel später Mozart-Bearbeitungen. Unterschiedliches an Bezugnahmen in seinem Werk erklärt sich aus seiner Biographie und den allgemeinen Zeitumständen: die Ausrichtung seiner Klavier- und Kammermusik auf Mozart, die der Kirchenmusik auf Haydn, der Bezug auf Beethoven in seiner weiteren Entwicklung und auf neuere Virtuosenpraktiken in seinen Klavierkonzerten. Auch versteht sich von selbst, daß Hummel seinerseits beeinflussend wirkte: so wird etwa auf Chopins Klaviersatz in diesem Zusammenhang hingewiesen, und Alfred Einstein sieht im Scherzo der »Wandererfantasie« einen »hummelschen Schubert«. Wo und wie aber ist aus all diesem der Einfluß Mozarts herauszulesen? Am ehesten wohl in der Themenerfindung und -behandlung der Frühwerke; doch sie ist gepaart mit unmozartischen Schematismen wie einförmiger Satzgestaltung oder kreuzbraver Periodik. Sobald es Hummel gelingt, elastischer zu komponieren, ist schon vielerlei an »Einflüssen« eingedrungen – so daß es richtiger, wenn auch vager ist, das Mozartische eher in Hummels Streben nach satztechnischer Verfeinerung und objektiverem Ausdruck und in seinem Festhalten am maßvollen Einsatz der Mittel zu suchen.

Der einige Jahre jüngere Louis Spohr besaß den unmittelbaren Zugang zur Umwelt Mozarts nicht mehr, wuchs aber ideen- und musikgeschichtlich in eine Zeit hinein, die Hummel nicht mehr erreichen sollte. In seiner Selbstbiographie erzählt Spohr von »Wonneschauern« und »träumerischem Entzücken«, als er erstmals die »Zauberflöte« und »Don Juan« hörte. Auf »Zauberflöten«-Reminiszenzen in der Ouvertüre seiner frühen Oper »Alruna« angesprochen, meinte er: »Bei meiner Verehrung für Mozart und der Bewunderung, die ich dieser Ouvertüre zollte, schien mir eine Nachbildung derselben etwas sehr natürliches und lobenswertes.« Ebendort schildert er den nächsten Schritt zum Selbstbewußtsein so: ». . . auf mich aufmerksam geworden, fühlte ich jedoch die Notwendigkeit mich davon [von Mozart-Reminiszenzen] frei zu machen und glaube dies auch schon in meiner nächsten dramatischen Arbeit, dem ›Faust‹, vollständig erreicht zu haben.« Trotzdem bleibt die musikdramatische Konzeption des »Faust« (1816) der des »Don Juan« sehr nahe und gibt damit eines der frühen Beispiele für die Verschmelzung dieser beiden großen Themen. Als reifer Künstler sollte Spohr zu einem noblen Traditionalisten von Rang im musikalischen Biedermeier werden. Die Eigenart seines Kompositionsstils zeigt zugleich Nähe und Distanz zu Mozart. Die Melancholie in Spohrs Musik mag sich nach dem Willen ihres Autors auf jene Mozarts berufen und ist doch die Schwermut eines Zeitgenossen Lord Byrons; die Ausgewogenheit und Durchsichtigkeit der Musik Mozarts verwirklicht Spohr für sich in einer musikalischen Vornehmheit, die nicht gedacht ist, »den großen Haufen zu enthusiasmieren«, – die aber die Universalität Mozarts, etwa in der so geliebten »Zauberflöte«, unwillentlich bereits sehr eingeengt hatte. Dennoch wurde Spohr von der ihm nachfolgenden Generation als von der »strahlenden Sonne Mozarts unmittelbar beleuchtet« gesehen; diese Vereinfachung der Dinge, die Richard Wagner in seinem Nekrolog auf Spohr formulierte, läuft auf eine freundliche Distanz zu Spohr und Mozart hinaus.

Von größerer Bedeutung ist die Frage nach der musikalischen Nähe zwischen Beethoven und Mozart, die der Begriff der Wiener Klassik ebenso wie bereits der Ausspruch des Grafen

Waldstein von »Mozarts Geist aus Haydns Händen« suggeriert. Beethoven hat Zeit seines Lebens Hochachtung vor Mozart bekundet und besonders für die »Zauberflöte« und das »Requiem« schöne Worte gefunden. Trotzdem dürfte im Allgemeinverständnis des Musikliebhabers – heute wie damals, und unabhängig vom Klassik-Romantik-Schematismus – die Musik von Mozart und Beethoven stellvertretend für sehr unterschiedliche Ausdruckswelten stehen. Und auch die Kenner sind sich der Nähe zwischen den beiden nicht recht sicher. Stilgeschichtliche Studien haben eher Haydn als Ansatz für Beethoven herausgestellt, so daß Waldsteins Ausspruch umgekehrt in »Haydns Geist aus Mozarts Händen« fast sinnvoller erscheint. Doch beschönigt auch diese Retusche bloß jene »Kluft zwischen Mozart und Beethoven«, von der der Mozart-Forscher Hermann Abert spricht. Dabei ignoriert Abert keineswegs, daß Beethoven vom Vorbild Mozart die »Vielgestaltigkeit und Gegensätzlichkeit der Themen« lernen konnte. Zugedeckt wird die »Kluft« vielmehr durch die bei Kennern wie Liebhabern gleich beliebte Suche nach motivischen Gemeinsamkeiten und anderen Detail-Analogien. Wenn Beethoven über Mozart-Themen Variationen schrieb oder sie mehr oder minder deutlich zitierte, so spricht dies nicht zwangsläufig für eine besondere Nähe. Der vorhandene Traditionszusammenhang läßt auch hier manches als Zitat erscheinen, was in den Bereich geläufiger Typen und Modelle gehört; sie treten übrigens in der Sphäre des Heiteren, in einer Musik Beethovens, die dem alten Divertimento-Geist noch nähersteht, bevorzugt auf. Aber wenn eine solche Verwandtschaft z. B. zwischen dem Finalsatz der B-Dur-Sinfonie KV 319 und dem der Achten Sinfonie, also in einem Werk Beethovens aufscheint, von dem ganz allgemein gesagt werden kann, es sei ein »Musizieren über musikalische Modelle« – oder wenn Themen der von Beethoven einbekanntermaßen besonders geschätzten »Zauberflöte« gehäuft in der Zweiten Sinfonie und auch in der »Prometheus«-Musik (Nr. 16) anklingen, so verquickt sich hier eine einfühlende mit einer distanzierenden Intention des Komponisten.

Umgekehrt ist es ebenso heikel, an Details die Distanz zwischen Beethoven und Mozart aufzuzeigen. Überzeugend, wenngleich zu Verallgemeinerungen verlockend, sind ausschnitthafte Untersuchungen, wie die Hans Gals zum Stil des jungen Beethoven: sie führen zur Unterscheidung von Mozartschen »Vorhaltsmanieren« und Beethovenscher »absoluter Melodie« (worunter Gal »die rein diatonische, unter Ausschluß des Vorhalts resp. des Durchgangs auf starkem Taktteil, erfundene Melodie« versteht).

Prägnanter sind einzelne Beispiele, obschon sie nichts beweisen. Wofür sie stehen, möchte ich an einem Fall erläutern. Zufällig kamen mir einmal beim Hören des »Andante« aus der Prager Sinfonie Assoziationen in Richtung Beethoven, speziell zum Terzett Nr. 13 »Euch werde Lohn in bessren Welten« aus dem zweiten Akt »Fidelio«. Nicht der Ablauf des Satzes, sondern zwei Themen daraus riefen sie hervor. Ungewollter Ausgangspunkt war also die übliche Reminiszenzen-Jagd. Der Charakter des ersten Themas erinnerte mich an den Anfang des Terzetts, aber auch an die Stelle »In des Lebens Frühlingstagen« aus der Florestan-Arie und an das zweite Thema im »Allegretto« der Siebten Sinfonie. Das Empfinden einer Gemeinsamkeit zielte demnach weniger auf eine bestimmte Melodie in ihrer Notenfolge als auf einen Satztypus: ruhiges gebundenes Melos in Sexten- und Terzenparallelen über einem ruhenden Baß und im Rahmen einer vollständigen Kadenz mit Betonung der Subdominante. Einerseits läuft dieses Satzbild auf einen alten Pastoraltyp hinaus, andererseits ist es, dem Fachjargon gemäß, in etwa als ein klassischer »Humanitätston« zu verstehen. Die zweite Assoziation ging von einer in den Tonschritten weiter ausgreifenden, ansteigenden Melodie aus, die Oboe und Fagott unisono spielen (T. 45 ff. und 132 ff.). Eine ähnliche bringt im Terzett Florestans »O daß ich euch nicht lohnen kann«, ebenfalls unisono von Klarinette und Oboe begleitet.

Bei der Durchsicht der Partituren fiel mir noch auf, daß die beiden einander ähnlichen Anfangsthemen in den jeweiligen Satzverläufen eine dominierende Stellung innehaben, während das zweite Thema bei Mozart wie bei Beethoven eine die Schlußpassagen einleitende Funktion hat. Gerade die relative Auffälligkeit dieser Gemeinsamkeiten läßt die Unterschiede in der Art, wie die beiden Komponisten mit ihrem Material umgehen, leichter erkennen. Bei Beethoven ist das ansteigende Unisono-Thema Ziel eines Steigerungsverlaufs und wird als solches breiter ausgeführt; bei Mozart tritt es wie zufällig und doch als variierte Umkehrung einer unmittelbar davor gebrachten Melodie, ohne große Bedeutung für den Satz als Ganzes und doch ihn zum Schluß hinwendend, ein. Der Pastoraltypus ist ein musikalisches Pendant zum Bild einer arkadischen Idylle. Beethoven setzt ihn für sich stehend ein, Mozart modifiziert ihn wiederholte Male, besonders im Mittelteil des Satzes, wo er ihn vom Tonikabezugspunkt löst und in Moll eintrübt. Doch vielleicht ist damit der Gegensatz bereits übertrieben.

Im »Allegretto« der Siebten Sinfonie kontrastiert Beethoven die gebundene Pastoralmelodie zur daktylischen Tonrepetition im Staccato des ersten Themas. Innerhalb dieses Satzes lösen sich die einander gegenübergestellten Ausdrucksbereiche mehrmals ab; Beethovens Intention war es aber offensichtlich nicht, daß sie sich wechselseitig durchdringen. Sein »Allegretto«-Satz ist insgesamt sehr viel blockartiger als das bis ins Detail hinein durchdifferenzierte bzw. vom Detail her immer neue Antriebe findende »Andante« Mozarts angelegt. Das sagt natürlich nichts über die Qualität, wohl aber einiges über die Ausdrucksabsicht aus. Mozart stellt der gebundenen Pastoralmelodie ebenfalls ein Staccato-Motiv gegenüber; es löst den Anfangscharakter der Musik allerdings schon nach wenigen Takten ab (T. 8 ff.) und geht in ein und derselben Phrase wiederum in ein gebundenes Melos wie zu Anfang über. Nichtsdestoweniger bringt Mozart den Rhythmus des Staccato-Themas 𝄞 𝄾 𝄾 ♪ ♫♪ | ♩ im Laufe des Satzes immer wieder (u. a. auch als Antwort auf das ansteigende Unisono-Thema in T. 47), nur hält er es nicht wie Beethoven hartnäckig fest, sondern läßt es wie zufällig aufscheinen, woraus letztlich doch ein roter Faden im Geflecht dieses Satzes wird. Dies als Prinzip genommen und als solches auf das Pastoralthema angewandt, gibt dem im 3. Takt einsetzenden chromatischen Sechzehntel-Gang der 1. Violine eine den vorgegebenen Typus lösende, öffnende Funktion, die Mozart auch tatsächlich aufgreift und vor allem im Mittelteil des Satzes intensiv nützt, um den Hörer auf »unsichere« Wege der musikalischen Phantasie zu locken.

Wofür eine derartige, etwas hermetisch wirkende Beschreibung der Musik steht, ist leicht gesagt: für mein persönliches

Empfinden – für die schwer zu formulierende Vorstellung von der Ambivalenz des Ausdrucks in der Musik Mozarts, die bereits in den besprochenen Shakespeare-Mozart-Vergleichen eine Chiffre fand (womit sich ein zunächst spontanes Empfinden als Resultat der Wirkungsgeschichte entpuppt) – schließlich symptomatisch für einen Unterschied zwischen Mozart und Beethoven.

Die Suche nach dem, was Schubert mit Mozart gemeinsam hat und was sie voneinander trennt, stellt sich kaum einfacher dar. Sie führt nicht zu einer prägnanten Veranschaulichung des begrifflichen Gegensatzes zwischen Romantik und Klassik; zählt doch Schubert zu den besonders schwer klassifizierbaren unter den großen Musikern. Einmal mehr finden sich auch hier Gemeinsamkeiten im Detail, Traditionszusammenhänge und gelegentlich darüber hinausgehende bestimmtere Intentionen. Was ist von einer melodischen Gemeinsamkeit wie der zwischen dem Schubertschen »Heidenröslein« (1815 komponiert) und dem »Könnte jeder brave Mann« aus der »Zauberflöte« zu halten? Es ist nicht zu sagen, ob Schubert seine Vorliebe für die »Zauberflöte« dokumentieren wollte, oder ob die beiden Beispiele »bloß« der musikalische Gestus der Volkstümlichkeit verbindet. Der nun schon stereotyp gewordene Hinweis auf ein schillerndes Ineinander von Nähe und Distanz trifft auch für Schuberts Instrumentalmusik zu. Im Andante der Zweiten Sinfonie (1815) bringt er ein Thema, das der Don-Ottavio-Arie »Il mio tesoro« aus dem »Don Giovanni« verwandt ist, und entwickelt daraus einen Variationensatz. Das »Andante« für Klavier aus dem Jahre 1812 läßt sich als ein Fantasieren über ein »Figaro«-Thema auffassen. Die Intention ist aber nicht, Mozarts Variationstechnik zu kopieren, sondern eigene Wege von einem bekannten Ausgangspunkt her zu erkunden.

Sicher hat auch Schubert sich Mozartsche Techniken und Vorlieben anverwandelt. Walther Vetter bezeichnet die Instrumentierung der B-Dur-Sinfonie als eine »Huldigung« an Mozarts späte g-Moll-Sinfonie. Daß Schuberts Technik der Überleitung und des Stimmungsumschwungs ohne das Vorbild Mozarts undenkbar wäre, leuchtet kompositionsgeschichtlich wie biographisch ein. Die sich sinnvoll anschließende Behauptung eines »geistig gänzlich Neuen« bei Schubert wird jeder, der wachen

Ohres ist, bestätigen. Unbefriedigend bleibt sie dennoch, weil sie sich nicht beim Wort nehmen, sondern nur in ausufernden Differenzierungen verfolgen läßt. Das Bild vom neuen Wein in alten Schläuchen zielt hier ins Leere, da Inhalt und Form dieser Musik ineinander aufgehen.

Wenig störend ist dieses Dilemma der Kritik bei jenen Werken, in denen Schubert seine Intention aus erkennbaren Gründen speziell auf Mozart richtete, so etwa besonders im Jahre 1816. Ein Jahr zuvor war ihm mit dem »Gretchen am Spinnrad« der Durchbruch als Liedkomponist geglückt; nachdem er die Arbeit in der väterlichen Schule aufgegeben hatte, fühlte er sich persönlich freier; das Verhältnis zu seinem Lehrer Salieri entwickelte sich positiv. Aus dieser hoffnungsvollen Situation heraus schrieb Schubert sein berühmtes Mozart-Bekenntnis ins Tagebuch (s. S. 89 f.), in dem er das Bild von den »Finsternissen dieses Lebens« und den »wohlthätigen Abdrücken eines lichtern bessern Lebens« gebraucht: die »Zaubertöne von Mozarts Musik« seien es, die »schöne Abdrücke in der Seele« bewirkten. Mozarts Musik steht für eine Hoffnung; in Worten bleibt sie der Abglanz einer »schönen Ferne«, in seiner eigenen Musik sucht Schubert sie aber zu verwirklichen. In dieser Zeit sind die B-Dur-Sinfonie, das E-Dur-Streichquartett – beides Werke mit Bezugnahmen auf Mozarts g-Moll-Sinfonie – und die drei Sonaten für Klavier und Violine entstanden. Letztere haben in der Rezeption viel mit denen Mozarts gemeinsam: sie werden als hübsche, aber leichte Musikstücke »für die musizierende Jugend« mißverstanden. Sie sind jedoch von Schubert weniger naiv als sentimentalisch gemeint. An den beiden erstgenannten Werken sind nicht so sehr Anklänge an bestimmte Themen, die Übernahme des Orchesterklangs, Satzmerkmale wie die Imitatorik, Formales usw. von Interesse als die frappierende Tatsache, daß das Vorbild der g-Moll-Sinfonie von Schubert in ein möglichst helles, ätherisches Licht gerückt wurde. So läßt sich vermuten, daß Schubert auch in anderen Kompositionen des Jahres 1816 eine von Mozart inspirierte »Musik der Engel« schaffen wollte. (Ähnliches trifft vielleicht auch auf das Oktett in F-Dur und das a-Moll-Streichquartett des Jahres 1824 zu.) Umso bedeutsamer ist die von leiser Melancholie berührte ätherische Durchsichtigkeit am Schluß der a-Moll-Sonate, die an die letzten Takte der Paminen-

Arie »Ach, ich fühl's« erinnert, obwohl dieser Satz zuvor in deutlicher Parallele zum unbeschwerten Schlußsatz der Es-Dur-Sonate KV 380 steht.

Beim dritten großen deutschen Komponisten des frühen 19. Jahrhunderts, Carl Maria von Weber, ist die Situation prinzipiell gleich. Für das frühe Klavierwerk, die Lieder und Opern ist die Musik Mozarts Voraussetzung, aber nicht nur sie; selbst noch für den »Freischütz« sind ebenso Gluck wie die gesamte Singspielgeschichte von Peter von Winter bis E.T.A. Hoffmann Vorbild gewesen. Wichtiger ist freilich der nicht auf diese Vorbilder reduzierbare Eigenwert der Musik Webers. Etwas anderes ist es, wenn sich Weber als selbstbewußter Künstler für das Werk Mozarts einsetzt. Er tat es wiederholt als Operndirigent, auch aus einem nationalem Engagement heraus und in gezielter Auseinandersetzung mit der italienischen Modeoper. Die – schon einigemale zitierten – klugen Worte, die Weber für die Kunst Mozarts fand, und seine, bei aller Ehrerbietung doch spürbare Reserve gegenüber Beethoven, geben indirekt ein unmißverständliches Bekenntnis zu den eigenen ästhetischen Wurzeln ab.

Ohne ein Geschmacksdiktat aufs Publikum ausüben zu wollen, haben Weber mit seiner romantischen Oper und Schubert mit seinen Liedern die entsprechenden Werkgruppen Mozarts überlagert – und für die Ohren der Zeitgenossen verändert. Problematischer ist das Rezeptionsverhältnis zwischen Mozart und Beethoven allein schon deshalb, weil Beethoven der wirkungsstärkste Komponist des 19. Jahrhunderts wurde. Zuvor stand die Formel »Haydn und Mozart« für Qualität und auch Modernität. Demgegenüber haben Ereignisse wie die »Große Akademie« im Wiener Freihaustheater vom 27. Oktober 1798, bei der nach der »Zauberflöten«-Ouvertüre und Arien von Mozart der 28jährige Beethoven sein Erstes Klavierkonzert spielte und zum Abschluß Haydns Sinfonie mit dem Paukenschlag erklang – sosehr sie uns als Vollzug klassischer Einheit erscheinen – erst im weiten Rückblick symbolhafte Bedeutung. Doch schon wenige Jahre später ist die Musik Beethovens als eine Herausforderung der etablierten Dualität »Haydn und Mozart« verstanden worden. Durch Beethoven und auch durch die Opernentwicklung in Paris wurde das Bewußtsein vom Inhalt dessen, was als modern galt, gestört. Die Wertungen erfolgten zunächst wenig einheitlich. 1804 schreibt der junge Komponist Georg Abraham Schneider in der Leipziger »Allgemeinen Musikalischen Zeitung« über ein Konzert mit Beethovens Zweiter Sinfonie: »Im Allgemeinen erregte diese Sinfonie nicht solche Sensation, als Mozartsche und Haydnsche.« Ein Wiener Korrespondent der »Berlinischen Musikalischen Zeitung« findet 1805 die »Eroica« Beethovens »grell und verworren«, gibt aber zu, daß in Wien manche Leute »die Fehler und Vorzüge dieses Componisten mit gleichem, zuweilen bis ins Lächerliche streifenden Feuer vergöttern«. Vielleicht haben wir hier schon den Anfang jenes, später besonders in Wien hohe Wellen schlagenden Kampfes zwischen Mozartianern und Beethoven-Anhängern vor uns. Christian Friedrich Michaelis nennt ebendort 1805 die drei Klassiker gleichrangig nebeneinander. Doch völlig anders ist die Gruppierung der Komponisten in einem 1806 in derselben Zeitung erschienenen Nekrolog auf Luigi Boccherini. Hier werden die »originellen und naiven Arbeiten« Haydns und Boccherinis den »schwierigern, künstlichern Quartetten« Mozarts, Rombergs und Beethovens entgegengestellt. 1807 hebt Reichardt, eben noch ein Verächter Mozarts, dessen »herrliche kunstvolle Arbeit« in den Sinfonien positiv gegenüber jenen Beethovens hervor.

Die Tendenz geht aber dahin, Mozart als Hort der Tradition und Beethoven als Garanten der Erneuerung zu sehen. Tieck, der Mozart-Verehrer, bezeichnet im »Phantasus« 1816 die Sinfonien Beethovens – den er 1813 persönlich kennengelernt hatte – als Musik eines »Rasenden«. E. T. A. Hoffmann deutet in seinem Aufsatz über »Beethovens Instrumental-Music« 1810 eine idealisierende Distanz zu Mozart an, die zu Beethoven fehlt: »Beethovens Musik bewegt die Hebel des Schauers, der Furcht, des Entsetzens, des Schmerzes, und erweckt eben jene unendliche Sehnsucht, welche das Wesen der Romantik ist.« Zuvor hieß es über Mozart: »In die Tiefen des Geisterreiches führt uns Mozart. Furcht umfängt uns, aber, ohne Marter, ist sie mehr Ahnung des Unendlichen.« Noch vorher hatte Hoffmann freundliche Worte über Haydn gesagt. Insgesamt faßt er damit die Trias der Klassiker in einem zumindest angedeuteten Stufenmodell zusammen, noch bevor Derartiges (ausgenommen Reichardt, der sich 1810 ähnlich zur Entwicklung des Streichquartetts äußerte) unter dem Eindruck der Philosophie Hegels auch im Musikschrifttum zur intellektuellen Mode wurde.

Erst in den 20er Jahren klärt sich die Rangverteilung. Das Empfinden, am Ziel einer Entwicklung zu sein, verdeutlicht ein 1824 geschriebener Aufsatz »Etwas über Beethovens Symphonien« von Adolf Bernhard Marx, dem in hegelianischen Bahnen denkenden Beethoven-Biographen und dominierenden Berliner Musiktheoretiker: »Gerade die Stimmführer in Angelegenheiten der Tonkunst waren in der Mozartschen Periode gebildet und nicht wenige von ihnen auf dieser Stufe stehen geblieben ... Beethoven, so lange er Mozart folgte, erhielt ihren Beifall; wo sich selbst in jener Periode seine später ausgesprochene Eigenthümlichkeit ahnen ließ, galt es für Verirrung, für jugendliche Ausschweifung und man hoffte: er werde auf den Mozartschen Weg zurückkehren. Jene Urtheile blieben wohl stehen, nicht aber die Kunst, nicht Beethoven, in dessen Werken nach Mozart der größte Fortschritt der Tonkunst sichtbar geworden ist, am meisten in seinen Sonaten und in den Symphonien.« Ende des selben Jahres hat Marx als »Epilog« des ersten Jahrgangs seiner »Berliner allgemeinen musikalischen Zeitung« einen betont programmatischen Artikel »Andeutung des Standpunkts der Zeitung« veröffentlicht. Sein Ziel ist es, eine musikalische Epoche mit ihrem Leitstern Mozart höflich in die Vergangenheit zu entlassen. Neu seien dagegen »die Ideentiefe, in Beethovens Kompositionen, der neue Reichthum von Klangkombinationen in seinen Symphonien, seine kühn nach neuen Beziehungen umgreifende Modulation – die großartige Einheit, die früher unerhörte Leidenschaft in Spontini's Opern – diese Flora geistreicher Züge in Webers Kompositionen, sein kühnes und reich ausgestattetes Streben nach einer früher nicht erreichten Karakteristik – selbst die üppige Sinnlichkeit Rossinis und die witzigen Arbeiten der Franzosen –«.

Marx gibt uns ein lebendiges Bild von Sehweise und Optimismus der Fortschrittspartei. Überhaupt scheint die französische Mode des 18. Jahrhunderts, über Gegenständen der Kunst Parteienkämpfe auszutragen, nun in den deutschen Zentren Berlin und Wien wiederauferstanden zu sein. Vom Streit der Weberianer mit den Spontinianern und dem gemeinsamen Kampf gegen die Rossinianer berichtet Marx, und schreibt dann: »Wie weichen selbst die Anhänger Mozarts und Beethovens, sich gegenseitig mißverstehend und mißdeutend, auseinander!« Dies zu mildern, ist seine, mit professoraler Überlegenheit vorgetragene Absicht. Die Antwort hatte Rochlitz schon vorneweg in einem 1822 erschienenen Nachruf auf E.T.A. Hoffmann gegeben. Der Frage, ob Mozarts »Figaro«, Salieris »Axur« oder Cimarosas »Matrimonio segreto« veraltet seien, stellt er die andere gegenüber, ob ein Werk, »das man gestern im Theater hervorgezogen hat«, neu sei. Die Antwort ist klar und einfach: »Der wahrhaft ursprüngliche, darum auch stets originelle Geist... der ist, was nicht veraltet.« Sehr bestimmt vertritt denselben Standpunkt Franz Stoepel in seinen 1821 in Berlin erschienenen »Grundzügen der Geschichte der modernen Musik«. Es ist sicher eine Provokation, eine mit dem »Heros in der Culturgeschichte der Menschheit« Homer beginnende Übersicht mit Mozart als einem »Heros in der Musikgeschichte« zu schließen. Als ein Credo der sich formierenden Traditionalistenpartei ist zu verstehen, was Stoepel über Mozart sagt: »Er ist der größte der Meister; denn in seinen Werken vereinigen sich alle Bedingnisse des wahrhaft Schönen: Wahrheit, Erhabenheit und Anmuth, auf unbegreifliche Weise. Kein Künstler hat noch je seinen Stoff so frei, und dennoch mit solcher Ordnung verarbeitet; mit solch einem regelnden Geiste, der dennoch aber nirgends als kalte Reflexion hervortritt, sondern jedes seiner Werke zu einem organischen Ganzen macht, in dem alles Einzelne nothwendig aus dem Ganzen sich entwickelt, durch welches das Ganze hinwieder nothwendig bedingt ist. –« Danach folgen noch einige Seitenhiebe gegen das »welsche Geklingel« und das »Rosse-Getrappel der jetzigen Zeit«. In Wien dürften die Diskussionen kaum weniger angeregt gewesen sein. Ebenfalls aus den frühen 20er Jahren berichtet Vesque von Püttlingen, daß ihn bei solch einem Streitgespräch sein Gegenüber mit der geistvollen Bemerkung überzeugen wollte, »er könne als Beethovenianer kein Mozartisches Quartett goutieren«.

Es wäre aber falsch, diese Polarisierung mit einem Seitenblick auf die Literaturgeschichte als einen verspäteten Streit zwischen Anhängern der Klassik und der Romantik zu verstehen. Die Sachlage ist insofern verwirrend, als die 20er Jahre einerseits ein Vorfeld für die durch Amadeus Wendt erreichte Definition der musikalischen Klassik mit dem »Kleeblatt: Haydn, Mozart, Beethoven« bilden und andererseits zur selben Zeit dieses Kleeblatt mit viel Emphase zerpflückt wurde. Eine Lösung des Konflikts boten die Entwicklungsmodelle mit dem Zielpunkt Beethoven. Wenn ich meinerseits provozieren darf: Der Begriff von der Trias der Wiener Klassik erscheint mir als eine hegelianisch verbrämte Klitterung eines tatsächlich sich verschärfenden Gegensatzes. Wenn er sich auch mitsamt seiner Lösung bereits bei E.T.A. Hoffmann ankündigt, so sind Marx und seine Parteigänger viel eher geistige Wegbereiter Wagners und der Neudeutschen Schule als Vollender der romantischen Musikanschauung.

Die Klärung der Positionen ist auch bei einzelnen Persönlichkeiten festzustellen. Rochlitz zum Beispiel vertrat nie im vollen Sinne eine romantische Musikanschauung. Er hatte in seinen Mozart-Anekdoten und auch sonst viel, und nicht bloß biographische Informationen, von seinen Vorgängern übernommen; zu Tiecks »Phantasien über die Kunst« 1799 verhielt er sich wohlwollend kritisch. Jedoch erst in der Herausforderung der frühen 20er Jahre nimmt er eine eindeutig klassizistische Haltung ein. Jene Position, von der her Niemetschek 1808 gegen das »chaotische Gewirre«, die »dichte Finsterniß«, den »Wirrwarr neuester Kompositeurs« die »still erhabenen, klaren, so einfachen Gesänge unseres Lieblinges« setzte, wird nun intensiver als zuvor bezogen.

Daß sich inzwischen viel geändert hatte, beweist das Musikleben selbst in Prag. Der Mozart-Kult hatte sich im frühen 19. Jahrhundert ungebrochen fortgesetzt. Ein eifriger Repräsentant war der tschechische Komponist Wenzel Johann Tomaschek; er äußerte sich ähnlich wie Niemetschek, hielt speziell Beethoven wohl für begabt, aber irregeleitet. Carl Maria von Weber, der 1813 bis 1816 in Prag als Kapellmeister tätig war, lernte diesen Mozart-Kult kennen, fand ihn an sich schön, aber doch schon recht altväterisch und eng geworden. Unter Wenzel Müller wechselte die Situation in den 20er Jahren schlagartig, ein regelrechter Beethoven-Kult entstand und verdrängte die Traditionspflege.

Überhaupt war die Fortschrittspartei in der musikalischen Praxis sehr im Aufwind, und die Traditionalisten gerieten in eine wenig hoffnungsvolle Verteidigungsposition. Als Tenor der

Korrespondentenberichte in den Musikzeitschriften ist übereinstimmend ein Nachlassen des Interesses für Mozart und ein Rückgang in den Aufführungszahlen seiner Werke zu erkennen. Notendruck und -verkauf sprechen in ihrer Faktizität eine deutliche Sprache. Der für Mozarts Werk so wichtige Verlag Breitkopf & Härtel etwa nennt in einem Inventarverzeichnis von 1823 als Hauptstock der Vorräte die Mozart-, Haydn-, Clementi- und Dussek-Ausgaben. Das Angebot ist sehr breit gestreut, wenngleich die Kammermusik vor den Orchesterwerken bei weitem überwiegt. Nach wie vor ist die Palette an Bearbeitungen für die Modeinstrumente Violine, Flöte, dann Guitarre, weniger für Harfe und Mandoline, sehr reich; am meisten verkauft wurden Klavierwerke und Gesang-Klavier-Arrangements. Etwa zur Zeit von Beethovens Tod erfolgte eine »fast radikale Unterbrechung«, die, kaum in den Konzertprogrammen, wohl aber im Bedarf an Hausmusik-Notenmaterial auch Beethoven negativ miteinschloß. Das Publikumsinteresse verlagerte sich von der Wiener Klassik weg auf einen modernen und internationalen, eher auf Paris hin ausgerichteten Kreis von Komponisten wie Thalberg, Kalkbrenner, Chopin, Pleyel, Cherubini, Bellini, Berlioz, Bertini, Meyerbeer, Rossini, auch Weber und Mendelssohn.

In die Mozart-Rezeption geriet ein Moment liebenvollen Rückblickens. Seine Musik mochte bereits damals so etwas wie Erholung von der Anspannung, die neuere Musik erfordert, bedeuten. So schreibt der Rezensent eines Konzerts, bei dem Beethovens Streichquartett op. 127 gespielt wurde, in der Berliner »Haude- und Spenerschen Zeitung« (17. März 1827): »Sehr beruhigend und erfreulich wirkte auf die Anstrengung ... das gediegene Quintett des hehren Meisters Mozart in D-Dur. Welche Arbeit aus einem Guß, welcher Ideen-Reichthum und Melodienfluß, und doch stets so wohl geordnet, nichts am unrechten Ort, nie zu viel, noch zu wenig!« Selbst die Klavierkonzerte – eine unbestrittene Domäne seit Mozarts Lebzeiten – geraten nun ins Abseits. Bei einer Berliner Mozart-Gedächtnisfeier 1830 wurde das dem veränderten Zeitgeschmack am ehesten entsprechende d-Moll-Konzert KV 466 aufgeführt; in der eben erwähnten Zeitung stand darüber zu lesen: »Höchst interessant war es, wieder endlich einmal eines der Mozartschen Pianoforte-Concerte zu hören, welche unsern modernen Virtuosen ganz fremd bleiben, weil es nicht Passagen-Werk genug darin giebt.« Selbst gegenüber dem »Don Giovanni«, der inzwischen bevorzugten Mozart-Oper, erheben sich Stimmen, die ihn ein »älteres Stück« nennen, und in Kritiken aus München, Dresden, Wien und selbst Prag ist teilweise von einer »kalten« Reaktion des Publikums zu lesen.

Manches Neue setzte sich auch unabhängig von allen literarischen Fehden beim Publikum durch. Ein treffendes Beispiel gibt Wien. Rossini wurde von keinerlei ästhetischen Schriften legitimiert, trotzdem war seine Oper »Tancredi« 1816 ein triumphaler Erfolg. Im Wiener Hofoperntheater wurden unter der Pacht von Domenico Barbaja zwischen 1822 und 1828 nicht weniger als 18 verschiedene Werke Rossinis aufgeführt; im Jahre 1822 kulminierte der Enthusiasmus für ihn, wie überall in Europa, auch an der ehemaligen Wirkungsstätte Mozarts; Persönlichkeiten wie Fürst Metternich nannten Rossini als ihren Lieblingskomponisten. Gegen ihn trat die »deutsche« Musikpartei auf, die die Gluck-Tradition und ihre Abkömmlinge Salieri, Cherubini, manche Franzosen und, mit Einschränkungen, Spontini verfochten. Wie schon zu seinen Lebzeiten nahmen Mozarts Opern in diesem deutsch-italienischen Konflikt eine Sonderstellung ein: geachtet, immer wieder aufgeführt und doch außerhalb des Hauptinteresses liegend. Dagegen fruchtete auch die 1821 ausgesprochene Prophezeiung des Mozart-Schwärmers G. L. P. Sievers nichts: »Rossini wird nur der Komponist von Heute und Morgen seyn; Rossini wird selbst in Italien nur noch eine kurze Zeit Epoche machen.« Dabei erreichte der Opernenthusiasmus in Europa im Jahrzehnt von 1818 bis 1828 insgesamt einen Zenit.

Diese musikalischen Umgewichtungen lassen es für den Historiker reizvoll erscheinen, die Mozart-Rezeption des ersten Jahrhundertdrittels einmal nicht positiv als Weiterwirken des zuvor Erreichten, sondern negativ als fortgesetzte Rettungsversuche in einer sich ständig ändernden Umwelt zu betrachten. Dazu einige Gedankensplitter: Am stärksten machte das Neue im Musiktheater Sensation. Der Opern-Klassizismus ist eine Empire-Erscheinung, die von Paris aus mit Werken Grétrys, Méhuls usw. ihren Siegeszug antrat. Der Geist der opera seria »La clemenza di Tito«, dieser musikalisch »vermenschlichten« Abwandlung eines anderen Klassizismus, nämlich Metastasios, stand in Distanz zum Lauten, Monumentalen, das Bühnenmode zu werden begann – und zugleich doch den anhaltenden Erfolg dieses »Titus« und vielleicht auch der »Zauberflöte« ermöglichte; der »Idomeneo« wäre ohne diese von Mozart unabhängige Entwicklung kaum wiederaufgeführt worden.

E. T. A. Hoffmanns »Don Juan«-Deutung ist sicherlich kein Rettungsversuch, sondern eben eine romantische Dichtung. Die mythisierenden Bühneninterpretationen, die ihr inhaltlich folgten (und auch vorausgingen), waren aber gut geeignet, den »Don Juan« den neuen – ohne die französische Oper undenkbaren – Vorstellungen von einer musikalischen Tragödie anzunähern. Wilhelmine Schröder-Devrient (die 1821 als Pamina in Wien debütierte) war vermutlich kaum die erste Sängerin, die die Donna Anna als Heroine auffaßte. Wohl ohne Gedanken an Hoffmanns Novelle, aber im Sinne der Empire-Oper hat Francesca Festa Maffei 1816 in Mailand die Partie gestaltet, so daß Stendhal »qual energia di passione – – per dar verità ed effetto a qual sublimo pezzo: Fuggi, crudele, fuggi« bewundern konnte.

Aber auch das häufige Erwähnen der »ewigen Jugend« und der Allbeliebtheit des »Don Juan« in Aufführungsberichten klingt, als wollte man dem Publikum etwas einreden. Und die mit romantischem Vokabular hantierende Gefühlsduselei – besonders in Wien beliebt – übernimmt sich, kaum ohne Grund (wie in folgender Stilblüte: »Wie oft erhob nicht Mozart's Genius schon die Brust seiner Mit- und Nachwelt, und wie oft wird das innewohnende Göttliche nicht diese Zauberkraft noch auf alle fühlenden Herzen ausüben! Auch heute umsäuselten uns die wundervollen Töne wie wohlbekannte Geisterstimmen, und schlossen auf alle Sinne und Herzen.«). Vielleicht sind die gar nicht seltenen Berichte, daß das Publikum »kalt« blieb, doch repräsentativ, und sehr wahrscheinlich gab es die von Marx 1824 beklagten Aufführungsmängel bei Mozart-Opern, weil sich die Bühnenakteure mehr um neue Werke mühten.

Manche Veränderungen in den Aufführungsgewohnheiten berührten Wesentliches der Opernkonzeption Mozarts. Seit Beginn des Jahrhunderts hatte auch in der deutschen Oper die Faszination durch einzelne Sängerpersönlichkeiten zugenommen. Das Publikum konzedierte dabei viel an Freizügigkeiten wie Auszierungen, Einschübe oder die Praxis, etwa die Koloraturen in den Arien der Königin der Nacht einem Flötisten zu überlassen. Es kam sogar zur Anpassung von Partien an das Rollenfach beliebter Sänger; die berühmte Anna Milder-Hauptmann z. B. trat auch als Tamino auf – für unser heutiges Empfinden eine etwas skurrile Auffassung von der Funktion einer Hosenrolle.

Aus Polemiken der einen Seite läßt sich ableiten, was die andere verfolgte. Bereits 1798 tadelte Rochlitz die Wahl zu schneller Tempi: eine Kritik, die beständig wiederkehrt. 1828 wird an einer Berliner Mozart-Feier gerügt, daß die »Zauberflöten«-Ouvertüre »im rapidesten Tempo« heruntergespielt wurde. Nun ist das Tempo in der Musik bekanntlich etwas sehr Labiles, aber auch etwas sehr Wichtiges, für Mozart war es die »Hauptsache in der Musique«. Das verweist darauf, daß hier das Richtige etwas Situationsbedingtes ist. Die Neigung, schnelle Tempi noch schneller oder langsame noch langsamer zu nehmen, hat mit dem allgemeineren Hang zum Sensationellen zu tun. Schon 1805 wurde die Meinung geäußert: »In älteren Zeiten würde man das Mangel an Taktfestigkeit genannt haben, was jetzt unter dem Namen tempo rubato, rallentando u. dgl. zur Mode geworden ist, und oft den gleichmäßigen Fluß der Empfindung auf die widrigste Weise unterbricht.« Zugleich wurde die tiefgreifende Auswirkung dieses »falschen Modegeschmacks« erkannt: »Mit der Klarheit des musikalischen Styls und Vortrages hängt auch seine Eigenthümlichkeit zusammen, inwiefern man darunter das Charakteristische im Ausdruck versteht.« Und in eine ähnliche Richtung weist eine andere Praxis, die ein Kritikausschnitt aus dem Jahre 1820 belegt: »Ob wohl Mozart für eine solche Instrumentenmasse gearbeitet haben mag, als sie in der heutigen Vorstellung entwickelt worden war? Gewiß nicht! So sehr es an seinem Ort seyn mag in Gluck'schen und den neu-Französischen großen Opern, die sich mehr im Elemente einer recitativisch-deklamatorischen Lyrik bewegen, ... so wenig ist im Allgemeinen der Mozart'schen Oper eine solche Einfassung vorteilhaft.« Extreme Tempi, eine vom Detail ausgehende gesteigerte Emotion, die Gewalt der Klangmassen, das sich vordringlich auf die solistische Leistung der Sänger oder Instrumentalisten konzentrierende Publikumsinteresse, solche Merkmale ließen befürchten, »daß bei diesem erkünstelten Feuer auch der feine, ätherische Duft verraucht«. In all diesen Zitaten kommt ein konservatives Kunstverständnis der Kritiker zum Tragen. Ob es deshalb Mozart in allen Punkten näher steht als die bemängelte Praxis, bleibe dahingestellt. Die Schwierigkeit lag und liegt wohl darin, daß die Struktur der Musik Mozarts und die musikalischen Konventionen bereits zu seiner Zeit in Konflikt gerieten; besonders der Reichtum und die Beweglichkeit der musikalischen Charaktere (oder sollte man von Affekten reden?, selbst die Terminologie ist ungewiß) und die strenge Forderung nach einem tempo giusto lassen einen Spielraum für unterschiedliche Interpretationen frei. Diese Vielfalt in Ausdruck, Tempo, Harmonik und Dynamik konnte selbstverständlich als ein zukunftsweisendes, Rossini vorbereitendes Phänomen von einem modernen Gesichtspunkt aus gesehen werden; F. R. de Toreinx hat sie in seiner 1829 erschienenen »Histoire du romanticism« als eine fortschrittliche Leistung den Komponisten Mozart, Paisiello und Cimarosa zuerkannt. Welcher Seite sind die sich authentisch gebenden, doch vermutlich den Usus der 20er Jahre widerspiegelnden Metronomisierungen des »Don Juan« durch den Prager Mozart-Schwärmer Tomaschek zuzuordnen? Der den heutigen Historiker und Musiker ratlos lassende Lösungsversuch Tomascheks hat ein Gutes: er vermittelt in der Frage, ob Aktualität oder Authentizität, ein verfälschender Rettungsversuch oder ein verhärtender Anachronismus bei der Aufführungspraxis zu bevorzugen seien.

In der Nähe eines Tiefpunkts der Mozart-Rezeption angelangt, möchte ich nochmals auf die Zeit um 1800 zurückblenden und die Ausbreitung des Œuvres Mozarts außerhalb des deutschsprachigen Raums betrachten. Die Krise um 1830, der internationale Erfolg ab 1800 und die außerdeutschen Rezeptionslücken davor betreffen primär seine Opern. In den anderen Gattungen verlief die Wirkungsgeschichte im Positiven wie im Negativen weniger dynamisch. Daher sei im folgenden der Akzent auf die Opernrezeption gelegt.

Am bedeutsamsten ist diese in Frankreich, aus vielerlei Gründen, die nur teilweise mit Mozart ursächlich zusammenhängen. Paris im 19. Jahrhundert, die vielgerühmte Hauptstadt Europas, hat schon um 1800 eine besondere Anziehungskraft auf die musikalische Welt ausgeübt. Die Orchesterkultur und das

Ausbildungssystem des Conservatoire waren vorbildlich. Im Pathos der musikalischen Tragödie wie in der farbenreichen opéra comique empfanden die Zeitgenossen eine Aktualität, der sich sowohl die italienische wie die deutsche Oper öffneten. Insgesamt entstand hier, ähnlich wie auf dem Gebiet der Instrumentalmusik durch Beethoven, eine Fortschrittlichkeit, die zur Musik Haydns und Mozarts innerlich in Distanz trat und äußerlich von ihr ablenkte. Der Einfluß der französischen Oper in Deutschland wirkt vor dem politischen Hintergrund paradox, ist aber Teil sich verdichtender kultureller Wechselbezüge. Von seiten Frankreichs hat Madame de Staël mit ihrer Schrift »De l'Allemagne« (1810), nach dem Bild Goethes, einen ersten Einbruch in eine »chinesische Mauer von Vorurteilen« gewagt. Sie erwähnt übrigens darin Mozart, teils positiv, indem sie den Komponisten des »Don Juan« als am begabtesten ansieht, Musik und Wort zu vereinigen, teils negativ, weil das Vergnügen an seiner Musik aus der »Reflexion« entstehe. Musikgeschichtlich betrachtet, bestand allerdings die Mauer längst nicht mehr; die ernste französische Oper der Zeit wäre ohne die Wirkung Glucks undenkbar, und die Orchesterkultur um 1800 fand ihren adäquaten Gegenstand in den Sinfonien Joseph Haydns. Mozarts nichtmusikdramatisches Werk trat nur sehr langsam aus dem Schatten, den »le grand Haydn« warf, heraus. Die erste große Mozart-Manifestation des so wichtigen Conservatoire in Paris war die »Requiem«-Aufführung unter Cherubini am 21. Dezember 1804 in St.-Germain-l'Auxerrois, die insofern unter einem unglücklichen Stern stand, als sie als Totenfeier für – den ja noch lebenden – Haydn geplant war. Ein Berliner Korrespondent spricht vom »unglücklichen Eindruck ..., den die romantische Darstellung der Totenmesse und die Einbildungskraft unseres viel zu früh verewigten Mozarts hatte«. In Paris hatte man wohl eine andere Art von musikalischer Erhabenheit erwartet.

Ein Beispiel für diese Situation geben die »Mémoires au Essais sur la Musique« André-Ernest-Modeste Grétrys. Mozart hatte ihm im zweiten »Figaro«-Finale eine musikalische Reverenz erwiesen – Grétry erwähnt Mozart in seinen Memoiren nicht ein einziges Mal. Trotzdem sind die geistigen Zusammenhänge höchst bemerkenswert. Grétry verficht ein aufklärerisches Musikverständnis, spricht von der Natur als göttlicher Mutter und bewundert Raffael (dessen »Schule von Athen« seine Oper »Aspasie« bestimmte) als Inbegriff des Künstlers, weil dieser ganz eins mit der Natur gewesen sei. Somit hat er das Raffael-Ideal in einen musikalischen Zusammenhang gebracht, noch bevor es Niemetschek und die deutschen Romantiker aufgreifen und auch auf Mozart beziehen sollten. Geistig steht der ältere Grétry noch dem Klassizismus näher als den Ansichten Wackenroders, Tiecks usw. Gegen Schluß seiner Memoiren spricht Grétry eine musikalische Prophetie aus: »Je vois en idée un être charmant qui, doué d'un instinct mélodieux, la tête, et l'ame sur-tout, remplies d'idées musicales, n'osant enfreindre les règles dramatiques qui sont aujourd'hui connues de tous les musiciens, joindra au plus beau naturel une partie des richesses harmoniques de nos jeunes athlètes.« Gerne wird jeder Mozart-Verehrer Romain Rollands Bemerkung zustimmen, daß der Charakterisierung des ersehnten Neuerers nur der erlösende Name Mozart fehlt. Aber Grétry hatte zuvor seine Hoffnung auf den Fortschritt in der Gluck-Nachfolge gesetzt und sah als raffaelische Figur in der Musikgeschichte allein Pergolesi an.

Auf den Pariser Bühnen war es schwierig, Mozarts Werke erfolgversprechend in den Griff zu bekommen. Als sie endlich aufgeführt wurden, waren sie eigentlich schon »alte Stücke«. Es galt daher, doppelte Hemmnisse beim Publikum zu überwinden. Bekannt wurde Mozart schließlich durch den anhaltenden Erfolg zweier Bearbeitungen: der »Zauberflöte« als »Les Mystères d'Isis« 1801 durch Etienne Morel de Chédeville und den Prager Hornisten Ludwig Wenzel Lachnith, und des »Don Juan« 1805 durch den Brigadegeneral und Gelegenheitsdichter Henri-Joseph Thuring de Ryss, den Bibliothekar und Dramatiker Denis Baillot und den Pianisten Christian Kalkbrenner. Es wäre nun leicht, in den Chor vernichtender Urteile über derlei Verstümmelungen klassischer Meisterwerke einzustimmen. Darin klingt – spätestens seit Richard Wagner – auch gerne ein Unterton des Vorurteils gegen den oberflächlichen und frivolen Geschmack der Franzosen mit. Chédeville und Lachnith etwa ging es aber gar nicht darum, allein Mozart gerecht zu werden, sie wollten vielmehr Mozart den Parisern verständlich machen und den dortigen Operntraditionen und Erwartungen angleichen. Und das ist ihnen geglückt. Über das Wie, im ästhetischen wie im handwerklichen Sinne, läßt sich streiten. Par distance ist jedenfalls die im späten 18. wie im 19. Jahrhundert allerorten und in der Oper wie im Schauspiel geübte Bearbeitungspraxis als ein Versuch der Aktualisierung anzuerkennen, so wie das abgewandelt für das Regietheater unserer Zeit gilt. Zudem ist sie historisch äußerst aufschlußreich.

Das Ziel der Bearbeiter war es, an Bekanntes anzuschließen. Dem Publikum vertraut waren die Sujets von »Le nozze di Figaro« und »Don Giovanni«. Der »Figaro« wurde 1793 als erste Mozart-Oper an der durch die Revolution privilegienfrei gewordenen Pariser Opéra gespielt. Die als langweilig empfundenen Secco-Rezitative hatte man durch gesprochene Dialoge aus Beaumarchais' Komödie ersetzt. Ähnlich wurden 1805 bei der »Don Juan«-Bearbeitung die Dialoge aus Molières »Dom Juan« verwendet. Bei der »Zauberflöte« bot sich kein vergleichbares Werk oder eine der Wiener Zauberoper entsprechende französische Gattung an. So blieb nur der (auch beim »Don Juan« angestrebte) Gewaltakt, die »Zauberflöte« auf eine klassische Tragödie bzw. eine Tragédie lyrique hinzubiegen und ganz auf die Sarastrowelt auszurichten. In dieser Deutung hatte sie als »Mystères d'Isis« auch Aktualität, zumal die durch Napoleons Ägyptenfeldzug forcierte Mode sich günstig auswirkte. Dazu kam die Vorliebe für Ballettszenen, die die Bearbeiter nützten, um ein schwer verkäufliches Stück für das Publikum akzeptabler zu machen. Um dafür Platz zu schaffen, wurde die Handlung gestrafft und auch zum Teil logischer gemacht, was selbst der sonst verächtlich kritisierende Salzburger Musiker Sigismund von Neukomm 1816 anerkannte. Der französische Operngeschmack des frühen 19. Jahrhunderts forderte darüber hinaus musikalische Retuschen. Sie betrafen nachweisbar die Instrumentierung, die pompöser wurde und, nicht beweisbar, aber sehr wahrscheinlich, die Aufführungsweise, die auf gesteigerte Erregung in Tempo, Agogik und Phrasierung abzielte. Alles in allem dürfte es weniger ein Kuriosum als die Resonanz französischer Vorlieben sein, wenn Stendhal in seinen »Lettres écrites de Vienne« 1814 und in den »Vies de Haydn, de Mozart et de Métastase« 1817 sich fast nur mit den Opern Mozarts beschäftigt, am meisten den »Figaro«, dann »Idomeneo«, »Titus« und »Don

Juan« lobt und Mozart den Corneille unter den Komponisten nennt.

In seiner Bewunderung für den »Figaro« trennt Stendhal von den deutschen Romantikern die melancholische Auffassung dieser Oper: »Comme chef d'Œuvre de pure tendresse et de mélancolie, absolument exempt de tout mélange importu de majesté et de tragique, rien au monde ne peut être comparé aux Nozze di Figaro.« In zahlreichen Vergleichen mit Cimarosa, Rossini, Michelangelo u. a. hebt er immer wieder Mozarts Fähigkeit, Melancholie, Zartes, Trauriges und auch Schreckliches auszudrücken hervor, z. B.: »C'est à cause de ces deux qualités réunies, le terrible et la volupté tendre que Mozart est si singulier parmi les artistes; Michel-Ange n'est que terrible, le Corrège n'est que tendre.« Wie manche deutsche Romantiker hat er eine Pilgerfahrt in die Stadt Haydns und Mozarts unternommen. Was Stendhal, eigentlich Marie-Henri Beyle, unter dem anderen Pseudonym César Bombet in den »Vies« über Mozart schreibt, ist, rundheraus gesagt, ein Plagiat des 1801 durch Théophile Frédéric Winckler übertragenen Nekrologs von Schlichtegroll. Aufschlußreicher sind andere in seinen Werken verstreute Äußerungen. Wenn auch von Vorstellungen aus der klassischen französischen Tragödie geleitet, bevorzugt er, ähnlich wie später Georges Bizet, deutsche und italienische Musik zuungunsten der französischen Oper. An die deutschen Mozart-Shakespeare-Vergleiche erinnert der selbstverfaßte Spruch auf seinem Grabstein im Friedhof von Montmartre: »Errico Beyle Milanese, Visse, Scrisse, Amò, Quest'Anima Adorava Cimarosa, Mozart e Shakespeare.«

Musik erweckt in Stendhals Dichtung ausgreifende Assoziationsketten, mit denen er den »Tönen der Seele«, der primären Einheit von Tönen und Farben in einer Musik der Natur nachspürt. Insofern ist er völlig Romantiker. Die Sublimierung musikalischer Eindrücke geht aber in andere Richtung als die zur reinen Instrumentalmusik. Mit dem plagiierten Schlichtegroll hat Stendhal das Interesse für das Naturgeheimnis von Ausnahmemenschen gemeinsam; nur beobachtet er diese »êtres supérieurs« nicht bloß äußerlich, sondern sucht sich mit ihnen, und ganz besonders mit Mozart, zu identifizieren. Verschleierte Ansätze dazu waren auch bei E. T. A. Hoffmann zu finden; sie lösen aber bei Stendhal entschieden andere, starke Reaktionen aus. Nach eigenem Bekenntnis bewirkte die das Grenzenlose beschwörende visionäre Kraft der Musik Mozarts, daß er urplötzlich von tiefster Schwermut ergriffen wurde und sich darin verlor. Und in der »Histoire de la peinture en Italie« (1817) entwirft er folgendes Bild seines Ichs (das des leichteren Verständnisses wegen in deutscher Übersetzung wiedergegeben sei): »An Tagen des Glückes zieht man Cimarosa vor; aber in Stunden uns bestrickender Schwermut, etwa im Spätherbst im Park eines alten Schlosses, in einer Allee hoher Birken, wenn die Stille ringsum nur hin und wieder durch das Rascheln eines fallenden Blattes unterbrochen wird, ist es Mozarts Genie, dem man sich zuwendet. Man sehnt sich danach, ein Lied von ihm, in der Ferne, tief im roten Laubwald, von einem Waldhorn geblasen, zu vernehmen. Mozarts weiche Gedanken, seine schüchterne Lust, hat ganz die Stimmung dieses Herbsttages, an dem leichter Dunst die Reize der Landschaft mit Wehmut umkleidet, an dem selbst die Sonne aussieht als habe sie Abschiedsleid.« Ob eine derartige Introspektion aus einer »Werther«- oder Byron-Stimmung verstanden (in »De l'amour« vergleicht Stendhal »Werther« und »Don Juan«) oder als Vorwegnahme der skeptischen Decadence im Fin-de-siècle zu verstehen ist, läßt sich nicht sagen. Beachtenswert scheint aber vor allem die ichbezogene Verknüpfung Mozarts mit Schwermut, Herbst und Abschied. Diese Facette romantischer Sehnsucht kommt zu jener Zeit sonst nirgends derart stark zum Ausdruck. Stendhal verliert sich nicht nur in der Musik Mozarts, er findet in ihr auch ein tiefes menschliches Wissen; ihn fasziniert, besonders im »Figaro«, der subtile Reichtum erotischer Gefühle, etwas, das zum positiven Anstoß für sein Künstlertum wird und unmittelbar zu seinem Hauptwerk »De l'amour« (1822) weiterführt.

Die zarte, schwermütige Poesie Alphonse Lamartines, seine Begeisterung für Mozart lassen Ähnliches wie bei Stendhal erwarten. Seine musikalischen Beiträge in den »Cours familier de littératture« (1858 ff.) stellen Mozart Cimarosa und Rossini zur Seite. Lamartine bevorzugt wie Stendhal die italienische Musik, zu der er auch die Mozarts rechnet; er lobt besonders den »Don Juan« (auch mit E. T. A. Hoffmann-Zitaten) und den »Figaro« – hinter seinen schwärmerischen Bildern ist aber von persönlicher Betroffenheit wenig zu spüren.

Mit dieser Tiefe der Empfindung ist Stendhal für die französische Mozart-Rezeption nur bedingt repräsentativ, eher ist er als exzentrische Sondererscheinung innerhalb einer breiten Aufwärtsentwicklung aufzufassen. Der positive Wandel zugunsten Mozarts betrifft nicht nur die Opern (»Figaro« 1807 in Paris erstmals auf Italienisch, ab 1818 im ganzen französischen und belgischen Raum in der französischen Version von F. H. J. Castil-Blaze; »Don Giovanni« unter Spontinis Leitung 1811 auf Italienisch; »Così fan tutte« 1809 auf Italienisch, 1813 in französischer Bearbeitung von Chédeville u. a.; sogar deutschsprachige Aufführungen der »Entführung« 1801, der »Zauberflöte« 1829 und des »Don Juan« 1831). Mozarts Sinfonien tauchen ab etwa 1810 immer häufiger in Konzertprogrammen auf. François Antoine Habeneck bot Ende der 20er Jahre in den »Concerts de la Société du Conservatoire« sogar reine Mozart-Programme. In den Konzerten Pierre Baillots war Mozarts Kammermusik ständig im Repertoire. Auch kirchenmusikalische Werke, und überraschend häufig der »Davidde penitente«, wurden in den 20er Jahren aufgeführt. Trotzdem blieben die Opern innerhalb des Gesamtwerkes dominierend; in ihrer bewußten Angleichung an die moderne französische Oper durch die Bearbeitungen von Castil-Blaze erreichten sie große Beliebtheit. So führte die Situation um 1830 im Gegensatz zu Deutschland zu einem Aufschwung. Der »Don Juan« wurde in dieser Zeit zum Erfolgsstück und zur beliebtesten Mozart-Oper (wobei auch die literarische Begeisterung für E. T. A. Hoffmann sich positiv ausgewirkt haben mag). Und Berlioz' – aus deutscher Sicht unverständliche – Bemerkung, daß die Grand Opéra Meyerbeers und Rossinis (»Guillaume Tell«) den Erfolg des »Don Juan« erst ermöglichte, trifft der Tendenz nach das Richtige. Gleichzeitig vermutete wohl auch Fétis zu Recht, Komponisten wie Cherubini, Méhul, Boieldieu und Spontini hätten sich am »système de Mozart« weitergebildet. Diese Spezifik der französischen Rezeption hatte aber mit den auch von Berlioz bereits gescholtenen Bearbeitungen vom Schlage der »Mystères d'Isis« begonnen.

Die Zustimmung für Mozart wuchs auch im Schrifttum und ging mit einer Purifikation Hand in Hand. Weithin meinungsbildend bis zu Charles Gounod wirkten die Ansichten François-Joseph Fétis', der Mozart für den bedeutendsten Komponisten der letzten 100 Jahre hielt und in vielen Artikeln der »Revue musicale« würdigte. Fétis, wie auch schon Castil-Blaze, lehnte Eingriffe in Mozarts Instrumentierung ab und trat stets kritisch gegen die Bearbeitungspraxis auf. Die gestiegene Wertschätzung zog offensichtlich ein Empfinden für das Sakrosankte des Werkes nach sich, das sich allerdings nicht kompromißlos durchsetzen ließ. Auch Fétis nennt den »Don Juan« ein revolutionäres Werk, bewundert das melancholisch Tiefsinnige in dieser Oper, steht aber der französischen Romantik ferner als der geistigen Tradition der Klassik.

Wie wenig das neue Mozart-Verständnis rundweg als romantisch zu etikettieren ist, zeigt das Beispiel Jérome-Joseph de Momignys. In seinem Musikdenken mag eine »geistige Sehnsucht nach dem Transzendentalen« enthalten sein; romantisch mutet vor allem sein Verfahren an, bei der ausführlichen Analyse des Allegro moderato aus dem d-Moll-Streichquartett KV 421/417^{b} den Noten durchgehend einen Text zu unterlegen. Die so gewonnene dramatische Szene zwischen Dido und Äneas soll aber kein verborgenes Programm, sondern den Sprachcharakter der Musik aufdecken. Neben Formalem und Kompositionstechnischem interessiert Momigny etwas, das deutsche Romantiker das Poetische nannten. Die Bespiegelung mit Hilfe eines Bildes aus einem anderen künstlerischen Medium soll das Wesen der musikalischen Aussage und eine atmosphärische Gemeinsamkeit erfahrbar machen, die unter der Oberfläche von Partitur und Text liegt. Zugleich denkt Momigny sehr traditionell; er lehnt als aufgeklärter Mensch den entstehenden Mozart-Kult strikt ab; sieht Mozart und Haydn als Erben von Bach und Händel; bleibt zeitlebens verständnislos für die Musik Beethovens; bevorzugt jene Haydns und bemüht sich um Mozart, um dessen Andersartigkeit zu verstehen.

Im Unterschied zu Paris begann die Londoner Musikpflege im frühen 19. Jahrhundert an Bedeutung einzubüßen. Große Persönlichkeiten und reformierende Impulse fehlten. Manches in der Entwicklung der Mozart-Rezeption erinnert an Paris oder Amsterdam; so etwa die langsam steigende Beliebtheit der Instrumentalmusik, vor allem aber etliche Merkmale der Opernrezeption, die ungewöhnlich spät einsetzte. Da Ponte hatte sich bei seinem London-Aufenthalt 1794 vergeblich um eine Aufführung des »Don Giovanni« bemüht; sie sollte erst 1817 erfolgen. Mit der englischen Oratorientradition dürfte es zusammenhängen, daß als erstes großes Werk das »Requiem« in der Fastenzeit 1801 geboten wurde. Trotzdem kam Mozarts Musik beim Publikum nicht an; auch soll die Aufführung durch Ashley schlecht gewesen sein. Enttäuscht schrieb der Kritiker der »Morning Post«: »The talents which have celebrated the name of Mozart, can scarcely be justly appreciated by such a composition as the Requiem.« Die ersten Opernaufführungen kamen durch Benefizveranstaltungen für berühmte Sängerinnen zustande: 1806 die des »Titus« im King's Theatre auf Veranlassung des Prince of Wales für Mrs. Billington, ohne Publikumserfolg; erfolgreich dagegen 1811 »Così fan tutte« für Bertinotti Radicati. Damit war der Durchbruch gelungen, im Unterschied zu Paris aber nicht in landessprachlichen Bearbeitungen, sondern unter dem Vorzeichen einer Begeisterung für die italienische opera buffa. Selbst die »Zauberflöte« wurde im folgenden Jahr als »Flauto magico« herausgebracht; 1812 folgten der »Titus« und ganz besonders erfolgreich der »Figaro«. Am Handlungsablauf wurde bei diesen Aufführungen viel geändert und gestrafft; ähnlich wie in Paris wurde Mozarts Instrumentierung durch hinzugefügte Posaunen und andere Blechbläserstimmen pompöser gemacht. Aus der Statistik der nun beginnenden Aufführungsfolgen läßt sich auf weitere Sicht der Grad der Beliebtheit in der Reihenfolge von »Don Giovanni«, »Figaro«, »Titus«, »Così fan tutte« und »Flauto magico« herauslesen. Der positive Wandel zeigt sich auch darin, daß Klavierauszüge der letzten sechs Opern von dem Londoner Verleger Richard Birchall zwischen 1809 und 1815 gedruckt wurden – ferner in den Reaktionen der Presse: 1811 lobt William Gardiner im »Monthly Magazine« Mozarts Opern als »highest of all intellectual pleasures« und moniert dann »that a great nation, like England, has not talent, or ability, sufficient to represent and perform any of the works of this great master«. Italianità der Buffa-Opern und französisch inspirierte Antikisierung von »Titus« und »Zauberflöte« hatten vermutlich doch ein angelsächsisches Flair, das in Daten und Berichten erst bei den englischen Bearbeitungen der 20er Jahre greifbar ist, aber in den entzückenden Vignetten von James Hopwood, wie in jener der beiden Damen aus »Così fan tutte«, anschaulich wird.

Mozarts Opern hatten in den 20er Jahren in London einen kanonischen Rang erreicht, den auch die Rossini-Begeisterung nicht erschüttern konnte. Lord Mount Edgcumbe äußerte sich 1823, ähnlich wie Stendhal und Sievers, Rossini würde vergessen sein, während Mozart wie Haydn und Händel »will live for ever«. Etwas später hat man Mozart diesen Ewigkeitsrang auch für seine Instrumentalmusik zugestanden. Viel dazu beigetragen hat das persönliche Engagement zweier Freunde: Thomas Attwood (er war Kompositionsschüler Mozarts) und Vincent Novello. Der Letztgenannte zählte 1813 zu den Gründern der Philharmonic Society of London, die in ihren vorbildlichen Konzerten Mozarts Werke neben denen Haydns, Boccherinis, Cherubinis und Beethovens ins Repertoire nahm. Bedeutsam ist die Mittlerrolle des Organisten und Verlegers Novello noch in ganz anderer Weise durch seine Freundschaft mit den großen Dichtern Samuel Taylor Coleridge, John Keats und Percy Bysshe Shelley. Jeder von ihnen war ein Liebhaber der Musik Mozarts, wenn auch in unterschiedlichem Grade. Coleridge, der in seinen Ansichten über die Musik sehr der deutschen Romantik nahesteht, bevorzugte allerdings Beethoven. Keats hat in seinen poetischen Werken gelegentlich wunderschöne Worte für Mozart gefunden, wie im folgenden Zweizeiler aus dem Brief »To Charles Cowden Clake«: »But many days have passed since last my heart / Was warm'd luxuriously by divine Mozart.« Für Shelley schließlich war Mozart der erklärte Lieblingskomponist, wobei er vor allen Werken den »Figaro« bevorzugte. Wie bei anderen Dichtern liegt bei Shelley die Vermutung nahe, die Musikalität seiner Poesie habe etwas mit einer Metamorphose musikalischer Eindrücke zu tun. Auf angeblich musikalische Formen im »Prometheus Unbound« ist hingewiesen worden. Freilich läßt sich auch hier kein Sucus Mozartscher Musik aus der Dichtung herausdestillieren.

Dem Phänomen Mozart müßte Italien näher als Frankreich oder England gestanden haben – möchte man meinen. Der Umstand, daß Mozart eine italienische Tradition in sich aufgenommen hatte und, mehr noch, mit seinen Opern den Italienern die Vormachtstellung in Europa streitig machte, mag Neid erzeugt haben. Stendhal erklärte den Widerstand gegen ihn mit dem »patriotisme d'antichambre, qui est la grande maladie morale des Italiens, se réveilla dans toute sa fureur«. Reserve gegenüber den Österreicher Mozart dürfte der erwachende Nationalismus ausgelöst haben. Die auch anderswo geäußerten Vorbehalte in bezug auf mangelnde Kantabilität und zuviel musikalischen Satz entsprachen von vornherein dem italienischen Musikgeschmack. Ein römischer Korrespondent der Leipziger »Allgemeinen Musikalischen Zeitung« äußerte ganz offen, daß Mozarts Opern nicht »nach gusto del paese« seien, zumal »viele Stücke endigten, man wisse nicht wie«. Der »Zauberflöte« schließlich fehlte in Italien jede Basis, um zum Erfolg oder gar wie in Deutschland zur Sensation zu führen.

Als nach der Etablierung der Napoleonischen Herrschaft in Italien auch wieder Mozart-Opern auf den Bühnen erschienen, war die französische Oper zur Herausforderung für die italienische geworden, bis Verdi eine Synthese verwirklichte. Die erste Aufführung der »Clemenza di Tito« 1809 in Neapel und die relativ gute Aufnahme des »Don Giovanni« (1811 Rom, Bergamo, 1812 Neapel; dann Mailand, Turin, Florenz, Bologna, Parma, Genua) standen wohl unter dem Blickwinkel der französischen tragischen Oper. Mozarts Buffa-Opern »Le nozze di Figaro« (1811 und 1826 Turin, 1814 Neapel; dann Mailand, Florenz) und »Così fan tutte« (1797 Triest, 1805 Varese, 1807 Mailand; dann Turin, Neapel) hatten einigen Erfolg. Doch nützte die in diesen Stücken verspürte Italianità wenig, da die opera buffa in ihrem Kernland selbst rasch an künstlerischem Interesse verlor.

Nationale Ressentiments gab es auch auf deutscher Seite. Niemetschek läßt sie deutlich anklingen, wenn er 1798 (wohl auf einen Bericht Peter von Winters hin) triumphierend verkündet: »In Florenz habe man den 1ten Akt des Don Juan nach neun mißlungenen Proben, für unausführbar erklärt!!« Und nachdem Österreich durch den Wiener Kongreß alte und neue Rechte in Italien zuerkannt erhalten hatte, gestaltete sich die politische Stimmung derart ungünstig, daß die von Österreich aus geförderte Mozart-Pflege auf weitere Sicht wenig fruchtete. Immerhin gingen beachtliche Impulse vom habsburgischen Mailand aus. Pietro Lichtenthal durfte in seinen »Cenni biografici intorno al celebre Maestro Wolfgango Amadeo Mozart« (1816) zu Recht von Mailand als einer Metropole sprechen, »la quale coltiva la musica de' celebri maestri tedeschi, più di qualunque altra cittá d'Italia, e che tien in gran pregio il nome di Mozart«. Wenn er dann noch das »gran teatro alla Scala« in Hinblick auf Mozart-Aufführungen lobt, erinnert das wiederum an die starke Präsenz der italienischen Oper am Wiener Hoftheater und damit an eine Wechselbeziehung, die zwanzig Jahre später unter Bartolomeo Merelli zur Personalunion in der Wiener und Mailänder Opernpacht führen sollte. Wie sehr die ungewöhnliche Resonanz in Mailand (1807 »Così fan tutte« mit 39 Wiederholungen, wiederaufgenommen 1814; im selben Jahr »Don Giovanni«, 1815 und 1825 »Figaro«, 1816 mit schwachem Erfolg »Die Zauberflöte«, 1817 überaus erfolgreich »Titus«) vom persönlichen Engagement und den Kontakten einzelner abhing, zeigt das Beispiel Lichtenthals. Der gebürtige Preßburger, der in Wien zum Doktor der Medizin promoviert hatte, mit der Familie Mozarts bekannt und ein auch selbst komponierender Musikliebhaber war, wurde als Beamter des Lombardisch-Venezianischen Königreichs zusammen mit Mozarts Sohn Carl für das Werk seines musikalischen Idols tätig. Die Mailänder Verhältnisse hatte auch Stendhal in der Beschreibung »Mozart en Italie« seines »Vie de Rossini« im Auge; er berichtete weiters, daß italienische Musikliebhaber im Gefolge Napoleons Aufführungen von Mozart-Opern in München erlebt hatten.

Eine Sondererscheinung neben dem Mailänder Mozart-Kult ist der im Trentino, der sich sogar in sichtbaren Zeichen manifestierte. Giuseppe Antonio Bridi (ein reicher Handelsherr, Musiker und guter Bekannter Mozarts, der 1789 in Wien den Idomeneo sang) hatte in seinem Park außerhalb Roveretos einen »tempietto dell'armonia« errichtet, in dem Denkmäler folgender Komponisten standen: Antonio Sacchini, Händel, Gluck, Jommelli, Haydn, Palestrina und Mozart. Neben dem Übergewicht deutscher Komponisten überrascht die altmodische Auswahl der italienischen Musiker. Aus dem Kreis wird Mozart mit der Inschrift herausgehoben: ». . . qui a sola natura / musicae doctus / musicae et artis princeps.« In einer 1827 erschienenen Broschüre »Brevi notizie intorno ad alcuni più celebri compositori di musica« bestätigt Bridis Sohn Giovanni dieses Urteil mit einem Zitat Cimarosas: »In una parola io ad altri non saprei paragonan il Mozart, se non che al gran Raffaello.« Das

Unrealistische dieses Mozart-Kultes in Hinblick auf den herrschenden Musikgeschmack verdeutlicht Bridis Charakterisierung der Musik Mozarts mit Begriffen wie »sublimità, naturalezza, novità, bel canto, ricchezza d'idee, candotte, accompagnamento d'istromenti così nobile, sublime e giudizioso«. Im übrigen Italien ist Mozarts Musik kaum so empfunden worden. Daß Bridi im Trentino kein Einzelfall war, beweist der Komponist Gotifredo Jacopo Ferrari, der ein ausgesprochener Mozart-Enthusiast war.

Ein anderes Beispiel für deutsch-italienische Kulturkontakte ist der Frankfurter Johann Konrad Friedrich, der mit Schillers »Don Carlos« und »Fiesko« und mit Mozarts »Don Giovanni« im Gepäck als Napoleonischer Offizier viel in Italien herumkam und sich von Genua bis Neapel für Mozarts Werk einsetzte. Als Kapitän der Garde des Königs Murat gelang es ihm, die erste »Don Giovanni«-Aufführung 1812 im Teatro del Fondo in Neapel durchzusetzen; die Oper blieb neun Monate lang auf dem Spielplan und erreichte über 70 Vorstellungen. Von diesem Erfolg angespornt, veranlaßte der berühmte Impresario Barbaja weitere Aufführungen (1814 »Figaro« mit 40 Wiederholungen, 1815 »Così«, 1816 wiederum »Don Giovanni«). Den Boden für Mozarts Musik in Neapel hatte bereits der Wiener Robert Wenzel Graf von Gallenberg bereitet.

Louis Spohr berichtet, in vielen Städten Italiens spielten die Dilettanten Mozart, aber öffentliche Konzerte seien selten. Ähnliches und manch Unrühmliches über die Aufführungspraxis ist den Reiseeindrücken von Stendhal, Moscheles und von Korrespondenten deutscher Musikzeitschriften zu entnehmen. Kurios nimmt sich die Überlegenheit aus, mit der Nicola Zingarelli, von Spohr auf Mozart hin angesprochen, meint, dieser habe wohl Talent besessen und hätte er noch zehn Jahre studiert, hätte er vielleicht etwas Gutes geschrieben. Andererseits ist von bedeutenden italienischen Komponisten wie Cherubini, Spontini oder Bellini bekannt, daß sie Werke Mozarts (und teilweise auch Haydns) studierten und hoch schätzten. Am stärksten trifft dies für Gioacchino Rossini zu. Bereits in seiner Kindheit lernte er die Musik Haydns und Mozarts kennen und studierte sie mit solcher Begeisterung, daß sein Lehrer Padre Mattei ihn »il tedeschino« nannte. Später aber zeigt er sich weder in seinen ernsten Opern noch im »Barbiere di Siviglia« als Mozart-

Nachfolger. Seine Melodik etwa baut sich, im Gegensatz zu der Mozarts, aus der Reihung nahezu rudimentärer Motive auf. Auch war ihm der Unterschied zwischen deutscher und italienischer Musik sehr bewußt. Trotzdem dürfte Rossini in Ensemble-Gestaltung und Instrumentierung von Mozart profitiert haben. Im Alter hat er über ihn die schönsten Worte gefunden. Was an diesem Verhältnis Diskrepanz und was Dialektik ist, bleibt unklar; es spiegelt jedenfalls im kleinen die ästhetische Situation Rossinis insgesamt wider.

Im Norden Europas kam Mozart beim Publikum deutlich besser an als im Mittelmeerraum. Besonders Dänemark und Schweden, vorwiegend freilich die Städte Kopenhagen und Stockholm, übten schon früh eine beachtliche Mozart-Pflege. Von der Bevorzugung der Instrumentalmusik in Schweden war schon die Rede (S. 41), die Opern Mozarts konnten sich erst recht spät gegen die Konkurrenz französischer Werke durchsetzen. Nicht die »Zauberflöte« 1812, wohl aber ein Jahr später der »Don Giovanni« wurde zum einhelligen Erfolg. Ihm folgten 1814 die »Entführung«, 1821 der »Figaro«, 1823 der »Titus« und erst 1830 »Così fan tutte«. Auf Dauer konnten sich allein »Die Zauberflöte«, »Don Giovanni« und »Figaro« halten. Alle Mozart-Opern wurden in schwedischer Sprache aufgeführt. Im Gegensatz zu heutigen Vorstellungen von Authentizität waren damals Übersetzungen in die Landessprache ein Zeichen für ernsthaftes Bemühen um Aneignung; die meist von ausländischen Operntruppen gebotenen italienischen und deutschen Aufführungen übten eher einen exotischen Reiz aus.

Ähnliches trifft für die dänischen Fassungen in Kopenhagen zu (1798 »Così fan tutte«, 1807 »Don Giovanni«, 1813 »Entführung«, 1816 »Zauberflöte«, 1821 »Figaro«, 1823 »Titus«). Die zeitliche Nähe der Aufführungen in Kopenhagen und Stockholm dürfte nicht zuletzt damit zusammenhängen, daß dort wie da zunächst das deutsche Singspiel und später, bei »Figaro« und »Titus«, die Faszination Rossinis und der französischen Oper anregend gewirkt hatten; noch später hat auch die Beliebtheit der Opern Webers das Interesse für Mozart begünstigt. In Kopenhagen war zudem das Ehepaar Nissen propagandistisch tätig. Ein Kuriosum der Mozart-Verehrung sind die drei erratischen Blöcke mit den Namen Gluck, Mozart und Haydn – eine Art

Runensteine –, die der dänische Tanzmeister Claus Nielsen Schall (der Mozart noch persönlich kennengelernt hatte) in seinem Garten in der Nähe Kopenhagens aufstellte.

In Amsterdam, einem alten Zentrum des Notendrucks, ist mit einem hohen Bekanntheitsgrad von Mozarts Instrumentalschaffen zu rechnen. Dazu kommt ein anhaltendes Interesse für die Opern; jenen bereits aus dem 18. Jahrhundert her bekannten folgte 1809 der »Titus«. Ungewöhnlich buntscheckig war die Aufführungsweise. Holländische Übersetzungen gab es meist später, beim 1794 erstaufgeführten »Figaro« nicht vor 1825. Der »Don Giovanni« wurde 1794 auf deutsch, 1803 in der französischen Version Kalkbrenners, 1804 holländisch und 1809 italienisch gesungen. Ähnliches gilt für die Rezeption von »Figaro« und »Titus«. Dieses weltoffene Flair Hollands zeigt sich in beschränktem Maße auch in der Opernpraxis von Den Haag und Rotterdam.

In einer Reihe von Ländern entwickelte sich eine kaum überblickbare, aber vermutlich durchaus beachtliche Mozart-Pflege in der Hausmusik und in meist kleineren Konzerten, denen eine nur sehr geringe Zahl repräsentativer Veranstaltungen in den großen Städten gegenüberstand. In Dublin wurde 1821 »Figaro« englisch, 1828 »Don Giovanni« italienisch aufgeführt; in Bukarest die »Zauberflöte« 1818 deutsch; 1802 in Madrid als erste spanische Version einer Mozart-Oper der »Figaro«, 1827 der »Don Giovanni« in Buenos Aires ebenfalls in spanischer Sprache. Lissabon sah als erste Mozart-Oper 1806 den »Titus« in Italienisch; Sigismund Neukomm berichtet von einer Aufführung des »Requiem« 1819 in Rio de Janeiro: ». . . alle Talente wetteiferten, um den genialen Fremdling Mozart in dieser neuen Welt würdig zu empfangen.« Innerhalb der Vereinigten Staaten von Nordamerika erschien in New York zuerst 1824 eine englische Version des »Figaro« und 1826 eine italienische des »Don Giovanni« (1827 in Philadelphia). Ein koloniales Kuriosum war die »Don Giovanni«-Aufführung 1833 in Calcutta.

Somit zeigte sich, daß der Rückgang in der Mozart-Rezeption jeweils mit dem mehr oder minder fortgeschrittenen Entwicklungsstand zusammenhängt. Ein Ereignis, das mit Kunst überhaupt nichts zu tun hat, die Cholera-Epidemie in diesen Jahren, brachte die Opernbegeisterung weithin zum Erliegen. Als Opern-

und Konzertveranstaltungen wieder im vollen Umfang möglich wurden, sind primär neue Werke zuungunsten Mozarts bevorzugt worden.

Die besonders in Deutschland wiederum verstärkt gegen Mozart geäußerten grundsätzlichen Kritiken zeugen von der ins Schwanken geratenen Sicherheit im Urteil. Inhaltlich waren es meist Ladenhüter, etwa die fast 40 Jahre alte Kritik des Opernkomponisten Giuseppe Sarti an der langsamen Einleitung des Dissonanzen-Quartetts, die erst jetzt veröffentlicht wurde. Sie war jedoch längst überholt, weil Gottfried Weber die im Zusammenklang problematischen Passagen des Stücks nach allen Gesichtspunkten der Satzlehre penibel untersucht hatte und als Fazit das ästhetische Werturteil jedem einzelnen Hörer überließ. Um eine Generation verspätet kommt auch die Kritik Hans Georg Nägelis. Sie fand trotzdem viel Beachtung, zumal der von Pestalozzi inspirierte Schweizer Zukunftsweisendes für die musikalische Volksbewegung und die Pflege des Chorgesangs leistete. Umso reaktionärer wirkt sein Mozart-Urteil: »Mozart ist bei aller seiner unbestrittenen Genialität ... unter den ausgezeichneten Autoren der allerstylloseste.« Immerhin sucht Nägeli den angeblichen Stilunfug auch analytisch nachzuweisen. An den rhythmisch-metrischen Verhältnissen moniert er überflüssige wie fehlende Takte und unlogische Schlüsse. Die Vermischung der Gattungen, der Kantabilität der Vokalmusik mit der – sehr altmodisch – als »freyes Tonspiel« bezeichneten Instrumentalmusik finde meist in Form eines »übertriebenen, ausschweifenden Kontrastierens« statt. Doch im Disput mit Anton Friedrich Justus Thibaut um die »wahre Kirchenmusik« verteidigt Nägeli wiederum Haydn und Mozart; die beiden seien eben von den geistlichen Texten nicht begeistert gewesen; während Thibaut die »glänzenden und rauschenden Chorgesänge« scharf verurteilt – und damit die späteren Anfeindungen von seiten des Cäcilianismus einleitet, bei denen Mozart noch besser als der berühmtere Messenkomponist Haydn wegkommen sollte.

III

1830 – 1900

Eine durchgreifende Neubesinnung in der Mozart-Rezeption erfolgte erst in der Zeit um 1900. Das schließt nicht aus, daß schon vorher vereinzelt und unterschwellig so manche Umwertung bestehender Ansichten auf dem Wege war, die allerdings für das Mozart-Bild der zweiten Hälfte des 19. Jahrhunderts keinesfalls repräsentativ ist. Der Wandel um 1830 betraf weniger die Einschätzung Mozarts selbst als vielmehr die Umgebung, in der sie sich fand. Die Entwicklung von außen her forderte zur Reaktion heraus, wodurch die ästhetische Bezugnahme auf Mozart mitsamt ihren künstlerischen Ergebnissen in eine Verteidigungsposition geriet, in der sie lange verblieb.

Vor allem änderte sich der Begriff des Schönen. Während Mozart sich zu einer Musik bekannte, die auch beim Ausdruck des Schaudervollen das Ohr niemals beleidigen durfte, wird in der Grand Opéra die Bedeutung des Stoffes derart gehoben, daß sie vom Komponisten eine Charakterisierung verlangt, die auch eine »musique terrible« miteinschließt. Zugleich ist kein Genre so sehr Ausdruck des Kulturbewußtseins jener Zeit nach der Pariser Julirevolution wie die Grand Opéra. Welche Aufbruchsstimmung dieses und andere musikalische Phänomene erfüllte, läßt sich an einem Beispiel durchschnittlicher Literatur erläutern: an der 1838 in Braunschweig erschienenen Novelle »Das Musikfest oder die Beethovener« von Wolfgang Robert Griepenkerl. Das Buch ist dem Meister der Grand Opéra, Giacomo Meyerbeer, »in wahrer Verehrung zugeeignet«; dieser revanchierte sich in der zweiten Auflage (1841) mit der Vertonung eines tendenziösen Textes. In der »Einleitung« zu dieser Novelle stellt Griepenkerl die Forderung an die Kunst, dem Aufbruch der Naturwissenschaften, der Philosophie und dem Ereignis der Julirevolution gerecht zu werden. Dabei sieht er in der Kunst einen »sicheren Anker, der vor endlosem Hinausschweifen in's Maß- und Gränzenlose, der wahren Unfreiheit, schützt«; das richtet sich unüberhörbar gegen die Romantik und ausdrücklich gegen Jean Paul. Griepenkerl schwärmt von »Werken einer hohen künstlerischen Weihe. Die dramatische Oper, das Oratorium, die Sinfonie finden ihre würdigen Vertreter; erstere vor allem die würdigsten. Hier ist ein, der gewaltigsten Intentionen mächtiger Geist der Schöpfer eines Werkes, das welthistorisch pulsiert« – er heißt wohl Meyerbeer. Griepenkerl spricht offensichtlich von einer

Vision, die erst in Ansätzen erfüllt ist. So wettert er gegen die »particulärste Einseitigkeit« und malt ein grelles, aber treffendes Bild der leidigen Wirklichkeit: »Was wird uns aufgetischt? Lieder mit ganz subjectiven Inhalte in so ungeheuerer Menge, daß es im Lager der Musikalienhändler an Raum gebricht, die Makulatur aufzuschichten. Dazu Tänze voll der jämmerlichsten Gemeinplätze, Seiltänzerstückchen jedes herumreisenden Virtuosen, an denen die Schweißtropfen jahrelangen Frohndienstes kleben; nirgends der ewige Thau der Idee. Ein ganz äußerlicher Beweis dieser herein brechenden Sündfluth ist der, daß man heut zu Tage fast Alles, was eingewickelt werden muß, in einer Notenemballage erhält.«

Wo steht Mozart in all dem? Er paßt weder zu den großen Visionen noch zu den geläufigen Moden. Muzardsche Tanzmusik, die Faszination des Virtuosentums und die Lieder »ganz subjektiven Inhalts« haben sich schon weit von dem entfernt, was Mozart einst mit Tänzen, Konzerten und Liedern im Sinne hatte. Am ehesten noch wird er in jener »Makulatur« an Notenmengen, Bearbeitungen vor allem, zu finden sein, die Griepenkerl besonders hart tadelt. Mozarts Absichten aber völlig entgegengesetzt ist der Gedanke, der Endzweck der Kunst liege im Hervorkehren einer bestimmten Idee. Vielmehr sollte dies ein Anliegen der Neudeutschen Schule werden, entsprechend dem ethischen Bedürfnis des gründerzeitlichen Bürgertums.

In Griepenkerls Novelle ist noch ein Graf Repräsentant des Neuen: Adalbert, ein von Musik und Poesie Begeisterter, »schon um des Fortschrittes willen, in welchem sich diese Künste manifestieren«. Wohlgemerkt, nicht der Fortschritt manifestiert sich in den Künsten, sondern die Künste im Fortschritt. Das Wesen der Kunst liegt also in ihrem geschichtlichen Ablauf und Ziel. In dieser von Hegels Geschichtsphilosophie geleiteten Sicht erfährt Mozart seine Abwertung. Für Adalbert ist Beethovens Neunte das opus classicum, »unserer Zeit allertreuester Spiegel; seit Beethoven gewinnt die Musik auf anderem Wege als auf kirchlichem welthistorische Bedeutung. Ihr nennt den Haydn, den Mozart! Sie waren doch nur die Vorläufer des eigentlichen Messias.« Groß sei Beethoven auch, indem er »die Tändelei mit den Formen verachtete«. So negativ das alles klingt, erkennt diese Kunstauffassung Mozart doch eine bedeutsame historische Position zu. Die Mischung aus Reverenz und Reserve bestimmt die seit E. T. A. Hoffmann beliebten Metaphern für die historisch gestufte Einheit der drei Klassiker. Griepenkerl wählt den Dreiklang als Bild: »Haydn ... ist der Schöpfer, der Grundton, Mozart in schöner Mitte die schöne Terz – Beethoven die gewaltige, die alle Regionen rasch hinüberströmende Quinte.« Das Dilemma dieser Sicht besteht darin, daß Beethoven sozusagen am Anfang der musikalischen Gegenwart steht und doch zugleich Teil der Klassik ist. Daran ändert auch nichts eine positive Akzentuierung Mozarts anstelle Beethovens. Der Philosophieprofessor Amadeus Wendt hat in den 30er Jahren den Epochenbegriff der Klassik hegelianisch ausgeprägt, in dem Haydn die symbolische, Mozart die klassische und Beethoven die romantische Stufe der Kunst vertreten. Wenn er auch harmonisierend von einem »Kleeblatt« spricht, kann Wendt bei der inhaltlichen Bestimmung des Klassischen doch nicht umhin, »die völlige Durchdringung der Form und des Stoffes« an der Musik Mozarts und eben nicht an der Beethovens zu erläutern.

Ein anderes Charakteristikum, von dem Griepenkerl gerne spricht, ist die »welthistorische Bedeutung« der zeitgemäßen Musik. Sie wird gelegentlich und nicht ohne Gewalt zur Rettung der Aktualität Mozarts auf diesen ausgedehnt. So sieht sie der schlesische Literat und Schumann-Freund Karl August Kahlert als eine dialektische Vermittlung von germanischen und italienischen Elementen der Musik. Auch ein führender Theoretiker der Neudeutschen Schule wie Franz Brendel billigt Mozart das Epitheton eines »Weltcomponisten« zu, »welcher die Schranken der Nationalität stürzte, und die Völker einander näherte«. Eine solche Auffassung kontrastiert doch sehr zu dem, was Griepenkerl an Zukunft anvisiert: »Der Dämon des Jahrhunderts, sei er gut oder böse, fordert ... von dem Tonschöpfer die Symphonie und die dramatische Oper, wie von dem Dichter das Epos und die Tragödie.« Damit ist im Ansatz schon das Konzept Richard Wagners vorweggenommen; Griepenkerl stellte sich allerdings eine Synthese aus Beethoven und Spontini vor.

Daß ein Literat der 30er Jahre sich auf Hegel und zugleich auf Hoffmann bezieht, entspricht dem aktuellen Zug zu großen Synthesen. Speziell der »verrückte« Schluß der Novelle zehrt vom Vorbild des »Kapellmeister Kreisler«. Ich möchte sogar behaupten, daß Hoffmanns versteckte Hinweise auf Mozart bei Griepenkerl wiederkehren. In dessen Erzählung führt die überspannte Kunstbegeisterung Adalberts und seiner Freunde bei ihren Zurüstungen für ein »Musikfest« mit Beethovens Neunter Sinfonie zu Auseinandersetzungen mit dem Philistertum der Umwelt und schließlich zu einer Situation, in der das Geschehen vom Realen ins Irreale umbricht. Der wahnsinnige Kontrabassist Hitzig vergreift sich zuletzt an seinem sanften, einfühlsamen Sohn Amadeus: »... nur gewaltsam Gemordete werden auferstehen wie der Herr. Hervor aus deinem Winkel, Murmelthier! ... und mit den Worten: Hinunter mit dir in die Baßregion! warf er den eigenen Sohn hinab.« Befreit Griepenkerl sich in wirrer Verkehrung der Dinge in Form einer Personifizierung des Kontrabaß-Instrumentalrezitativs aus dem letzten Satz der Neunten Sinfonie von seinem Vorläufer (Mozart oder Hoffmann), damit dieser als Sohn wiedererstehe? – Sicher keine Überinterpretation ist es, im zuletzt ebenfalls wahnsinnigen Adalbert eine Hoffmannsche Don Juan-Figur zu sehen: »Siehe, Mensch, ich suchte mein ganzes Leben nach dem Höchsten, nach dem Edelsten; doch hab' ich nur Elend geärndtet, und, wie Du siehst, Elend gestiftet. ... Ich will mich in die Strudel des Lebens stürzen, dahin, wo die Bewegung am reißendsten ist! Mich soll die nackte Sünde nicht schrecken.« Auf dieses Bekenntnis Adalberts reagiert der Vikarius: »Das sind Aspekte, die einem Faust verführen könnten, mit von der Partie zu sein ... Gebt mir Handgeld, Herr Don Juan!« Selbst in dieser Verzerrung ergibt sich die welthistorische Bedeutsamkeit einer Einheit von Don Juan- und Faust-Thema: als Anspielung auf Christian Dietrich Grabbes Tragödie (1829) wie als pointierender Rückgriff auf Hoffmanns Don Juan, der ja einer Faust-Gestalt nahekam. Nebenbei bemerkt, vorweggenommen hat diese Kombination Nicolaus Vogt 1809 mit seinem Stück »Der Färberhof oder die Buchdruckerei in Maynz«, in dem er Faust, Don Juan und den Buchdrucker Johann Fust in einer Art Quodlibet aus Musik von Mozart und Haydn zusammenkommen ließ. Und eine andere Randerscheinung der Kulturgeschichte erfüllte indirekt Goethes resignierenden Ausspruch, Mozart hätte den »Faust« komponieren müssen: Anton Heinrich Fürst Radziwill hat in der Ouvertüre zu seiner von Zelter gelobten »Composition zu Goethes Faust«

(gedruckt Berlin 1835) Mozarts Adagio und Fuge in c-Moll KV 546 paraphrasiert.

Das Megalomane von Synthesen wie jener Griepenkerls führt von der Romantik weg. Daß dessen so fortschrittsgläubige Novelle in Bizarrerie mündet, überrascht wohl für sich gesehen; ihr Schluß steht aber für den Grundgedanken eines zutiefst gestörten Verhältnisses zwischen Künstler und Gesellschaft, der als tatsächliches Erbe der Romantik das 19. Jahrhundert durchzieht. In der Nachfolge Hoffmanns (direkt Bezug nehmen Grabbe, Gautier, Dumas, Puschkin, Zorilla) wird Don Juan zu einem Mythos vom Ausnahmemenschen; er personifiziert ein Lebensprinzip, bedingungslos das Äußerste zu wagen. Nikolaus Lenaus völlig säkularisierter, dennoch an Mozarts Oper erinnernder »Don Juan« (1844) ist ein bis zum Überdruß Getriebener, der zuletzt aus Langeweile am Leben den Tod im Zweikampf sucht. Eine radikale Konsequenz derartiger Sichtweisen projiziert der dem Jungen Deutschland nahestehende Gustav Kühne in seinem Roman »Eine Quarantäne im Irrenhaus« (1835) ausdrücklich auf die Oper »Don Juan«, wenn er meint, Mozart habe »diesen Sünder so reich ausgestattet, daß kein Zweifel bleibt, er habe in ihm das Prinzip des Lebens, den personifizierten Lebenstrieb, nicht anders feiern können, als wenn er den Vertreter desselben bis an die Grenze führte, wo dies Prinzip selbst zum leibhaften Dämon wird.« Verwirklicht ist dieses Prinzip aber, eher als bei Mozart, in Sören Kierkegaards »Entweder/Oder« (1843). Nicht der Weltschmerz Lenaus, sondern »sinnliche Genialität« ist das Ziel, das Don Juan in so reiner Gestalt erreicht, daß diese Sinnlichkeit zur »abstraktesten Idee, die sich denken läßt«, wird. Die Überhöhung des Begriffs geht so weit, bis er – auch das ist eine Radikalisierung eines romantischen Gedankens – sozusagen sich selbst übersteigt und zur Musik wird. Denn die Unmittelbarkeit der Musik steht über der Reflexion durch die Sprache. Damit ist bereits angedeutet, was eine gründliche Lektüre von »Entweder/Oder« klar werden läßt, daß es nämlich Kierkegaard gar nicht um eine Werkinterpretation ging, sondern darum, die Notwendigkeit einer Entscheidung zwischen ästhetischer, ethischer und religiöser Existenzform mit Beispielen zu veranschaulichen. Mozarts Opern »Le nozze di Figaro«, »Die Zauberflöte« und »Don Giovanni« stehen für drei Stadien des ästhetischen

Seins. Die Aussagen über die beiden erstgenannten Werke sind sachlich enttäuschend, da sie mit Absicht fragmentarisch gehalten sind. Cherubino personifiziert die »träumende Begierde«, seine Sinnlichkeit ist »melancholisch« und unbestimmt. Papagenos Begierde ist bereits eine »suchende«. Als Nebenprodukt bei der Erläuterung dieses zweiten Stadiums fällt eine negative Kritik der »Zauberflöte« in ihrer Gesamtheit ab; sie ist insofern konsequent, als laut Kierkegaard der Entwicklungsgang Taminos, der auf Reflexion beruht, eine »völlig unmusikalische Idee« ist. Indirekt bedeutet diese Kritik aber viel mehr: das als Oper ungeeignete »Zauberflöten«-Sujet beinhaltet ein Ethos, das sich gegen einen musikalischen Ästhetizismus richtet. Ausführlich geht Kierkegaard – als Ästhetiker – allein auf den Don Juan ein. Dieser sei völlig »begehrende Begierde«, kein individueller Charakter, sondern »wesentlich Leben« und »Unendlichkeit der Leidenschaft« – über alle Konflikte mit der Gesellschaft hinweg. Don Juan ist ein Dämon. Ihn musikalisch unvergleichlich verwirklicht zu haben, ist als Lob für Mozart zwiespältig, je nachdem, von welcher Seite des Entweder/Oder es betrachtet wird. Bezeichnend für die romantische Tradition ist es schließlich, daß Kierkegaard darauf verzichtete, sein Don Juan-Exempel auf die Person Mozarts als ein Genie musikalischer Sinnlichkeit zu beziehen. Nicht als inhaltliche Parallele, aber doch als Aussage in zeitlicher Nähe ist die des greisen Goethe zu verstehen, daß den Komponisten des »Don Juan« »der dämonische Geist seines Genies ... in der Gewalt hatte, so daß er ausführen mußte, was jener gebot«.

Kierkegaards Reflexionen über die sinnliche Unmittelbarkeit der Musik und sein Rückgriff auf Mozarts »Don Giovanni« weisen ungewollt noch auf etwas anderes hin. Mozarts im 19. Jahrhundert wohl am meisten geschätzte Oper verhinderte lange weitere Don Juan-Musiken von Rang. Sie fand und findet vor allem literarische Nachfolge. Für den angestrengten Versuch, sich nach Mozart bei diesem Stoff wieder von der Musik zu lösen, spricht die Wahl recht unterschiedlicher Gattungen: Erzählung (Hoffmann), Tragödie (Grabbe), dramatisches Gedicht (Lenau), Drama (Rittner) und Komödie (Frisch). Nach Alexander S. Dargomyshskis Puschkin-Oper »Der steinerne Gast« gelang es erst Richard Strauss, unbeschwert den Don Juan-Stoff – als Sinfonische Dichtung – wiederaufzugreifen. Neben der Hemmung vor dem drohenden Qualitätsvergleich auch die historische Distanz zu Mozart zu überwinden, gelang also eher ideell als real im selben Metier.

Das Dilemma wird besonders offenkundig bei den gutgemeinten Bemühungen, Mozarts Opern dem Zeitgeist anzunähern, wofür die Opernbearbeitungen von Anton Wilhelm Florentin von Zuccalmaglio ein anschauliches Beispiel geben. Diese damals bereits traditionelle Praxis umfaßte eine Palette, die von bloßen Übersetzungen bis zu tiefgreifenden Veränderungen reicht. Unsere heutige, viel diskutierte Paradoxie des Regietheaters, die Handlung radikal zu aktualisieren und zugleich keine Note der Musik zu verändern, ist übrigens gar kein so modernes Phänomen, wie ein zeitkritisches Hinterfragen alter Werke es wahrhaben möchte, sie verweist vielmehr auf das Vorbild Zuccalmaglios. Sein Name ist vor allem als Volksliedsammler aus dem Heidelberger Romantikerkreis um Thibaut im Gedächtnis geblieben; den Zeitgenossen dürfte er eher als jener »Dorfküster Wedel« präsent gewesen sein, der in teutonischer Begeisterung mit Worten wacker auf Philister einhieb. In der Vorrede zu seiner »Idomeneo«-Bearbeitung des Jahres 1835 formulierte er klar seine Absichten: »Mein Streben war, die Gestalten dem Auge näher zu rücken und die Maschinengötter zu verbannen.« Für die Eigenart der opera seria bleibt er verständnislos und findet etwa »die Seesturmerscheinung und die Götterwunder ... höchst läppisch«. »Die Hauptursache der Nichtachtung des Kunstwerkes« sieht er weniger »in der Kälte und Neulust der Menge« als in der Dichtung und ihrem antiken Sujet. Wie schon die ersten Mozart-Bearbeiter, begründet auch Zuccalmaglio sein Vorgehen mit einer Kritik der Handlung, »über die Mozart die Fülle seiner Töne ausgoß«, und will aus italienischen – auch in einem moralisierenden Sinn – deutsche Opern machen. Sein »Idomeneo« spielt unter dem Titel »Der Hof in Melun« in der Zeit des 100jährigen Krieges und hat die Liebe zwischen Agnes Sorel und Karl VII. zum Gegenstand. Deutsche Geschichte, fränkische Ehre und der Kampf um die Lombardei sind die Themen in der zu »Karl in Pavia« gewandelten »Titus«-Handlung 1837. Aufklärung, Freimaurerei und orientalisches Mysterium in der »Zauberflöte« erschienen Zuccalmaglio ebenfalls nicht als zeitgemäß; so versetzte er 1834 die Handlung unter dem Titel »Der Kederich« in die beliebte und bei Albert Lortzing so erfolgreiche Sphäre der Ritter- und Elfenromantik. 1835 behielt er in seiner Bearbeitung der »Entführung aus dem Serail« das außer Mode geratene Türken-Sujet wohl bei, historisierte es aber und ließ einen Dichter der Weltliteratur auftreten: Aus Belmonte ist Miguel de Cervantes Saavedra geworden, der nach der Schlacht von Lepanto (1571) unter Piraten und schließlich in türkische Gefangenschaft nach Algier geriet.

Trotz allem Patriotismus sind Zuccalmaglios Bearbeitungen ohne das Vorbild der Grand Opéra undenkbar. Deutschtümelei, welthistorische Bedeutsamkeit und persönliche Begeisterung für Mozart sind allerdings zu unterschiedliche Motive, um ein homogenes Ganzes entstehen zu lassen. Das eigentliche Kunststück Zuccalmaglios liegt darin, die jeweilige Handlung völlig verändert und dennoch kaum übertrieben zu haben (abgesehen von den zu Dialogen gewandelten Rezitativen), als er in der »Idomeneo«-Vorrede schrieb: »So ist denn kein Takt aus seiner Ordnung geschoben, keine Note geändert worden.« Falsch eingeschätzt hat er aber die Chance, neues Interesse für Mozarts Opern auszulösen. Seine Bearbeitungen wurden kein Erfolg, ja es ist nicht einmal gewiß, ob sie überhaupt aufgeführt worden sind. Zuccalmaglio ist es damit nicht anders ergangen als zwanzig Jahre später dem konservativen Johann Peter Lyser mit seiner einaktigen Operette »Winzer und Sänger«. Lyser kontaminierte einer Singspielhandlung, in der er Mozart als Retter eines Liebespaares in Nöten auftreten läßt, musikalische Nummern aus »Così fan tutte« und »Idomeneo«. Die offensichtliche Ahnungslosigkeit, mit der solche Bearbeitungen über das Wesen vertrauter Meisterwerke hinweggehen, reizt unseren Spott – zu Unrecht, denn aus ihnen spricht weniger tatsächliche Unwissenheit als ein Bemühen, Mozart und sein Werk aktuell und populär zu machen. Die Vergeblichkeit dieser Unterfangen hat selbst für Puristen etwas Versöhnliches an sich.

Im Konzertleben war die Situation prinzipiell ähnlich. Griepenkerl schwärmte von »Nazionalfesten« als der zeitgemäßen Form künstlerischer Gemeinschaftserlebnisse. Er mag an das Vorbild von Schweizer Sängerfesten, an die patriotische Selbstdarstellung im damals sich ausbreitenden Männerchorwesen, vor allem freilich an ein Musikfest mit Beethovens Neunter Sinfonie gedacht haben; Assoziationen in Richtung auf die Kunstutopie Richard Wagners und auf eine in der zweiten Jahrhunderthälfte aufblühende gründerzeitliche Musikvereinskunst liegen nahe. Die Männerchorbewegung hatte mit Mozarts Musik wenig im Sinn. Die schon in den 30er Jahren auftretenden Theaterfestspiele, wie die Düsseldorfer »Musterbühne« Karl Immermanns (1854 die »Gesamtgastspiele« Franz von Dingelstedts), fanden im Opernbetrieb vor Wagner kein Pendant. Wohl gab es seit dem späten 18. Jahrhundert eine Tradition von Musikfesten, deren Erhabenheitsideale es nur aufzugreifen und entsprechend auszurichten galt. Daß für sie nach wie vor Mozart wenig geeignet erschien und eher mit Parerga vertreten war, beweisen die Programme der berühmten Niederrheinischen Musikfeste ab 1818. Schon beim zweiten Fest 1819 in Elberfeld taucht der Name Mozarts nur als Bearbeiter des Händelschen »Messias« auf; die Händel-Bearbeitungen bilden auch insgesamt den Hauptteil der Mozart-Aufführungen (»Messias« 1819, 1839, 1853, 1857 und 1866, »Alexanderfest« 1825, 1846 und 1856, »Cäcilien-Ode« 1863). Als erstes originales Werk wurde 1825 der »Davidde penitente« aufgenommen (1836 unter Mendelssohns Leitung); ihm folgten 1830 das »Dies irae« und 1845 das vollständige »Requiem« unter Julius Rietz. Liegt diese Aufführung schon recht spät, so erstaunt noch mehr, daß erst 1834 mit der »Jupiter«-die erste Mozart-Sinfonie gespielt wurde (1844 und 1861 die D-Dur- und 1846 die g-Moll-Sinfonie). Daß die Niederrheinischen Musikfeste kein Sonderfall in der Mozart-Rezeption waren, beweist das repräsentative Berliner Konzertleben. Dort wurden etwa im Jahre 1848 an Sinfonien nicht weniger als 53mal Beethoven, 36mal Haydn und nur 20mal Mozart in Programmen berücksichtigt. Im selben Jahr waren sich Moritz Hauptmann, Robert Franz und der junge Hans von Bülow einig, daß Cherubinis Requiem »viel erhabener« als das von Mozart sei.

Der Niedergang ist allerdings nicht so zu verstehen, daß Mozarts Werke kaum mehr gespielt wurden; die späten Opern und Sinfonien waren weiterhin im Repertoire. Dem widerspricht nur die Klavierliteratur, zuvor ein Kernbereich der Popularität Mozarts, von der in der Zeitschrift »Cäcilia« 1832 – nur wenig übertrieben – behauptet wird, sie sei aus den Konzertprogrammen verschwunden. Tatsächlich haben das Virtuosentum und die begleitenden neuartigen Spieltechniken Mozarts Konzerte verdrängt. Ausgerechnet Franz Liszt sollte es sein, der diesen Einbruch nachträglich zu heilen suchte, indem er in seinem Gedenkvortrag 1856 mit Nachdruck auf Mozarts Bedeutung für die Entwicklung der Virtuosität verwies. Ein unauffälliger, aber vielleicht der gewichtigste Grund für den Niedergang mag darin gelegen haben, daß die berühmten Werke Mozarts zu einem allzu selbstverständlichen Besitz geworden waren. Dem wurde mit geringem Erfolg durch Retuschen in der Aufführungspraxis entgegengewirkt. In Berlin 1845 versah Meyerbeer den »Don Juan« mit einer Streichquartett-Begleitung in den Rezitativen und begründete damit eine langwährende Praxis, gegen die Otto Nicolai bereits 1847 vehement auftrat. (Allerdings konnte sich Karl Böhm noch an Notenmaterial der Münchner Oper mit Streichersatz und eingefügten verminderten Septakkorden in den Rezitativen erinnern.) Aus dem gleichen Bestreben, Mozarts Musik pathetischer zu machen, ist der auf Friedrich Schneider 1830 zurückgehende Usus zu verstehen, die Instrumentierung der g-Moll-Sinfonie durch Pauken zu verstärken. Ähnliches beabsichtigte Johann Nepomuk Hummel mit seinen Bearbeitungen der Mozart-Klavierkonzerte »in die neueste Spielart«.

Die prinzipielle Vergeblichkeit der Versuche, Gegensätze auszugleichen, mußte dort zwangsläufig zu einer Verschärfung der Situation führen, wo Ideologie die Entscheidungen bestimmte. Unter den prominenten Vertretern des Jungen Deutschland war Heinrich Laube derjenige, der die engsten Kontakte zu Musikern besaß, trotzdem: die Musik Mozarts und Webers mißachtete er. In den einflußreichen, kunstrevolutionären »Aesthetischen Feldzügen« (1834) Ludolf Wienbargs war Mozart kein Gegenstand. In der mit Beethovens Tod 1827 einsetzenden Polemik um sein Spätwerk formierte sich die musikalische Fortschrittspartei, aber auch deren konservative Opposition, die z. B. in Frankreich François Joseph Fétis, für die Leipziger »Allgemeine Musikalische Zeitung« Gottfried Wilhelm Fink (der die Nachfolge Beethovens nachgerade als Irrweg bezeichnete) und für die Berliner Zeitschrift »Iris« Ludwig Rellstab vertraten. Am stärksten prägte sich die Opposition im süddeutsch-österreichischen Raum, und da vor allem in Wien, aus. Und damit wiederum hängt ein sehr weitreichender Umschwung in der Rezeption zusammen. Seit Mozarts Tod waren neue Impulse für die praktische wie theoretische Interpretation seines Werks überwiegend von Sachsen und Preußen ausgegangen. Spontini und dann Meyerbeer, Schumann wie Mendelssohn und schließlich Wagner erreichten ihre Erfolge ebenfalls in Mittel- und Norddeutschland. Ein Nord-Süd-Gefälle in der Fortschrittlichkeit blieb also bestehen, nur wechselten die musikalischen Vorbilder, zum Nachteil Haydns und Mozarts. Deren Werk wurde sozusagen frei für neue Bindungen und bot sich an, als klingendes Symbol von einer österreichisch-vaterländischen Opposition gegen einen Fortschritt von außen aufgegriffen zu werden.

Die schon ältere heimatliche Einvernahme Mozarts in Wien kam nun erst so recht zur Bedeutung. Sicherlich hängt das mit einer staatstragenden Ideologie und alten politischen Ressentiments zusammen; hatte aber auch mit dem Bewahren eines Geistes- und Menschenbildes zu tun. Doch betrachten wir zunächst die offiziellen Aktivitäten. Sie waren nicht so österreichisch, wie man gerne vorgab, sondern folgten in ihren Erscheinungsformen der überall geübten Monumentalisierung hehrer Ideale. Das gilt besonders für das Salzburger Mozart-Denkmal. An den Plänen waren vor allem Nicht-Salzburger beteiligt. Was erwogen wurde, nimmt sich zum Teil kurios aus; bei der Diskussion der Bildgestaltung meinte Ludwig Schwanthaler, der schließlich das Gußmodell entwarf: »Schiller in Stuttgart hat einen Aar auf der Weltkugel. – Unser guter Mozart war wohl auch ein Aar seiner Art, ich dächte, man dürfe nicht zurückstehen.« Wie sehr Mozart als geistiger Besitz aller Deutschen betrachtet wurde, dokumentiert die Bereitschaft, die Errichtung des Denkmals auch finanziell zu unterstützen. Unter den Förderern finden sich neben Kaiser Ferdinand I. die Könige von Preußen und Bayern, Herzöge, Adel, bürgerliche Musikvereine und prominente Musiker. Groß war die Beteiligung mehr oder minder bekannter Komponisten an einem »Mozart-Album ... zum Besten des Mozart-Denkmals«, das der Braunschweiger Verleger Johann Peter Spehr herausbrachte. Ganz läßt sich die Begeisterung allerdings nicht mit jener der Bach-Bewegung vergleichen, die Mendelssohns Wiederaufführung der »Matthäus-Passion« 1829 ausgelöst hatte; Salzburg hatte aber nachdrücklich die Aufmerksamkeit auf sich gelenkt. Während die Mozart-Feste 1836 in Koschirsch (einem kleinen Ort in Böhmen) und 1837 in Darmstadt und Elberfeld noch eher intimen Charakter besaßen, drängte man nun zu offizielleren Akten. Ein solcher war die Gründung der »Mozart-Stiftung« in Frankfurt am Main 1838, die sich der Ausbildung bedürftiger junger Musiker annahm (der Literat Carl Gollmick forderte die Großstädte Wien, Berlin, Leipzig und Hamburg zur Nachahmung auf), ebenso die 1841 erfolgte Gründung der Lehranstalt »Mozarteum« in Salzburg wie die in Prag und Wien betriebenen Pläne für ein Mozart-Denkmal. In Prag wurde 1837 eine erste Mozart-Bibliothek mit allen gedruckten Noten eingerichtet. In der Wiener Karlskirche sollte eine Gedenkensstätte für die Trias Gluck–Haydn–Mozart (nicht Beethoven!) errichtet werden. Die Salzburger kamen aber dem zuvor. Immerhin wurde 1841 das Erste Wiener Mozart-Fest veranstaltet (weitere 1856, 1879 und 1891), dem jedoch die vier Tage dauernde Feier mit der Denkmalenthüllung am 14. September 1842 in Salzburg den Rang ablief. Im Zentrum des vaterländisch-volkstümlich umrahmten Festes stand die Aufführung einer Kantate »zur Enthüllung des Mozart-Denkmals in Salzburg, aus Compositionen des Gefeierten zusammengestellt und mit einem passenden Text versehen, von dem Sohne Wolfgang Amadeus Mozart«. Dieses Arrangement paßte stilistisch ohne Zweifel gut zur klassizistischen Mozart-Darstellung Schwanthalers. Künstlerisch betreut wurde das Fest von dem Salzburger Sigismund Neukomm, dem Münchner Franz Lachner und dem Oldenburger August Pott. Die Symbiose aus Bodenständigkeit und weltoffenem Heroenkult nimmt sich wie eine Vorwegnahme des Salzburger Festspielgedankens aus – führt in der unmittelbaren Folge aber zu einem skurrilen Provinzialismus, der etwa aus Programmen wie dem zur Gedenkfeier 1852 spricht: »Zauberflöten«-Ouverture – »Mozart und Schikaneder« (eine Flickbearbeitung des »Schauspieldirektors« durch Louis Schneider) – »Ju-Schroa«, ein ländliches Charakterbild mit Gesang von Ignaz Lachner. Im übrigen spielte Mozart auch nach 1842 im Salzburger Musikleben kaum eine Rolle und wurde wohl auch kaum verstanden. Die Hoffnung des Denkmal-Komitees, daß sich »die Zahl der nach Salzburg strömenden Fremden, und sonach die Zuflüsse der Bürgerschaft, bedeutend vermehren wird«, erwies sich ebenfalls als ein Vorgriff auf viel Späteres. Über das Salzburg der Jahrhundertmitte gaben Reisende, wie der Mozart-Biograph Otto Jahn, vernichtende Urteile. Als Grillparzer mit seinem Freund Bogner 1847 die Stadt besuchte, nannte letzterer sie gar »ein wirkliches Ratzenstadel ... um einige Jahrhunderte zurück«.

Mit 1841 setzte auch für Mozart die nicht endende Reihe der Gedenktage ein. Ob sie damals wie heute ein neues Verständnis anzuregen vermögen, hängt mehr von den Umständen als vom Datum ab; einen popularisierenden Effekt haben sie allemal. Das nächste sich anbietende Jubiläum, der 100. Geburtstag, 1856, konnte auf dem Erfolg des Jahres 1841 und des immer noch zunehmenden Heroenkultes aufbauen. Weniger günstig war jedoch das zeitliche Zusammentreffen mit dem Aufstieg Wagners, Liszts, Offenbachs usw. Der Abstand zwischen öffentlicher Reputation und mangelndem innerem Verständnis klafft immer weiter auseinander. Und doch entspricht es nur der halben Wahrheit, in den Gedenkfeiern bloß leere Fassaden zu sehen. Vieles ist uns unverständlich geworden, vor allem das hochgemute Pathos an sich, aber auch Zeremonien wie das Aufstellen und Bekränzen einer Büste während eines Festkonzertes, die bunten und überdimensionalen Programmfolgen jener Zeit, die Sprache der Panegyriker oder die Schlußtableaus, welche Mozart gerne im Kreise diverser Hauptpersonen aus seinen Opern zeigten. Manches allerdings behielt bis heute Gültigkeit, etwa Eduard Mörikes Novelle »Mozart auf der Reise nach Prag« und Otto Jahns monumentale Monographie, die ja auch mit dem Jahr 1856 in Zusammenhang stehen.

Welche Ausmaße die Säkularfeiern erreichten, dokumentiert ein von Carl Santner herausgegebenes »Musikalisches Gedenkbuch«, in dem die Veranstaltungen nach Städten geordnet genau beschrieben werden. Danach gab es innerhalb des österreichischen Kaiserstaates Feiern in Salzburg, Wien, Graz, Prag, Budweis, Brünn, Pest, Krakau und Triest; an ausländischen Festorten nennt Santner: »Berlin, Bonn, Bremen, Breslau, Carlsruhe, Chemnitz, Cöln, Cöthen, Danzig, Darmstadt, Dessau, Dresden, Düsseldorf, Frankfurt am Main, Glogau, Gotha, Hamburg, Hannover, Kassel, Königsberg, Leipzig, London,

Lübeck, Magdeburg, Meiningen, München, Nürnberg, Petersburg, Potsdam, Stein-Schönau, Stettin, Stuttgart, Weimar, Wiesbaden, Würzburg, Züllichau und Zürich.« Diese Aufzählung dürfte nur für den deutschen Sprachraum einigermaßen vollständig sein. Auf die Präsentation von lebenden Bildern, von Mozart-Büsten, des Lebensbildes »Mozart« von Leonhard Wohlmuth und auf Vorträge (z. B. des Stadtschulrats Albert über »Mozart und Raphael« in Stettin) wird gelegentlich hingewiesen. Meist wurden die anerkannten Opern Mozarts in Teilen oder vollständig aufgeführt, darunter überraschend häufig »Idomeneo« und »Titus«, manchmal auch »Il re pastore« sowie das Oratorium »Davidde penitente«. Hier äußert sich der gleiche konservative Musikgeschmack wie in den Glossen Santners. Dieser polemisiert gegen den »Bannerträger der sogenannten Zukunftsmusik« Franz Liszt als Wiener Mozart-Dirigenten und vermerkt, daß Richard Wagner das Züricher Gedenkkonzert hätte leiten sollen, aber abgelehnt hatte.

Während dieser Gedenkjahre konnte das spezifisch Österreichische nicht so zur Geltung kommen wie später, als die neuerrichtete Wiener Hofoper am 25. Mai 1869 mit »Don Giovanni« eröffnet wurde. Die kulturpolitischen Pläne, die mit diesem Bau verfolgt wurden, beleuchten präzise den offiziellen Stellenwert Mozarts. Ein neues Operngebäude zählte zu jenem großzügigen Stadterweiterungs-Projekt, mit dem das Kaiserhaus nach Überwindung der 1848 ausgelösten Krise den Glanz der Donaumonarchie repräsentieren wollte. Der Blick richtete sich zurück auf das »österreichische Heldenzeitalter« unter Karl VI. und speziell auf die italienische Operntradition Wiens, an die manche Elemente italienischer Opernhäuser, wie die stark hervorgehobene Loggia, in dem neuen Bau erinnern. Interessant sind aber besonders die ikonologischen Leitgedanken für den Schmuck des Gebäudes und seiner Räumlichkeiten, für die Eduard Hanslick und der ministerielle Kunstreferent Friedrich von Hentl hauptverantwortlich waren. Bildliche Hinweise auf die Macht der Musik (»Zauberflöte« und Glucks »Orpheus und Eurydike«) und auf die Geschichte der Gattung Oper sollten mit dem Herrscherhaus angemessen in Verbindung gebracht werden. Als Bindeglied dient Mozart in vermittelnder historischer Funktion: zwischen dem Barock und dem 19. Jahrhundert, zwischen italienischer und deutscher Opernkunst, schließlich durch seine Beziehung zum Kaiserhaus von Kind auf. Über manchem liegt der Schleier der Verklärung. Eine Devotionsszene aus dem »Figaro« (von Eduard von Engerth) schmückt den Kaisersaal, und im Mittelmedaillon des Loggiagewölbes ist der Knabe Mozart auf dem Schoß Maria Theresias dargestellt: »gleichsam als Lieblingskind Österreichs«, wie es Sektionsrat Hentl protokollarisch formulierte. Oberhalb des Kamins im Salon der Kaiserin zeigt ein Bild einen idyllischen Blick auf die Festung Hohensalzburg aus waldiger Gebirgsschlucht – und in Fels eingeritzt den Namen Mozart. Die Wahl von vierzehn plastischen Komponistendarstellungen ist bewußt der Aktualität (die Wagner und Verdi eingeschlossen hätte) in die Zeit vor 1848 entrückt. Zweimal, als Statuen in der Loggia und als Büsten im Foyer, kommen nur die Heroen österreichischer Musik zu Ehren: Mozart, Beethoven, Haydn, Schubert und Gluck. Die Förderung der Opernkunst durch die Habsburger symbolisieren Kaminreliefs im Foyer mit Leopold I. – zu Recht – und Maria Theresia – sehr zu Unrecht und nur als Anspielung auf das Bild mit dem Knaben Mozart verständlich, da sich diese beiden Darstellungen wechselseitig über ihre historische Fragwürdigkeit hinweg inhaltlich stützen. Der Heros Mozart ist einer der Idylle (wie ihn bereits Joseph von Hormayr in seinem »Österreichischen Plutarch«, 1807–1814, anvisierte); sämtliche Darstellungen, auch Moritz von Schwinds Entwurf für die Mozart-Lünette im Foyer, verfolgen diese Richtung. Hier trifft sich – und damit wird das Dekor zum politischen Faktor – die Verklärung der Musik mit ihrer Verniedlichung. Die Lösung im Spannungsverhältnis von Zeitgeist, traditioneller Staatsidee und Kunstreligion liegt – nachdem die Oper die ihr zugedachte höfische Rolle wie im Barock gar nicht mehr spielen konnte, aber von einer Aktualität ferngehalten werden sollte – in einer ästhetisch-vaterländischen Idealität; also in einem »profanen Sakralbezirk«, wie es Adorno ausdrückte, – in dem der amusische Kaiser Franz Joseph sich, im Gegensatz zu seinen barocken Vorfahren, etwas deplaciert ausnimmt.

Was es, trotz all ihrer Widersprüche, mit dem Geist dieser Bestrebungen auf sich hat, wird an einer Persönlichkeit wie der Franz Grillparzers, welche Vaterlandsliebe mehr erlitten als opportunistisch betrieben hat, überzeugend lebendig. »Zu Mozarts Feier« lautet der Titel eines für das Salzburger Fest 1842 zu spät fertig gewordenen Gedichts, in dem u. a. zu lesen steht:

(Zeile 52) Mit Raffael, dem Maler der Madonnen,
Steht er deshalb, ein gleichgescharter Cherub,
Der Ausdruck und der Hüter wahrer Kunst,
In der der Himmel sich vermählt der Erde.

(Zeile 62) Nennt ihr ihn groß? er war es durch die Grenze.
Was er getan und was er sich versagt,
Wiegt gleich schwer in der Schale seines Ruhms.

(Zeile 69) Das Reich der Kunst ist eine zweite Welt,
Doch wesenhaft und wirklich wie die erste,
Und alles Wirkliche gehorcht dem Maß.
Des sei gedenk, und mahne dieser Tag
Die Zeit, die Größres will und Kleinres nur vermag.

Grillparzers Mozart-Bild, ja seine Kunstanschauung, konzentriert sich in diesen Versen. Ihr Wesen ist weniger idealistische Weltflucht als Zeitkritik. In einem Brief an Franz Lorenz vom 2. April 1853 bekennt Grillparzer, daß er »in allem was seit Mozarts Tod in der Musik geleistet worden ist, selbst den herrlichen Beethoven nicht ausgenommen ... keineswegs einen Fortschritt, eine Steigerung der Vortrefflichkeit erblicken kann«. Doch nicht nur im Alter rühmt er die »Unübertrefflichkeit Mozarts«; bereits 1809 assoziiert er in einer Tagebuchnotiz mit Beethoven das »Chaos«, mit Mozart den »Menschen«. Während er an Beethoven, dessen Talent er ebenbürtig neben das Mozarts und Haydns stellt, »etwas Bizarres« kritisiert, das aus dem »Streben originell zu sein« und aus des Komponisten »allbekannten traurigen Lebensumständen« resultiere, sieht er Mozart in Harmonie mit sich selbst. Das Maßvolle kommt seiner Meinung nach in der, ebenfalls im Gedicht angesprochenen, Einheit zwischen Mozarts Kunst und der Salzburger Landschaft zum Ausdruck. Grillparzer umschreibt diesen Grundgedanken auch mit den traditionellen Kunstvergleichen. Die Musik gehe vom Gefühl aus und erreiche den Geist, bei der Dichtung sei der Weg umgekehrt: »Daher darf Shakespeare bis zum Gräßlichen gehen, Mozarts Grenze war das Schöne.« Demnach betont Grillparzer wieder die alten Raffael-Vergleiche. Doch, ebenfalls in dem zitierten Gedicht, nennt er Mozart eine »fremde Größe«. In seinem Trinkspruch für die Wiener Mozart-Feier am 6. Dezember 1841 preist er sogar den Umstand, daß Mozarts Grab unbekannt ist, da so seine Unsterblichkeit stärker empfunden werden könne. Trotzdem zerbricht für Grillparzer die Welt nicht in schönes Ideal und schnöde Realität, vielmehr ist die »zweite Welt« der Kunst so »wirklich wie die erste, und alles Wirkliche gehorcht dem Maß«.

Diese Welt zu bewahren und sie einer anderen entgegenzustellen, darum ging es vielen; in der Musik bis hin zu Johann Strauß Sohn und Johannes Brahms. In Gedanken und Bildern ähnlich denen Grillparzers äußert sich ein Gefühl der Geborgenheit in einer überkommenen Welt, das Raphael Georg Kiesewetter zu der Überzeugung brachte, es würden »wenigstens meine Altersgenossen die Epoche Mozarts und Haydns bei aller Achtung für das vortreffliche Neue, mit mir einstimmend, der Musik ›goldnes Zeitalter‹ nennen«. Diese Einstellung war wohl nirgends so lebendig geblieben wie in Wien, theoretisch präziser formuliert wurde das Klassische Mozarts anderswo. Wendt sieht die schon erwähnte Identität von Form und Inhalt, die »schönste Vermählung von Gesang und Instrumentalmusik«, die Idealisierung der »Natur«, das »tiefe Eindringen in das menschliche Gemüt«, die durch »gründliche Schreibart« erreichte Einheit aus Reichtum und Verständlichkeit der musikalischen Sprache. Was sich hier gedanklich ausprägt ist aber keine Dichotomie zwischen klassisch und romantisch. Vielmehr ist dieses konservative Mozart-Bild wesentlich und bis in Einzelzüge hinein jenem der Zeit vor und um 1800 verpflichtet. Der Stettiner Musiker Karl Koßmaly etwa nennt Mozart wohl den »objektivsten aller Musiker«, betreibt aber zugleich Apologie für ihn – ausgerechnet – mit Novalis-Zitaten von der unendlichen Deutbarkeit als Zeichen der Qualität und von dem Einfachen, das mehr Geist zum Verständnis nötig habe als das Künstliche. Zur Verteidigung herausgefordert, wurden auch gerne antike Bilder und Vergleiche beschworen. Adalbert Stifter etwa erkennt in »Nachsommer« das unerreichbare Vorbild der Griechen am ehesten in der »Schlichtheit und Größe« der Musik Mozarts, Haydns, Bachs und Händels wieder und meint: »Das haben Menschen hervorgebracht, deren Lebensbildung auch einfach und antik ist.« Doch der falsche Fortschritt, gegen den es ging – das zeigt die zeitgenössische Musikkritik deutlich – war jener »hinklecksende Materialismus«, den Robert Schumann den »französischen Neuromantikern« vorwarf, und nicht die Kunst der deutschen Romantik vor 1830. Einer der schärfsten Gegner des Fortschritts war Alfred von Wolzogen (der Vater des prominenten Wagnerianers Hans v. W.). In den »Musikalischen Leiden der Gegenwart« (1857) spricht er von einem »Katechismus der Musik«, der in der Zeit von Palestrina bis Mozart festgelegt worden sei, nennt Mendelssohn den letzten Komponisten und sieht in der Musik der Neudeutschen Schule »Chaos« und »Entartung«.

Dabei blieb man nicht blind für die Problematik, der Gegenwart ein »goldenes Zeitalter« als Vorbild entgegenzuhalten. Grillparzer lobte etwa Hummel »als letzten unverfälschten Schüler Mozarts« mit der Einschränkung des »etwas Handwerksmäßigen in seiner Gesinnung«. Kahlert erkannte an den Mozart-Nachahmern, daß sie sich mehr an die Einfachheit als an anderes hielten und eine leichtfüßige Musik in korrekten, aber leeren Formen schrieben. Die Epigonen verstoßen also durch Einseitigkeit gegen die Forderung nach maßvoller Balance. Alles Bemühen um feinsinniges Abwägen konnte freilich nicht die ideologischen Barrieren durchdringen oder gar auflösen. Was sich jahrzehntelang als unüberwindlich erweisen sollte, faßt Adolph Bernhard Marx schon 1825 in der provokanten Frage lapidar zusammen: »Wie aber, wenn die Neuern gar nicht nach jener Einfalt, jener Ausführlichkeit, jener Uebersichtlichkeit, jener Ruhe und Haltung usw. ihrer Vorgänger gestrebt, wenn sie etwas ganz anderes, als diese gewollt haben, wenn ihre Idee und ihr Zweck jene Eigenschaften im alten Maasse gar nicht dulden und zulassen?«

So war es nur konsequent, daß Richard Wagner den prominentesten Kritiker des Fortschritts in der zweiten Jahrhunderthälfte, Eduard Hanslick, als verknöcherten Merker namens Hans Lick in seinen »Meistersingern von Nürnberg« verewigen wollte. Der uns geläufige Begriff der Beckmesserei hätte also beinahe einen anderen Namen erhalten. Dabei war Hanslick durchaus kein Formalist. In einer Kritik an Mozarts »Così fan tutte« nennt er diese Oper ein »geistloses Stück«, dessen schlechter Text selbst »Mozarts schöpferische Phantasie gelähmt und zu weichlichem Formalismus verleitet« habe; sie löse keine »Teilnahme« beim

Publikum aus. Das höchste Lob dagegen erhält unter allen Opern der »Don Giovanni« aufgrund der »unerhörten Vereinigung von höchster musikalischer Schönheit und dramatischer Genialität«. Was demnach der »Così« fehle, sei der Farbenreichtum. Der Einförmigkeit, die kalt läßt, stellt Hanslick seinen Zentralbegriff der »Phantasie« entgegen (deren plastische Darstellungen in Hofoper und Musikvereinsgebäude er angeregt haben dürfte). Schönheit ist für ihn Lebendigkeit des Geistes. In dem viel zitierten Wort von den »tönend bewegten Formen« liegt der Akzent nicht allein auf den »Formen«, sondern zumindest ebenso auf dem »Bewegten«. Und das Wort »tönend« richtet sich gegen die moderne Ideenüberfrachtung der Musik von außen. Seine Ansichten sind insofern denen Grillparzers, über welche Hanslick einen seiner schönsten Essays schrieb, sehr verwandt. Mag sein, daß jene einem hegelianischen »sinnlichen Scheinen der Idee« näher als diese stehen; doch wenn Hanslick auf eine »lebendige Teilnahme« abzielt, meint er etwas Ähnliches wie Grillparzer, der in »Gemüthszuständen« eine Basis der musikalischen Wirkung sieht. Neben der geistigen Tradition ist beiden das Ideal Mozart gemeinsam; kaum verwunderlich, stammt doch Hanslick aus Prag und hatte den Mozart-Enthusiasten Tomaschek zum Lehrer. Nach einer Phase neuromantischer Begeisterung, besonders für Wagners »Tannhäuser«, bekannte er sich in »Vom Musikalisch-Schönen« zu seinen Wurzeln und versuchte, aus den Vorbildern der Wiener Klassik eine Sonderästhetik der Musik aufzubauen. Mit dieser Schrift habilitierte er sich – ausgerechnet im Mozart-Jahr 1856 – an der Wiener Universität. Theoretische Inkonsequenz, aber auch die Lebendigkeit und Redlichkeit seines Musikdenkens sprechen aus der Tatsache, daß Hanslick sein erklärtes Ziel einer systematischen Musikästhetik zugunsten der Historie aufgab und gegenüber dieser ein beständiges und gewissenhaftes Stellungbeziehen zur Gegenwart für vordringlich hielt.

Neben dem unvereinbaren ideologischen Gegensatz auf hochgeistigem Niveau gab es, besonders im Wien der 40er Jahre, eine Art Gesellschaftsspiel, sich pro oder contra Mozart zu solidarisieren. Adalbert Stifter beschreibt es in den »Feldblumen« (1841), redet von »Mozartistinnen« (und läßt den Leser vermuten, daß Mozarts Musik besonders der weiblichen Seele nahestand), versöhnt aber, entsprechend seiner eigenen Musikanschauung, auch in der Dichtung den Gegensatz zwischen Mozart und Beethoven. Den Unterschied zwischen ihnen formuliert eine Hauptperson der »Feldblumen« so: »Mozart teilt mit freundlichem Gesichte unschätzbare Edelsteine aus, und schenkt jedem etwas; Beethoven aber stürzt gleich einen Wolkenbruch von Juwelen über das Volk ...«

Schwärmereien – als ginge es um Popstars von heute – gaben guten Stoff für triviale Erzählungen. Friedrich Dornaus »Mozart und Beethoven«, 1843 in der »Wiener Zeitschrift für Kunst, Literatur, Theater und Mode« gedruckt, ist es wert, kurz nacherzählt zu werden: Zwei Pärchen unterhalten sich über ein Musikfest zugunsten der Klassiker-Gedenkstätte in der Karlskirche. Emanuel schwärmt für den »Titanen« Beethoven, Ernst für Mozart, Eveline neigt der erstgenannten Meinung zu, für Marie ist Mozart ein »Abgott«. Ein Konflikt zwischen Marie und Emanuel bahnt sich an – wohl ein vom Leser zu erratendes Zeichen heimlicher Liebe. Marie preist Gefühl und Leidenschaft in Mozarts Musik, und als sie schließlich eines seiner Lieder singt, schwört Emanuel Beethoven ab, bittet Marie um ihre Hand und dankt »in seinem Innern Mozart als einem Wunderthäter«. Die kulturpolitische Essenz, die solch ein literarischer Zuckerguß verdeckte, bekam Schumann 1838 in Wien zu spüren; sie richtete sich gegen die Männerchorbewegung, »dieses Gift aus Deutschland« (Metternich), und trat verzerrt und kraß bei dem fanatischen Beethovenianer Alfred Julius Becher zutage, der als einer der Rädelsführer der Wiener Oktoberunruhen 1848 vor den Gewehrläufen eines Exekutionspelotons sein Ende fand, und über dessen Musik Grillparzer das Epigramm schrieb: »Dein Quartett klang, als ob einer mit der Axt gewalt'gen Schlägen samt drei Weibern, welche sägen, eine Klafter Holz zerkleinert.«

Nach der Jahrhundertmitte erfolgten in Wien auch von offizieller Seite gewisse Zugeständnisse an das bürgerliche Fortschrittsdenken; musikalische Neuerungen wurden mehr und mehr toleriert. Trotzdem erhielten sich die alten Gegensätze in den Ansichten; die Weiterentwicklung machte es freilich notwendig, die musikalischen Vorbilder anders zu gruppieren und die Personalisierung in Mozart contra Beethoven aufzugeben. Der Organist und Publizist Selmar Bagge unterscheidet für das musikalische Wien um 1860 drei Parteien: die »Progressisten« (die ihre Hoffnung vor allem auf Liszt setzten), die »Reactionäre« (die an Bach, Haydn, Mozart, Beethoven und Mendelssohn festhielten) und die »Liberalen«.

Von den kulturpolitischen Hintergründen und den Wertungen einmal abgesehen, bleibt das Innenleben des Mozart-Bildes in der zweiten Jahrhunderthälfte recht stabil. Ja, ich möchte behaupten, daß es in all den großmannssüchtigen Bestrebungen dieser Zeit ausgesprochen biedermeierliche Züge bewahrte. Begründet liegt das darin, daß in den Aktivitäten des Jahres 1856 die Summe aus einer längeren Entwicklung gezogen und ein gültiges Zeichen gesetzt wurde, die geistig produktive Phase aber mehr vor als nach diesem Datum lag. Mit dem Biedermeierlichen meine ich daher eher die Art des Umgangs mit dem Gegenstand als diesen selbst. Sie führte unleugbar zu einer Verniedlichung und zur liebevollen Pflege des Vertrauten. Doch der Wille zur Harmonie ist noch nicht unbedingt als biedermeierlich zu deuten. Allerdings sind biedermeierliche Innigkeit und gründerzeitliches Ethos wohl die stille und die laute Seite ein und derselben Sache, wobei Mozart da und dort vereinnahmt wurde.

Um hier mehr Klarheit zu gewinnen, sei einmal mehr auf die Tendenzen zur Idealisierung und Historisierung Mozarts eingegangen, die an sich nicht an Epochenbegriffe gebunden sind: Wie sehr in den unzähligen Bildern und Plastiken die Idealisierung zur Peinlichkeit einer fragwürdigen Weihe oder zur Verniedlichung führt, ist eine Frage des Niveaus. Ein handwerklich gekonnt ausgearbeitetes Beispiel fürs erstere gibt das Salzburger Erinnerungsblatt 1856 des »österreichischen Menzel« Peter Johann Nepomuk Geiger: es stellt einen gleichsam entpersönlichten Mozart mit wallendem Gewand dar, an der Orgel sitzend, von Emblemen seiner Kunst umrahmt, mit dem Blick nach oben, wo Engel vor dem Agnus Dei musizieren. Zur niedlichen Idylle wurde dagegen das Aquarell »Mozart als Kind mit Vater und Schwester im Robinighof« des vielseitigen Lyser. Von höherer malerischer Qualität sind der »Mozart auf dem Kahlenberg« von Rudolf von Alt und die Mozart-Apotheose von Anton Romako (in der das Modell des schlichten Lange-Porträts reich wie nie zuvor ausgeschmückt erscheint). Mörike hat diese neueste Idealisierung scharf abgelehnt, nichtsdestoweniger war für ihn Mozart ein Ideal, allerdings in einem komplexen Sinn. Heikel wird die Einschätzung bei der eher eindimensionalen Idealisierung, wie sie Maler vom Rang eines Jean Auguste Ingres oder Moritz von Schwind betrieben. Ingres verglich Mozart mit Raffael, nannte ihn einen »dieu de la musique« und den »Don Juan« ein »chef-d'œuvre de l'esprit humaine«. Mozart war ihm ein Vorbild an Vollendung, Zartheit und Präzision, eine Bestätigung seines eigenen künstlerischen Wollens. Schwind, in der Musikgeschichte durch seinen freundschaftlichen, wenn auch episodischen Kontakt zu Schubert bekannt, war ein Mozart-Enthusiast mit ähnlichen Reserven gegenüber der Musik Beethovens wie Ingres. Ist aus Schwinds Kunst eine »von Bildung umfriedete« Oberflächlichkeit herauszulesen? In den frühen »Reisebildern« wählte er auch »Le nozze di Figaro« als Sujet. Völlig lyrische Idylle ist hier das Schlußbild mit dem glücklichen Pärchen Cherubino und Barbarina; Schwind nennt den Pagen im Sinne Eichendorffs und anderer Romantiker »das eigentliche Motiv der Oper«. Später, bei seinen Arbeiten für die Wiener Hofoper, war ihm besonders an der »Zauberflöte« (»dem Stoff nach eine Verherrlichung der Musik«) und speziell an Tamino und Pamina (dem »idealsten und feierlichsten aller Liebespaare«) gelegen. Seine »Don Juan«-Zeichnungen (1870/71) überraschen in ihrer unsentimentalen Darstellung eines männlich-entschlossenen Helden. Doch war es die liebliche, farbenfrohe Idealität seiner früheren Bilder, die Grillparzer und Mörike gefiel – und die deren Ansichten über Mozart dennoch nicht gerecht wurde. Vielleicht bedeuteten ihnen die Mozart-Darstellungen Schwinds nicht mehr als diesem Beethoven für sein Bild »Die Symphonie«, und sie begnügten sich, kraß ausgedrückt, mit einer Bestätigung des Idealistischen an ihrem Ideal Mozart.

Daß es auf dem Gebiet der Literatur – von Mörike abgesehen – vom Niveau her kaum Vergleichbares mit den Bildern Schwinds gab, hat seine Gründe. Anspruchsvoll blieb auch nach 1830 das ästhetische Räsonnement; die anschauliche Beschreibung der Person Mozarts im Genre der Künstlernovelle setzte dagegen erst mit dem Biedermeier voll ein und suchte das Belehrende mit dem Unterhaltenden zu verknüpfen, wobei jedoch das Horazsche »delectare prodesse« stark trivialisiert erscheint. Die Erzählungen von Johann Peter Lyser (die 1856 als »Mozart-Album« gesammelt erschienen), Carl Gollmick, Heribert Rau u. a. waren als Apologie für Mozart und als Mittel gegen die sinkenden Aufführungszahlen etlicher seiner Werke gemeint; sozusagen als verlängerter Arm einer Popularisierung, die zuvor primär durch die Hausmusik erfolgte und nunmehr über das Anekdotische und Biographische eine lebensnahe Identifikation anregen wollte. Kennzeichnend für die Situation ist das als problemlos empfundene Ineinander von Popularisierung und Historisierung. Doch im Grunde zielt die Popularisierung auf die Nähe und die Historisierung auf die Fremdheit Mozarts; dieser Widerspruch wurde durch die Illusion umgangen, man könne sich an die verklärte Unbegreiflichkeit Mozarts anbiedern.

Die Detailfreude, mit der von den Lebensumständen und der Person Mozarts erzählt wird, gibt sich historisch getreu, und redet doch dem Leser etwas ein, was ihm meist ohnehin vertraut ist. Auch dort, wo es um die Musik geht und dabei eine Distanz zwischen Mozart und der Gegenwart angesprochen wird, bleibt die Unterscheidung eine Illusion und dient weniger einem historischen Bewußtsein als der Fortschrittsfeindlichkeit. Wenn Tomaschek sich an Originaltempi Mozarts »erinnert« – oder wenn Ignaz Franz von Mosel 1843 den zeitgenössischen Gesangsvirtuosen die italienischen Sänger von vor 50 Jahren entgegenhält (sie seien bessere Schauspieler gewesen, »im Cantabile, im Ausdruck der verschiedenen Gefühle und Leidenschaften, im Charakterisieren ihres Vortrags standen sie weit über den Besten unserer Zeit«), so ist der Zweck des Berichts eindeutig, dessen Inhalt aber historisch ungewiß. Selbst skeptische Nüchternheit (wie sie etwa Otto Jahn besaß und gegen die Anekdoten von Rochlitz richtete) vermochte lange nichts gegen Erzählungen im Stil von »wahren Begebenheiten aus Mozarts Leben«, die tatsächliche oder angebliche Bekannte Mozarts publizierten. Viele dieser Berichte sind schablonenhaft. Auch den vielbeachteten »Denkwürdigkeiten aus meinem Leben« von Caroline Pichler (Wien 1844) mangelt es an Charakterisierungskunst; ihr Diktum, Mozart und Haydn hätten »beinahe keinerlei Art von Geistesbildung« besessen, übt aufgrund seiner Unbegreiflichkeit bis zum heutigen Tag eine gewisse Faszination aus. Hier soll nicht ermüdend lang auf die Trivialliteratur eingegangen werden, zumal sie mehr Tendenz als Durchgestaltung bietet. Für die Art, in der sich viele Schriftsteller im Lob ihres Gegenstandes übernahmen, sei ein Beispiel herausgegriffen. Carl Gollmick verteidigt 1846 in einem »Rückblick auf Mozart's geistige Wirksamkeit« die Kindlichkeit seines Helden mit folgenden Worten: »... und doch war es eben diese Gemüthskindlichkeit, die durch alle seine Werke schimmert; war es die Anspruchslosigkeit und Naivität, diese Entfernung von allem hinaufgeschraubten Prunk und Spekulationswesen, was ihm die Anwartschaft auf den Himmel erwarb.« Ähnlich wie schon Niemetschek verweist er darauf, daß das geistige Wesen Mozarts sich eben in Musik äußere; ins Maßlose bewegt sich die Beschreibung von Mozarts Universalität. Gollmick nennt Mozart einen »Psychologen« (»Er goß über alle Natur Wahrheit und Schönheit aus«), »Menschenfreund«, »Dichter«, (»Er war der Schiller an blühender Phantasie, der Göthe an durchdringendem Verstande, der Shakespeare an Kraft und sprudelndem Humor«), »Mathematiker«, »Architekt«, »Philologe«, »Philosoph«, »Theologe«, »siegreicher Feldherr« und zuletzt gar »Nekromant«. Es wäre aber ein Irrtum zu meinen, Gollmick polemisiere mit dieser Aufzählung gegen Caroline Pichler; vielmehr ging es beiden um dasselbe, nämlich um die Veranschaulichung von etwas Geheimnisvollem, im speziellen Fall der Kindlichkeit und des unbewußten Schöpfertums Mozarts. Unfreiwillig bestätigt so das Gros der Mozart-Apologeten Adolph Bernhard Marx, der in seiner Beethoven-Monographie meinte, Beethoven habe »jene Zeit Haydns und Mozarts in ihrer bescheidenen Genügsamkeit und Beschränkung auf die Privatinteressen und Privatgefühle« hinter sich gelassen. Von der allgemeinen Gültigkeit zeugt die Tatsache, daß wohl Mozart und Haydn in Anekdoten, Erzählungen, Romanen, Singspielen, Porträts usw. verniedlicht wurden, Beethoven hingegen kaum. Über 50 Bühnenstücke des 19. Jahrhunderts behandeln Mozart (u. a. von Wenzel Müller – Carl Meisl 1818, Grillparzer 1826, Puschkin 1830, Lortzing 1832, Franz von Suppé 1854, Lyser 1856, Franz Pocci 1877, Rudolph Genée 1896).

Historische Forschung war wohl auf dem Wege, blieb aber selbst lange auf eine geheimnisvolle Aura um Mozart fixiert. Wie wäre sonst die gewaltige Reaktion in Aufsätzen und Briefen auf Gottfried Webers »Über die Echtheit des Mozartschen Requiems« (1825) zu erklären? Diese Explosion an Gelehrsamkeit (die immerhin Andrés kritische Partiturausgabe provozierte) hat aber ganz andere verborgene Ursachen; sie treten etwa in Alexander Puschkins Drama »Mozart und Salieri« zutage, das der Vergiftungshypothese zu dichterischem Glanz verhalf. 1829 machten Vincent und Mary Novello ihre »Mozart Pilgrimage« nach Wien und zur Schwester und zur Witwe Mozarts nach Salzburg. In der Beschreibung dieser Reise ist wiederum viel von den »Requiem«-Problemen und selbst von der Vergiftungshypothese die Rede (lesenswert sind die Eindrücke von der »musical scene in Europe in 1829«). Eine derartige Profanierung der Wallfahrt wird zur kunstreligiösen Katharsis und begann wohl mit den Pilgerfahrten junger Musiker zum alten Haydn nach Gumpendorf bei Wien. Ähnlich motiviert ist die Liebhaberei des Sammelns von Autographen und Porträts, wie sie selbst so berühmte Musiker wie Mendelssohn und Sigismund Thalberg pflegten. Sie mündete einerseits in der Verehrung oft gefälschter Devotionalien, andererseits in einem international anerkannten Expertentum wie dem des Wiener Sammlers Aloys Fuchs. Von solchem Sammlergeist getragen ist die Mozart-Biographie Georg Nikolaus Nissens, die Constanze posthum 1829 in Druck brachte. An diesem Buch ist oft getadelt worden, daß es gar keine Biographie, sondern eine unkritische Aneinanderreihung von Material sei; trotzdem sollten wir Nissen für seinen Fleiß und seine Pietät dankbar sein – im Umkreis Joseph Haydns fand sich niemand, der für die Nachwelt eine ähnliche Materialsammlung angelegt hätte. Vom Liebhabergeist dieser Aktivitäten heben sich am ehesten jene »Historischen Konzerte« ab, die Mendelssohn in Leipzig und Kiesewetter in Wien veranstalteten. Sie sind (im Gegensatz zu Werken wie Louis Spohrs »Historische[r] Sinfonie im Styl und Geschmack vier verschiedener Zeitabschnitte« 1839) auch nicht als Kritik an der Gegenwart gemeint, sondern auf die musikalische Entwicklung bezogen und kommen so dem Begriff des Historismus nahe.

Die drei bedeutendsten Mozart-Darstellungen des 19. Jahrhunderts stammen von nobili dilettanti in Sachen Musik: dem russischen Aristokraten und Kunstliebhaber Alexander D. Ulibischeff, dem schwäbischen Dichter Eduard Mörike und dem norddeutschen klassischen Philologen und Archäologen Otto Jahn. Die Distanz zur Musik als Profession und zur engeren Heimat Mozarts mag die Neigung zur Idealisierung und den

Gedanken der Einheit von Kunst und Leben verstärkt haben, die ihnen bei aller Unterschiedlichkeit ihrer Schriften gemeinsam ist. Von ihrer konservativen Einstellung zeugt ihre Ablehnung des musikalischen Fortschritts; Ulibischeff hört sogar aus Beethovens Musik »häßliches Miauen« heraus. Die Gegenseite mit Liszt, Hans von Bülow und den russischen Musikkritikern Wilhelm Lenz und Alexander Serow polemisierte daher scharf gegen das angebliche musikalische Unwissen des Dilettanten Ulibischeff; überraschend positiv allerdings hat sich der Wagnerianer Serow über Jahns Buch geäußert.

Der in Deutschland erzogene Ulibischeff war zunächst von den »Requiem«-Diskussionen beeindruckt (er schrieb später fast 100 Seiten darüber); 1830 las er Nissens Buch und beschloß, das Material zu ordnen und es zu einer Biographie umzuformen – woraus eine zehnjährige Arbeit erwuchs. 1843 in französischer und 1847 in deutscher Sprache erschien das dreibändige Werk »Mozart's Leben, nebst einer Uebersicht der allgemeinen Geschichte der Musik und einer Analyse der Hauptwerke Mozart's«. Den inneren Anstoß gab der Gedanke der Harmonie zwischen Kunst und Leben. »Bei Beginn der Arbeit ... entdeckte ich zu meinem großen Erstaunen zwischen mehreren Werken Mozart's und den biographischen Umständen, die sich daran knüpfen, diesselbe wechselseitige Beziehung, wie die, welche in der Geschichte des Requiems einen so starken Eindruck macht und uns mit so großem Erstaunen erfüllt.« Diese Harmonie sieht Ulibischeff aber nicht in einer biedermeierlichen Idylle, sondern im Ausnahmecharakter des Genies. »Die hauptsächlichen, die wahren Ereignisse in dem Leben eines Künstlers sind seine Werke.« – »Wir wollen den Künstler durch das moralische Individuum, und dieses durch den Künstler erklären; ihre vollkommene Wechselbeziehung oder vielmehr ihre völlige Identität erweisen; die musikalische Analyse mit der psychologischen Hand in Hand gehen lassen, und zwar der Art, daß beide im Zusammenhange mit einander sich gegenseitig unterstützen; endlich da Andeutungen geben, wo eine augenscheinliche Einwirkung der Umstände auf die Werke stattfand.« Ulibischeff geht so weit, im zentralen Meisterwerk die Figur des Don Juan als ein Selbstbildnis der moralischen Persönlichkeit Mozarts und den Komtur als »Schatten seines Vaters« zu sehen. Daher versucht er auch keineswegs, die »beträchtlichen Fehler« Mozarts zu entschuldigen; mangelnde Menschenkenntnis, unvernünftigen Gebrauch des Geldes, »Zügellosigkeit der Zunge« gesteht er zu, wendet diese charakterlichen Mängel aber zur Attacke gegen ein biedermeierliches Künstlerbild: Wäre Mozart anders gewesen, hätte er seiner Familie ein Vermögen hinterlassen, »irgend eine gute Anstellung und etwa ein dreißig Jahre länger zu leben gehabt ... Wer zweifelt daran; allein dann hätte man wahrscheinlich von diesem Spießbürger keinen Don Juan verlangen dürfen, ein so vortrefflicher Familienvater er auch gewesen wäre.« Ein weiterer Gedankengang Ulibischeffs will die »Vorherbestimmung« Mozarts durch längere musikhistorische Erläuterungen apologetisch auf folgende Quintessenz bringen: »Mozart's Sendung ging dahin, die Regeln, einer bis auf ihn unvollkommenen Kunst, festzustellen.«

Ulibischeffs geistvolles Buch ist heute kaum mehr bekannt, von den Zeitgenossen wurde es viel gerühmt, in der Leipziger »Allgemeinen Musikalischen Zeitung« hieß es sogar, »daß noch kein Tonkünstler eine so vortreffliche Biographie erhalten habe, wie Mozart durch diese Schrift«. Daher Mörikes Absicht (die er beim ersten Teildruck 1855 im »Morgenblatt für gebildete Leser« auch ausführte), der Novelle »Mozart auf der Reise nach Prag« das obige Ulibischeff-Zitat über Mozarts Persönlichkeit als Motto voranzustellen. Damit hat er der Verniedlichung eine klare Absage erteilt – trotzdem enthält die Erzählung viel Biedermeierliches: das literarische Genre an sich (Mörike geht es mehr um ein »Charaktergemälde« als um eine Handlungsnovelle), die Detailfreudigkeit der Darstellung, die Zeichnung Constanzes als gutmütiges und etwas geschwätziges Hausmütterchen, die Betulichkeit des Erzählers (wenn er z. B. von Mozart als dem »Meister«, »unserm Freund« oder »unserm lieben, kleinen goldenen Mann« spricht), die Ausführlichkeit im scheinbar Nebensächlichen. Doch gibt all das nicht bloß den konventionellen Rahmen für eine tiefgründige Aussage ab, vielmehr gelingt es Mörike, diesen Rahmen sinnvoll für die Aussage selbst zu nützen. Die Mischung aus Heiterem und Ernstem, aus Konvention und Außerordentlichem, ist bereits ein Spiegelbild jenes Mozart-Ideals, das uns bei Grillparzer, Hanslick usw. begegnete. Ohne Pathos sucht Mörike Wesentliches anklingen zu lassen. Er zeigt einen Mozart, der mit dem Leben spielt und sich ihm hingibt, sich unvermittelt von dem, was er gerade verfolgt, wieder abwendet und aus heiterer Gelöstheit heraus Todernstes aufblitzen läßt; wobei Mörike diese Züge eng mit Mozarts Musik verbunden sieht. Seine Novelle spürt also dem Schaffensvorgang nach.

Die Mörike-Forschung suchte diese Vorgangsweise zu erklären; ihre Ergebnisse gehen aber gelegentlich zu Lasten der feinsinnigen Zusammenhänge in der Dichtung selbst. Dazu ein Beispiel: Mozarts Erinnerung an das neapolitanische Wasserspiel, von dem er der Gesellschaft im Schloß des Grafen Schinzberg erzählt, kann als eine bedeutsame Verschlüsselung musikalischer Formprinzipien gesehen werden. Dies um so mehr, als Eugenie auf Mozarts Bericht begeistert reagiert, sie habe soeben »eine gemalte Symphonie«, »ein vollkommenes Gleichnis überdies des Mozartischen Geistes«, »die ganze Anmut ›Figaros‹ darin« gehört. Doch schon hat Mozart weitergesprochen und seine kleine Erzählung zu deuten versucht. Heute im Garten sei ihm der schöne Abend in Neapel vor 17 Jahren »so lebhaft ... wie kaum jemals aufgegangen«. Er habe die fröhliche Musik von damals in den Ohren gehabt, und »von ungefähr springt ein Tanzliedchen hervor, Sechsachteltakt, mir völlig neu«: das lange vergeblich gesuchte Duett Zerlina – Masetto mit Chor »Giovanette che fate all' amore« aus dem 1. Akt des »Don Juan«. Die scheinbare Zufälligkeit dieser Erinnerung erhält im Zusammenhang der Novelle einen besonderen Sinn durch den Gegenstand, der sie auslöste, jenes Orangenbäumchen, von dem Mozart gedankenverloren eine Frucht pflückte. Und damit ist der Forschung ein weiterer Anlaß gegeben, der Symbolik von Frucht, Gold, Baum, Paradies usw. nachzugehen. Doch wie oszillierend behandelt Mörike etwa das Wort Gold. Daß er es auf Mozart anwendet und dessen Musik »ein Häufchen Gold« nennt, oder daß diese Farbe mit Hellem und Heiterem assoziiert wird, besagt noch nicht viel. Auf den beiden ersten Seiten ist von den façonierten Knöpfen auf Mozarts Überrock gesagt, »daß eine Lage rötliches Rauschgold durch ihr sternartiges Gewebe schimmerte«; und Constanze klagt über Mozarts Mißgeschick, ein Flacon echte Rosée d'Aurore verschüttet zu haben: »Ich sparte sie wie Gold.« Aus dieser beiläufigen Erwähnung des Goldes wird im Verlaufe der Novelle die goldgelbe Pomeranze, welche

Mozart in seinem Entschuldigungsbrief an die Gräfin mit Adams Apfel im Paradies vergleicht. Pomeranzen, gelbe Bälle und zuletzt ein »goldner Fisch« kommen im neapolitanischen Wasserspiel vor. Später spielt Franziska durch den herbeigebrachten Kupferstich »einer Szene aus dem goldenen Weltalter« auf Mozart an und hofft, »Apollo werde sich in dieser Situation erkennen«. Und als von Apollo, bildungsbeflissen mit Horazischen Oden-Zitaten, als dem Gott, »der seines Hauptes goldne Locken / In die kastalischen Fluten tauchet« rezitiert wird, biegt Mozart die Gloriole ins Heitere ab, erbittet einen Kuß von Eugenie und beruhigt zugleich deren Bräutigam, es sei keine Gefahr, solange ihm nicht der Gott »seine langen gelben Haare« borge. So mündet dieser, den Schaffensprozeß darstellende Teil der Erzählung in jener Stimmung des »leggiero di testa«, von der im glücklich gefundenen Duett Zerlinas und Masettos die Rede ist.

Auf Erläuterungen zur musikalischen Technik verzichtet Mörike fast völlig, findet aber etwa für die Musik, die Mozart der gräflichen Gesellschaft am Klavier spielt, das folgende feinsinnige und dichte Sprachbild: »Es war eines jener glänzenden Stücke, worin die reine Schönheit sich einmal, wie aus Laune, freiwillig in den Dienst der Eleganz begibt, so aber, daß sie, gleichsam nur verhüllt in diese mehr willkürlich spielenden Formen und hinter eine Menge blendender Lichter versteckt, doch in jeder Bewegung ihren eigensten Adel verrät und ein herrliches Pathos verschwenderisch ausgießt.« Berühmter noch ist die Beschreibung des »furchtbaren« Chorals »Dein Lachen endet vor der Morgenröte!« aus dem »Don Giovanni« gegen Ende der Novelle: »Wie von entlegenen Sternenkreisen fallen die Töne aus silbernen Posaunen, eiskalt, Mark und Seele durchschneidend, herunter durch die blaue Nacht.« Hier wird ein Zusammenhang von Kunst und Tod angedeutet, der das Geheimnis um das Genie Mozarts erklären soll. Es ist durchaus problematisch, im Mozart der Novelle ein Selbstbildnis Mörikes erkennen zu wollen; ein Symbol für etwas, was diesen zutiefst betraf, ist jener aber gewiß, denn Mörike sagt, er habe »nie etwas mit mehr Liebe und Sorgfalt gemacht«. Ein »Don Juan«-Erlebnis Mörikes ist sonderbar mit dem Tod seines Lieblingsbruders August verknüpft; in einem Brief gesteht er später, daß er sich vor einer »Don Juan«-Aufführung fürchte, »weil sie zu viel subjektive Elemente für mich hat und einen Überschwall von altem Dufte, Schmerz und Schönheit ... über mich herwälzt«.

Mörikes Mozart-Bild hebt sich grundsätzlich von dem seiner engsten Freunde aus der Tübinger Jugendzeit ab. Ernst Friedrich Kauffmann, einer der Widmungsträger der Novelle, hatte einst Mörike viel Mozart vorgespielt. Als er 1838 in die Koseritz-Verschwörung verstrickt, auf den Hohenasperg in Festungshaft mußte und seine Frau ihn beim Gang in den Kerker begleitete, hatte er eine Vision der »Zauberflöten«-Klänge: »Wir wandeln durch des Tones Macht ...« Im Vergleich zu Mörikes »Don Juan«-Ergriffenheit wirkt diese, David Friedrich Strauß mitgeteilte Geschichte ziemlich melodramatisch inszeniert. Die Mozart-Begeisterung des ebenfalls mit Mörike befreundeten Theologiekritikers Strauß ist ausgesprochen bieder. Von einem Salzburg-Besuch 1848 schickt Strauß an Kauffmann den Vierzeiler: »Wie nah in diesem heiligen Revier / Von Mozarts Wiege, Freund, bist du bei mir, / Der seiner Töne Wunderquell so oft / Mir rauschen ließ am heimischen Klavier.« Naive Ehrfurcht spricht aus seinen »Zauberflöte«- und »Figaro«-Sonetten. Wie romantisch faßt Mörike dagegen den »Figaro« in seinem Sonett »Seltsamer Traum« (1828 den Freunden gewidmet) auf. Aus »samtnem Frühlingsboden« voll Cherubinen, Masken, Blumen und Bändern steigen »melodische Gewalten ... auf als ernste Schatten«; doch zuletzt heißt es: »Und *ich* sang, als Hanswurst, auf Blumenmatten.« Um diesen »sanften Wechsel« in wie von selbst sich malenden Bildern ging es Mörike auch in seiner Novelle.

Bleibende Gültigkeit hat wohl das Urteil des Verlegers Cotta, die Novelle sei »wie ein altes Juwel ..., aus der besten Zeit und für alle Zeit reizend und fein«. Wie sehr Mörike den Konservativen aus dem Herzen sprach, bestätigt ein offizieller Brief König Maximilians II. von Bayern an ihn, in dem von »Anmut«, »heilgem Maß« und einer »wohltuenden Erscheinung« die Rede ist. Maximilians Vater, Ludwig I., schrieb 1856 selbst ein Gedicht »An Mozart«, in dem er Olymp und ewige Jugend preist, und mit den Versen schließt: »Es lebt das Ideal des Schönen / Im Zauber deiner Phantasie.«

Otto Jahns monumentale Mozart-Biographie, die in drei Bänden 1856 bis 1859 in Leipzig erschien (2. verbesserte Auflage

1867), begründete die Mozart-Forschung. Ihr weitreichender Einfluß provozierte 1956 die Forderung des englischen Gelehrten Alexander Hyatt King, sich nach 100 Jahren endlich von der Tradition Jahns zu lösen. Damit bleibt aber noch offen, wieweit jenes Mozart-Bild, das Jahn entwarf, auf seiner persönlichen Sicht beruht. Er hatte zunächst die Absicht, eine Beethoven-Biographie zu schreiben, wandte sich dann vom musikalischen Fortschrittsdenken völlig ab, veröffentlichte Anfang der 50er Jahre Polemiken gegen Wagner und Berlioz und begeisterte sich für Mozart. Entsprechend klassizistisch ist auch sein Mozart-Bild; was bei einem Philologen, der über die Antike, daneben auch über Winckelmann und Goethe schrieb, nicht verwundert. Ulibischeffs und Mörikes Mozart hat wesentlich romantischere Züge als der Jahns. Die Nähe von Kunst und Tod, das unbewußte Handeln des Genies jenseits der Konventionen sind Themen, die Jahn zu einer Harmonie glättet, die Ulibischeff wohl als spießbürgerlich bezeichnet hätte. Ähnlich wie sein Freund, der große Althistoriker Theodor Mommsen, empfand sich Jahn in seinem Tun als Historiker zugleich als »Moralist«; Mozart wird zu einem erzieherischen Vorbild veredelt. Dieses Ethos geht auch aus einer Briefäußerung aus der Zeit seiner Quellenstudien 1852 in Salzburg hervor: »Was mir große Freude macht ist, daß das Bild Mozarts nicht nur klarer, sondern auch schöner und reiner wird, als die gewöhnliche Vorstellung ist.« Daß gerade ein Gelehrter Mozart so stark idealisierte, überrascht, es mag mit Jahns Reserve gegenüber der politischen Entwicklung nach 1848 zusammenhängen, dürfte aber auch im Privaten begründet sein, wo Jahn einer kompensatorischen Kraft gegen Unglück und persönliche Schuldgefühle sehr bedurfte. Dem psychologischen Feinsinn Mörikes wurde er ebensowenig gerecht wie den ästhetischen Ansprüchen Hanslicks. Der Erfolg des Werkes auch außerhalb der Wissenschaft (sogar ein »kleiner Mozart« als Lesebuch fürs Volk war geplant) hat wohl mit einer inhaltlichen Verwandtschaft der Person Mozarts bei Jahn und der zeitgenössischen Belletristik zu tun.

Erkenntnistheoretisch zu denken gibt, wie sehr Jahn überzeugt war, sein Ideal sei Ergebnis objektiver Wissenschaftlichkeit: »Ihr letztes Ziel ist die Wahrheit, und nur diese zu finden und darzustellen habe ich mich bemüht.« Zweifellos liegt ja auch die zukunftweisende Leistung des Werkes in der konsequenten Anwendung der historischen Quellenkritik, wie sie sich in der historischen Schule der Rechtswissenschaft im frühen 19. Jahrhundert entwickelt hatte. Jahn war als Vertreter der längst methodisch gefestigten klassischen Philologie besser als jeder Musiktheoretiker für diesen entscheidenden Schritt vorbereitet. Der zweite Vater der Mozart-Forschung, Ludwig Ritter von Köchel, dessen »Chronologisch-thematisches Verzeichnis sämtlicher Tonwerke W. A. Mozarts« (Leipzig 1862) jedem Musikfreund zumindest dem Namen nach geläufig ist, war ebensowenig wie Jahn ein spätbiedermeierlicher Privatgelehrter. Beide waren vielseitig gebildete Männer, die eine öffentliche Wirkung anstrebten und sich auch künstlerisch betätigten. Jahn komponierte, Köchels erste Mozart-Veröffentlichung waren seine Canzonen zur Zentenarfeier. Jahn wirkte als Professor in Leipzig und Bonn (1858 Rektor); Köchel war Erzieher der Söhne Erzherzog Karls, Schulrat, ein Botaniker und Mineraloge von Rang, der in den erblichen Adelsstand erhoben wurde, Vizepräsident der Wiener Gesellschaft der Musikfreunde und der k. k. zoologisch-botanischen Gesellschaft. Beider Menschenbild ist dem der Romantik diametral entgegengesetzt.

Die weitere Entwicklung der Mozart-Forschung führte zu einer zunehmenden Spezialisierung. So hatte Jahn der ersten Auflage seines Mozart-Buches gruppenweise angeordnet mehrere Werkverzeichnisse beigelegt. Als Jahn und Köchel einander kennenlernten, bemühten sich beide um enge Zusammenarbeit, mit dem Ergebnis, daß Jahn seine Pläne zur Vervollständigung dieser Werkverzeichnisse an Köchel abtrat. Andere Beilagen, wie die von Dokumenten und Briefen, behielt Jahn bei, weil er Ludwig Nohls Ausgabe der Mozart-Briefe als unzureichend erkannte (die erste einigermaßen vollständige Briefausgabe von Ludwig Schiedermair stammt erst aus dem Jahr 1914). Der Fortschritt, den die kritische Methode brachte, schlug sich am deutlichsten in den Verbesserungen der Werke Jahns, zum Teil durch ihn selbst und dann durch Hermann Deiters nieder, sowie des »chronologisch-thematischen Verzeichnisses« von Köchel, teils durch eigene Nachträge, teils durch die Bearbeitung von Paul Graf von Waldersee (1905). Einen wichtigen Schritt voran brachten die 1880 erschienenen »Mozartiana« von Gustav Martin

Nottebohm, der Wege zu neuen Quellenstudien wies. Nicht unerwähnt soll Johann Evangelist Engl bleiben, der als Mitbegründer des Mozarteums auch der erste Mozart-Forscher dieser Institution war.

Trotz Jahn, Köchel und anderen blieb eine Mozart-Belletristik beherrschend, der der Impetus der Forschung fremd war, die der Wissenschaft aber auch kaum jenes literarische Niveau entgegenhalten konnte, das angemessen gewesen wäre. Die triviale Raffael-Gestalt, die der Musikforscher Ludwig Nohl in mehreren Schriften über Mozart ab 1863 zeichnete, entspricht kaum dem Anspruch der Wissenschaft, hatte aber, vermutlich aus eben diesem Grund, großen und andauernden Erfolg. Das wichtigste Angebot an die Praxis stellte die alte Mozart-Gesamtausgabe dar, deren Zustandekommen der Initiative der Salzburger Mozart-Stiftung und Köchels zu danken ist. Wenn man bedenkt, daß etwa um 1870 noch rund ein Drittel von Mozarts Werken unveröffentlicht war und daß das Bekannte oft nur in durch Bearbeitungen recht verunstalteten Notentexten vorlag, wird die Bedeutung dieser Ausgabe klar, wenngleich sie zunächst weitgehend unbekannt blieb. Ihre geringe Breitenwirkung – ungeachtet des Einsatzes von Musikergrößen wie Johannes Brahms und Joseph Joachim – beleuchtet etwa die Zahl von erst 93 Subskribenten im Jahr 1883, obwohl schon große Teile vorlagen und der Verkaufspreis erstaunlich billig gehalten werden konnte.

Von der kritischen Überprüfung des Details ausgehend, sollten jene Vorurteile und Mythenbildungen, an die einzelne Forscher zum Teil selbst noch glaubten, schrittweise aufgelöst werden. Zum Beispiel richtet sich Jahns Kritik gegen die noch heute wirksame Meinung, Mozart habe ohne Skizzen und Studien komponiert und seine Werke nicht umgearbeitet. Widerspruch gegen die Wissenschaft regte sich aber schon früh. Der Liederkomponist Robert Franz schreibt in einem Brief (v. 26. August 1856) an Mörike, er fühle sich durch die Lektüre seiner Novelle wie befreit, nachdem er sich zuvor durch Jahns Opus »gequält« habe: »Die unerquickliche Breite antiquarischer und pädagogischer Spitzfindigkeiten, die vielfachen Indiscretionen, offenbar aus Gründlichkeitsrücksichten begangen, hatten mir des Meisters reines Bild getrübt, ihm einen philiströsen eklen Zug aufgedrückt.« Schärfer ging Friedrich Nietzsche in seiner unzeitgemäßen Betrachtung

»Vom Nutzen und Nachteil der Historie für das Leben« (1874) überraschend direkt (vermutlich kannte er Jahn von der klassischen Philologie her) auf die Mozart- und Beethoven-Forschung ein: »Es gibt Menschen, die an eine umwälzende und reformierende Heilkraft der deutschen Musik unter Deutschen glauben: sie empfinden es mit Zorne und halten es für ein Unrecht, begangen am Lebendigsten unserer Cultur, wenn solche Männer wie Mozart und Beethoven bereits jetzt mit dem ganzen gelehrten Wust des Biographischen überschüttet und mit dem Foltersystem historischer Kritik zu Antworten auf tausend zudrängliche Fragen gezwungen werden. Wird nicht dadurch das in seinen lebendigen Wirkungen noch gar nicht Erschöpfte zur Unzeit abgethan oder mindestens gelähmt, daß man die Neubegierde auf zahllose Mikrologien des Lebens und der Werke richtet und Erkenntnis-Probleme dort sucht, wo man lernen sollte zu leben und alle Probleme zu vergessen.« Hier bricht der Konflikt zwischen historischer Erkenntnis und lebendiger Wirkung mit aller Vehemenz auf – vielleicht bei Nietzsche noch drastischer als zwischen humanistischer Gesittung und dem Lebenshunger des Dekadenten –, ein Konflikt jedenfalls, der bis heute in vielfachen Schattierungen weiterlebt.

Hinter dem Zug der Zeit, Mozart zu idealisieren, verbergen sich noch andere Konflikte und Diskrepanzen. Die beiden Philosophen, deren Denken den größten Einfluß auf musikalische Theorie und Praxis gewonnen hat, waren Hegel und Schopenhauer. Die Ideologie der Neudeutschen Schule ist stark von Hegel geprägt; ein Werk wie Richard Wagners »Ring des Nibelungen« verdankt ihm viel. Noch bekannter ist die Bedeutung Schopenhauers für die Musikdramen Wagners. Wie derart unterschiedliche Philosophien bei Wagner zu einer Synthese finden konnten, soll uns hier nicht beschäftigen, wohl aber eine persönliche Gemeinsamkeit dieser Erzrivalen: sie lehnten beide den musikalischen Fortschritt ab und blieben große Verehrer Mozarts. Als Schopenhauer im Gespräch darauf hingewiesen wurde, daß er mit Hegel in der Liebe zur »Zauberflöte« einig sei, meinte er sarkastisch: »Ach! Man muß ordentlich erschrecken, wenn man hört, daß man mit Hegel in einem Punkte gleicher Ansicht sei.« Letztlich enthält dieses Bonmot eine Diskrepanz zwischen Musikphilosophie und musikalischem Geschmack, die bei Schopenhauer (der in seiner »Welt als Wille und Vorstellung« der Musik eine bevorzugte Rolle einräumt und in den erläuternden »Analogien« auch seine persönliche Musikanschauung miteinbringt) schon ins Gewicht fällt. Daß ein so radikaler Verfechter der Idee der absoluten Musik vor allem die Opern Mozarts bewunderte, hat mit alten, schon besprochenen, Rezeptionsgewohnheiten zu tun. Für einen Philosophen, der mit Nachdruck betrachtende Offenheit gegenüber dem Kunstwerk forderte, ist das Bekenntnis »Ich, Schopenhauer, bleibe Rossini und Mozart treu«, das er den musikalischen Neuerern entgegenhielt, etwas befremdlich, jedenfalls aber erläuternswert. Die Rossini-Begeisterung (die er ebenfalls mit Hegel teilt) wird erst 1830 schriftlich erwähnt. Mozarts Musik kannte Schopenhauer von Jugend auf (er konnte ein Jahrzehnt nach der Uraufführung die »Zauberflöte« noch unter Schikaneders Leitung in Wien und Goethes »Zauberflöten«-Aufführung in Weimar miterleben); sie gibt wohl den Anstoß für die entsprechenden Gedanken im Hauptwerk. So sehr Schopenhauer von Rossinis Musik begeistert war, so blaß blieb für ihn die Persönlichkeit dieses Komponisten. Die einzige Begegnung mit Rossini, die zu keinem Gespräch führte, ist für Schopenhauer Anlaß, den bei Musikern häufig fehlenden sichtbaren Zusammenhang von Werk und Persönlichkeit zu konstatieren. Mozart, der ihn freilich nicht mehr persönlich enttäuschen konnte, scheint seiner Genie-Vorstellung besser entsprochen zu haben. Im Hauptwerk verteidigt er die längst zum Topos gewordene Behauptung, Mozart sei seiner Mentalität nach nie zum Mann geworden. Schopenhauer sieht in der Kindlichkeit ein Zeichen für das »objektive Interesse« und die geniale »Fremdheit« zur Welt und denkt wohl an Mozart, wenn er vom Künstler sagt: »Jene reine, wahre und tiefe Erkenntnis des Wesens der Welt wird ihm nun zum Zweck an sich: er bleibt bei ihr stehen.« Für seinen Geniebegriff gibt ihm Mozart ein extremes Beispiel der Dominanz des Intuitiven. Ohne im einzelnen Parallelen zu anderen Zeitgenossen zu wiederholen, läßt sich sagen, daß Schopenhauer am prononciertesten die philosophische Facette des konservativen Mozart-Bildes im 19. Jahrhundert vertrat. Für sein jahrzehntelanges Festhalten am selben Repertoire beim täglichen Flötenspiel gibt es vielleicht die Erklärung, Mozart (neben Rossini, Pleyel u. a.) habe ihn in seinem Weltbild und in seiner umfassenden Gegenwartskritik musikalisch bestätigt und beruhigt.

Weder Mozart noch überhaupt die Musik spielten für Hegel eine ähnlich große Rolle. Hegels Bedeutung für die musikalische Fortschrittsideologie hat weniger mit seiner Musikästhetik als mit dem allgemeinen Siegeszug seiner Philosophie zu tun. Die von daher inspirierte Historisierung der Musik, wonach Mozart das Klassische vertritt und dem Romantiker Beethoven der Durchbruch des Geistes durch die Form gelungen ist, setzt sich auffallenderweise über Hegels These vom Substanzverlust der modernen Kunst und über dessen musikalischen Geschmack hinweg. Was Hegel speziell zu Mozart in seiner »Ästhetik« aussagt, bringt wenig Neues. Der Begriff des »Transitorischen« in der Musik (der es möglich mache, »bis zur Häßlichkeit als solcher fortzugehen«, weil es nicht bei ihr »stehenbleibt« – Hegel nennt das erste Rezitativ der Donna Anna im »Don Giovanni« als Beispiel) begegnete uns schon bei Horn. Noch älter ist der Gedanke des »Dramas« der Instrumente in der Sinfonie; den Hegel allerdings ausdrücklich an Mozarts »Jupiter«-Sinfonie expliziert und zur Formulierung der »Verinnerlichung dramatischen Geschehens» (als Sublimierung der Oper in der Sinfonie) weiterführt – die ihrerseits an Hanslick denken läßt –: »Diese gegenstandslose Innerlichkeit in bezug auf den Inhalt wie die Ausdrucksweise macht das Formelle der Musik aus.«

So folgen- und konfliktreich der Parteienkampf um Fortschritt und Tradition, Programmusik und absolute Musik auch war, vermochten sich ihm große Komponisten in ihrem Werk doch zu entziehen. Genauer besehen, stehen die meisten schöpferischen Musiker von Rang vermittelnd zwischen den Fronten. Genies wollen sich selbst verwirklichen und setzen sich mehr mit ihresgleichen als mit ästhetischen Querelen auseinander. Das spiegelt auch ihr häufig wenig parteikonformes Verhältnis zu Mozart wider. Kluge Beobachter sahen zum Beispiel selbst hinter der imposanten Schauseite Meyerbeerscher Opern noch etwas anderes. So meinte Heinrich Heine: »Die eigentliche Religion Meyerbeers ist die Religion Mozarts, Glucks, Beethovens, es ist die Musik.« Und ein zu Heine so gegensätzlicher Zeitgenosse wie Grillparzer anerkennt 1833 an »Robert der Teufel« in ähnlicher Weise, daß diese Oper »von jener neudeutschen Ansicht abgehe, welche die Aufgabe der Oper lediglich in der öden, musiklosen Instrumentierung eines Textes sucht und findet«.

Die drei großen Komponisten der Zeit vor und um die Jahrhundertmitte, Felix Mendelssohn Bartholdy, Robert Schumann und Frédéric Chopin, hatten ein durchaus eigenständiges Mozart-Bild. Hector Berlioz interessierte sich dagegen lange Zeit hindurch wenig für Mozart, bis auch er ihn im Alter zu idealisieren begann. Über Mendelssohn sagt Schumann 1840: »Er ist der Mozart des 19. Jahrhunderts, der hellste Musiker, der die Widersprüche der Zeit am klarsten durchschaut und zuerst versöhnt hat.« Unmittelbaren Kontakt zur Welt und Zeit Mozarts besaß allein Mendelssohn. Er verdankt ihn seinem Elternhaus und natürlich dem Umstand, daß er als Wunderkind von seiner gebildeten Umwelt wie ein Mozart redivivus gefördert wurde. In den »Reisebriefen« an seine Familie spielt der junge Mendelssohn wohl auch ein bißchen Mozart. Er nahm sich des greisen Goethe Geist der Heiterkeit, der auch Mozarts Musik mit einschloß, zum Vorbild, dem er, ganz unzeitgemäß, treu blieb, und wurde damit in gewissem Sinne auch zu einem geistigen Nachfolger Mozarts. Der Universalität und der »Verinnerlichung des dramatischen Geschehens« in der Musik Mozarts konnte zwar auch er nicht entsprechen, doch fand er seinen eigenen Weg zu einer gewissen Klassizität. Wie viele andere ahmte er zunächst Mozart nach, wurde aber dann zum Verächter von Epigonentum und einer geistlosen Verflachung der Instrumentalmusik, die sich dabei auf Mozart berief. Dennoch bekennt er gegenüber Carl Friedrich Zelter: »Das Herabwürdigen von Haydn und Mozart kann ich nun einmal nicht vertragen, es macht mich toll.« Die zwiespältige Position, die Mendelssohn damit bezieht, hat eng mit der Eigenart seines Komponierens zu tun. Die Einheit von Form und Thematik, die Regelmäßigkeit der Perioden- und Formstruktur hat er mit den Mozart-Epigonen gemeinsam, doch nur er hat sie zu einer, wenn auch mühsam errungenen, Qualität, zu einer bewußten Klarheit, die mit jener Mozarts nicht zu verwechseln ist, geführt. Im Streichquartett op. 44/2 übernahm er im Hauptthema die Töne des Finalthemas aus Mozarts g-Moll-Sinfonie, insgesamt ist das Stück aber ein »Paradigma von Differenzen eher als von Analogien«. Ähnliches gilt für seine Verbeugung vor dem D-Dur-Violinkonzert KV 218 in der

»Italienischen« Sinfonie. Als Romantiker hat er zur musikalischen Wirklichkeit gehoben, was eine Generation zuvor in Shakespeares »Sturm« und »Sommernachtstraum« und in Mozarts heitere Opern hineingedacht und -empfunden worden ist. Bezieht man seine Kunstanschauung insgesamt auf jene Ideale, von denen die Mozart-Rezeption um 1800 geprägt war, so löst sich die angebliche Diskrepanz zwischen dem Klassizisten und dem Romantiker Mendelssohn.

Der vornehme, öffentlichkeitsscheue Chopin trug die Melancholie seiner Zeit und seiner Herkunft in seine Musik hinein. Franz Liszt sah im Kampf zwischen romantischer und klassischer Richtung Chopin auf seiten der ersteren, meinte aber: »Seltener als irgend einer ließ er sich herab, die Linie zu überschreiten, welche die Vornehmheit von der Gemeinheit trennt. Gerade das liebte er an Mozart.« Für Chopin ist Mozart wie Bach ein Gegenbild zur Gegenwart, ein Faktor der Selbstdisziplinierung und natürlich auch ein Gegenstand musikalischer Variationen. Etwas näher läßt sich sein Verhältnis zu Mozart auf dem Umweg über die Kunstdiskussionen mit seinem Freund, dem Maler Eugène Delacroix, erläutern. Delacroix, der in seiner Jugend Musiker werden wollte, war neben Ingres (der seine Malerei verabscheute) der bedeutendste Mozart-Verehrer unter den französischen Malern des 19. Jahrhunderts. Auch für ihn ist Mozart, neben Tradition und Bildung, eine disziplinierende Kraft gegenüber seinem elementaren Ausdruckswillen. Als Kunsttheoretiker nennt er in seinem »Journal« und in den Vorarbeiten zu einem »Dictionnaire des Beaux-Arts« (1857–1860) Mozart unter verschiedenen Stichworten wie »Proportion«, »Sublime«, »Execution« als einen Künstler, der Maß zu halten wußte und eine »musique terrible« mied. Entsprechend abgewertet werden Meyerbeer und Verdi. Beethovens Musik ist für ihn »un long cri de douleur«. In einem Gespräch über Beethovens »Eroica« 1849 bezeichnet Chopin dessen Musik als dunkel aus Mangel an Einheit; Beethoven habe, im Gegensatz zu Mozart, ewige Prinzipien durchbrochen. Delacroix sieht in Mozart keinen glättenden Klassizisten, sondern bewundert die Einheit von Ausdruckstiefe und eleganter Heiterkeit: das also, was er selbst als künstlerisches Ideal vor sich sah und in dem Bild »Jakob im Kampf mit dem Engel« verwirklicht zu haben meinte. Nach seiner Meinung entsprach Chopins Musik diesem Ideal nicht. Er durchschaute die hoffnungslose historische Distanz seines Freundes zu Mozart, die eine qualitative Ebenbürtigkeit mit der Vollendung Mozarts ausschloß. Ob Chopin Delacroix' Position ähnlich empfand, wissen wir nicht.

Berühmt ist Schumanns Ausspruch von der »griechisch-schwebenden Grazie« in Mozarts g-Moll-Sinfonie. Warum er ausgerechnet diese Moll-Sinfonie mit einer an Winckelmann erinnernden Antike-Analogie versieht, ist unverständlich. Um so mehr als er sich sonst wenig über Mozart oder gar über bestimmte Werke äußerte (er lobte die »Zauberflöte« und den ersten Akt »Figaro«). In die gleiche Richtung weist ein Ausspruch in den »Kritischen Büchern der Davidsbündler«: »Heiterkeit, Ruhe, Grazie, die Kennzeichen der antiken Kunstwerke, sind auch die der Mozartschen Schule.« Ohne Zweifel sieht Schumann Beethoven und Jean Paul als ungleich bedeutsamer für sein Werk an; nur unter pädagogischen Gesichtspunkten gibt er Mozart den Vorzug: »Gebt Beethoven den Jüngeren nicht zu früh in die Hände, tränkt und stärkt sie mit dem frischen, lebensreichen Mozart!« – in Erinnerung an den Topos vom Klavierkomponisten für junge Spieler ein zweifelhaftes Kompliment. Klarer wird die Position Mozarts bei einem Blick auf Schumanns differenzierte Ansichten zu den aktuellen Kunstparteiungen. Er lehnt die »französische Neuromantik« kategorisch ab, ebenso konservative Regelverfechter und Klassik-Epigonen. Positiv sieht er die »ursprüngliche Klassizität der Haydn-Mozartschen Periode«. Vor allem aber will er eine Musik jenseits der Gegensätze, er tritt für eine »neue poetische Zeit« ein und gibt sich damit als ein Nachgeborener der deutschen Romantik des Jahrhundertbeginns zu erkennen. Auch sein Mozart-Bild lebt von der Verehrung für Jean Paul und E. T. A. Hoffmann; mit dem Unterschied, daß für ihn Mozart noch ferner gerückt und wohl deshalb zu einem hohen, aber unspezifischen und etwas antikisierend-blassen Ideal geworden ist. Alles eher als Mozart abwertend bekennt Schumann ein: »Über manche Sachen auf der Welt läßt sich gar nichts sagen, z. B. über die C-Dur-Symphonie von Mozart, über vieles von Shakespeare, über einzelnes von Beethoven.«

Stärker als Schumann selbst hatte seine Frau Clara eine sachlich-praktische Beziehung zu einzelnen Werken Mozarts. Sie spielte etliche der Klavierkonzerte und schätzte sie hoch; angeregt dazu hatte sie 1861 Johannes Brahms. Das Mozart-Bild von Brahms ist deshalb schwer zu fassen, weil er allen plakativen Bekenntnissen abhold war. Die Gedankengänge und schönen Worte aus jenen konservativen Kreisen Wiens, die ihn, nach einem Ausspruch Hanslicks, als »Erlösung« aufgenommen hatten, finden sich bei Brahms nicht wieder. Brahms hatte gerade zur Kammermusik Mozarts eine innige Beziehung. Von den eher melancholisch-tiefgründigen Spätwerken hebt sich eines durch seine knappe konzise Form und durch die Heiterkeit des Ausdrucks ab: das Streichquintett in G-Dur op. 111 aus dem Jahre 1890. Daß dieses Werk verschlüsselt Mozart zum Vorbild hat, deutete Brahms in einem Brief an seinen Freund, den Geiger Joseph Joachim, an: falls diesem das zweite Streichquintett nicht gefallen sollte, wolle er sich »mit dem ersten [op. 88] und über beide mit dem Mozartschen« trösten. Bei dem Entschluß, ein Klarinettenquintett zu schreiben, hat Brahms sicher auch an Mozart gedacht. Ein direkter Zusammenhang seines Komponierens mit Mozart läßt sich sogar beweisen: Brahms' Lehrer Eduard Marxsen hatte in Wien bei Ignaz von Seyfried studiert, der wiederum Klavierschüler Mozarts gewesen war. Doch verhindert Brahms' ebenso intensive wie umfangreiche Beschäftigung mit der Tradition, einen Einfluß Mozarts in seinem Œuvre zu präzisieren. Für Mozarts Werk hat sich Brahms verschiedentlich eingesetzt. Als artistischer Direktor der Gesellschaft der Musikfreunde führte er wenig bekannte Vokalwerke auf, u. a. 1874 die in der ersten Jahrhunderthälfte recht beliebte Kantate »Davidde penitente«. 1877 erschien das von ihm redigierte »Requiem« in der Mozart-Gesamtausgabe. In bemerkenswerter Weise wich Brahms von gängigen Vorstellungen über Mozart ab. So forderte er von seinen Klavierschülern, dessen Werke nicht »mit bloßer Anmut und Leichtigkeit«, sondern auch mit »Ausdruck erhabenen Gefühls« zu spielen. Feines Gespür für einen sich abzeichnenden Wandel bewies er 1896 in einem Gespräch mit Richard Heuberger. Brahms, der nie Mozart gegen Beethoven ausgespielt hatte, äußerte historisches Verständnis für die Bevorzugung der Beethoven-Sinfonien in der ersten Jahrhunderthälfte, meinte aber dann: ». . . die drei letzten Mozartschen Sinfonien sind doch viel bedeutender! Dies spüren heute schon hier und da die Leute!«

Diese Bemerkung kam nicht von ungefähr. Schon vor Nietzsche sprach 1877 der Maler Anton Romako davon, daß aus Mozart wie »aus einer glimmenden Kohle Feuer angefacht werden« könne; und im selben Jahr prophezeite der Dichter Emanuel Geibel, daß die Welt sich wieder rückwärts wenden werde »zu dem heil'gen Gipfel, / Den die echten Lorbeern krönen. / Und mit Wonne lauscht sie wieder / Goethes Liedern, Mozarts Tönen.«

Wie im Nachdenken über Musik aller Hader der Parteien überwunden werden konnte, zeigt der vornehme und sehr einfühlsame Franz Liszt in seinem Beitrag zur Wiener Mozart-Säkularfeier (deren Konzerte er leitete). Er bewundert nicht bloß, sondern findet feinsinnige Worte, die jedem Konservativen Ehre gemacht hätten. Besonders hebt er die »wunderbarste Elastizität« und »herrlichste Verbindung« von musikalischen Gegensätzen hervor. Den Künstler Mozart charakterisiere »sein rasches psychologisches Verständnis, seine beständige Objektivität, sein divinatorischer Blick in Wahl und Verwendung der Mittel«; von ihm gehe »ein neues Zeitalter ... des sinnlichen Wohlklangs und Genusses« aus. In Liszts Musik begegnen uns Werke Mozarts als Gegenstand von Transkriptionen. Ein klavieristisches Meisterwerk ist die »Don Juan«-Fantasie (1841), in der Liszt das Dämonische der Oper in der Auswahl der Themen hervorkehrt. Bezeichnend für Liszts kompositorische Entwicklung ist eine spätere Fassung für zwei Klaviere (1877), die durch Rücknahme des Pathos und Durchsichtigkeit des Satzes dem Mozartschen Original näher kommt.

Doch mehr und mehr verlagerte sich das Interesse von Liszt auf Wagner. Er ist nicht nur Focus eines musikalischen Fortschrittsdenkens, sein Leben und seine Ansichten wurden durch den Siegeszug zum Impuls und Inbegriff der Musikgeschichte seiner Zeit. Auch eine Wirkungsgeschichte Mozarts kommt um diese Tatsache nicht herum. Ich möchte sogar besonders ausführlich auf Wagner eingehen, weniger um ein bestimmtes Mozart-Bild herauszufiltern, als vielmehr um vom Blickwinkel Wagners her die den Komponisten aufgegebene Herausforderung durch Mozart zu betrachten. Es ist also ein Versuch, eine Entwicklung von den Extremen her zu erfassen. Wobei sich rasch zeigen wird, daß Wagner nicht mit den Wagnerianern, die wenig respektvolle Urteile über Mozart äußerten, zu verwechseln ist.

Mozart lag nicht auf seiner Linie – sein eigenes Tun in einem schroffen Gegensatz zu Mozart zu profilieren, vermied Wagner ebenfalls. Als Dirigent hat er sich für Mozart nicht sonderlich eingesetzt und blieb mit Mozart-Aufführungen eher glücklos. In seinen Opern und Musikdramen wird kaum je ein Mozartischer Ton vom Hörer spontan erfahrbar. Immerhin, als Wagner im Juli 1834 Musikdirektor des Magdeburger Theaters wurde, eröffnete er sowohl die Sommervorstellungen in Lauchstädt wie dann die Herbstsaison in Magdeburg erfolgreich mit Mozarts »Don Juan« in deutscher Fassung. Danach scheint das Interesse für Mozart zurückgegangen zu sein. Vermutlich liegen die Gründe in Wagners Hinwendung zum »Jungen Deutschland« und in seiner Begeisterung für Meyerbeer.

Einen markanten Wandel brachte die tiefgreifende Krise, in die Wagner in Paris zu Beginn der 40er Jahre geriet. Mit der Erzählung »Ein Ende in Paris« hat er ein schon unzeitgemäßes, allerdings aus der damaligen Pariser »Hoffmann«-Begeisterung erklärbares Stück romantischer Dichtung geschaffen, in dem er sich ein ins Makabre verzerrtes Selbstbildnis vorhielt. Ein junger Musiker scheitert am Prosaischen des Lebens und verstrickt sich in ein Labyrinth von Visionen, das sich zuletzt in einem »Glaubensbekenntnis« des Sterbenden löst: »Ich glaube an Gott, Mozart und Beethoven, im Gleichen an ihre Jünger und Apostel ... an die Wahrheit der einen, unteilbaren Kunst ... daß alle durch diese Kunst selig werden ... ich glaube, daß ich auf Erden ein dissonierender Accord war, der sogleich durch den Tod herrlich und rein aufgelöst werden wird.« Ein lichter Musikerhimmel in einer pythagoreischen Weltharmonie erscheint. Zweierlei ist bei all dem auffällig: zum einen die Tatsache, daß Wagner Mozart derart emphatisch in den innersten Kreis seiner Ideale aufnimmt, zum anderen, daß er dieses »Glaubensbekenntnis« durch das Medium der Dichtung vielfach bespiegelt und doch wieder in die Ferne des Ungreifbaren rückt. Mit einem Wort: die vielleicht positivste Aussage, die Wagner jemals über Mozart machte, legt er einem alter ego in den Mund.

Am 15. Dezember 1840 erlebte Wagner in Paris die Totenfeier für Napoleon im Invalidendom mit, bei der Mozarts »Requiem« aufgeführt wurde. Eindringlich schildert er die Ratlosigkeit des Publikums, die er als Oberflächlichkeit der gehobenen Pariser

Gesellschaft begriff. Folgerichtig bedeutete für ihn die Verehrung Mozarts die Reverenz vor einem deutschen Musiker. »Dieser Deutsche, dieses größte und göttlichste Genie war Mozart«, so schreibt er in dem Aufsatz »Über deutsches Musikwesen«. Wagner hebt die Rolle der »Zauberflöte« als »erste große deutsche Oper« hervor, lobt in ihr die »Universalität des deutschen Genius«. Das starke Herauskehren des Deutschtums ist als Reaktion auf die Not der Pariser Jahre zu verstehen. In der Art, wie Wagner Mozarts Werdegang und Charakter beschreibt, gelangt er zur Bestimmung eines Wesensmerkmals, welches an sich dem Topos von der »Fremdheit« Mozarts in dieser Welt entspricht, was Wagner aber als einen typisch deutschen Zug ansieht. Er verweist auf Mozarts Bescheidenheit und fährt fort: »... uneigennützig leistet er das Erstaunlichste, hinterläßt er der Nachwelt die unermeßlichsten Schätze, ohne zu wissen, daß er gerade etwas Anderes tat, als seinem Schöpfungsdrange nachzugeben. Eine rührendere und erhebendere Erscheinung hat keine Kunstgeschichte aufzuweisen.«

Die These von einer genialen Unbewußtheit Mozarts vertritt Wagner mit den Traditionalisten der Zeit gemeinsam; dabei vermeidet er es, Beethoven gegen Mozart zu stellen. Ins Dichterische gehoben, führt er 1841 unter dem Titel »Ein glücklicher Abend« einen Dialog um das Wesen der Musik. Anlaß gibt das Programm eines fiktiven Freiluftkonzerts mit Mozarts Es-Dur- und Beethovens A-Dur-Sinfonie. Der Erzähler spürt eine »wunderbare Verwandtschaft unter beiden Kompositionen«, eine schöne Vereinigung von »klarem menschlichen Bewußtsein einer zum freudigen Genuß bestimmten Existenz ... mit der Ahnung des Höheren, Überirdischen«, mit dem Unterschied allerdings, »daß in Mozart's Musik die Sprache des Herzens sich zum anmutigen Verlangen gestaltet, während in Beethoven's Auffassung das Verlangen selbst in kühnerem Mutwillen nach dem Unendlichen greift«. Im weiteren werden Diskussionen um die absolute Musik und über den Gegensatz zwischen dem Bildungselitären und dem Populären geführt. Der Dialog an einem Frühlingsabend endet in auch kunsttheoretischer Harmonie: »Das, was die Musik ausspricht, ist ewig, unendlich und ideal, sie spricht nicht die Leidenschaft, die Liebe, die Sehnsucht dieses oder jenes Individuums in dieser oder jener Lage aus, sondern die Leidenschaft, die Liebe, die Sehnsucht selbst, und zwar in unendlich mannigfaltigen Motivierungen, die in der ausschließlichen Eigentümlichkeit der Musik begründet liegen.« Wagner greift hier (mit verblüffend ähnlichen Worten wie Schopenhauer) auf die Musikanschauung der romantischen Dichter zurück.

Wie sehr Wagner um 1840 Mozart und Beethoven gemeinsam hochstilisierte, beweist auch das zeitkritische Feuilleton »Der Virtuos und der Künstler«. Von den beiden Musikern ist in einem Ton die Rede, der aus einem romantischen Märchen stammen könnte: Ein »Wunderjuwel« – gemeint ist der »Genius der Musik« – liegt in einem Berg verborgen. Ein »armer Bergmann aus Salzburg« fühlte »sein Herz von wohllüstiger Empfindung bewegt: durch eine Spalte leuchtet ihm das Juwel entgegen; mit einem Blicke umfaßt er das ganze Labyrinth ... dringt er in den tiefsten Abgrund, bis zu ihm, dem göttlichen Talisman selber«. Niemand sah ihn je wieder. Da kam ein »Bergmann aus Bonn«, von »göttlichem Schwindel erfaßt« drang er vor, »krachend brachen die Schachten ... ein furchtbar Getöse drang wie Weltuntergang dahin«. Auch er wurde nicht wieder gesehen. Die nach ihnen gruben, fanden nur Gold; der Wunderstein und die beiden Bergleute wurden vergessen.

Daß Wagner bei seinen Überlegungen im Grunde auf der Suche nach eigenen neuen Wegen war, wird durch den merkwürdigen Schluß seines Aufsatzes »Über die Ouvertüre« (1841) offenkundig: »In dem Dreigestirn, Gluck, Mozart und Beethoven, besitzen wir den Leitstern, dessen reines Licht uns stets auch auf den verwirrendsten Pfaden der Kunst richtig leuchtet; wer nur einen von ihnen sich aber zum ausschließlichen Leitstern erwählen wollte, würde gewiß in die Irre geraten, aus der nur Einer je siegreich hervorging, nämlich jener Eine, Unnachahmliche.« Worauf vertraut Wagner, auf den Leitstern des »Dreigestirns«, oder möchte er jener »Unnachahmliche« werden, der es wagt, nur Einem der Drei zu folgen? Seine damaligen Pläne, eine monumentale Beethoven-Biographie zu schreiben und die tatsächlich ausgeführte Novelle »Eine Pilgerfahrt zu Beethoven« lassen vermuten, Wagner habe schon damals Beethoven als seinen Leitstern für Künftiges anvisiert, ohne es deshalb klar aussprechen zu wollen.

Wenig Glück hatte Wagner an der Dresdner Hofoper als Mozart-Dirigent. Die Ursachen sind unklar. In »Mein Leben« hält er der Vermutung von Freunden, er mache sich nicht viel aus Mozart, die begrenzten Möglichkeiten eines Kapellmeisteralltags entgegen. Wie dem auch sein möge, die Folge war seine Zurückhaltung gegenüber Mozart-Aufführungen. Als Wagner im Dezember 1845 in Berlin einen »Don Juan« mit Jenny Lind als Donna Anna miterlebt, berichtet er seiner Frau von seiner großen Enttäuschung, gibt wie zu erwarten der Schröder-Devrient den Vorzug in dieser Partie und meint resignierend: »Im Uebrigen war Alles ledern, wie wir das ja überall im Don Juan gewohnt sind.« Und 1851 in der »Mitteilung an meine Freunde« behauptet Wagner ohne alle Illusionen, heute gäbe es »in Wahrheit gar kein Verständnis des Don Juan mehr«.

In den Reformschriften um 1850 treffen drei verschiedene Motivationen aufeinander: Erstens wollte Wagner die ein Jahrzehnt zuvor propagierte Idealisierung Mozarts nicht leichtfertig aufgeben – zweitens blieben die als Mozart-Dirigent erlittenen Enttäuschungen nicht ohne Wirkung – drittens ging es darum, das anvisierte »Kunstwerk der Zukunft« argumentativ abzustützen. Der Wille, den erreichten eigenen Standort als Opernkomponist zu reflektieren, führte zwangsläufig zu einer Distanz gegenüber Mozart. Wagner betont nachdrücklich das notwendig Tragische des »Kunstwerks der Zukunft«. Heitere Opern zu komponieren, wie dies Mozart zu seiner Zeit unbelastet tun konnte, lehnte Wagner aus Gründen der Ernsthaftigkeit und mit dem Hinweis auf die gegebenen gesellschaftlich-politischen Verhältnisse ab.

In der Schrift »Das Kunstwerk der Zukunft« (1849) greift Wagner eines der üblichen Entwicklungsmodelle von der Trias der Wiener Klassik auf. Haydns Musik sei erfüllt von »Heiterkeit, stillem, innigem Behagen«, Mozart füge dem seine »ganze Tiefe unendlicher Herzenssehnsucht« hinzu, Beethoven schließlich erreiche den »Ausdruck urgewaltigen Drängens und Verlangens«. Durch die Zielrichtung dieser Historisierung wird Beethoven endgültig zum entscheidenden musikalischen Anknüpfungspunkt. Bei der kritischen Erörterung der Operngeschichte in »Oper und Drama« (1851) sieht sich Wagner genötigt, die entwicklungshistorische Bedeutung Mozarts noch weiter zu schmälern. Wichtiger erscheinen ihm Gluck und seine Nachfolger, Cherubini, Méhul und Spontini. Diese Degradierung gleicht Wagner dadurch aus, daß er Mozart als den »absolutesten aller Musiker« entschieden höher als den Komponisten Gluck einschätzt. In (wiederum unwissentlicher) Parallele zu Schopenhauer bewundert er nach alter Tradition und erstaunlich konform mit der konservativen Gegenpartei Mozart weniger in dessen Instrumentalschaffen, als »in der Wahrheit des dramatischen Ausdrucks« der Opernmusik. Begründet sieht Wagner diese »Wahrheit« in Mozarts »künstlerischer Natur«, die »von der ungetrübten, fleckenlosen Klarheit eines hellen Wasserspiegels« sei; dieser Spiegel wiederum sei aber »nur die Oberfläche eines tiefen, unendlichen Meeres des Sehnens und Verlangens, das aus der unermeßlichen Fülle seines Wesens sich zu seiner Oberfläche, als zu der Äußerung seines Inhaltes, ausdehnte, um aus dem liebevollen Gruße der schönen Erscheinung, die wie im Durste nach Erkenntnis ihres eigenen Wesens zu ihm hinab sich neigte, Gestalt, Form und Schönheit zu gewinnen«. (Vgl. Wackenroders Raffael-Bild!) Der immer wieder zitierte Tadel Wagners, daß Mozart sich in »unbesorgter Wahllosigkeit ... an seine Arbeiten machte«, ist zugleich auch ein Lob: denn Wagner ist es »lieb, daß es ihm nicht möglich war, zum ›Titus‹ eine Musik wie die des ›Don Juan‹, zu ›Così fan tutte‹ eine wie die des ›Figaro‹ zu erfinden«. Die gelungenen musikdramatischen Lösungen erklärt Wagner mit dem Hinweis auf die entscheidende Funktion der Dichtung für die Inspiration des Musikers Mozart: »Je mehr wir durch die glühende Farbe der Mozart'schen Musik auf den Grund zu blicken vermögen, mit desto größerer Sicherheit erkennen wir die scharfe und bestimmte Federzeichnung des Dichters, die durch ihre Linien und Striche die Farbe des Musikers erst bedang, und ohne die jene wundervolle Musik geradewegs unmöglich war.« In »Mozart's Hauptwerk«, dem »Don Juan«, finde sich eine »überraschend glückliche Beziehung zwischen Dichter und Komponisten«.

Die Lösung der dialektischen Spannung erfolgt am Schluß des ersten Teils von »Oper und Drama«, wenn Wagner nochmals auf den »Don Juan« zurückkommt und nunmehr die in diesem Werk geglückte Übereinstimmung von Musik und Dichtung mit dem emphatischen Ausruf begründet: »Wo hat je die Musik so unendlich reiche Individualität gewonnen, so sicher und bestimmt in reichster, überschwenglichster Fülle zu charakterisieren vermocht, als hier, wo der Musiker der Natur seiner Kunst nach nicht im Mindesten etwas Anderes war, als unbedingt liebendes Weib? –« Auch am Schluß des zweiten Teils spricht Wagner vom »herrlich liebenden Weibe Musik«. Offensichtlich steht Mozart für das Weibliche, Hingebende, Gefühlshafte, naiv Unbewußte, Musikalische schlechthin. Wagner geht hierin mit konservativen Ansichten (bis hin zur Trivialliteratur) konform. Freilich führt die in Wagners Text nachfolgende Frage, »wer denn der Mann sein müsse, den dieses Weib so unbedingt lieben soll«, von dem Idealbild Mozarts wieder weg und hin zu den Reflexionen um einen neuen Dramenbegriff.

Nicht aufgelöst hat Wagner die andere Paradoxie, daß ausgerechnet der von ihm so bewunderte »Don Juan« jenes Werk ist, für das »gar kein Verständnis mehr« vorhanden sei. Etwa zur selben Zeit, Ende 1850, hat sich Wagner noch einmal als Dirigent um den »Don Juan« bemüht. Die Züricher Aufführung hatte er mit Hans von Bülow gründlich vorbereitet, die italienischen Rezitative selbst in deutschen Dialog übertragen und einige szenische Vereinfachungen und Umstellungen vorgenommen. Für ihn selbst hat dieser Versuch aber auch keine befriedigende Lösung gebracht, vielmehr auf weite Sicht das »Don Juan«-Dilemma sogar verschärft. Fast drei Jahrzehnte später äußerte sich Wagner in »Das Publikum in Zeit und Raum« (1878) über den »Don Juan« in einer Weise, die auf eine schonungslose Kritik seiner eigenen Züricher Aktualisierungsbemühungen hinausläuft: »Fast jeder Opernregisseur nimmt sich einmal vor, den ›Don Juan‹ zeitgemäß herzurichten, während jeder Verständige sich sagen sollte, daß nicht dies Werk unserer Zeit gemäß, sondern wir uns der Zeit des ›Don Juan‹ gemäß umändern müßten, um mit Mozart's Schöpfung in Übereinstimmung zu geraten. Um auf die Ungeeignetheit der Wiedervorführungsversuche gerade auch dieses Werkes hinzuweisen, nehme ich hier noch gar nicht einmal unsere dafür gänzlich unentsprechenden Darstellungsmittel in Betracht; ich sehe für das deutsche Publikum von der entstellenden Wirkung deutscher Übersetzungen des italienischen Textes, sowie von der Unmöglichkeit, das italienische sogenannte Parlando-Rezitativ zu ersetzen, ab, und will annehmen, es gelänge, eine Operntruppe von Italienern für eine ganz korrekte Aufführung des ›Don Juan‹ auszubilden: immer würden wir in diesem letzteren Falle, von der Darstellung auf das Publikum zurückblickend, finden müssen, daß wir uns am falschen Orte befänden, welcher peinliche Eindruck unserer Phantasie aber schon dadurch erspart wird, daß wir uns jene – für unsere Zeit ideal gewordene – Aufführung gar nicht vorstellen können.« Auch im »Bericht über eine in München zu errichtende deutsche Musikschule« (1865) spricht er von der »vollendeten Lebens- und Farblosigkeit der Aufführungen gerade Gluck's und Mozart's«. Wiederholt gibt er den Konservatorien – die sich ja als Hort der Tradition fühlten – die Schuld an der »empörenden Trockenheit« von Mozart-Aufführungen. Es ist schon ein bitteres Resümee der Aufführungsgeschichte des 19. Jahrhunderts, Mozarts Werke letztlich für unrealisierbar zu halten. Wagner steht mit seiner Kritik nicht allein. Seit den 20er Jahren (Marx, Mosel usw.) wurden wiederholt Klagen erhoben; Lyser meinte 1856, daß für eine dem Geist des Werkes entsprechende Aufführung von »Così fan tutte« »weder unsere heutigen deutschen noch die heutigen italienischen, der Opera buffa gänzlich entfremdeten Sänger mehr ausreichen«.

Ihren Tiefpunkt erreicht die Einschätzung Mozarts in der Schrift »Zukunftsmusik« (1860), und zwar konsequenterweise dort, wo Wagner an »Oper und Drama« anknüpfend seine teleologischen Überlegungen zur Opern- und Sinfoniegeschichte noch mehr ausbreitet. Stärker als Haydn sei Mozart »oft, ja fast für gewöhnlich, in diejenige banale Phrasenbildung zurückgefallen, die uns seine symphonischen Sätze häufig im Lichte der sogenannten Tafelmusik zeigt, nämlich einer Musik, welche zwischen dem Vortrage anziehender Melodien auch anziehendes Geräusch für die Konversation bietet: mir ist es wenigstens bei den so stabil wiederkehrenden und lärmend sich breit machenden Halbschlüssen der Mozart'schen Symphonie, als hörte ich das Geräusch des Servierens und Deservierens einer fürstlichen Tafel in Musik gesetzt«. Selbst hier liegt keine speziell Wagnersche Bosheit, sondern eine traditionelle Anschauung vor. Wilhelm von Lenz etwa spricht in den Analysen seines Buches »Beethoven. Eine Kunststudie« (1855–1860) laufend und abfällig von der »Haydn-Mozartschen Schablone«.

In späteren Jahren wird Wagner immer aufgeschlossener für die Eigenart Mozarts. In »Mein Leben« berichtet er von einem Streitgespräch mit dem berühmten Architekten Gottfried Semper im Jahre 1857. Semper warf damals Wagner vor, alles zu ernst zu nehmen, wogegen es doch wohltuend sei, »daß der Ernst gebrochen würde, um selbst an dem Tieferregendsten einen Genuß gewinnen zu lassen«; an Mozarts »Don Juan« gefiel Semper, »daß man die tragischen Typen dort nur wie mit der Maskerade anträfe, wo dann selbst der Domino der Charakter-Maske noch vorzuziehen sei«. Wagner reagierte ausweichend: es wäre für ihn sicher angenehmer, wenn er es mit dem Leben ernster, mit der Kunst dagegen etwas leichter nähme. Viele Jahre später kam er 1878 auf diese Diskussion zurück und gab zu verstehen, daß der ernst gemeinte Einwand Sempers eine weniger leichtfüßige Antwort verdiene. Wagner erweiterte sie nun zur eigenen Einsicht: »Von geistreichen Menschen ward an seinen Texten, z. B. dem des ›Don Juan‹ das skizzenhaft Unausgeführte des Programmes zu einem szenischen Maskenspiele gerühmt, welchem nun auch seine Musik so wohltuend entspräche, da sie selbst das Leidenschaftlichste menschlicher Situationen wie in einem immer noch angenehm ergötzenden Spiele wiedergäbe. Wenn diese Ansicht auch leicht mißverständlich ist, und namentlich als geringschätzig verletzen könnte, so war sie doch ernst gemeint und schloß das allgemein verbreitete Urteil unserer Ästhetiker über die richtige Wirksamkeit der Musik ein, gegen welches noch heut zu Tage schwer anzukämpfen ist. Allein ich glaube, Mozart habe diese, in einem gewissen – sehr tiefen Sinne – dem Vorwurfe der Frivolität ausgesetzte Kunst, indem er sie für sich zu einem ästhetischen Prinzip der Schönheit erhob, auch vollkommen erschöpft; sie war sein Eigen: was ihm nachfolgen zu dürfen glaubte, stümperte und langweilte.« Wagner gelangt hier zu einem sozusagen ironischen Mozart-Verständnis, das tiefer als das der meisten Apologeten und dem Mörikes insofern verwandt ist, als beide aus dem Brunnen der Romantik (s. Horn, Hoffmann usw.) schöpfen.

Wagners Einstellung gegenüber der »Fremdheit« Mozarts hat in seinen letzten Lebensjahren zu verschiedenen bezeichnenden Reaktionen geführt. Zum einen ist den Cosima-Tagebüchern zu entnehmen, daß Wagner zur Zeit der »Parsifal«-Komposition besonders viel Mozart spielte und sich gerne über ihn unterhielt. Hat Mozart für ihn eine Art kathartischer Gegenkraft zur eigenen Arbeit bedeutet? Gelegentlich hat Wagner das Trennende in sonderbarer Weise zu überbrücken versucht. Gegenüber Cosima klagte er, wie wenig das »Schönheits-Gefühl, in welchem ich mich den Nachfolger Mozart's nenne, beachtet worden ist, wie z. B. das in der Walküre, wie Brünnhilde von Siegmund zu Wotan spricht«.

Was meinte Wagner mit diesem Hinweis? Wohl, was er an Mozart als »unendlich freie Melodie« bewunderte. Cosima begründete die Mißachtung derartiger Bezüge durch das Publikum mit der Suggestivkraft der Wagnerschen Musikdramen. Diese Suggestivkraft ist aber kein bloßer Schmuck für ein dahinterstehendes Mozartsches »Schönheits-Gefühl«, sondern diesem diametral entgegengesetzt; oder um es mit Nietzsche zu sagen: Mozarts Musik ist nicht eine, deren Bilder aus der Wand springen wollen. Die Bezugnahme hat jedenfalls etwas Irreales an sich und erinnert an die kuriose Parallelität, wonach sich Wagner ebenso als »letzter Mozartianer« fühlte wie der alte Rossini als »letzter Klassiker« (für ihn fand Wagner im Alter ja auch freundlichere Worte).

Wagner war sich seiner Nähe zu Mozart wohl selbst nicht sicher, denn manchmal reagierte er auf dessen Musik völlig anders. Beim Bedenken der Schönheiten des »Figaro« rief er aus: »Ach! eine tote Welt.« Die angebliche Fremdheit dieser andererseits von Jugend auf vertrauten Musik ist für ihn längst kein bloßes Mittel mehr, die eigene Position zu profilieren. Intensiver suchte er die Ideale seiner Jugend; der alte Wagner las gerne aus seinen Pariser Schriften vor. Zuletzt arbeitete er an einem Aufsatz »Über das Weibliche im Menschlichen« – ist für Wagner dieses Weibliche im Musiker Mozart unverstellt zur Erscheinung gelangt? Die Erinnerung an die am Schluß des ersten Teils von »Oper und Drama« geäußerten Gedanken lassen es vermuten. Ist Mozart, der »absoluteste aller Musiker«, als immer wieder getrübtes Ideal Spiegel einer Sehnsucht Wagners nach der absoluten Musik? Nietzsche hatte gemeint, diese Sehnsucht durchschauen zu können. Eines, vielleicht das Wesentliche, verbindet ohne Zweifel den alten Wagner mit dem zum leidenschaftlichen Gegner gewordenen Nietzsche: Für beide war Mozart ein unbegreifliches Phänomen aus einer anderen Welt als der des späten 19. Jahrhunderts, der Nicht-Decadent schlechthin, oder wie Wagner sagte, eine »kerngesunde Natur«. Ein Anderes trennt die beiden: Mozarts Musik hat Wagner zeitlebens in viel stärkerem Maße beunruhigt als Nietzsche.

Ich möchte so weit gehen zu behaupten, daß Wagners in Extremurteile ausuferndes, zwiespältiges Verhältnis zu Mozart ein Symbol ist für die Verletzlichkeit im Verhältnis des 19. Jahrhunderts zur Tradition. Bei Wagner wird da etwas spürbar, das Karl Jaspers für Nietzsche die existentielle Bewegung des Denkens nannte. Bei Nietzsche selbst führt sie über die Kritik an Wagners Werk hinaus zu einer Vision des Neuen in der Musik, die in manchem den Wandel zu einer neuartigen Aktualität Mozarts zu Beginn unseres Jahrhunderts vorwegnimmt. Dabei übernahm Nietzsche zunächst mit fast wörtlichen Zitaten das wenig günstige Mozart-Bild in der Geschichtskonstruktion von »Oper und Drama«. Noch bevor er sich offen gegen Wagner wandte, begann er aber Mozart aufzuwerten. In »Menschliches, Allzumenschliches« (1875–1879) schließlich hält er Wagner, dem das »flüssige, heitere Feuer« fehle, ein Ideal des »Südländischen« entgegen; Mozarts Musik sei inspiriert vom »Schauen des Lebens, des bewegtesten südländischen Lebens«. Gegen den – damals als dernier cri empfundenen – ausdrucksintensiven Bayreuther Aufführungsstil (der auf ein ständiges Tempowechseln hinauslief) und gegen eine einseitige »Don Giovanni«-Rezeption erhebt er die Frage, ob denn ein musikalischer Vortrag des »Hochreliefs ... nicht ganz eigentlich eine Sünde wider den Geist sei, den heiteren sonnigen zärtlichen leichtsinnigen Geist Mozart's, dessen Ernst ein gütiger und nicht ein furchtbarer Ernst ist, dessen Bilder nicht aus der Wand herausspringen wollen, um die Anschauenden in Entsetzen und Flucht zu jagen. Oder meint ihr, Mozartische Musik sei gleichbedeutend mit ›Musik des steinernen Gastes‹?« Im Unterschied zu seinem Lob für Bizets »Carmen« bleibt Nietzsches Mozart-Bild stets idealistisch und abstrakt, er geht nie auf einzelne Werke näher ein. Zuletzt versteigt er sich in die Absurdität, eine Oper des flachen »Allegro-Musikers« Peter Gast als »schönste Musik seit Mozart, und doch eine Musik, welche Mozart nicht hätte schreiben können« zu nennen.

Nietzsches eigene Kompositionen stehen ganz unter dem Eindruck des »Tristan« und lassen nichts vom »Südländischen« verspüren. Nichtsdestoweniger durchschaute er genau, was Wagner und ihm selber entgegenzuhalten war – Wagner wußte es wohl auch. Brillant formuliert Nietzsche seine Vision: »Unter Künstlern der Zukunft. – Ich sehe hier einen Musiker, der die Sprache Rossini's und Mozart's wie seine Muttersprache redet, jene zärtliche, tolle, bald zu weiche, bald zu lärmende Volkssprache der Musik mit ihrer schelmischen Indulgenz gegen Alles, auch gegen das ›Gemeine‹, – welcher sich aber dabei ein Lächeln entschlüpfen läßt, das Lächeln des Verwöhnten, Raffinierten, Spätgeborenen, der sich zugleich aus Herzensgrunde beständig noch über die gute alte Zeit und ihre sehr gute, sehr alte, altmodische Musik lustig macht: aber ein Lächeln voll Liebe, voll Rührung selbst ...« Damit drückt er jene Sehnsucht nach dem homo novus in der Musik aus, der im Fin de siècle gern mit der Figur Parsifals verknüpft wurde; auf sie spielt selbst Hanslick an, wenn er für die Oper einen »neuen reinen Thor, ... einen naiven Tondichter von genialer Naturkraft, vielleicht eine Art Mozart« herbeiwünscht.

Auf wen könnte Nietzsches Vision passen? Anspruchsvoll wie sie ist, kann ihr kein Musiker voll und ganz genügen; eher noch einzelne Werke wie die Oper »Ariadne auf Naxos« von Strauss und Hofmannsthal – doch vielleicht ist sie schon zu weit von Nietzsches Horizont entfernt. Verblüffend gut trifft das Bild auf den »Falstaff« zu, diese opera buffa rediviva aus dem Jahre 1893, deren Komposition dem greisen Verdi so sublimes Vergnügen bereitete. Nun läßt sich nicht behaupten, der »Falstaff« sei ein Werk der Mozart-Nachfolge. Aber ohne Zweifel war Mozart für Verdi ein wichtiges Glied der Buffa-Tradition, wenngleich er sich über ihn nur höflich und sogar abschätzig äußerte. Der junge Verdi hat in Mailand jenen Mozart-Kult, von dem bereits die Rede war, zumindest in Nachwirkungen kennengelernt und in einer entscheidenden Zeit seines Lebens, 1836, einen nachhaltigen Eindruck vom – allerdings schlecht aufgeführten – »Don Giovanni« erhalten. In seiner verunglückten ersten (und letzten vor dem »Falstaff«) opera buffa »Un giorno di regno« zitiert er im

Terzett des zweiten Aktes das Menuett aus dem »Don Giovanni«. Bei der damaligen Auffassung dieses Werkes als Tragödie dürften außerdem zumindest die Ensemblesätze auch für Verdis ernste Opern ein Muster abgegeben haben. Das Finale des ersten Aktes weist offensichtliche Gemeinsamkeiten mit der ersten Szene des »Rigoletto« auf. Die dramatische Situation eines Festes bei einem Libertin, welches in einem Eklat mündet, – die Verwendung dreier Orchestergruppen (von Verdi nacheinander eingesetzt) – und die Kontinuität des Ablaufs durch die Bühnenmusik sind kaum zufällige Parallelen. Das Vorbild Mozarts wird also ausgerechnet in jenem Werk deutlich, mit dem Verdi 1851 der Durchbruch zu unverwechselbarer Eigenart gelang.

Doch ändert das nichts daran, daß Wagner und Verdi andere Wege gingen, als Mozart sie einst verfolgte. Selbst in Italien machte Wagner mehr Eindruck als Mozart, sozusagen nach dem Motto, wenn schon deutsch, dann ganz deutsch. Der Anti-Wagnerianer Hanslick sah für junge Komponisten die wenig erfreuliche Situation, entweder zu schreiben wie Wagner, womit sie verloren seien, oder es nicht zu tun, um erst recht verloren zu sein. Ein frühes Musterbeispiel für dieses lebensnahe Dilemma gibt der Dichterkomponist Peter Cornelius. Die Ideale seiner Jugend waren Mozart und Goethe, sein Lieblingswerk der »Figaro«. Obwohl er aus diesem Kreis nicht heraustreten wollte und von »bösen Mächten« spricht, kommt er dann doch mit den Neudeutschen in Kontakt, hört auf einmal lieber Gluck als Mozart, will Opernkomponist auf Wagners Bahnen werden, nur »melodischer, pikanter, freier, humorvoller« komponieren und sieht sich auf dem Wege, »ein zweiter Lortzing, nur mit noblerer Faktur in jeder Hinsicht« zu werden. Um sich vom Mozart-Verehrer Lortzing zu lösen, wählt er Berlioz zum Vorbild. Sein »Barbier von Bagdad« (1858) ist ein beachtlicher Versuch, die Tradition der heiteren deutschen Oper weiterzuführen. Cornelius bemühte sich in der Folge um persönliche Distanz zu Wagner, der ihn sehr schätzte; dennoch blieb der »Barbier« eine Episode und die große ernste Oper das Ziel. Mozarts Erbe einer heiteren Musik mit »nobler Faktur« blieb in deutschen Landen ohne Nachfolge – vielleicht mit Ausnahme von Johann Strauß, der in seiner Tanz- und Operettenmusik jenes Maß zwischen effektvollem Brio und zarter Melancholie niveauvoll zu halten wußte, das den Vorstellungen der Traditionalisten entsprach.

Das andere Erbe, die ernste Seite Mozarts, ließ sich eher aufgreifen. Der »Don Giovanni« wurde noch mehr als zuvor zur musikalischen Tragödie eingeengt und zugleich wurde er zum mit Abstand beliebtesten und am meisten gespielten Werk Mozarts. Am 29. Oktober 1887 fand an der Berliner Hofoper die 500. Aufführüng statt. Aus einer Statistik, die Rudolf von Freisauff anläßlich der Zentenarfeier dieser Oper zusammenstellte, geht hervor, daß Berlin von Prag noch übertroffen wurde mit 350 deutschen, 153 italienischen und 90 tschechischen Aufführungen. Insgesamt wurde der »Don Giovanni« innerhalb dieses Zeitraums in Deutschland etwa 4500mal und in Österreich etwa 2000mal gespielt. Und ausgerechnet dieser Popularität hatte Wagner sein Verdikt der Unaufführbarkeit entgegengehalten. Hinter dem Widerspruch verbirgt sich ein tiefsitzender Zwiespalt in der Wertschätzung des Werkes. Symptomatisch kommt er in der Übersetzungsmisere zum Vorschein. An der Fassung von Rochlitz aus dem Jahre 1801 hielt die Generalintendanz der Königlich Preußischen Hoftheater (der neben den Berlinern die in Hannover, Wiesbaden und Kassel unterstanden) 1896 immer noch fest. Gegen dieses Gewohnheitsrecht traten immer neue Bearbeitungen auf (G. H. Sever 1854, W. Viol 1858, L. Bischoff 1860, A. v. Wolzogen 1860, C. H. Bitter 1866 und 1871, B. Gugler auf der Grundlage Wolzogens 1869, Th. Epstein 1870, J. Rietz 1871, F. Grandaur 1871, 1874 und 1882, K. F. Niese in der Gesamtausgabe, M. Kalbeck 1886 und 1887). Der Intendant des Münchener Hof- und Nationaltheaters, Baron Karl von Perfall, regte 1883 eine Kommission zur Schaffung einer einheitlichen »Don Juan«-Fassung für alle deutschen Bühnen an; doch der anfängliche Elan der Mitarbeiter hielt nicht lange vor. Freisauffs Vorschlag, alles Brauchbare aus den vorhandenen Übersetzungen zu kompilieren, hätte ein kurioses Pasticcio, aber sicher keine einheitliche Lösung des Problems erbracht.

In den praktischen wie theoretischen Interpretationen verlagerte sich die Orientierung von E. T. A. Hoffmann weg zwanglos hin zu den Musikdramen Richard Wagners. Daß dabei von den ursprünglichen Intentionen immer mehr abgegangen wurde, ließ sich mit der genialen Unbewußtheit Mozarts begründen. So leugnete Gottfried Weber schon 1838 weder die Buntheit der Anlage des »Don Juan« noch Da Pontes und Mozarts Absicht, ein »komisches Singspiel« zu schreiben, meinte dann aber, daß durch Mozarts Musik das Stück unwillentlich zur Tragödie geworden sei. 1880 spricht der prominente Wiener Kritiker Ludwig Speidel, als sei es die selbstverständlichste Sache von der Welt, vom »lebendig tragischen Gefühl«, das Mozart befähigt habe, »den ›Don Juan‹ zu schaffen, die einzige musikalische Tragödie, die wir besitzen«. Der »Don Giovanni«-Übersetzer – und preußische Finanzminister – Carl Heinrich Bitter suchte die Tragödie konsequent auf die Basis einer sittlichen Ordnung zu stellen und ihre kathartische Wirkung hervorzuheben. Don Juan wird zu einer zeitlosen Gestalt, deren Untergang die Gültigkeit eben jener Moral bezeugt, die der Komtur und Donna Anna vertreten.

Diese Gedankengänge schlugen sich in den Inszenierungen entsprechend nieder. Sie paßten ja auch gut zum manischen Streben nach Bedeutsamkeit, das alle Lebensbereiche im späten 19. Jahrhundert durchdrang. Ein Stück voll Spannung zwischen Gut und Böse, Sittlichkeit und Sinnlichkeit wurde in einer Weise ausstaffiert, als spielte der »Don Juan« auf einem Makartschen Kostümfest. (Nebenbei bemerkt, die sogar in Postkartenbildern zum Ausdruck kommende gemeinsame Verehrung der beiden Salzburger Makart und Mozart ist inhaltlich absurd, zugleich aber historisch bezeichnend.) Wie die Mode vorschrieb, die einzelnen Zimmer der Wohnungen in unterschiedlichen Stilen zu möblieren, wurde das Schloß Don Juans im üppigen orientalischen Stil adaptiert, während die Sphäre des Komtur und der Donna Anna in gotischer Strenge gezeichnet war. Die Entwürfe von Carlo Brioschi für die Eröffnung der Wiener Hofoper am 25. Mai 1869 sind dafür typisch. Für unseren Geschmack wird die Bedeutsamkeit zur Lust am Unechten, wenn in der Münchner Inszenierung 1879 Donna Anna ihre Arie vor dem zweiten Finale »Non mi dir, bell'idol mio« im Innern einer Kirchhofskapelle mit Altar, Ewigem Licht und Betschemel singt, oder Don Juan bei seinem Untergang verzweifelt die Arme gen Himmel streckt, die Geister toter Geliebten ihm erscheinen, und zuletzt der Palast in sich zusammenbricht, als sei er Walhall am Schluß der »Götterdämmerung« – Lösungsmöglichkeiten freilich, die teilweise bis heute nicht von den Bühnen verschwunden sind. Manchmal wurde die

Anlehnung an Wagners Erlösungsgedanken unübersehbar. So erinnerte sich Lilli Lehmann noch nach Jahrzehnten an die Prager Inszenierung 1866, bei der die Schlußapotheose dem »Fliegenden Holländer« entnommen schien: »Der Komthur hoch in den Lüften segnet Anna und Oktavio.« Der Musikkritiker Max Kalbeck schilderte 1898 köstlich, was so alles um eines effektvollen Schlusses willen versucht worden ist: »Wir haben in verschiedenen deutschen Städten nacheinander folgende Variationen beobachtet: Der Geist versinkt durch Don Juan. Dieser wird von Teufeln mit Dreizacken zu Tode gespießt, oder die Teufel packen ihn, werfen ihn in einen scheußlichen Höllenrachen. Der Geist versinkt mit Don Juan. Die Teufel führen einen triumphierenden Tanz auf und springen dann selbst in den Höllenrachen. Don Juan ersticht sich, nachdem der Geist verschwunden, oder er fällt todt zusammen. Der Hintergrund öffnet sich und man erblickt das Monument von Stein, aber ohne Reiter – . . .« Selbstverständlich wurde das störende Schlußsextett stets gestrichen. Auch Charles Gounod sah es als dramaturgisch überflüssig, einer Konvention der Mozart-Zeit entstammend und als von rein musikalischem Interesse an. George Bernard Shaw war 1891 einer der ersten, die wieder für den originalen Schluß eintraten, und wetterte gegen die ordinäre Sensationshascherei mit Feuergezüngel, Geistererscheinungen und Don Giovannis Verschwinden in der Versenkung.

Wie weit sich die Bühnengegenwart dieser Oper bereits von der Romantik Hoffmanns entfernt hatte, beleuchtet folgendes Detail: Die Überfrachtung mit Bedeutsamkeit begann mit der Verbindung des Don-Juan-Themas mit dem des Faust. Nunmehr ist aber der Vergleich mit Goethes »Faust« (den auch David Friedrich Strauss in »Der alte und der neue Glaube« bringt) in eine konservative Gegenposition zur herrschenden Tragödien-Auffassung geraten. Joseph Schlüter bewundert in seiner »Geschichte der Musik« (Leipzig 1863) gerade das lebensvolle Wechselspiel aus Tragik und Komik als etwas Unvergleichliches dieser »grössten Meisterwerke, wie wohl sie beide . . . zu lose gefügt und des tieferen dramatischen Zusammenhanges zu entbehren scheinen«.

Praxisorientierter ist die Kritik an der Aufführungsweise, die nach Wagner nun Gounod (1882 bzw. 1890) erhebt, wobei er zugleich neue Wege weist. Sehr ausführlich geht er auf Detailfragen ein, wendet sich gegen jede musikalische Effekthascherei, gegen die »moderne Krankheit«, das Takthalten gering zu achten, tritt für Nuancierung in Atem, Aussprache, Phrasierung usw. ein; mit einem Wort, Gounod sucht eine Abkehr vom Bayreuther Aufführungsstil. Wie sehr dieser auf Mozarts Musik übertragen worden ist, bleibt allerdings offen; entsprechende Untersuchungen zur musikalischen Temponahme in den Jahrzehnten um 1900 erbrachten ein verwirrend uneinheitliches Bild. Trotz seiner Kritik sieht Gounod den »Don Juan« völlig zeitgemäß und beschreibt die Musik von Takt zu Takt mit bilderreicher Tiefgründigkeit. Und letztlich gehen all seine penibeln Erörterungen von einer extremen Idealisierung aus; diese von den Zeitgenossen unverstandene Oper sei für ihn ein Leben lang eine Offenbarung, die reine Verkörperung »dramatischer und musikalischer Sündlosigkeit« gewesen. Im Grundsätzlichen ist also Gounod den Ansichten Wagners nahe. Das Zeittypische an ihnen veranschaulichen die zahlreichen Bekenntnisse, die ins »Mozart-Album« der Salzburger Stiftung Mozarteum von Zelebritäten aller Art seit 1874 geschrieben wurden. Hohes Pathos, Steigerung des Selbstgefühls, Anbiederung in Dialektgedichten, all das wirkt heute abgeschmackt – und doch nimmt es jene Unbegreiflichkeit an Mozart ernst, die der steirische Dichter Peter Rosegger in seiner Eintragung 1881 so karg ausdrückte: »Ich messe große Künstler nur mit dem Gefühle, daher kenne ich kein Wort, um meiner Liebe und Verehrung für Mozart Ausdruck zu verleihen.«

Noch unter einem anderen Gesichtspunkt trifft Gounod die Stimmung der Zeit sehr genau. Er sieht die Kunst Mozarts als so vollendet an wie die eines Phidias oder Molière, und hält damit ein Darüberhinausgehen zu neuen größeren Leistungen nicht mehr für möglich. Shaw fügt diesen Namen noch die von Praxiteles, Raffael und Shakespeare hinzu und sagt klipp und klar, Mozart sei überhaupt kein Gründer einer neuen Richtung, sondern das Ende einer Entwicklung. Doch wolle er damit nichts einschränken; vielmehr sei es das Höchste, einen Abschluß zu finden, wogegen fast jeder einen Anfang machen könne. Das Fin de siècle des 19. erkennt sich so in dem des 18. Jahrhunderts wieder. Von daher wird auch die damalige Vorliebe für Mozarts »Figaro« verständlich. Diese Oper wurde nicht als ein zeitkritisches Stück, sondern als Bild der Rokoko-Welt verstanden. Vieles kommt da zusammen: die Verklärung des Vergangenen und der Vergänglichkeit und die Hoffnung auf Neues, sowohl in der jugendlichen Unschuld Cherubinos und Barbarinas (als gleichzeitiger Rückgriff auf die romantische »Figaro«-Rezeption) als in der Heiterkeit und Raffinesse der opera buffa (und damit der Mozart-Renaissance der Jahrhundertwende den Weg weisend).

Shaws Gedanken hatte Wagner im Alter und vor allem Nietzsche mit seinem Aphorismus, jede bedeutende Musik sei Schwanengesang, vorweggenommen. Von den Anhängern Wagners ist freilich bevorzugt eine andere Idee, nämlich Mozart als typisch deutschen Künstler zu sehen, weitergetragen worden. Die immer schon als Ausgangspunkt einer deutschen romantischen Oper geltende »Zauberflöte« wurde in dieser Sicht zum »idealsten« und »bedeutendsten Werk«, wie es Heinrich Adolf Köstlin in seiner »Geschichte der Musik« formulierte, in der er gleichwohl Mozart mit Haydn und Beethoven primär als »Classiker der Instrumentalmusik« auffaßte. Die Deutschtümelei gab sich zugleich gerne antiklerikal; Mozart wird im Kampf mit »nächtigem Geistesdruck und finsterem Zelotismus« gesehen und zusammen mit der Freimaurerei und dem reformerischen Kaiser Joseph II. verklärt. So bei Köstlin, aber auch bei grundsätzlichen Reflexionen über den Begriff des Klassischen von Adolf Gelbcke 1881. Der alte Gegensatz in den Ansichten über Mozart und Beethoven scheint nach Phasen des Ausgleichs gegen Ende des Jahrhunderts durch einen steigenden Beethoven-Kult wieder verschärft worden zu sein. Dies mündet nicht in Abwertung, sondern in eine verstärkte Idealisierung Mozarts. Die Assoziation des Klassischen mit edler Marmorblässe paßt selten so gut wie auf die Vorstellungen Gelbckes. Für ihn ist Mozarts Musik gleichbedeutend mit Balance von Idee und Ausdruck, mit Frieden des Geistes und heiterer Lebensauffassung; kein Wunder, denn die Zeit Josephs II. sieht er, historisch verkehrt, als eine des Friedens, der Sicherheit und des ruhigen Fortschritts.

Mozart ist also zu Ende des Jahrhunderts immer noch in den weltanschaulichen Konflikt zwischen Konservativen und Liberal-Fortschrittlichen einbezogen. Nur ist das einstige Bewahren europäischen Geistes nach dem Deutsch-Französischen Krieg 1870/71 irreal geworden. Von daher ist die forcierte Sehnsucht nach der Welt des Rokoko verständlich, die in vielen der zitierten Äußerungen über Mozart spürbar wird. Ein prominenter Germanist unserer Tage nennt etwa Mörikes Mozart-Novelle ein »deutsches Schlußsignal des alten Europa«. Wie viel Bedrohliches der Wandel zum Nationalitäten-Egoismus und Imperialismus beinhaltete, hatte der große Basler Kulturhistoriker Jacob Burckhardt sofort erkannt. In seinen posthum veröffentlichten »Weltgeschichtlichen Betrachtungen« kommt er daher in ganz anderer Weise auf Mozart zu sprechen. Er bezeichnet, damit Nietzsche anregend, die Mode, Künstlerleben auszumalen, als einer »sehr ungesunden Quelle entstammend«, wendet sich strikt gegen harmonisierte Biographien, die die Gefährdung des Künstlers übersehen, und gegen die Legende von der angeblichen Kindlichkeit Mozarts, der er dessen hohe Willenskraft entgegenhält. Auch befürchtet Burckhardt, einer künftigen Menschheit könnte die Musik Mozarts und Beethovens so fremd werden, wie uns die der Griechen ist.

Eine geistige Summe dieser von Burckhardt kritisierten Entwicklung zog im Hinblick auf die Musik der Ausdrucksästhetiker Friedrich von Hausegger in seinem posthum 1901 gedruckten Buch »Unsere deutsche Musik. Bach, Mozart, Beethoven, Wagner«. Hausegger dürfte einer der klügsten und differenziertest denkenden unter den Wagnerianern gewesen sein. Hinter Deutschtümelei und einem teleologischen Geschichtsbild finden sich feinsinnige Beobachtungen zu Mozart.

Mit Seitenhieben gegen die Formalästhetik betont Hausegger das Wesen der Musik als einer Kunst, die mannigfaltige Seelenregungen ohne Vermittlung des Verstandes auszudrücken vermag. Er weicht aber von Wagners Ansicht ab, die Leistung des Opernkomponisten Mozart lasse sich aus der Hingabe des Musikers an den Text erklären. Er hält die Libretti nur insofern für wichtig, als durch sie die Möglichkeit gewahrt bleibt, daß die Persönlichkeit des Musikers sich frei entfaltet. Hausegger geht auch davon ab, den Künstler als Resultat seiner Vorgeschichte, Entwicklung und Umwelt zu sehen. Gegen diese übliche Anschauung hatte schon Johann Gustav Droysen in seiner »Historik« eingewandt, die Begabung Mozarts sei eine Unberechenbarkeit und keine Wirkung nachweisbarer Umstände. Auch Droysens (sich an Hegels Naturbegriff anlehnender) Gedanke, daß die derart begabte Natur in allem, was sie äußert und tut, sich selbst darstellt und sich so ihrer eigenen Art und Begabung immer mehr bewußt wird, taucht bei Hausegger wieder auf. Er bezieht ihn auf das Problem der absoluten Musik und meint: »Nicht der absolute Ton tritt in der Instrumentalmusik seine Herrschaft an, sondern das absolute Ich.« Absolute Musik sei demnach »reinste Lyrik«; damit greift Hausegger, wie sich auch an den folgenden Beispielen zeigt, auf die Sicht der frühen Romantik zurück. Bei der Diskussion der g-Moll-Sinfonie lehnt er es ab, aus ihr entweder »bloß tönende Formen« oder den »Charakter der Leidenschaftlichkeit« herauszuhören: »Ehe noch die Bewegungen des Gemütes zur Leidenschaft anwachsen, lösen sie sich in Tönen auf und geben so wohl von der Macht, die der Leidenschaft zu Grunde liegt, nicht aber auch von ihrem Ringen Kunde.« Diese vermittelnde Position kommt dem Mozart-Bild E. T. A. Hoffmanns nahe. Und mit einem Satz Jean Pauls über den Humor – einen Geist, »der das Ganze durchzieht und unsichtbar beseelt« – leitet Hausegger seine Besprechung des »Don Juan« ein. In der Folge hält er es, in unvermeidlicher Opposition zu den gängigen Ansichten, für irrig, diese Oper mit dem Maßstab der Tragödie zu messen; allein schon deshalb, weil die Katastrophe nicht aus dem Wesen des Helden motiviert sei, denn Don Juan sei kein idealer Held, sondern einer des Augenblicks. Die dämonische Größe, zu der er sich aufschwingt, rage aus dem Lustspiel empor, mache aber noch keine Tragödie aus. Mit seiner Deutung greift Hausegger über das Vorbild Hoffmanns hinaus zurück auf den Gehalt der frühen Shakespeare-Mozart-Vergleiche.

Für ein anderes wesentliches Problem hat Hausegger eine radikale Lösung gefunden. Die ältere Idealisierung Mozarts im ersten Drittel des 19. Jahrhunderts ist mit dem Fortschrittsdenken, das Mozarts und Haydns historische Position für überwunden hielt, in Konflikt geraten – und die jüngere Verklärung der fremden Welt des Rokoko im Fin de siècle blieb zu abstrakt, um die vorhandenen Einwände gegen das Konventionelle in Mozarts Musik zu entkräften. Ideal und Historie haben weder Wagner noch Nietzsche tatsächlich miteinander in Einklang zu bringen vermocht. Hausegger sieht das Wesen des Rokoko im Spielerischen. Jede große Kunst, meint er, lebe von der »Nacktheit« des Künstlers, der im »reinen Spiegel seiner Seele« seine

Umwelt wiedergebe und ihr zugleich seinen individuellen Charakter aufpräge. Freilich empfindet und bewertet auch Hausegger alles gar positiv; der Gedanke Adornos, daß in Kunst und Musik auch die Zwiespältigkeit einer historischen Situation zu Tage trete, war ihm ebenso fremd wie die ihm zeitlich näherliegende Anschauung des Naturalismus, wonach der Künstler im Guten wie im Bösen ein treuer Spiegel des Daseins ist. Vielmehr liegt in Hauseggers Lösung etwas vom zeitgenössischen Impressionismus: sie verbindet die weltumspannende Künstlervision der Romantik mit der nackten Wahrnehmung des Wirklichen im Sinne des Positivismus. Offensichtlich kam aber niemand auf die moralisch bescheidenere Erklärung, Mozart habe Hinterlist wie Güte und all die schwankenden Gefühle unparteiisch und zugleich liebevoll nachgezeichnet. Doch dann hätte man Wilhelm Busch als einen Mozart der Gegenwart erkennen müssen.

Nicht nur gedanklich schienen Ideal und Historie schwer vereinbar – die meisten Musiker vermochten auch nicht, ihre Liebe zu Mozart in Musik umzusetzen. Um mit Nietzsche zu reden, ihre Decadence stand ihnen im Wege, oder anders gesagt: sie waren zu sehr von der Bedeutsamkeit ihres Schaffens ergriffen und ihre Sehnsucht nach Mozart war zu stark. Das gilt nicht nur für Deutsche, für sie war die Last des Erbes allerdings besonders groß. Und gerade die genialsten unter den Komponisten waren Melancholiker. Edvard Grieg etwa war ein inniger Bewunderer Mozarts, der es nicht bei Worten bewenden ließ. Doch wenn er einigen von dessen Klaviersonaten eine »frei hinzukomponierte Begleitung eines 2. Klaviers« (1876–1879) hinzufügt, bekommt diese musikalische Verbeugung etwas Pompöses, das eben nicht Mozart entspricht. Ähnliches trifft für Charles Gounods Bearbeitung des Quintetts aus »Così fan tutte« für Klavier, Violoncello und Orgel zu, oder in Nachfolge von Gounods »Méditation sur un prélude de Bach« für Wendelin Weissheimer, der eine obligate Violinstimme zu sämtlichen Präludien aus Bachs »Wohltemperiertem Klavier« schrieb (1891/92) und dabei auch Mozarts »Ave verum« verwendete, um die Musik besonders weihevoll zu machen.

Russische Komponisten liebten Mozart im Sinne der Empfindungen ihres großen Dichters Puschkin. Dessen kleine Dramen »Der steinerne Gast« und »Mozart und Salieri« sind vertont worden, obwohl sie gar nicht dazu bestimmt waren. Das erstgenannte Werk hat Alexander S. Dargomyshski in einer realistisch charakterisierenden Musik mit unmelodiös knappem Sprechgesang und unter Vermeidung einer übersichtlichen Form, also völlig unmozartisch, komponiert. Nikolai Rimskij-Korsakow, der diese Oper fertiggestellt hatte, vertonte 1897 »Mozart und Salieri«. Dabei ging er völlig anders als Dargomyshki vor und suchte sich auch musikalisch durch viele Zitate den beiden Titelpersonen zu nähern. Trotzdem bleibt der Charakter des Zwei-Personen-Stücks schon vom Text her schwermütig. Der spielerische, seiner selbst unbewußte Mozart wird in Todesahnungen zum Wissenden. Der größte Verehrer Mozarts unter allen russischen Komponisten war Peter I. Tschaikowsky. Er vergötterte Mozart, dem er es dankte, zur Musik gefunden zu haben, wie er ausgerechnet gegenüber seiner Freundin Nadeshda von Meck bekannte, die Mozarts Musik nicht mochte. Sicher sind seine Ansichten konventionell; für ihn war Mozart der Inbegriff des Künstlers, seine Lieblingswerke waren »Don Giovanni«, »Figaro« und die »Jupiter«-Sinfonie; Mozarts Musik bedeutete ihm eine Vision vom Goldenen Zeitalter. Darin bloß die Sehnsucht des Dekadenten nach dem ihm Fremden zu sehen, liegt doppelt nahe, nachdem Tschaikowsky sich selbst als moralisch krank und Mozart als eine von Reflexion unberührte Natur bezeichnete, und ein Halbjahrhundert später von Adorno als Komponist des »schönen Scheins«, der großen sentimentalen Geste verketzert wurde. Doch gelang es Tschaikowsky, dem Pathetischen seiner Musik das Zarte und die Miniatur (also etwas Modernes) entgegenzustellen. Und es blieb nicht beim Lippenbekenntnis für Mozart. Die Oper »Pique Dame« (1890), wiederum nach Puschkin, bringt eine Anlehnung an Mozart in Form eines Theaters im Theater. Im zweiten Akt wird den Gästen eines Kostümballs ein Intermezzo vorgeführt. Das unschuldige Spiel von Daphnis und Chloe enthält nicht nur musikalische Zitate, es ist ein Stimmungsbild der Welt Mozarts, wie sie sich viele zu dieser Zeit vorstellten: als arkadische Idylle. Diese Auffassung kündigt sich schon 1887 in den »Mozartiana« op. 63 an. Die Form der Suite (Gigue, Menuett usw.) legt ja eine Assoziation mit dem Rokoko nahe. Neuartig an diesem Stück ist Tschaikowskys ausdrückliche Absicht, auf kleine, zum Teil weniger bekannte

Werke Mozarts aufmerksam zu machen (KV 574, 355, das »Ave verum« in Liszts Transkription und KV 455).

Wo immer man nach Mozart-Äußerungen berühmter Musiker dieser Zeit sucht, stets begegnet einem dieselbe einförmig idealisierende Charakterisierung. Mozarts unzeitgemäßes Wechselspiel zwischen Ernst und Heiterkeit dagegen haben drei besondere Verehrer des »Figaro« aufgegriffen und in einer Musik voll Vitalität und Farbe neu zu realisieren versucht. Georges Bizets »Carmen« ist vielleicht das einzige Stück des französischen lyrischen Theaters, in dem dies gelungen ist. Für Friedrich Smetanas zunächst wenig erfolgreiche tschechische Nationaloper »Die verkaufte Braut« gilt ähnliches. So wie Bizet sich in der deutschen und italienischen Tradition heimischer fühlte als in der französischen, war Smetana mit der Geschichte der heiteren deutschen Oper von Mozart über Lortzing bis Cornelius gut vertraut. Auf den »Figaro« geht Smetanas Vorgangsweise zurück, die Ensembles zum Träger der Lustpielwirkungen zu machen. (Ein Bindeglied zwischen Smetana und Mozart war Lortzing mit der Billardszene im »Wildschütz« geglückt.) Auch Antonin Dvořák ist, von Smetana angeregt, aus der Wagner-Generation heraus Mozart nähergekommen, sein »Bauer als Schelm« greift das »Figaro«-Thema auf. Jedenfalls widerspricht die »Figaro«-Rezeption dieser Komponisten jener Auffassung in einem Wagner-Nietzsche-Gespräch 1870, wonach die schlauen Akteure Beaumarchais' bei Mozart zu »verklärten, leidenden, klagenden Wesen« geworden seien.

Die Realität der Mozart-Pflege entsprach der bezeugten Bewunderung nur selten, sie bestand aus einer eher eingeschränkten Werkkenntnis, aus Gedenkfeiern (1887 und 1891) und aus Ansätzen zu Mozart-Festspielen. Gespielt wurden immer dieselben Stücke (»Don Giovanni«, »Figaro«, »Zauberflöte«, »Requiem«, späte Sinfonien und Streichquartette, d-Moll-Klavierkonzert, Klaviersonaten als Lehr- und Einspielstücke). Das war immer noch viel im Vergleich zur geringen Beachtung, die etwa Haydns 150. 1882 und Rossinis 100. Geburtstag 1892 fanden. Freilich hatte sich die Qualität der Aufführungen seit Wagners vernichtendem Urteil kaum verbessert. Auf den Punkt gebracht hat Shaw diese Mißlichkeit, wenn er sagt, Mozarts Musik sei deshalb so schwer zu spielen, weil alles in ihr so klar sei; darum werde sie wenig gespielt, und wenn man sie zu hören bekomme, schade das eher ihrem Ansehen. Bei den Feiern zum 100. Todestag waren die »Jupiter«-Sinfonie und das »Requiem« die bevorzugten Werke; spöttisch meinte Shaw dazu, daß diese Wahl dem Geist frommer Schwermut solcher Feiern genau entspräche. Shaw spielte damit auf das »Mozart-Centenary« in der Londoner Royal Albert Hall an, bei dem ein Gedicht von Joseph Bennett vorgetragen wurde: Mozarts Musik steige zu der der Engel empor, »so shall thy genius hover / E'en Heaven with strains of godlike power«. Von Anfang an war es Ziel des Heroenkults, im Angesicht der Größe hochgemute Gefühle zu entwickeln; viel weniger ging es um die unverwechselbare Eigenart der Geehrten. Ein Beispiel dafür sind die in Berlin zu Beginn der 90er Jahre geführten Diskussionen um ein Mozart-Denkmal. Gegen den Plan erhoben sich Stimmen, die zunächst ein Beethoven-Denkmal forderten, da dieser für die Musikgeschichte von größerer Bedeutung sei. Der Kompromiß, die Gestaltung eines Haydn-Mozart-Beethoven-Denkmals zum Gegenstand eines Bildhauer-Wettbewerbs zu machen, befriedigte alle; daß damit die vorangegangenen Kontroversen jeglichen sachlichen Sinn verloren, störte niemanden.

Die Theatertradition von »Musteraufführungen« und das Vorbild Bayreuths mögen den Kasseler Intendanten Freiherrn von Gilsa 1878 zu einem »Mozart-Cyklus« angeregt haben, bei dem in chronologischer Reihenfolge die Opern von »Idomeneo« bis »Titus« mit großem Erfolg aufgeführt wurden. 1880 wurden ähnliche Zyklen in Wien (unter Jauner), Hamburg (unter Pollini), Frankfurt, Leipzig usw. veranstaltet. Meist wurden sie nach altem Brauch mit einer Gedächtnisfeier und einem szenischen Epilog (etwa in Form von »lebenden Bildern«, in Wien mit J. Weilens »Salzburgs größter Sohn«) abgeschlossen. Die zunehmende Institutionalisierung der Mozart-Verehrung zeigt sich am besten in den Aktivitäten in und für Salzburg. Der Mozarteums-Gründung und Denkmalsenthüllung folgten: 1852 die »Erinnerung an selbe«, 1856 das »Säkularfest«, 1870 die provisorische Gründung der Internationalen Mozart-Stiftung durch Karl Freiherrn von Sterneck, 1873 das Wiener »Weltausstellungsfestconcert«, 1874 das erste und im folgenden Jahr das zweite Londoner »Mozart-Festival« in Covent Garden, 1877 – ein Jahr nach den ersten Bayreuther Festspielen – das erste und 1878 das zweite »Salzburger Musikfest«, 1880 die definitive Gründung der Internationalen Stiftung Mozarteum, 1887 die »Don-Juan-Centenarfeier«. 1890 lagen Pläne zum Bau eines Festspielhauses auf der »Festwiese« auf dem Mönchsberg vor: Es sollte ein weithin sichtbarer Bau werden – wie in Bayreuth. Statuten einer »Patronats-Gesellschaft für das Mozart-Festspielhaus zu Salzburg« wurden gedruckt; ein artistischer Leiter der Festspiele war angeblich bereits gefunden. Das Musikfest zum 100. Todestag Mozarts brachte das »Requiem« im Dom unter Joseph Hummel, eine Festrede von Robert Hirschfeld, Konzerte der Wiener Philharmoniker unter Wilhelm Jahn und des Hellmesberger-Quartetts sowie den »Don Juan« im Stadttheater. Der Aufstieg aus Provinzialität zu internationaler Bedeutung war endgültig vollzogen.

Die Mozart-Pflege in anderen Ländern glich sich der in Deutschland und Österreich mehr und mehr an. Trotz politischer Rivalitäten und Bemühungen um nationale Musiksprachen entstand durch den zivilisatorischen Fortschritt langsam jener uns selbstverständlich gewordene Informationsfluß und Austausch im Kulturbetrieb. Die bekannten Vorlieben für bestimmte Werke blieben jedoch in etwa überall dieselben. Der »Don Giovanni« war in Melbourne ebenso bekannt wie in Santiago de Chile. In Paris erlebte er am 4. November 1872 bereits seine 100. Aufführung. Aus der Fülle seien einige Kuriosa herausgegriffen: Die »Entführung aus dem Serail« kam in Italien überhaupt nicht an, wurde aber in London mehrmals in italienischer Sprache geboten; in Paris wurde ab 1864 der »Don Juan« mit Balletteinlagen, die François Auber nach Musik Mozarts arrangierte, gegeben; 1873, ebenfalls in Paris, hatte man »Così fan tutte« unter dem Titel »Peines d'Amour perdues« einen neuen Text unterlegt, der auf Shakespeares »Love's Labour's Lost« basierte; im Viktorianischen England galt die besonders liebliche sogenannte Zwölfte Messe als die bevorzugte Kirchenkomposition Mozarts – sie ist nur nicht von ihm. Während in ferneren Ländern die Mozart-Aufführungen auch nach der Jahrhundertmitte zunahmen, ist in Frankreich, England, Italien, aber auch etwa in Polen, ähnlich wie zuvor in Deutschland, ein Rückgang festzustellen. Besonders deutlich war er in Italien. 1871 wurde der »Don Giovanni« in

Mailand noch mit Erfolg gegeben, die nächste Aufführung 1881 mißglückte und daraufhin fand sich das Werk fast fünfzig Jahre lang an der Scala nicht mehr auf dem Spielplan. Häufig aufgeführt wurde dagegen hier wie überall nach wie vor das »Requiem« bei entsprechenden Anlässen.

IV

Von 1900 bis zur Gegenwart

Auf die Frage, was das Besondere der gegenwärtigen Mozart-Rezeption ausmache, wird man sich, zumindest unter Optimisten, auf drei Merkmale einigen können. Mozart ist weltweit präsent und geschätzt wie nie zuvor; an ihm vorbeizugehen, bereitet dem Kulturbeflissenen schlechtes Gewissen. Der Trend zur »Werktreue« beginnt aus dem Zirkel der Kenner herauszutreten, halbherzige Kompromisse zu überwinden und zur Herausforderung für die Aufführungspraxis zu werden. Das psychologische Hinterfragen läßt auch die Persönlichkeit Mozarts in anderem Licht erscheinen. Noch vor achtzig Jahren wollte etwa Rudolf Genée die Bäsle-Briefe aus Diskretion vor dem Genie verbrennen, heute sind sie, wissenschaftlich ediert und von einem prominenten Dichter eingeleitet, als Taschenbuch auf dem Markt. Die Suche nach einem neuen Mozart-Bild fasziniert; sie setzte in den Jahren um 1900 ein. Vielleicht gelangen verschiedene Impulse, die im Laufe des Jahrhunderts auftraten, nun doch zu einer Summe, die alte Gewohnheiten und Bilder verdrängen und den Musikmarkt zu entsprechenden Reaktionen zwingen könnte. Doch grenzt das bereits an Prophetie.

Unter einem Titel wie »Ein neuer Aufschwung« könnte die Mozart-Rezeption in den beiden Jahrzehnten vor dem Ersten Weltkrieg allerdings nur sehr einseitig beschrieben werden. Wie auf anderen Gebieten besteht auch hier die Unmöglichkeit, die Moderne vom Fin de siècle klar zu trennen. Als unbestreitbar moderne Phänomene verbleiben immerhin: ästhetische Parolen, die Mozart gegen die Nachfolge Wagners stellten, und jene Neuinszenierungen von Mozart-Opern, die das Original von Verunstaltungen reinigen sollten. Neu an ihnen ist vor allem die Emphase, mit der sie verfochten wurden. Doch alles Weitere erfordert eine nähere Betrachtung.

Als Hermann Levi und Ernst Possart ausgerechnet den »Don Juan« 1896 in München von Grund auf neu einrichteten und inszenierten, war ihnen das Interesse der Öffentlichkeit sicher. Auf den ursprünglichen Titel »Don Giovanni« zurückzugreifen, war schon Bekenntnis und Provokation zugleich. Erneuernde Bestrebungen berufen sich ja gerne auf die Anfänge; das Besondere der Münchner Inszenierung lag darin, daß der Blick ad fontes mit den Augen der Philologie und der Historie erfolgte. In einer begleitenden Broschüre resümiert Possart mit aufklärerischem Pathos seine Absicht, den »Don Giovanni ... nach hundert Jahren in seiner ursprünglichen Echtheit und Reinheit wieder erstehen zu lassen«. Ganz ohne Kompromisse ging es aber doch nicht. Das Schauspielerische wurde wiederum betont. Als maßgebend galt die Prager Uraufführung vom Oktober 1787. Die Stärke des Orchesters und die Räumlichkeit wurden daraufhin abgestimmt. Gegen die Mode, Opern in »Zirkusräumen« aufzuführen, polemisiert Possart zu Recht, und seine Wahl des alten Cuvilliés-Theaters konnte glücklicher nicht sein. Bei der Ausstattung und den Dekorationen nützte er die moderne Bühnentechnik (großes Lob erhält die neue Drehbühne des Münchners Karl Lautenschläger); Possart diskutiert aber auch die Möglichkeiten der Shakespeare-Bühne, die der herrschenden »Meiningerei« mit ihren überladenen Bühnenbildern völlig entgegengesetzt ist. Die Berufung auf den Originaltext bezieht sich auf die Tilgung von Zusätzen und Strichen und auf eine Revision der deutschen Übersetzung; eine Aufführung in italienischer Sprache schien noch undenkbar. Levi hat den Text nach der Übersetzung Grandaurs überarbeitet und in der Partitur Chor-Einschübe, die Posaunen in der Friedhofszene etc. gestrichen, dafür aber das Schlußsextett endlich wieder aufgenommen. Schon wesentlich ältere Ergebnisse der Philologie (L. v. Sonnleitner, B. Gugler 1867) sind damit in die Bühnenpraxis umgesetzt worden.

Die Kritik blieb nicht aus. Heinrich Bulthaupt sah sich in der zweiten Auflage seiner »Dramaturgie der Oper«, einem Standardwerk der Zeit, veranlaßt, Mozart gegen die Münchner Oper, die sich angeblich allein an Da Ponte hielt, zu verteidigen. Für die Aufführung im kleinen Rahmen, die Auffassung des »Don Giovanni« als opera buffa und ganz besonders für den heiteren Schluß fehlte Bulthaupt »jedes Verständnis«. Vorausgegangen war 1895 die Neufassung von »Figaros Hochzeit« unter Levi/Possart mit den Bühnenbildentwürfen von Christian Jank und Angelo Quaglio. 1897 folgte die lange Zeit gering geschätzte »Così fan tutte (So machen's Alle)« in der Übersetzung Levis (nach E. Devrient und Niese), in der Inszenierung Possarts und mit Richard Strauss am Dirigentenpult (der den schwerkranken Levi auch zuvor schon vertreten hatte).Gerade an dieser opera buffa wurde das stilistisch Neue von den Zeitgenossen am stärksten empfunden. Carl Hagemann setzte 1905 München und »Così fan tutte« gleich. Symptomatisch für die verfolgte Linie ist auch der von Richard Strauss angeregte und unausgeführt gebliebene Plan Max Slevogts, für den »Titus« Figurinen nicht mit den üblichen antiken, sondern mit Rokoko-Kostümen zu entwerfen.

An diesen neuen Impulsen ist so manches auffällig, vor allem die sonderbare Beziehung zum Erbe Richard Wagners. Das heimliche Vorbild Bayreuth bestand schon bei den Salzburger Mozart-Festen zwanzig Jahre früher. Unter Possart entwickelten sich aus festlichen Mozart-Aufführungen die Münchner Opernfestspiele, die allerdings zunächst dem Werk Wagners gewidmet waren; 1904 wurden sie durch Mozart-Aufführungen erweitert (die im Cuvilliés-Theater stattfanden, ausgenommen die »Zauberflöte«, die im Nationaltheater gegeben wurde). Hermann Levi war ein Getreuer Wagners, dessen erster »Parsifal«-Dirigent, Richard Strauss zur Zeit der Münchner Mozart-Renaissance ein Wagner-Enthusiast. Bloß von einem sich abzeichnenden Kurswechsel, weg vom Wagner-Epigonentum zu reden, wäre also eine zu einfache Erklärung.

Richard Strauss hat schon vor Levis Tod 1900 die neue Aufführungspraxis über München hinausgetragen (»Così fan tutte« in Berlin 1899). Es wird also immer deutlicher, was sich bereits viel früher angekündigt hatte: Neues in der Mozart-Pflege tat sich vor allem im süddeutschen Raum, während gerade Berlin lange an alten Gewohnheiten festhielt. Positiv ist des Wirkens von Gustav Mahler in Wien zu gedenken. Am 11. Mai 1797 feierte er mit Wagners »Lohengrin« ein triumphales Debüt, dem zur Überraschung des Publikums wenig später eine ebenso gelungene »Zauberflöten«-Aufführung folgte. Von seinem Vorgänger Wilhelm Jahn hatte Mahler »Don Juan«, »Zauberflöte« und »Figaro« in sein Repertoire übernommen. Durch Strauss' Münchner Erfolg angeregt, brachte er 1900 die in Wien lange nicht gespielte »Così fan tutte« heraus. Auch er verwendete die Drehbühne, erreichte damit eine dem Stück angemessene Intimität und bemühte sich auch musikalisch um echten Buffa-Geist. Aufführungsstatistiken beweisen allerdings das damals noch recht geringe Publikumsinteresse für diese Oper (15 Aufführungen, im Gegensatz zu 62 von »Figaro« und 48 von »Don

Giovanni«). 1902 dirigierte der junge Bruno Walter die »Zaide«. In Erinnerung blieb aber vor allem Mahlers Wiener Mozart-Zyklus 1905/6.

Ein einheitliches Konzept wie die Münchner besaß Mahler nicht. Seine »Così«-Aufführung unterschied sich im Erscheinungsbild wesentlich von der späteren des »Don Giovanni«. Auch der Begriff der Werktreue trifft für die Münchner Inszenierungen viel eher zu als für die Wiener. Hier wie dort wurde gegen den Schlendrian im Opernbetrieb angekämpft. Aber Mahler war ein zu souverän gestaltender Künstler, um sich an einen Text oder selbst an Mozarts Autograph gebunden zu fühlen. Im »Figaro« etwa hat er in der dritten Szene des ersten Akts ein Rezitativ und im dritten Akt eine ganze Szene von Beaumarchais übernommen und selbst in Musik gesetzt, um Hintergründe und Hergang des Prozesses um Figaros Verpflichtung zu einer Heirat mit Marzelline verständlicher zu machen. Mahler mied die »leeren Verwandlungen«, bei denen das Publikum unruhig und unkonzentriert wird. Deshalb hat er gelegentlich Zwischenmusiken eingefügt, Teile der Ouvertüre wiederholt oder Instrumentalstücke Mozarts ohne Bezug zur jeweiligen Oper verwendet. In die Instrumentation hat er vielfach, sowohl durch Hinzufügungen wie durch Streichungen, eingegriffen. Auch dabei ging es ihm darum, den dramatischen Fluß zu fördern, Übergänge zu glätten, Steigerungsverläufe effektvoller aufzubauen. Dieser Absicht dienten auch die zahlreichen Retuschen zur weiteren Schattierung der Dynamik. Derartige Eingriffe entstammen prinzipiell einer sehr alten Theaterpraxis, die ausgerechnet zu Mozarts Zeiten weniger geübt wurde, aber im 19. Jahrhundert wieder überhand nahm. In seinem selbstherrlichen Umgang mit fremden Werken ist Mahler durchaus ein Erbe Wagners. Er setzte auch Sänger mit dramatischen Stimmen bei Mozart ein (Anna Mildenburg, Hilgermann, Leo Slezak, Richard Mayr usw.), für die er ohne Scheu Arien in andere Tonarten transponierte. Gewisse gängige Übernahmen aus dem Bayreuther Stil, übertriebene Freiheiten in der Tempowahl, Rubati und Ähnliches, oder die noch ältere Praxis, Verzierungen und Kadenzen einzuschieben, lehnte er dagegen ab. Bei Mahler haben Mozarts Opern vermutlich ebenso präzis und feinsinnig wie vital und dramatisch geklungen. Ob damit ein neuer Mozart-Stil geboren war, bleibe dahingestellt, zumal es einen alten gar nicht gab. Das Entscheidende war wohl, daß Mahler Mozart ernst nahm und seine Persönlichkeit für ausgefeilte, in sich einheitliche Gestaltungen einsetzte.

Einen wachen Sinn hatte Mahler für den damaligen Wandel in der Regiekunst (A. Appia, G. Craig). Er experimentierte nach verschiedenen Richtungen hin, nicht willkürlich, sondern von alten Gattungsbildern geleitet. Der »Don Giovanni« ist für ihn immer noch eine Tragödie und die »Zauberflöte« eine deutsche Mysterienoper, wogegen »Figaro« und »Così fan tutte« durch die nunmehr nach künstlerischer Verwirklichung drängende, anhaltende Begeisterung für das Rokoko als einer Gegenwelt zur modernen Gegenwart neues Leben erhalten. Auch die musikalische Seite der opera-buffa-Aufführungen hob sich von der üblichen Opernpraxis durch eine kammermusikalische Orchesterbesetzung oder durch die bereits in München versuchte Wiederverwendung des lange verpönten Cembalos ab. Der Wunsch des Publikums, sich in der Oper mit einem Helden identifizieren zu können, wurde enttäuscht. Mahler wählte die Sänger im Hinblick auf die Ensemblewirkung aus und bevorzugte eine Regie, die sich vor allem auf das Zusammenspiel der Personen in wechselnden Konfigurationen konzentrierte. Hierin ging er mit der Münchner Mozart-Renaissance konform. In der berühmten »Don Giovanni«-Inszenierung des Jahres 1906 weicht er aber von diesem Vorbild stark ab. Deshalb ist sein »Don Giovanni« jedoch nicht als unmodern zu bezeichnen; das verhinderte schon die Zusammenarbeit mit Alfred Roller, einem bedeutenden Künstler der Wiener Secession. Bei allen neuen Mozart-Inszenierungen stellte sich das Problem, daß ein Mehr an Bewegungsregie eine mit Requisiten sparsamere, neuartige Gestaltung des Bühnenraums voraussetzte. Diese Forderung hatte praktische Gründe, sollte aber die Aufmerksamkeit des Publikums vom Gewohnten ablenken. Das Ambiente, in der die Bühnenfiguren agierten, war bei Roller keines der ätherischen Leichtigkeit, sondern voll von satten, leuchtenden Farben in markanten Konturen. Durch praktikable turmartige Plastiken, die Roller vom ersten bis zum letzten Bild in verschiedenen Stellungen auf der Bühne beließ, erreichte er den Eindruck der Einheit und auch der Gewichtigkeit.

Wie schwer es gerade beim »Don Giovanni« fiel, sich von

eingeprägten Mustern zu lösen, zeigen deutlicher noch die Veranstaltungen des Salzburger Mozart-Festes 1906. Während Mahler seine Wiener »Figaro«-Inszenierung unverändert nach Salzburg brachte und eine Aufführung voll Leichtigkeit und sprühender Lebhaftigkeit in den ausbalancierten Ensembles bot, schreibt Paul Hirsch in seinen Erinnerungen von einem »Don Giovanni« mit hervorragenden Sängern, aber wenig Ensemblegeist. Regie führte die Darstellerin der Donna Anna, Lilli Lehmann; es dirigierte ein zweitrangiger Kapellmeister. Star der Aufführung war der berühmteste Don Giovanni der Zeit, der Portugiese Francesco d'Andrade. Seine Bühnenwirkung beruhte weniger auf Stimmgewalt, als vornehmlich auf seiner Erscheinung und seinem faszinierenden Spiel. Präsenz und Eleganz, Lebenslust und Dämonie hat Max Slevogt in seinen Bildern vom »weißen«, »schwarzen« und »roten« d'Andrade herrlich eingefangen (1902–1912). Der Don Giovanni d'Andrades war offensichtlich jener Held des Augenblicks, der Hausegger vorgeschwebt hatte.

Das Salzburger Mozart-Fest illustriert aber auch die Misere um die Instrumentalmusik Mozarts. In den Konzerten war noch wenig von Renaissance zu spüren. Es läuft wohl geradezu auf eine Mißachtung hinaus, wenn man Mozarts Musik nicht zutraute, ihren Autor würdig zu repräsentieren. Wie anders ist es sonst zu verstehen, daß Felix Mottl sein Konzert, in dem der siebzigjährige Camille Saint-Saëns das Es-Dur-Klavierkonzert KV 482 spielte, mit Beethovens c-Moll-Sinfonie, und Richard Strauss das seine mit Bruckners Neunter Sinfonie abschloß. Dabei sei nicht vergessen, daß sich Saint-Saëns (im Anschluß an Carl Reineckes Schrift »Zur Wiederbelebung der Mozart'schen Clavier-Concerte«) tatsächlich große Verdienste um Mozart erworben hatte.

Im Vergleich zur Vielfalt der Praxis wirkt das Schlagwort »Vorwärts zu Mozart!« kompromißlos klar. Geprägt hat den Ausruf Felix von Weingartner, der als Dirigent Nachfolger Mahlers an der Wiener Hofoper wurde und sich intensiv um die Interpretation der klassischen Musik bemühte, als Komponist aber ein Epigone Wagners blieb. Er hat sich also selbst nicht voll von seiner Parole zu überzeugen vermocht, wenngleich er als richtig erkannte, mit »modernen Mitteln im Geiste Mozarts zu schaffen«. Früh, schon ab 1903, verwirklicht hat diese Parole jedoch Ermanno Wolf-Ferrari in seinen heiteren Opern (»Susannens Geheimnis«) mit ihrem leichten Konversationsstil, der vom Vorbild der »Così fan tutte« und des »Falstaff« angeregt war. Wolf-Ferrari hielt Mozart für ein seiner selbst nicht bewußtes Genie und für einen jener »echten Künstler«, der sich von den »unechten«, reflektierenden unterschied (womit er Gedanken Hildesheimers vorwegnahm). Etwas abgeschwächt hat der berühmte Klavierpädagoge Rudolf Maria Breithaupt die gleiche Parole und »Mehr Mozart« propagiert. Breithaupt erwartete aber nichts von der Modernität, sondern alles von jener »gesunden Naivität«, deren gegenwärtiges Fehlen zur selben Zeit Edvard Grieg bedauerte.

Mit Ferruccio Busoni stehen die Dinge anders. Wie Weingartner hoffte er auf eine moderne Mozart-Rezeption und wie dieser hatte er einen Lehrer, dem es, nach den Worten Busonis, vor allem daran gelegen war, seinen Schülern Mozarts Musik nahezubringen: den aus Prag stammenden Wilhelm Mayer, einen Jugendfreund von Ambros und Hanslick, der sich als Komponist den Namen W. A. Rémy (auf Mozarts Initialen anspielend) zulegte. In Busonis »Mozart-Aphorismen zum 150. Geburtstage des Meisters« steht aber nichtsdestoweniger, Mozart sei »die fertige und runde Zahl, die gezogene Summe, ein Abschluß und kein Anfang«. Wohl hat Nietzsches Sehnsucht nach dem musikalisch Südländischen in Busoni den ersten Italiener, zumindest Deutsch-Italiener, erreicht. Jedoch wie bei Nietzsche, so steht bei ihm Mozart für das musikalisch Vollendete schlechthin, für ungetrübte, wohlproportionierte Schönheit – und ist daher ungreifbar, »fast außermenschlich«. Auch die Metapher, Wagners Musik springe gleichsam aus der Wand, während die Mozarts im Rahmen bleibe, greift Busoni auf. Und wie viele andere vor ihm beläßt er Mozart in Harmonie zu seiner Umwelt und verklärt diese ferne Welt des 18. Jahrhunderts. Sein Lieblingswerk blieb über Jahrzehnte hin der »Figaro«. In den Grundlinien vertrat Busoni stets jene Anschauungen, die er schon zum »Don Giovanni«-Jubiläum geäußert hatte. Sie entsprechen einer konservativen Position mit Niveau, wenden sich gegen alles Dämonische und Übersinnliche an Mozarts Kunst und knüpfen inhaltlich an die alten Shakespeare-Vergleiche (die das Ineinander von Ernst und Heiter, Realität und Idealität veranschaulichten) und an Schopenhauers extreme Bevorzugung der absoluten Musik an. Ausgenommen davon bleibt merkwürdigerweise der »Don Giovanni«, den auch Busoni weiterhin als Tragödie versteht. Bei seinem Geniebegriff (wonach das Genie Vollendetes und das Talent Neues hervorbringt) beruft er sich ausdrücklich auf Max Nordau und Lemcke. Schlichtweg modern sind also Busonis Gedanken über Mozart keineswegs zu nennen.

Im selben Jahr hat Alfred Heuß, in unwissentlichem Gegensatz zu Busoni, gerade das Dämonische in der Musik Mozarts hervorgehoben. Die gelehrte Studie richtet sich vor allem gegen die populäre Verniedlichung und Harmonisierung und verficht Mozarts »dämonisches Künstlernaturell«. Ebensowenig entspricht sie der an der opera buffa ansetzenden Renaissance der Mozart-Opern. Trotzdem hat Heuß nichts Neues entdeckt, da die romantische »Don Giovanni«-Deutung in ihrem späteren Stadium ja bereits auf das Dämonische abzielte. Er geht aber über die von Jahn geprägte Mozart-Forschung insofern entschieden hinaus, als er gesteigerte Aufmerksamkeit auf feine Nuancen lenkt, in der Absicht, Mozarts Dämonie in leidenschaftlich bewegten musikalischen Passagen wiederzufinden, die unvermittelt auftreten, »wo sie ihrer Natur nach gar nicht hinzupassen scheinen«. Dabei berücksichtigt er auch Jugendwerke und Instrumentalmusik. Besonderen Akzent legt Heuß auf den Unterschied zwischen Mozarts plötzlichen Ausbrüchen und den großflächig und bewußt architektonisch eingesetzten (und damit den Hörer nicht verunsichernden) Teilen pathetischer Musik bei Beethoven. Schon vor ihm hatte der Dirigent Siegmund von Hausegger auf »Stiefkinder« der Programmwahl und im besonderen auf die Ausdrucksintensität in Mozarts kleiner g-Moll-Sinfonie KV 183 hingewiesen.

Doch überwiegend war das Gedenken an Mozarts 150. Geburtstag von ganz anderen Geschehnissen geprägt. Eine Flut von Mozart-Bekenntnissen entlud sich; selbst die Komponisten des Verismo Mascagni und Leoncavallo priesen den Jubilar als »Musikgenie an sich«. Groß war die Zahl von Feiern, Festkonzerten, Galavorstellungen, Denkmalenthüllungen; in Massen wurden Ansichtskarten mit Mozarts Porträt, seinem Geburtshaus oder auch seiner Tabaksdose vertrieben. Symbolhaft für die Kontinuität der Entwicklung von damals bis zur Gegenwart mutet es an, daß zu dieser Zeit in Salzburg der Plan zur Errichtung eben jenes Mozarteumsgebäudes (Grundsteinlegung 1910) gefaßt wurde, das heute ein Zentrum weltweiter Aktivitäten pro Mozart ist, und daß in Japan, einem inzwischen führenden Land auf dem Gebiet der Musikpflege und des Musikmarktes, erstmals in einem Konzert Musik von Mozart erklang. Aus den Aufführungszahlen ist jedoch keine plötzliche Tendenzwende zugunsten Mozarts herauszulesen. Zum Beispiel in Graz, einer allerdings pro Wagner eingestellten Stadt mit einer durchschnittlichen Opernbühne, wurden in der Zeit von 1854 bis 1899 insgesamt 581 Verdi-, 483 Wagner- und 281 Mozart-Aufführungen geboten; in den ersten 25 Jahren unseres Jahrhunderts wurde Verdi 687mal, Wagner 397mal und Mozart nur 152mal gespielt. Das aber, was das Jahr 1906 an Wirkungen und Empfindungen zurückließ, möchte ich anhand einiger sehr unterschiedlicher zeitgenössischer Stellungnahmen illustrieren.

Mit dem Buchtitel »Mozart-Heuchelei« stürzte sich Paul Zschorlich der hochgehenden Woge des Heroenkultes entgegen. Entrüstung, anonyme Drohbriefe und Popularität waren die kalkulierten Ergebnisse. Doch ist Zschorlichs Schrift mehr als bloß ein Pamphlet, sie bringt auch eine Kulturkritik im Zerrspiegel, die mehr aussagt, als der Autor wollte. Er brandmarkt die Verlogenheit jener »Kalenderbegeisterung«, mit der Unterlassungssünden »hinweggefeiert« werden. Dieser stets aktuellen Kritik wird man um so lieber zustimmen, als Zschorlich vor allem kleineren Städten auch einen aufrichtigen Mozart-Kult zugesteht. In den Zentren sieht er jedoch jene Gesellschaftsmenschen posieren, »deren Leben im Zeichen der konventionellen Lüge steht«. Besonders hart geht er mit den Konservatorien als Gralshütern einer Tradition, an die deren Lehrer doch nicht so recht glauben, ins Gericht. Berechtigt ist sicher auch seine Frage, was denn die gestelzte Feierlichkeit mit der Hast des Lebens, dem angespannten Geschäftssinn und der künstlerischen Zersplitterung der Gegenwart zu tun habe. Nur weiß bei all dieser Irritation Zschorlich verdächtig gut Bescheid, was an der Zeit ist und was nicht: die Kunst Mozarts nicht, aber jene Wagners sehr wohl. So kulminiert in seinem Buch eine Denkweise, die von den Wagner-Vereinen und den »Bayreuther Blättern« her bekannt ist. Für

Mozart seien die Rückständigen, für Wagner die Intelligenz. Mozart sei ein Klassiker, doch der Begriff der Klassik sei eine bloße Schulweisheit. Auf Muster für die Zukunft komme es an, und die habe Wagner gegeben. Zschorlichs Ausfälle gegen die Parole »Zurück zu Mozart!«, in der er eine »Versündigung an Wagner« und eine »geschichtliche Verdrehung« sieht, lassen erkennen, daß Wagnerianer damals die Gefahr fühlten, das Banner des Fortschritts könnte ihnen entrissen werden. Achtzig Jahre später wirkt Zschorlich selbst als Reaktionär, vor allem deshalb, weil er die komplizierte Verquickung der Vorbilder Wagner und Mozart in den Kunstbestrebungen seiner Gegenwart ignorierte, obwohl sie teilweise sogar auf Wagner selbst zurückgeht.

Jene Popularisierung Mozarts, der Zschorlich Verlogenheit vorwarf, betrachtet Hermann von der Pfordten in der Einleitung zu seinem Mozart-Büchlein 1908 ebenfalls kritisch, gelangt aber zu positiven Ausblicken. Zeitgenössische Konzertprogramme bestätigen Pfordtens Einschätzung, daß Mozart wohl ein vielgelobter Meister sei, seine Werke aber im deutlichen Gegensatz zu denen Beethovens nur zum geringen Teil bekannt seien. Auch das Jubiläumsjahr habe wenige Ausgrabungen und Neuaufführungen gebracht. Verdächtig ist Pfordten darüberhinaus die Ästhetik im Lob für Mozart. Die Phrasen von der »Schönheit« seiner Musik tragen als Beigeschmack die Einschränkung auf das Nur-Schöne in sich; und was glatt, liebenswürdig und kindlich heiter sei, könne leicht als oberflächlich, verspielt und altmodisch mißverstanden werden. Pfordten legt dann die Unvereinbarkeit jener ätherischen Entrückung Mozarts mit der gleichzeitigen Einordnung seiner Persönlichkeit ins Rokoko bloß. Wie könne ein Rokokomensch, dem das Hautgout frivolen Leichtsinns anhafte, zugleich ein unschuldig tändelndes Kind gewesen sein? Pfordtens befremdende, aber zeitgemäße, altvertraute und zugleich auf das nächste Jubiläumsjahr 1941 vorausweisende Antwort, Mozart sei eben ein »echt deutscher Mann und Künstler« gewesen, ist eine Gewaltlösung. Interessanter sind seine anderen Zukunftsperspektiven. Die Zeiten Wagner contra Mozart seien im Grunde vorbei, noch zu überwinden sei aber eine einseitige »Beethoven-Manie«. Der einzige sinnvolle Weg dazu seien gute, im Programm vielfältige Mozart-Aufführungen, für die sich gewisse »Spezialisten« bereits erfolgreich einsetzten. Ärgerlich findet es Pfordten, daß alle Zeitungen in sensationeller Aufmachung über das von Albert Kopfermann 1907 entdeckte angebliche Mozart-Violinkonzert KV 271 geschrieben hätten, die Phantomjagd aber über die Unkenntnis der anderen sechs Violinkonzerte elegant hinweggehe.

Wie wenig die Zeiten Wagner contra Mozart vorbei waren, beweist das Wagner-Jahr 1913. Nun wurde immer mehr Mozart als Erlösung von der schweren und schwülen Musik Wagners angesehen. Derart drastisch formulierte es Emil Ludwig in seinem Buch »Wagner oder die Entzauberten«. Im selben Jahr gestand der ehemalige Wagnerianer Oskar Bie in seinem vielbeachteten Buch »Die Oper«, daß er sich für die Zukunft dieser Gattung viel von einem Wiederanknüpfen an Mozart und Verdi verspreche. Einen neuen, gegen Wagner, Beethoven und das 19. Jahrhundert insgesamt gerichteten Akzent brachte die deutsche Jugendbewegung ins Musikleben. Doch auch Mozart kam bei ihr schlecht an. August Halm, einer ihrer engagierten musikalischen Vorkämpfer, wandte sich gegen angebliche Scheindramatik und falsches Pathos und meinte, daß bei Mozart »nicht gar selten das Wollen unter seinem Können« stünde: ein für einen geistvollen Musiktheoretiker, der Halm war, erstaunliches Urteil.

Die offizielle Sicht derselben Sache geben Festreden wieder. Berühmt ist die des mit Hofmannsthal und Schnitzler befreundeten Dramatikers Richard Beer-Hofmann geworden. In einem gehobenen Märchenton erzählt er von einem Orpheus in inniger Harmonie mit der Natur, der allem Leid entrückt uns eine unberührte Musik geschenkt habe. Mit betörend schönen Worten vermag Beer-Hofmann jenes Mozart-Bild zu malen, gegen das andere anzukämpfen begonnen hatten: »Nicht immer will unsere Seele bei dir weilen, Wolfgang Amade Mozart! Zu sehr hat man uns gelehrt, in unseres Wesens geheimsten Schächten zu schürfen, und wir wissen von vielzuviel Leid ... Aber im Frühling und in Tagen des Glücks, wenn wir am frühen Morgen in unsere Gärten treten, und, mit noch schlafgelösten Gliedern, die feuchte Luft des frühen Jahres und den Duft der Erde wie ein Glück genießen, und hoch über uns ein Vogel in erdentbundenem Flug sich dem Himmel entgegenwirft, alle Seligkeit seines Lebens im

Gesang verströmend – dann grüßen wir dich, Wolfgang Amade Mozart!«

Da Mozart mit Kaiser Wilhelm II. den Geburtstag 27. Jänner gemeinsam hat, war von der Berliner Akademierede, die der Musikhistoriker Carl Krebs 1906 zu diesem doppelten Anlaß hielt, besonders viel an Erhabenheit zu erwarten. Beginnend mit Devotionsfloskeln und schließend mit Hochrufen auf den Kaiser, entwickelt Krebs dazwischen überraschend moderne Ansichten über Mozart. Sehr rasch löst er sich von der Verklärung eines in sich vollkommenen Genies, stellt, ähnlich wie die beiden vorhin erwähnten Kritiker, die Frage nach der Lebendigkeit Mozarts und meint, daß manches an dessen Künstlertum erst von Menschen des 20. Jahrhunderts nachempfunden werden könne, vor allem Mozarts »unendlich feines Gefühl für das Leben der Form und seine gewaltige Kunst der Charakteristik«. Krebs sucht das im späten 19. Jahrhundert gültige Bild zu überwinden. Gegen das bloß Spielerische des Rokoko setzt er die gleichzeitige Bewegung des Sturm und Drang, die sich im Ausdruck »dunkler Leidenschaften« so mancher Instrumentalwerke Mozarts wiederfinde. Im Kern trifft er die Verniedlichung Mozarts durch die Deutung des Liedes »Das Veilchen« als einer expressiven dramatischen Szene. Ebenso lehnt er die angebliche Leichtigkeit der Arbeit und die Naivität Mozarts ab. Auch das in der Mozart-Forschung üblich gewordene Kausalitätsdenken kritisiert er; Mozart sei keine aus der Entwicklung hervorgegangene Notwendigkeit, »sondern etwas Zufälliges«. Konträr zum offiziellen Optimismus spricht Krebs von der Vergänglichkeit der Kultur (wie schon neun Jahre zuvor der klassische Philologe Ulrich von Wilamowitz-Moellendorff bei seiner Rede zu Kaisers Geburtstag). Um vielleicht doch die »Krankheitssymptome« der Gegenwart zu überwinden, erhofft er sich für die moderne Musik viel vom Vorbild Mozarts in einer zeitgemäßen Umdeutung.

Was ist aus den kritischen Impulsen des Gedenkjahres geworden, wieweit ist es modernen Komponisten und, in anderer Weise, den Mozart-Forschern gelungen, die geforderte Umdeutung zu verwirklichen? Zunächst zu letzteren: Hermann Abert bedenkt im Vorwort zu seiner monumentalen Mozart-Monographie aus dem Jahre 1919 den Wandel, der seit der Zeit Otto Jahns eingetreten ist. Mozarts Kunst werde jetzt wesentlich anders als damals gehört und empfunden. Vor allem interessierten den Gelehrten Abert die Gründe für die seiner Meinung nach gegebene Notwendigkeit, Mozarts Biographie neu zu schreiben. Er beanstandet an Jahn, Mozart zu bürgerlich wohlanständig dargestellt, seine Musik zu sehr als Spiegel vollendeten Ebenmaßes gesehen, überhaupt Mozart allzu idealisiert zu haben. Diese Einwände laufen auf jene von Jahn einst selbst erhobene Forderung nach Historisierung hinaus, die Abert nun verstärkt erneuert. Die tiefere Berechtigung für sein Projekt sieht Abert konsequent darin, daß seit Jahn und Köchel viele neue Quellen bekannt wurden und die Methode ihrer Bewertung strenger und feiner geworden ist.

Der von Abert aufgegriffene wissenschaftliche Fortschritt hat markante Akzente. Paul Graf von Waldersee gab 1905 eine entschieden verbesserte und erweiterte Neuauflage des Köchel-Verzeichnisses heraus. Eine wichtige Voraussetzung, um Mozarts Persönlichkeit anders als in den vertrauten Anekdoten und Legenden zu erfassen, schuf Ludwig Schiedermair durch seine kritische Gesamtausgabe der »Briefe W. A. Mozarts und seiner Familie« (München und Leipzig 1914). Ihr ist eine Ikonographie angefügt, die nach fremden Vorarbeiten deutlichen Anstoß gab, auch auf diesem Gebiet die Wahllosigkeit durch Quellenkritik zu ersetzen; es ist ja wohl bezeichnend, daß etwa beim Salzburger Mozart-Fest 1906 den Mitwirkenden ein Gedenkblatt mit einem gefälschten Mozart-Porträt überreicht wurde. Ulibischeffs und Jahns Versuch, Mozarts künstlerische Vollendung als Ergebnis einer historischen Entwicklung erscheinen zu lassen, haftet auch deshalb etwas Abstraktes an, weil die Musikgeschichte der Vorklassik zu ihrer Zeit noch wenig erforscht war. Hierin und in der Untersuchung der Jugendwerke Mozarts war man inzwischen ein großes Stück weitergekommen. Friedrich Chrysander stellte in seinen Aufsätzen über die Jugendoper »Mitridate« klar, daß Mozart nicht stets und in allem seiner musikalischen Umwelt überlegen war. Oskar Fleischer verwies auf die Vorläuferrolle Johann Christian Bachs, Hugo Riemann auf die Johann Schoberts. Riemann gab 1902 den ersten Band mit Musik »Mannheimer Sinfoniker« heraus; gleichzeitig wurde die Wiener Vorklassik durch Guido Adler und seine Schüler erforscht und manches Unbekannte ediert. Die Bedeutung der italienischen Musik für

Mozart und überhaupt für die deutsche Vorklassik und Klassik trat erst später ins Bewußtsein. Das Interesse für den Instrumentalstil stand bei all dem im Vordergrund. Das war ebensowenig selbstverständlich wie die Aufwertung der Jugendwerke Mozarts, und richtete sich vielmehr gegen überkommene Rezeptionsgewohnheiten.

Wie sehr trotzdem auch an alten Methoden festgehalten wurde, zeigt die überaus aufwendige, fünfbändige Stiluntersuchung von Théodore de Wyzewa und Georges de Saint-Foix »W. A. Mozart. Sa vie musicale et son œuvre, de l'enfance à la pleine maturité« (Paris 1912, 1936, 1939 und 1946). Die beiden Autoren konzentrierten sich auf Mozarts Schaffen bis 1777, das sie in nicht weniger als 24 (von insgesamt 36) Perioden einteilten. Ihr Verfahren beruht auf der altbeliebten Reminiszenzenjagd, die mit erstaunlicher Akribie zu einem tragenden Prinzip ausgebaut wurde. Modern daran ist die Aufwertung des konkreten Details und die durch die Bewältigung enormer Materialmengen gestiegene Verläßlichkeit der Ergebnisse. Zugleich aber führt die Radikalität der Vorgangsweise an eine Grenze, wo die Kunstbetrachtung zum abstrakten Eigendasein umzuschlagen droht. Die These, Kunst sei Resultat einer historischen Entwicklung, nehmen Wyzewa und Saint-Foix so wörtlich, daß jede Einzelheit einer Komposition durch Einflüsse begründet erscheint und die Summe dieser Einfluß-Elemente zu einem geschlossenen System wird, das sich loslöst vom Ganzen eines Werkes, von den Absichten und der Individualität des Künstlers, aber auch von Einflüssen, die von außerhalb der musikalischen Materialgeschichte kommen. Dementsprechend leugnet auch Wyzewa die Bedeutung der Lebensumstände für die Kunst Mozarts. Der aufklärerische Zündstoff dieser nichtsdestoweniger imposanten Schrift kommt so recht erst in der Mozart-Monographie Arthur Schurigs (Leipzig 1913) zum Vorschein. Schurig, der sich als »Vasall« von Wyzewa und Saint-Foix bezeichnete, hat sich als erster klar von der Tradition Jahns getrennt. Er bricht mit dem alten Heroenkult und macht aus der Idealfigur einen alltäglichen Menschen, aus dem weise lenkenden Vater Leopold Mozart wird ein engstirniger Philister. Die Skepsis gegenüber trivialen Anekdoten und Legendenbildungen war berechtigt und notwendig; die Problematik der heute aktuellen Position Schurigs ist mit der

Wolfgang Hildesheimers verwandt, die uns noch beschäftigen wird.

Auf weite Sicht blieb aber Aberts Mozart-Bild in der Forschung dominierend. Diese Tatsache dürfte verschiedene Ursachen haben. Eine liegt in der ausgewogenen, übersichtlichen Anlage und in dem nach verschiedenen Seiten hin ausgreifenden Informationsgehalt dieses Buches. Leben und Werk, bedeutende Zeitgenossen, die Geschichte einzelner Gattungen, Musikzentren und der Theater- und Konzertpraxis werden dargestellt. Eine weitere Ursache des Erfolgs liegt in der vermittelnden Vorgangsweise. Sie bringt praktische Vorteile für den Leser, der eine Synopsis sucht, etwa dadurch, daß Abert Leben und Werk nicht getrennt, aber doch nach Perioden gegliedert behandelt. Sie hat aber vor allem eine inhaltliche Dimension. Wer das Buch kennt und dann das Vorwort liest, wird überrascht sein vom Ausmaß der sachlichen Kritik an Jahn und der älteren Mozart-Forschung; auch hat Abert die Ansichten von Alfred Heuß offensichtlich befürwortet. Trotzdem hält er am Untertitel »neubearbeitete und erweiterte Ausgabe von Otto Jahns Mozart« fest. Darin liegt Pietät, aber auch der Wille zum Kompromiß. Die sympathische Toleranz Aberts nach verschiedenen Richtungen hin wird im Falle Jahns, dessen Eigenart nach seinen Worten »Besonnenheit und Begeisterung so schön zu einen« wisse, zum persönlichen Bekenntnis. Mehr als es Abert (der ebenfalls klassischer Philologe war) in seinem Vorwort eingestehen wollte, ist er seinem Vorgänger verbunden geblieben. Die aufrechterhaltene Einheit von Leben und Kunst, das entwicklungshistorische Erklärungsmodell, das Ideal der Ausgewogenheit, das Abert für sich und seinen Gegenstand in Anspruch nimmt, und ganz besonders die liebevolle Diktion verdeutlichen dieses Erbe. Daß aus dieser Kontinuität irgendwann Schwierigkeiten entstehen mußten, war unvermeidlich.

Nicht anders standen die modernen Komponisten vor dem Dilemma, einen Weg zwischen der Idealisierung Mozarts und der analytischen Durchdringung seiner Musik im Detail suchen zu müssen. Und sie taten sich mit Mozart von vornherein ebenso schwer wie ihre unmittelbaren Vorgänger. Ihre musikalische Vorgangsweise sagt einiges über die eigene historische Position aus. Die Modernität der Musik Mahlers liegt nach heutiger

Überzeugung im Sichtbarwerden einer Brüchigkeit der Tradition, sie entfernt sich vom Mozart-Ideal – und verstärkt zugleich die Sehnsucht nach ihm; man erzählt, Mahler sei mit dem Namen »Mozartl« auf den Lippen gestorben. Max Reger schrieb in einem Brief vom November 1914 den Satz »Wir brauchen nötigst viel, viel Mozart!« Knapp davor hatte er seine Mozart-Variationen op. 132 vollendet. Kaum zu seiner vollen Befriedigung, denn sonst hätte er sich nicht so emphatisch geäußert. Dieses schöne, in seiner Art einheitliche Werk ist als Umdeutung Mozartscher Musik in die spätromantische Orchestersprache gelungen, als Rückwendung zu Mozart, von der sich der Komponist eine Katharsis erwartete, hat es sein Ziel wohl verfehlt. Reger wählte ein besonders schlichtes Thema, den Anfang der A-Dur-Klaviersonate. Mozart hat seinerseits über dieses Thema einen Variationensatz geschrieben, der bei aller Vielfalt doch in Stil und Ausdruck soweit im gesetzten Rahmen bleibt, daß die beiden darauffolgenden Sätze ganz natürlich an die schlicht-heitere Atmosphäre des Sonatenanfangs anknüpfen können. Anders bei Reger: Er bringt Mozarts Thema zart, nacheinander von verschiedenen Klangfarben beleuchtet und gleichsam verklärt. Mozarts Schlichtheit bekommt von vornherein einen Hauch von Melancholie. Immer mehr entwächst der Melodie ein Geflecht von Linien und Farben, bis Reger sie auch in die Nähe jenes »Wissens von vielzuviel Leid« führt, von dem Beer-Hofmann sprach. Schließlich mündet der Weg in der gewaltigen Architektur einer Fuge und Mozarts Thema steht zuletzt bombastisch im fortissimo des vollen Orchesters da. Regers Komposition macht einsichtig, was nach damaligem Verständnis der Musik Mozarts fehlte, bzw. was die Sehnsucht ihr hinzufügte und warum bei Mozart-Feiern die Musik Beethovens oder Bruckners gespielt wurde. In den Mozart-Variationen gelangt Reger zu einer prinzipiell ähnlichen Aussage wie Brahms in seinen Haydn-Variationen; beide Werke leben von der Erhabenheit der Klassikerverehrung. Mozart näher kam Reger in kammermusikalischen Werken. In den Klaviersonatinen op. 89, den Streichtrios und Flötenserenaden op. 77 und 141, und im späten Klarinettenquintett hilft das Vorbild Mozarts zur Klarheit vorzudringen, das Augenmerk vom Großen aufs Kleine zu verlagern. Es hat seinen guten Grund, daß Reger seine eigentliche Domäne in der Kammermusik sah. Hier wie an vielen anderen Punkten der Musikgeschichte zeigt sich das Neue als Ergebnis einer Reduktion der vorhandenen Mittel. Insofern geht Reger mit dem kühnsten musikalischen Reformer der Zeit, Arnold Schönberg, konform.

In einem Gespräch mit Schönberg erzählte der amerikanische Komponist George Gershwin von seinen Kompositionsplänen und meinte, er wolle einmal etwas Einfaches schreiben, von der Art eines Streichquartetts von Mozart. Worauf ihm Schönberg erbost entgegnete, Mozart sei durchaus nicht einfach. Mit dieser Reaktion deutete er an, warum er sich 1933 in seinem Aufsatz »Brahms, der Fortschrittliche« als »einen Schüler Mozarts» bezeichnete. In dem ein Jahr zuvor entstandenen Aufsatz »Nationale Musik« gibt Schönberg ein Bekenntnis zu seinen wichtigsten Lehrmeistern, Bach und Mozart, ab und formuliert präzis, was er von Mozart gelernt hat, nämlich: »prosa-ähnliche« Unregelmäßigkeiten in Themenbau und Phrasenlängen, die thematische Verknüpfung unterschiedlicher Elemente, die Kunst des Überleitens und des Formulierens von Nebengedanken. Damit ist das Ideal Mozart zu einem sehr konkreten Vorbild geworden, dessen sich Schönberg wie kaum ein anderer auch klar bewußt wurde. Auch die Analysen in der Schrift »Die formbildenden Tendenzen der Harmonie« belegen, wie sehr Mozart im kompositionstechnischen Detail für Schönberg anregend wirkte. Gerade jene Bereiche in Mozarts Kunst, die zuvor etwa bei Wagner dem Verdacht konventioneller Phraseologie ausgesetzt waren, dienen Schönberg als Bestätigung seiner »musikalischen Prosa«. Die Vorstellung einer naiven Melodienseligkeit wird damit aufgegeben – ob deshalb die entgegengesetzte Annahme, Mozart habe sogar serielle Techniken vorweggenommen, berechtigt ist, bleibt fraglich; differenziert betrachtet, kann sie allerdings nicht völlig sinnlos sein, da ja etwas vorhanden sein muß, worauf sich Schönberg in einer für ihn wesentlichen Weise beziehen konnte. Mit einem Fragezeichen mehr gilt dies auch für Karlheinz Stockhausens Mozart-Deutung, die das Parameter-Denken in vollem Umfang auf Mozart anwendet.

Beim Anhören der Musik Schönbergs werden kaum jemandem Assoziationen in Richtung Mozart kommen. Die Ausdruckswelten sind grundverschieden. Ein Schönberg so fremder Komponist wie Claude Debussy schrieb dagegen eine Musik, die

Mozart näher zu stehen scheint. Debussy schätzte Mozart sehr hoch, bezog sich aber kaum auf ihn. Er besaß jedoch eher etwas wie eine Wahlverwandtschaft zu Mozart, die allerdings nur auf Umwegen zustande kam. Jene von ihm so hochgehaltenen französischen Tugenden der »clarté dans l'expression; précis; ramassé dans la forme« sind doch auch Tugenden Mozarts, bzw. des 18. Jahrhunderts. Ein damaliger ästhetischer Zentralbegriff, der des Geschmacks, tritt bei Debussy deutlich wieder in sein Recht. Debussy bekennt sich zu ihm, wenn er der Entwicklungslinie Gluck – Beethoven – Wagner Mozart entgegenstellt, in Mozart ein Genie des Geschmacks und in Beethoven ein düsteres Genie ohne Geschmack sieht.

Von besonderem Interesse ist die Musik des Mozart-Apologeten Busoni. Bemerkungen zur Kunst des Überleitens bei Bach und Mozart, die Busoni in seinem »Entwurf einer neuen Ästhetik der Tonkunst« macht, lassen auf eine ähnliche Rezeption wie bei Schönberg schließen, die tatsächlich jedoch nicht in gleicher Intensität erfolgte. Busonis Hoffnungen richteten sich auf das Musiktheater; dementsprechend verhielt er sich auch in seiner Bezugnahme auf Mozart. Bei der traditionellen Vorliebe für die Opern Mozarts lag das auch näher, als sich auf die Kompositionstechnik in der Instrumentalmusik zu konzentrieren. Die Zukunft der Oper sah Busoni in der Möglichkeit, bewußt das zu geben, was im wirklichen Leben nicht zu finden ist, eine Scheinwelt also, »die das Leben entweder in einen Zauberspiegel oder einen Lachspiegel reflektiert«. Vorbild konnte dazu weniger Mozart selbst als dessen Rezeption unter dem Aspekt der romantischen Ironie sein; wie ja Busonis Utopien insgesamt viel der frühen Romantik verdanken. Unmittelbar auf Mozart bezieht sich aber Busonis Anspruch einer geistigen Selbständigkeit der Musik in der Oper; eine Tautologie des Textes durch die Musik war ihm zuwider. Bei Mozart fand er zudem jene übersichtliche Gliederung der alten Nummernoper, die dem Erbe Wagners entgegenzuhalten war. Zu seinen Visionen paßt eigentlich das Vorbild der »Zauberflöte« besser als das seiner Lieblingsoper »Figaro«, besonders wenn man an deren Verwirklichung im »Doktor Faust« denkt. Aber Busoni verglich seinen »Arlecchino« mit der »Zauberflöte«. Dabei berief er sich auf Shaw, der ihm im Gespräch gesagt haben soll, daß er von Mozart gelernt habe, bedeutsame

Dinge in unterhaltsame Form zu bringen. Der »Arlecchino« sollte freilich keine Unterhaltung bieten, sondern nur ein »schmerzhaftes Lachen« erlauben. Busoni wollte den Inhalt dieser Oper, der sich gegen den menschlichen Egoismus richtet, als persönliches Bekenntnis verstanden wissen. Er wehrte sich gegen den Vorwurf, der »Arlecchino« sei höhnisch und menschenverachtend, und behauptete, er sei nach der »Zauberflöte« die »moralischste Oper«. Ein ganz anderes Zeichen seiner Mozart-Verehrung setzte Busoni, indem er u. a. mit neun Mozart-Konzerten, die er an drei Abenden spielte, als Pianist Abschied vom Podium nahm.

Busonis Gedanke, das Publikum in der Oper habe ungläubig und dadurch ungehindert im geistigen Empfangen zu bleiben, kündigt das epische Theater an, welches sein Schüler Kurt Weill mit Bert Brecht auf der Opernbühne verwirklichte. Auch hier tauchen Werke Mozarts, die manches vorwegnahmen, als Vorbild auf. »Figaro« war bereits eine »Zeitoper«; das Heraustreten aus der Handlung in Form von eingeschobenen moralisierenden Sentenzen kommt mehrmals in der »Zauberflöte« vor; und die Frage ist zumindest überlegenswert, ob in den Arien der Königin der Nacht und im Priesterduett »Bewahret Euch vor Weibertücken« etwas von dem hereinspielt, was nunmehr Verfremdung genannt wurde. Weill sah in Mozart-Opern ideales Musiktheater; es ist schade, daß er sich nie ausführlich darüber geäußert hat. Doch aus Bemerkungen geht hervor, wie er dieses Ideal auffaßte. Gleich Busoni übernahm er die Anlage der Nummernoper und schätzte das Ethos der »Zauberflöte« hoch. Darüber hinaus konzentrierte sich Weill auf die Musikdramatik in nuce, auf den »gestischen Charakter der Musik«. Er war überzeugt, daß die Musik in ihrem innersten Wesen »Theatermusik im Mozartschen Sinne« sein müsse, um sich von der Bevormundung der Bühne lösen zu können. Mozarts Musik sei stets, auch außerhalb der Oper, dramatisch empfunden und eindeutig in ihrem Ausdruck; wobei Weill die rhythmische Fixierung des Textes als Grundlage des von ihm so benannten Gestischen sieht. Wie Schönberg richtet Weill sein Augenmerk aufs Detail, allerdings weniger auf feine Züge des Überleitens und Variierens als auf geprägte und aus sich heraus verständliche kleine Einheiten.

Zum vielleicht noch größeren Ereignis in der Operngeschichte unseres Jahrhunderts wurde die Zusammenarbeit zwischen Richard Strauss und Hugo von Hofmannsthal. In ihr lebte die Zukunftsvision Nietzsches weiter, die seit Verdis »Falstaff« verschiedene Anstöße zur Verwirklichung erfuhr. Die »Rekonstruktion der Tradition«, die vom Beginn der Operngeschichte über Gluck und Wagner bis zur »Elektra« auf das antike Drama gerichtet war, bezog sich nun auf die Oper des Rokoko und – gerade bei Strauss und Hofmannsthal – besonders auf die Mozarts. Daß der »Rosenkavalier« ein neuer »Figaro« und die »Frau ohne Schatten« eine neue »Zauberflöte« werden sollten, ist ja bekannt. Da diese Werke bis heute nichts von ihrer Lebenskraft eingebüßt haben, liegt eine etwas ausführlichere Beschäftigung mit der Mozart-Rezeption ihrer Autoren nahe.

Die so unterschiedlichen Persönlichkeiten von Strauss und Hofmannsthal waren sich in ihrer Liebe zu Mozart einig. Von Jugend an war Mozart für Strauss ein hohes Ideal, das in seinen eigenen Kompositionen lange ohne Folgen blieb. Es vertrug sich erstaunlich problemlos mit der Begeisterung für Wagner, Liszt und Berlioz, die sich deutlich in seinem Werk niederschlug. Später wurde Strauss zu einem Träger der von München ausgehenden Mozart-Renaissance. Wie sehr Mozart selbst nach den Arbeiten mit Hofmannsthal dem Komponisten Strauss fremd blieb, enthüllte 1930 seine Bearbeitung des »Idomeneo«, die nicht grundlos, wenn auch übertrieben, als Sakrileg an Mozart scharf kritisiert wurde. Das ihm Ungreifbare Mozarts gab Strauss in einem Gespräch mit Willi Schuh 1944 indirekt zu, als er von »Platonischer Idee und Urbildern« im Hinblick auf Mozarts Melodik sprach. Erst im Alter vermochte er dieses Vorbild kompositorisch umzusetzen, am besten wohl im Oboenkonzert, das er 82jährig schrieb. Wenn Strauss unter Berufung auf Goethe als Ziel künstlerischen Reifens das Erreichen des rechten Maßes nennt, so wirkt in diesem Ausspruch des Musikers der Einfluß Hofmannsthals nach.

Einen tieferen Zugang zu Mozart hat Hofmannsthal (wie Rudolph Pannwitz schon 1919 erkannte) von Goethe her gefunden. Von vornherein nahm er jedoch das Mozart-Bild des späten 19. Jahrhunderts in sich auf. In seiner frühen Schrift zur Feier des 100. Todestages 1891 rückte er Mozart in die Distanz eines fernen Ideals: »Ein Zurück zu Mozart ist ebenso unmöglich wie zu den Griechen.« Auch später geht er, ähnlich wie Strauss, von der Idealisierung nicht ab und nennt in der Züricher Beethoven-Rede 1920 Mozarts Werk »eine zweite Antike, schön und faßlich wie die erste, aber unschuldiger als die erste, gleichsam gereinigt: eine christliche Antike«. Besonders bewundert er bei Mozart die Form, die er mit jener bei Goethe und Shakespeare vergleicht.

Diese recht abstrakte Auffassung Mozarts mußte bei der konkreten Arbeit zu Schwierigkeiten führen, die in der Oper »Die Frau ohne Schatten« am deutlichsten zu Tage treten. 1919 schrieb Hofmannsthal rückblickend »Zur Entstehungsgeschichte« dieses Werkes und erwähnt dabei als einziges Vorbild die »Zauberflöte«. Doch der Zusammenhang, in den er sie nunmehr stellt, weicht von seiner ursprünglichen Ansicht ab. In dem Brief vom 20. März 1911, als er Strauss erstmals von seinen Plänen zur »Frau ohne Schatten« berichtete, spricht er von einer »gewissen Analogie« zur »Zauberflöte«, von einer »bunten und starken Handlung, in der das Detail des Textes minder wichtig« sei, vom »Zaubermärchen«, von der »bezaubernden Naivität vieler Szenen der Zauberflöte« und von einem Stoff, »um so viel heller und freudiger« als andere. Die weitere Ausarbeitung der Oper straft diese Aussage in Text und Musik vielfach Lügen. Diese Umkehr hat einerseits damit zu tun, daß Strauss den Wagnerschen »Musikpanzer« trotz aller Mahnungen Hofmannsthals nicht überwand, andererseits liegt der Grund auch im Sinneswandel des Dichters. Hofmannsthal begann unter dem Eindruck von Goethes Fortsetzung der »Zauberflöte« (über die er einen Essay schrieb) das Libretto Schikaneders abzuwerten und in Mozarts Musik bevorzugt das Ethische zu suchen. Entsprechend rückt er im Rückblick 1919 von allen Volksstückplänen ab und schildert die Art, wie Strauss und ihm die Analogie zur »Zauberflöte« bewußt wurde, folgendermaßen: »Das Musikalische des Prüfungs- und Läuterungsmotives, die Verwandtschaft mit dem Grundmotiv der ›Zauberflöte‹, fiel uns beiden auf. Damit war es entschieden, daß beide Figurengruppen [das Färber- und Kaiserpaar] in gleichem Stil, in höherer Sprache zu behandeln wären«. Mit einem Wort, Hofmannsthal konzentrierte die zunächst umfassende Analogie auf die Geharnischten-Szene und den Gang durch Feuer und Wasser. Konsequenterweise wurde in der »Frau ohne Schatten« die Szene der Kaiserin im Tempel vor dem versteinerten Kaiser zum

Zentrum der Handlung. Aber genau die entscheidende Passage – wenn die Kaiserin durch ihr Mitleid mit dem Färberpaar ihren Gatten erlöst – führte zu schwerwiegenden Differenzen zwischen Hofmannsthal und Strauss und ist auch wohl als mißlungen zu bezeichnen (in der Bühnenpraxis wird sie radikal zusammengestrichen). Strauss ignorierte Hofmannsthals Kunst des bloßen Andeutens und Verschweigens, die prinzipiell mit der musikdramatischen Vorgangsweise Mozarts verwandt ist, und forderte »reichlich Platz für lyrische Entladungen«. Hofmannsthal wollte nicht wahrhaben, daß sein Abgehen von der Vielschichtigkeit der »Zauberflöte«, das den Humor und alles Leichte zugunsten einer ethischen Anspannung der Handlung eliminierte, auch Folgen für die Wahl des musikalischen Stils haben mußte. Nach seiner Vorstellung hätte das Stück in der Schlußszene nach der Erlösung des Kaisers sozusagen musikalisch neu in zarter Leichtigkeit beginnen müssen, was für den Opernpraktiker Strauss eine Unmöglichkeit war. Strauss erkannte, in welcher Weise die »Frau ohne Schatten« sehr wohl geglückt war, nämlich als »letzte romantische Oper«. Hofmannsthal blieb unzufrieden und freute sich sehr über einen Brief von Rudolph Pannwitz (2. November 1919), in dem dieser zur »Frau ohne Schatten« schrieb: »der zusammenhang mit Mozart (auch dem geiste des textes der Zauberflöte) ist ja sehr grosz. es ist ein wirkliches unglück dass Sie und Mozart nicht gleichzeitig sind.« Diese historisch irreale Aussage veranschaulicht vielleicht am besten den Stellenwert Mozarts innerhalb der Zusammenarbeit Hofmannsthals mit Strauss.

Anders gelagert waren Hoffnungen und Schwierigkeiten beim künstlerischen Gemeinschaftsunternehmen der Salzburger Festspiele, das Hofmannsthal und Strauss zusammen mit dem Regisseur Max Reinhardt, dem Dichter Hermann Bahr, den Dirigenten Franz Schalk und Bruno Walter, dem Bühnenbildner Alfred Roller und vielen anderen prägten. Geist und Mut zur Utopie gingen primär von Hofmannsthal, Reinhardt und Bahr aus. Wobei das Wort Utopie durchaus berechtigt ist. Der Geist der Salzburger Festspiele ist der einer lebendigen Tradition. Etwas sehr Altes sollte bewahrt werden, das als Kulturgesinnung bereits ein Jahrhundert zuvor auch mit Hilfe der Erinnerung an Mozart verteidigt wurde, und das als politische Realität im Laufe des 19. Jahrhunderts immer mehr in Gefahr geriet. Wenn Hofmannsthal in seinem »Aufruf« 1919 vom europäischen Geist, Reinhardt 1917 von einem eminenten Friedenswerk und Bahr zuvor von Salzburg als der Hauptstadt Europas sprachen, so klingt das nach einer haltlosen Illusion. Nichts begründete die Hoffnung auf eine neue europäische Ordnung und auf ein ähnliches Ereignis wie den Wiener Kongreß nach den Napoleonischen Kriegen. Die vaterländisch-österreichische Idee hatte die Basis ihrer Existenz verloren. Nichtsdestoweniger wurde in der Zwischenkriegszeit da und dort eine »österreichische Kulturidee« propagiert; 1918 erschien das erste Buch, das dem spezifisch Österreichischen in der Musik nachging. Hier wie bei den Plänen zu den Salzburger Festspielen bot sich die Möglichkeit an, der herrschenden Misere eine positive Gegenwelt gegenüberzustellen und ihr wenigstens eine künstlerische und geistige Realität zu geben. Salzburg als Ort großer Tradition, als Idylle und harmonische Kulturlandschaft, als Heimat Mozarts, als Abglanz barocker Kunstliebe, als Stadt am Übergang vom Süden in den Norden Europas, schien bestens geeignet, der Utopie greifbares Leben zu geben. Wie auch immer die daraus entstandene Wirklichkeit beurteilt werden mag, steht doch fest, daß Salzburg zum emotionalen und repräsentativen Zentrum der weltweiten Mozart-Pflege geworden ist.

Die im Rückblick verklärten Salzburger Festspiele der Zeit vor dem Zweiten Weltkrieg blieben von den politischen und wirtschaftlichen Schwierigkeiten des damaligen Österreich nicht verschont. Die Geschichte der Institution mit ihren schönen und weniger glücklichen Seiten hatte schon lange vor dem ersten Festspieljahr begonnen. Heimatverbundenes und Weltoffenes, die Aktivitäten von Salzburgern und Auswärtigen bildeten seit der Denkmalenthüllung 1842 eine Einheit, führten zu wechselseitigen Anregungen, freilich auch zu Rivalitäten und Intrigen. Nach älteren mißlungenen Versuchen gründeten 1917 der Wiener Heinrich Damisch und der Salzburger Friedrich Gehmacher eine »Salzburger Festspielhausgemeinde« mit Sitz in Wien und in Opposition zu Lilli Lehmann und dem Mozarteum. Von Wien aus konnte Reinhardt für den Festspielplan interessiert werden; er war auch als Leiter jener »den Hoftheatern verbundenen Festspiele in Salzburg« vorgesehen, die Kaiser Karl knapp vor Ende der Monarchie bewilligte. 1920 kam es unter schwierigen Umständen zum Beginn der Festspiele mit Hofmannsthals »Jedermann« unter der Regie Reinhardts. Die Uneinigkeit zwischen Vereinsleitung und Kunstrat und die Rivalitäten zum Mozarteum brachten unnötige Spannungen. Zu reinen Mozart-Festspielen kam es 1921. Eine Reihe von Orchester- und Kammerkonzerten, ein Domkonzert und die erste Serenade in der Residenz wurden vom Mozarteum veranstaltet und fast ausschließlich von Bernhard Paumgartner dirigiert. Richard Strauss reagierte auf diese Entwicklung sehr heftig, empfand es als Zumutung, mit Paumgartner auf eine Stufe gestellt zu werden, und fürchtete, daß die Idee der Festspiele nun diskreditiert sei. Der Erfolg dieses Vorstoßes blieb nicht aus; in Hinkunft entwarfen Strauss und Schalk die Programme und setzten eine dem Schauspiel ebenbürtige Opernpflege durch. Damit war die kritische Phase noch nicht überwunden; 1924 kamen die Festspiele überhaupt nicht zustande. Erst nach dem Umbau des Festspielhauses 1926 und einer schrittweisen finanziellen Konsolidierung des Unternehmens war die Basis für eine kontinuierliche Entwicklung gegeben.

Der Glanz der Festspiele lebte von Einzelleistungen vieler hervorragender Sänger und großer Dirigenten und ließ andere Mängel vergessen. Mozarts Werke wurden von der Oper bis zur Kirchenmusik gespielt. Um weniger Bekanntes aus seiner Jugendzeit nahmen sich das Mozarteum und andere Salzburger Vereinigungen an; treibende Kraft bliebe dabei bis 1938 Bernhard Paumgartner, dessen Serenaden mit dem Mozarteum-Orchester, zum Teil auch mit den Wiener Philharmonikern, ein gewisses Eigenleben erreichten. In den Konzerten der Philharmoniker wurde Mozart meist in gemischten Programmen unter den Dirigenten Clemens Krauss, Robert Heger, Franz Schalk, Bruno Walter, Fritz Busch, Felix von Weingartner u. a. gespielt. Konzerte mit Solisten wie Rudolf Serkin oder Kammermusikvereinigungen wie dem Rosé- oder dem Busch-Quartett kamen hinzu. Die Inszenierungen der fünf berühmten Mozart-Opern wurden in der Regel von der Wiener Staatsoper übernommen. Unter den bereits genannten Dirigenten sangen u. a. Felicie Hüni-Mihacsek, Elisabeth Rethberg, Selma Kurz, Viorica Ursuleac, Richard Tauber, Helge Roswaenge, Franz Völker, Richard Mayr, Josef von Manowarda und der großartige Don Giovanni Ezio Pinza.

Alfred Rollers Bühnenbilder waren neben denen Oskar Strnads und Ludwig Sieverts auch in Salzburg zu sehen. Namhafte Mozart-Regisseure waren Lothar Wallerstein und Herbert Graf. Von entwicklungshistorischem Interesse ist die Tatsache, daß Bruno Walter 1934 beim »Don Giovanni« und 1937 bei »Le nozze di Figaro« zur Verwendung des italienischen Originaltextes überging (die Lilli Lehmann schon Jahrzehnte zuvor gefordert hatte und die durch d'Andrades Auftreten auf deutschen Bühnen möglich geworden war). Arturo Toscanini dirigierte als einzige Mozart-Oper in Salzburg keine der italienischen, sondern die »Zauberflöte«.

Es ist schwer, sich über das musikalische Niveau und die Eigenart der damaligen Aufführungspraxis ein Bild zu machen. Einen gewissen Einblick geben Schallplattenaufnahmen aus den 30er und 40er Jahren. Auch wenn sie in größerer Zahl und besserer tontechnischer Qualität vorlägen, als dies der Fall ist, würde eine Wertung kaum weniger prekär sein. Bei einem Vergleich der Mozart-Interpretationen von Walter, Toscanini, Busch oder Beecham entsteht ein Eindruck, der alles eher als einheitlich ist. Die Ziele der Mozart-Renaissance, die auch in der Aufführungspraxis ein Abgehen von älteren Gewohnheiten verfolgten, scheinen nur teilweise umgesetzt worden zu sein. Als großer Mozart-Dirigent der Zeit gilt Bruno Walter, dessen noble Persönlichkeit und Menschlichkeit (die auch in seinen Schriften zum Ausdruck kommt) sehr für ihn einnehmen. Trotzdem gestehe ich, daß mir die Einspielung seines Salzburger »Don Giovanni« gar nicht gefällt. Verhetzte Tempi (Friedhofszene!), ein ständiger Wechsel zwischen Antreiben und Zurückhalten, ein klangliches Forcieren, all das neigt einer etwas momenthaften Theatralik zu. Mein Geschmacksurteil ist natürlich unmaßgeblich, und doch bezieht es sich auf Aufführungsgewohnheiten, die damals vorhanden waren. Die von Wagner seinerzeit geforderten schnellen Mozart-Tempi scheinen in hohem Maße Schule gemacht zu haben. Auch die Salzburger »Zauberflöte« Toscaninis klingt auf der Schallplatte verhetzt. Die neunte der »zehn goldenen Regeln« für junge Kapellmeister von Richard Strauss lautet: »Wenn du glaubst, das äußerste Tempo erreicht zu haben, so nimm das Tempo noch einmal so schnell« – allerdings ergänzte er viel später: »Möchte ich heute (1948) dahin abändern, so nimm das Tempo halb so schnell (An die Mozart-Dirigenten!)«. Breite Tempi nahm bei Mozart-Opern vor allem Wilhelm Furtwängler. Ob Walter, der als junger Mann unter Mahler Mozart dirigiert hatte, den »Don Giovanni« ähnlich wie seinerzeit Mahler in Wien interpretierte, ist eine leider nicht beantwortbare Frage. Jedenfalls blieb der Nachfolger Felix Mottls an der Münchner Oper nicht frei vom Bayreuther Aufführungsstil.

Den Proklamationen der Münchner Reformer entsprechen eine Generation später die Interpretationen von Fritz Busch in ihrer Konservierung auf der Schallplatte am besten. Unsere Aufmerksamkeit wird so auf die englische Praxis gerichtet, die einen großen Aufschwung nahm. Zuvor stehen in England wie anderswo »Le nozze di Figaro«, »Don Giovanni« und etliche Orchesterwerke im Repertoire, aber »Die Entführung aus dem Serail« ist seit 1882, »La clemenza di Tito« seit 1840 nicht mehr aufgeführt worden, und die »Zauberflöte« war nach wie vor nur als »Flauto magico« durch italienische Sänger bekannt (angeblich wußten viele englische Musiker gar nicht, daß diese Oper auf einen deutschen Originaltext komponiert ist). Im Londoner Covent Garden wurde noch in der Zwischenkriegszeit wenig Mozart gespielt, obwohl Hans Richter 1904 mit »Don Giovanni« und »Figaro« großen Erfolg hatte. Entscheidende Anstöße brachten Sir Thomas Beechams engagiertes Eintreten für Mozart ab 1910 und diverse, im besten Sinne dilettantische Versuche, Mozarts Opern nach dem Münchner Vorbild auf kleinen Bühnen zu spielen. Auf diese Weise wurde z. B. 1934 in Glasgow der »Idomeneo« in Englisch aufgeführt. Vor allem aber ging aus dieser experimentierfreudigen Atmosphäre im selben Jahr das Glyndebourne-Festival hervor, das Kennern rasch zum Begriff wurde.

Aus der privaten Initiative der Sopranistin Audrey Mildmay und ihres Gatten John Christie entstand ein kleines Festspielunternehmen mit einem eigenen neuen Opernhaus, das am 28. Mai 1934 mit »Le nozze di Figaro« eröffnet wurde. Der Wagnerianer Christie plante ursprünglich anderes, doch Busch überzeugte ihn, daß Mozart ideal für den gegebenen Rahmen wäre. Busch hatte 1933 Deutschland verlassen und suchte nun gemeinsam mit dem Berliner Carl Ebert eine Arbeit fortzusetzen, die sie in Salzburg mit der »Entführung« begonnen hatten. Als szenische, bzw.

musikalische Assistenten waren Rudolf Bing und Alberto Erede tätig, die beide später bekannt wurden; es spielten Mitglieder des London Symphony Orchestra, aber es sangen eigentlich keine Stars. Am Ensemblegeist und an der Bereitschaft zur intensiven Ausarbeitung gerade der Ensembleszenen, zu Ungunsten der Arien, war Busch am meisten gelegen. Frau Mildmay sang die Susanne, Willi Domgraf-Fassbänder (1938 Mariano Stabile) den Figaro, Aulikki Rautawaara die Gräfin, Roy Henderson den Grafen Almaviva und Luise Helletsgruber den Cherubino. Die Schallplattenaufnahme von His Master's Voice bestätigt, was immer wieder an den Glyndebourne-Aufführungen gerühmt wurde: unforcierte Natürlichkeit, Humor und Intelligenz der Bühnengestalten als Ergebnis einer ins Detail gehenden und alle Details aufeinander abstimmenden musikalischen und dramatischen Ausarbeitung. Ähnlich geschliffene und lebendige Aufführungen waren weder in Salzburg, Wien oder München noch in Covent Garden oder an der New Yorker Metropolitan Opera zu finden. Bis 1939 wurden die fünf berühmten Mozart-Opern einstudiert; neben dem »Figaro« ist vor allem »Così fan tutte« zur Glyndebourne-Oper par excellence und zum Zeichen für eine tatsächliche Wende in der Aufführungsweise und im Verständnis Mozarts geworden.

Repräsentativ für die Rezeption insgesamt ist aber Glyndebourne keineswegs. Bei keinem Werk wird die Last des Erbes so deutlich wie bei »Don Giovanni«. Das »dramma giocoso« konnte sich als solches nicht so recht durchsetzen. Der interpretatorische »Rückfall« Mahlers war keine Ausnahme. Auch nach Hermann Levis Münchner Bearbeitung und dem Erfolg d'Andrades mit dem italienischen Originaltext bestand weiter ein starkes Bedürfnis, die deutsche »Don Juan«-Tradition zu erhalten, was dazu führte, daß 1904 Ernst Heinemann die Oper neu übersetzte, 1912 sich Felix von Weingartner in Boston bei einer Neu-Einrichtung an die verschollene Wagner-Bearbeitung anlehnte, 1914 der deutsche Bühnenverein den Wagner-Bariton und Gesangslehrer Karl Scheidemantel für seine Übersetzung mit einem Preis auszeichnete und Rainer Simons bei einer Einstudierung für die Wiener Volksoper gar auf den Rochlitzschen Text zurückgriff, während die Hofoper nach wie vor Kalbecks Übersetzung verwendete. Einer modernen Auffassung dagegen entspricht Arthur

Bodanzkys Bearbeitung für Mannheim 1914, bei der er sich um die Belebung der Personenregie in den Rezitativen bemühte (sein Nachfolger Wilhelm Furtwängler übernahm diese Fassung). In den Jahren vor und um 1920 wurde das Inszenierungsproblem viel diskutiert, wobei sich auch kritische Stimmen gegen die »Vergewaltigung« dieser Oper durch Mahler erhoben. Aus dem Streit der Meinungen konnte nur eine mögliche gemeinsame Ansicht hervorgehen, die Eugen Kilian 1917 dahingehend formulierte, daß »unbedingte Pietät nur gegenüber der Musik geboten«, »in allen textlichen, dramaturgischen, dekorativen Fragen« aber der »gewaltige Unterschied der Zeiten zu beachten« sei. Dieses sattsam bekannte Ausspielen des Geistes der Mozartschen Kunst gegen alte Erscheinungsformen hat Tradition, erlangte aber nunmehr eine Rigidität, die sich durch die Weiterentwicklung der Mozart-Philologie auf der einen und des Regietheaters auf der anderen Seite noch verschärfen sollte. Die drohende Unvereinbarkeit der beiden Entwicklungsstränge regte Lösungen in einer neuartigen Musikalisierung der Szene an. So schlug der Hamburger Hans Loewenberg vor, die Handlung wohl in üblicher Weise darzustellen, die Arien aber an einem Ort, der keiner mehr ist, einem »topos atopos« also, anzusiedeln und sie vor einem farbigen Zwischenvorhang rein konzertant und ohne Geste singen zu lassen.

Als modern wurden aber vor allem expressionistische Interpretationen empfunden. Das im Hinblick auf Mozart abwegig anmutende Schlagwort Expressionismus läuft inhaltlich auf Regiekonzepte hinaus, die sich auf bestimmte Bezugspunkte der Romantik hin orientieren und die Dämonie Don Giovannis ins Extrem zu treiben trachten. Ernst Lert, der auch ein Buch über »Mozart auf dem Theater« schrieb, beruft sich bei seiner Leipziger Inszenierung 1917 ausdrücklich auf Kierkegaard. Das kam bei dem damals steigenden Einfluß dieses Denkers nicht zufällig; das Ergebnis ließe sich allerdings ebensogut auf Lenaus »Don Juan« rückbeziehen, jedenfalls liegt es in einer Übersteigerung der Sinnlichkeit Don Giovannis, die zur sexuell bestimmten Lebensgier hin ausbricht. Den bedeutungsschweren Diskussionen von einst um die Dämonie dieser Figur wird nunmehr ihr pathetischer Gehalt entzogen; was übrig bleiben soll, ist Taumel und Wirbel an sich. Zur sichtbaren Realität werden die gedachten

Chiffren sinnlicher Erregung in den Bühnenbildern eines Rochus Giese (1921), Oskar Strnad (1923) oder Max Slevogt (1924). Alles in ihnen ist schwingende Bewegung. Nach Strnads Vorstellung darf die Szene keine bildmäßig geschlossene Raumsituation vortäuschen, sondern der Raum als solcher soll aktiv werden; entgegen der Ansicht Nietzsches springen nun auch bei Mozart ›die Bilder aus der Wand‹. An eine Grenze gelangt dieser Stil in der Berliner Inszenierung 1923 unter Franz Ludwig Hörth und mit den Bühnenbildern des Architekten Hans Poelzig. Hier sollten Architektur und Vegetation eins werden mit dem Ziel, »Bäume zu ornamentalen Konturen zu fassen und Architektur auszuspritzen, in den Linien Mozartscher Musik sich bewegen zu lassen«. Das Spiel in diesen Räumen sollte die Tragik durch Ironie und Sarkasmus überdecken und die Dämonie jenes schmerzlichen Lachens, von dem Busoni sprach, grell hervorkehren. Damit ist eine einseitige, aber doch eine Konsequenz aus den Interpretationswegen des 19. Jahrhunderts gezogen. Doch was kann der Fratze der Dämonie, der Übersteigerung sowohl des dramma wie des giocoso an Entwicklung noch folgen? Offen bleibt nur die Möglichkeit umzukehren, und die extreme Anspannung wiederum zu lockern. Gelöste Natürlichkeit hatte man eine Generation zuvor in München schon zu erreichen versucht, sie bringt also nichts Neues. Außerdem bieten sich Konzeptionen sozusagen ohne historische Logik an, die mehr in der Eigenart eines Interpreten oder in der Tradition eines Hauses ihre Begründung finden. So haben die kalten, klaren Bilder der Inszenierung 1928 in der Berliner Kroll-Oper mit dem modern nüchternen Stil dieses Hauses zu tun. Für mein Dafürhalten beginnt in einer Situation, die durch das Nebeneinander von Interpretationen wie die in Glyndebourne und Berlin gekennzeichnet ist, endgültig die Gegenwart der Mozart-Rezeption.

Der vorhin erwähnte Vorschlag Loewenbergs hat mit dem in vielem so andersartigen Konzept Poelzigs prinzipiell gemeinsam, das Auseinanderstrebende durch eine sichtbare Musikalisierung des Dramas zusammenzwingen zu wollen. In der Moderne unseres Jahrhunderts wurde für viele Komponisten, Maler und Dichter die Annäherung an Nachbarkünste zu einer Stütze bei dem Wagnis, künstlerisches Neuland zu betreten. Die Beziehungen zwischen Schönberg und Kandinsky und ihr gemeinsames

Interesse für das jeweilige Metier des anderen geben ein bekanntes Beispiel dafür. Gerade unter den Malern haben viele sich besonders zur Musik hingezogen gefühlt. Eng mit unserem Thema verbunden ist Max Slevogt, der eine ausgeprägte Doppelbegabung besaß und lange mit dem Gedanken spielte, Opernsänger zu werden. Für ihn ist die Suche nach einem Brückenschlag demnach von ureigensten Wünschen geleitet. Zunächst von Wagner begeistert, fand er erst später, spontan ausgelöst durch ein »Don Giovanni«-Erlebnis mit d'Andrade 1894 in München, zu Mozart. Es wird ihm klar, daß Mozart »in seiner Unerschöpflichkeit jedem Ding und Wesen nur soviel Kraft gibt, als es da, wo er es hingestellt hat, braucht; dabei ist alles Nerv, Rasse, Individualisierung, Charakter, – also alles, was auch der Maler sich wünschen muß für seine Geschöpfe«. Damit hat Slevogt selbst ausgesprochen, was ihn bei Mozart anregte und in seinem eigenen Tun bestätigte. Über Jahrzehnte hinweg hat er sich mit den beiden Opern »Don Giovanni« und »Zauberflöte« beschäftigt. Nur selten in der Geschichte sind sich Kunst und Musik so nahegekommen wie in Slevogts radierten Randzeichnungen zur »Zauberflöte«. Bilder mit Notenincipits zu kombinieren, ist an sich ein bei Widmungen, Stammbuchblättern u. ä. längst geübter Brauch. Bei Slevogt verlieren sich aber alle collagehaften Züge zugunsten einer Verschmelzung der Zeichnung mit der musikalischen Notation; er fühlt sich in Mozarts zarte und klare Schrift ein. Die herauskopierten Autograph-Teile haben in den neuen Bildkompositionen unterschiedliche Funktionen. Sie können auch im inhaltlichen Sinn die Mitte bilden, die umrahmt wird, sie können als Wandfläche Teil einer gezeichneten Architektur sein, oder gleichsam als Motto-Tafel oder Transparent in freier Landschaft stehen. In dem Blatt »In diesen heil'gen Hallen« bildet Mozarts Notenschrift ein Gitter vor dem Eingang zur Welt der Weisheit, Vernunft und Natur; im Bildvordergrund kniet Tamino vor Sarastro (nach dem sicherlich bewußt gewählten ikonologischen Muster des verlorenen Sohns vor seinem Vater). Ganz anders sind die biblischen und antik mythischen Bildbezüge in dem Blatt »Bewahret Euch vor Weibertücken« gemeint. Die das Autograph von allen Seiten umstellenden Paare, Adam und Eva, Herkules und Omphale, Paris und Helena, Joseph und Potiphars Weib, Samson und Dalila, Judith und

Holofernes zeigen in burlesker Drastik die Gefahren, die dem Mann vom Weibe drohen. 1924 erfüllte sich Slevogts Wunsch, seine Kunst in Verbindung zur Oper zu bringen, in unmittelbarer Weise. Er entwarf für eine Neuinszenierung des »Don Giovanni« in der Staatsoper Dresden die Bühnenbilder und Kostüme und ging dabei ähnliche Wege wie Strnad und andere, wobei er den Bühnenraum zur Verkörperung eines »überquellenden Barock« werden läßt.

Die Spannweite zwischen der sublimen Harmonie in Slevogts »Zauberflöte«-Zeichnungen und dem explosiven Ausdruck von Poelzigs »Don Giovanni«-Szenerie ist übergroß. Die Zeitgenossen empfanden auch, daß sich in der Situation der Mozart-Rezeption etwas viel Allgemeineres widerspiegelte. Was das sei und wie Mozart jenseits einer konventionellen Sicht wesentlicher verstanden werden könnte, das fragten manche Dichter und Philosophen mit bohrender Eindringlichkeit. In Anbetracht einer jahrzehntelang betriebenen Idealisierung, die von der Mozart-Renaissance vielleicht vermenschlicht, aber nicht aufgehoben wurde, wirkt ein im Oktober 1915 veröffentlichtes Gedicht von Karl Kraus »Beim Anblick eines sonderbaren Plakats« wie ein ungeheuerliches Fanal. Die Ankündigung einer Aufführung des Mozart-»Requiems« zu einem wohltätigen Zweck fordert seinen ätzenden Spott heraus. Kraus meint überall Mörser zu erkennen, in Bonbonnièren, Hüten, Sammelbüchsen, auch in der Darstellung eines Kirchenfensters auf dem Mozart-Plakat. Das Elend des Kriegs verzerre die »himmlische Musik« Mozarts, bringe sie innerlich zum Schweigen und mache sie nach außen hin zum Instrument der Propaganda. »Gottesbetrug« und List des Teufels sieht er in dem Requiem Europas, das mit dem Mozarts nichts mehr zu tun habe. Auch Kraus gibt also die Verklärung Mozarts nicht auf, im Gegenteil, er spitzt sie zu, zerreißt jegliche Beziehung zwischen Ideal und Wirklichkeit und beschuldigt diese Wirklichkeit der Blasphemie.

Die seelische Erschütterung durch die Katastrophe des Weltkriegs, die Kraus zum Ausdruck brachte, forderte zur Bewältigung heraus, ein Vorgang, in den offensichtlich selbst das Kunstphänomen Mozart und die Geschichte seiner Wirkung eingebunden werden konnten. 1918 bzw. 1923 stellte der Philosoph Ernst Bloch gegen Verzweiflung und Leere einen »Geist der

Utopie«, für den die »Philosophie der Musik« hohe Bedeutung besitzt. Was Bloch über Mozart sagt, ist eine Summe älterer Ansichten, die aber über sich hinausweist. Auf dem ersten Blick scheint er eines der üblichen, an Wagner erinnernden Entwicklungsmodelle, wenn auch mit Namen und Begriffen etwas ungewöhnlich besetzt, zu entwerfen. Einer ersten Stufe des »endlos vor sich Hinsingens« (Tanz, Kammermusik) folge »das geschlossene Lied, Mozart und die Spieloper« und die Entwicklung münde in der »Ereignisform«, dem »offenen Lied, der Handlungsoper« (Beethoven, Wagner). Mozart repräsentiere »das (noch kleine) weltliche luziferische Ich«, Bach »das (ebenfalls noch kleine) geistlich christliche Ich«. Beide seien eine Art Vorstufe; Bloch redet von den »noch uneigentlichen, noch nicht zu sich gekommenen Mozartschen Sonaten«. Die »Zauberflöte« habe allerdings als Märchenoper einen »ersten Teppich des Ontologischen« erreicht, der in Wagners »Tristan« und »Parsifal« zur »Gewinn-Erfüllung« werde. Mozarts Eigenart beschreibt er mit der Hoffmann-Paraphrase: »die Nacht geht auf und holde Gestalten ziehen uns in ihre Reihen«, aber es sei »noch nicht jene Nacht, in der es sich verwandelt« – mit Nietzsche bleibt Mozart das »Haupt der Südmusik«: »hie und da rokokohaft dem Drüben benachbart, aber sonst perlmuttern und nur von außen her beleuchtend« – ähnlich Schumann, nur häufiger, erkennt er Mozart das Epitheton des Griechischen zu: er sei »der attische Kontrapunkt, die heidnische Freude, die sich bewußte oder Gefühlsseele, die spielförmige Stufe des Ich«. Die Utopie liegt freilich nicht in diesem Entwicklungsmodell, eher schon in Blochs Vorgangsweise, die Entwicklung als einen Weg zum Eigentlichen, Innerlichen zu deuten und damit vom bloß Chronologischen abzulösen; vor allem aber in seinem Ansatz, von der zeitlich fortschreitenden Betrachtung, wonach die Unterschiede zwischen Bach und Mozart sehr groß sind, zu einem »neuen Ganzen des besseren Überblicks«, zum Räumlichen, in dem die »sinnlose Turbulenz des Fortschrittsmäßigen verschwunden« ist, überzugehen. Die Gegenwart eines historischen Einbruchs trifft sich mit notwendigen musikalischen Konsequenzen in der Oper nach Wagner, in der Sinfonik nach Mahler und nach den modernistischen Experimenten der Vorkriegszeit, und mit der in den Interpretationen der Mozart-Opern zum Vorschein kommenden Situation des vielfältigen Nebeneinander. Dieser scheinbaren Ausweglosigkeit begegnet Bloch dadurch, daß er das Denken in »gerader Linie« in ein anderes, das »zur Parabel aus Gestalten, zum offenen System« neigt, überleitet. Damit ist aber eine Utopie geboren, die Prinzipielles und vor allem auch die Motivation mit dem »Glasperlenspiel« Hermann Hesses und dem »imaginären Museum« André Malraux' gemeinsam hat – so unterschiedlich Persönlichkeit und Ideologie der Autoren sein mögen.

Vor der erreichten Utopie im »Glasperlenspiel« stellte Hesse mit bekenntnishafter Eindringlichkeit im »Steppenwolf« (1927) die Krisis dar. In kaum einer anderen Erzählung dieses Niveaus in unserem Jahrhundert kommt der Musik und Person Mozarts eine ebenso zentrale Stellung zu. Daher gehe ich darauf auch ausführlich ein. Der »Steppenwolf« Harry Haller ist kein Alltagsmensch und doch einer von Tausenden, der, ähnlich wie Nietzsche zu seiner Zeit, am gegenwärtigen Elend einer Kulturwelt leidet, für die Christus und Sokrates, Mozart und Haydn, Dante und Goethe bloß noch »erblindete Namen auf rostenden Blechtafeln, umstanden von verlegenen und verlogenen Trauernden« sind. Als fatal für die deutsche Geistigkeit bezeichnet er das irrationale Verhältnis zur Musik, das geistige Menschen, statt einen Logos zu fordern, von einer Sprache ohne Worte träumen lasse. Harrer sieht sich selbst als »Chaos von Formen, von Stufen und Zuständen«, als ein vielfach gespaltenes Wesen, in dem sich »Wolf« und »Mensch« gegenüberstehen, das Freie, Gefährliche, Starke und die Sehnsucht nach Güte und Zartheit, nach Musik Mozarts, Versen Goethes und nach Menschheitsidealen. Sein Leben empfindet er als leidvolle Bewegung ohne Ende und Sinn, wäre nicht der »kostbare Glücksschaum« von Augenblicken. Offen und doch unerreichbar steht »ein drittes Reich . . . , eine imaginäre, aber souveräne Welt: der Humor«, ein Leben in Überlegenheit und zugleich im Verstehen der Welt.

Mozart ist in einem Bereich jenseits der erlittenen Gespaltenheit Harrers angesiedelt, gehört aber auch seinen menschlichen Sehnsüchten an. Dementsprechend erscheint er in unterschiedlicher Beleuchtung. Hesses Erzählung kehrt am Schluß, grob gesehen, zur Situation des Anfangs zurück; dazwischen durchläuft der Steppenwolf ein Purgatorium, das ihn bis an die Grenze zum Selbstmord führt. Auf den ersten Seiten seiner »Aufzeichnungen« spricht Harrer von seinen Erlebnissen, gelegentlich beim Hören alter Musik plötzlich die Tür ins Jenseits offenstehend empfunden zu haben, worauf er sich gegen nichts mehr in der Welt gewehrt, vielmehr alles bejaht und an alles sein Herz hingegeben habe, durch Musik also mit der Welt und dem Leben eins geworden sei. Beim Wein im Wirtshaus sieht er gar Giottosche Engelscharen und erkennt in Mozarts Musik die goldne Spur ins Ewige. Die Krise Harrers besteht in der angespannten Alternative, sich entweder durch Selbstmord oder durch Steigerung seines Selbst im »magischen Theater« von der bürgerlichen Welt endgültig zu lösen. In schillernden Farben entfaltet sich sein Inneres. Mozart findet sich schon in Kindheitseindrücken, die durch die Erinnerung an die Jugendfreundin Rosa geweckt werden. Er ist Teil des kulturbeflissenen »Menschen« Haller und seiner Ideale. Doch der »Steppenwolf« erkennt, wie sehr dieser Mozart mit Bürgeraugen gesehen wird und stellt im »Traktat« diesem Bild ein anti-bürgerliches entgegen, einen Mozart voll Größe in seiner Hingabe und Leidensbereitschaft und mit der »Vereinsamung im Garten Gethsemane«. Den Schritt hinaus über diese Selbststilisierung des »Steppenwolfs« im Bilde Mozarts bringt Harrers Liebe zu dem Barmädchen Hermine, von der er sich völlig durchschaut fühlt und deren kleines Lebensspiel des Augenblicks er bewundert, um doch wiederum dem Zwang zu verfallen, seine Beziehung mit dem tiefernsten Zusammenhang von Liebe und Tod zu überfrachten. Verständnislos und bildungselitär verhält er sich zu dem Musiker Pablo, einem Liebhaber Hermines, der Musik Mozarts mit gleicher Hingabe wie irgendeinen aktuellen Foxtrott zu spielen bereit ist. In Pablos »magischem Theater« begegnet er erst recht seinen geheimsten Wünschen, zu einer gespiegelten Wirklichkeit gehoben, in der er Hermine zu töten vermeint. Erinnerungen an E.T.A. Hoffmanns Don Juan-Novelle nehmen Gestalt an; über die Tote hinweg hört Harrer aus den leeren Räumen im Innern des Theaters die Musik vom Auftritt des Steinernen Gastes, wie »aus dem Jenseits, von den Unsterblichen kommend«. Mozart tritt in die Loge ein, verstört Harrer durch sein »helles und eiskaltes Lachen«. Im Gespräch verurteilt der Olympier erbarmungslos die zu dicke Instrumentierung und Materialvergeudung bei Brahms und Wagner, spottet, lacht und »schlägt Triller mit den Beinen«. Harrer packt Mozart am Zopf, der fliegt aber davon, der Zopf wird zum Kometenschweif, an dem hängend Harrer sich durch die Welt gewirbelt fühlt, bis er das Bewußtsein verliert. Erwacht, erscheint ihm Mozart wieder, diesmal modern gekleidet, er spielt an einem Radioapparat herum und hört sich die scheußliche Wiedergabe eines Concerto grosso von Händel an. Dem entrüsteten Haller macht er den Funken des Göttlichen in der verzerrten Erscheinung klar, tadelt sein Pathos und seine lebenslange Leidensbereitschaft, verurteilt ihn dazu, »die verfluchte Radiomusik des Lebens« anzuhören, und über das Klimbim in ihr lachen zu lernen. Das »magische Theater« verflüchtigt sich zum »süßen schweren Rauch« aus Pablos Zigarette. Harrer kehrt zurück zur Bereitschaft, das Lebensspiel nochmals zu beginnen; in der Hoffnung, das Lachen zu erlernen, das naive Pablos, das furchtbare, jenseitige Mozarts.

Die Zweifel an der Kultur und am Sinn des eigenen Daseins überträgt der »Steppenwolf« auch auf sein Mozart-Bild, das von der konventionellen Idealisierung ausgeht. Im Purgatorium des »magischen Theaters« erscheinen Hoffmanns Don-Juan-Phantasien, Mörikes Bild von »eiskalt, Mark und Seele durchschneidend, herunter durch die blaue Nacht« fallenden Tönen Mozarts, das Ideal der konservativen Mozart-Apologeten von der weltüberlegenen Heiterkeit und die Rokoko-Begeisterung des Fin de siècle durcheinandergeschüttelt und ins Surreale übersteigert. Doch in der Ernüchterung zuletzt wird klar, daß allen Anfechtungen zum Trotz Harry Haller dem tieferen Sinn seines Mozart-Ideals, der Suche nach etwas Absolutem, treu bleibt. Das ist das Ergebnis eines dem Anschein nach bloß im Kreise laufenden Geschehens.

Den realen Menschen sollten bald neue Prüfungen bevorstehen. Karl Kraus' unheilvolle Vision eines Mozart als Propagandaobjekt und einer Diskrepanz zwischen der Musik und den Umständen ihres Erklingens wurde im Zweiten Weltkrieg einmal mehr Wirklichkeit. Der in das Kriegsjahr 1941 fallende 150. Todestag Mozarts wurde im Dritten Reich unter Patronanz des Reichsministeriums für Volksaufklärung und Propaganda im großen Stil gefeiert. In der Beschwörung seines Geistes wurde eine »Handlung in Sinn der kämpfenden Soldaten« gesehen. Joseph Goebbels nannte in seiner Grußadresse für die Festtage in

Wien Mozart einen »Einiger aller Nationen und Menschen« und meinte dann: »Die Zukunft unseres Volkes und Europas insgesamt soll mit im Zeichen dieses großen deutschen Tonschöpfers stehen, dessen Andenken die Mozart-Feier in Wien als Gleichnis ewig gültiger menschlicher Werte gilt.« Der Gedanke an Mozarts welthistorische Bedeutung ist bereits ein Jahrhundert zuvor geäußert worden, allerdings ohne die Pointe, daß die Einigung unter deutscher Herrschaft erfolgen solle. Das noch ältere Bestreben, Mozart als deutschen Künstler zu verstehen, ist durch Goebbels' Wort in fataler Weise diskreditiert worden.

Das spezifisch Deutsche an Mozart hat noch zu Beginn des 20. Jahrhunderts so seriöse Verfechter wie die beiden Philosophen Wilhelm Dilthey und den Neukantianer Hermann Cohen gefunden, die beide nicht mit dem späteren Nationalsozialismus gleichzusetzen sind. Cohen hatte 1915 sein Buch »Die dramatische Idee in Mozarts Operntexten« veröffentlicht, in dem er in neoromantischer Art auf Ansichten des frühen 19. Jahrhunderts zurückgreift; dabei in einem Shakespeare-Vergleich die »wahrhaft dramatische Stilreinheit« (unter der er eine Einheit aus Erhabenheit und Humor versteht) hervorhebt, »Così fan tutte« mit dem »Sommernachtstraum« vergleicht, Mozarts Größe in Dialektik zu den schlechten Libretti von »Così« und »Figaro« sieht und das Schlußkapitel konsequent mit »Mozart als Mensch und als Deutscher« überschreibt. Hierin spricht er Mozart als »normatives, gesundes Genie« und als »ursittliche Persönlichkeit« an und bewundert besonders die »Zauberflöte«, weil sie vom Ästhetischen zum Ethischen weiterführe (aus eben diesem Grund hatte Kierkegaard diese Oper für mißglückt gehalten) und die »Verbrüderung der Menschen« verherrliche. Diltheys aus dem Nachlaß 1933 herausgegebenes Buch »Von deutscher Dichtung und Musik« fand großen Anklang. Auch er griff auf alte Vorstellungen zurück. Mozart gehört für ihn dem Typ des romantischen Künstlers an, der völlig in seiner Kunst aufgeht und der Welt fremd bleibt, sich aber, ähnlich Shakespeare, dem Leben hingibt. An Wagner läßt die Formulierung des »absolut musikalischen Genies«, an Hausegger die des »naiv objektiven Genies« denken. Den Dramatiker begreift Dilthey vor allem in der Fähigkeit, die Charaktere musikalisch miteinander zu verbinden und so einen »Zusammenhang der Innerlichkeit, nämlich des

Temperaments, des stehenden Habitus, des Gefühlstones« darzustellen.

An dem Wiener Gedenkbuch 1941 arbeiteten viele der führenden deutschen Mozart-Forscher mit. Josef Weinheber rühmte in seinem Prolog, dem Gedicht »An Mozart«, »das sinnvoll Gute in dem zwecklos Schönen«. Frivol dagegen wirkt in Werner Egks Panegyrikon ein Satz, der in seinem zweiten Teil von Karl Barth stammen könnte: »Wenn sich die Reichsmusikkammer einmal damit befassen müßte, wessen Musik im Himmel gespielt werden sollte, so schiene mir weder Beethoven noch Wagner der richtige zu sein, ja nicht einmal der fromme Bruckner, der große Johann Sebastian vielleicht für besondere Gelegenheiten, für den gewöhnlichen Sternentag könnte man sich nur auf Mozart einigen.« Doch wogegen richtet sich Egk, gegen die Religion, die Anmaßung einer Musikinstitution, auch gegen den Wagnerianer Hitler? Vielleicht auch gegen eine pseudoreligiöse Erhabenheit, die aus Mozart die Inkarnation höherer Mächte werden läßt, z. B. beim damals hochgeschätzten Richard Benz, der behauptet, »daß ... eine unbegreifliche, dämonisch-außerweltliche Macht sich hier verleiblichte und nun zu ewiger Glücksberührung in unser Körper-Sein gebannt ist«. Zuletzt legt Egk seinen weltüberlegenen sarkastischen Humor ab, vergleicht Mozart mit einem kleinen Buchsbaum im winterlichen Garten und wagt zu sagen: »So blüht uns in einer Welt von Eis und Eisen Mozart, für immer.«

Mozart als Zuflucht. So wurden wohl von vielen jene Aufführungen während des Kriegs verstanden, die als Ablenkungsmanöver und Selbsterhöhung der Machthaber gemeint waren. Auch die Salzburger Festspiele wurden bis einschließlich 1943 in vollem Umfang durchgeführt. Bei den Opern »Don Giovanni« und »Le nozze di Figaro« (immer noch in den Bühnenbildern Rollers) ging man ab 1940 vom italienischen Originaltext weg, wieder auf den deutschen über. Ezio Pinza wurde als Don Giovanni von Paul Schöffler, Mariano Stabile, als Almaviva von Mathieu Ahlersmeyer und Hans Hotter abgelöst. Zu bevorzugten Mozart-Dirigenten wurden Karl Böhm und Clemens Krauss. Weit entfernt von hier, auf der politisch anderen Seite, hatte Serge Kussewitzki in dem kleinen Ort Tanglewood in Massachusetts seit Mitte der 30er Jahre (vorbildlich für andere ähnliche Unternehmungen in den USA) Festspiele veranstaltet, die 1944 ausschließlich der Musik Mozarts, 1945 der Mozarts und Beethovens gewidmet waren. Zuflucht und Bekenntnis bedeuten aber auch zwei der schönsten, brillant geschriebenen Mozart-Bücher unseres Jahrhunderts. Sie stammen von deutschen Emigranten: der Dichterin Annette Kolb (1937, 1938 in französischer Sprache mit einem Vorwort von Jean Giraudoux) und dem Musikologen Alfred Einstein (1947; das Vorwort ist mit 9. Mai 1945 unterzeichnet). Um den tieferen Sinn ihres heiteren Ernstes zu verstehen, sind die äußeren Bedingungen zu bedenken, unter denen Einstein den Schlußsatz seines »Mozart« schrieb: »Es ist, als ob der Weltgeist habe zum Ausdruck bringen wollen, daß hier reiner Klang sei, geordnet zu einem schwerelosen Kosmos, Überwindung alles chaotischen Erdentums, Geist von seinem Geiste.«

Sich mit Hilfe der musikalischen Welt Mozarts über eine trübe Gegenwart hinwegzuhelfen, ist ein altes Motiv, das als Widerstand gegen eine negativ eingeschätzte Entwicklung durchaus etwas Heroisches an sich haben kann. Tradition hat aber auch die Trivialität süß vertraulicher Wahnbilder, die eher der Resignation vor der Geschichte entspringen. Wenn der Schriftsteller Hans Rudolf Bartsch, der Franz Schubert bekanntlich zum »Schwammerl« machte, Erzählungen mit den Titeln »Die Schauer im Don Giovanni«, »Die kleine Blanchefleure« oder »Mozarts Faschingsoper« veröffentlicht, so verspricht das im Vergleich zur Belletristik des 19. Jahrhunderts wenig Neues, außer daß der Informationsgehalt noch mehr dem schönen Schein weicht. Anders liegt der Fall bei Heinz Thies' Bühnenstück »Mozart« (1926), dessen Untertitel lautet »Sein Leben unter strenger Benützung aller historischen Quellen dargestellt«. Thies bietet so wenig ein Dokumentardrama wie in der Belletristik bekannter Musikforscher (A. Schurig, H. J. Moser, P. Nettl, E. Decsey) aus den 20er Jahren viel vom aufklärerischen Impetus der Wissenschaft zu spüren bleibt. Es entstehen aber neue, suggestivere Formen der Trivialisierung. »Wolfgang Amadeus Mozarts Leben und Lieben« hieß 1930 der erste Tonfilm über Mozart von Karl Freiherrn von Bienerth und Friedrich Graf von Beck-Rzikowsky. 1931 wurde in Wien als erstes Hörspiel dieser Art Bernhard Paumgartners »Aus Mozarts letzten Tagen« gesendet. Dem Film als Kunst näherte sich das Thema Mozart in v. Bienerths und v. Beck-Rzikowskys »Ariane« (1930, mit Elisabeth Bergner), einem Spielfilm, in dessen Handlung, frei nach E. T. A. Hoffmann, eine »Don Giovanni«-Aufführung in der Berliner Kroll-Oper mit dem persönlichen Leben der Protagonistin verbunden ist.

Das Jahr 1945 brachte weder für das triviale noch für das anspruchsvolle Mozart-Bild eine grundsätzliche Wende, ebensowenig verschwanden die Probleme mit der Wahrhaftigkeit einer Bezugnahme auf Mozart. Die quantitative Aufwärtsentwicklung über das Jahr 1956 hinaus bis zur Gegenwart ist aber enorm und unabsehbar. Im Spieljahr 1981/82 brachten die Bühnen der Bundesrepublik Deutschland folgende Neuinszenierungen heraus: »Bastien und Bastienne«: Gelsenkirchen; »Così fan tutte«: Augsburg, Bonn, Coburg, Dortmund, Gelsenkirchen, Kassel, Mönchengladbach; »Don Giovanni«: Hildesheim, Krefeld, Wiesbaden; »Die Entführung aus dem Serail«: Bremen, Darmstadt, Frankfurt, Heidelberg, Ulm; »La finta giardiniera«: Essen; »Idomeneo«: Berlin, Pforzheim; »Le nozze di Figaro«: Kaiserslautern, Kiel, Lübeck, Osnabrück, Saarbrücken; »Il sogno di Scipione«: Bayreuth; »Die Zauberflöte«: Aachen, Düsseldorf, Eutin, Hamburg, Mainz, Münster, Nürnberg, Oberhausen, Rheydt. Zwischen 1955 und 1965 wurden auf deutschen Bühnen über 18 000mal Mozart-Opern gespielt, davon allein die »Zauberflöte« etwa 4 000mal.

Den Willen zur Kontinuität in einer heiteren Welt der Kunst über alle Katastrophen hinweg beweist aber nichts besser als das Programm zur Wiedereröffnung der Salzburger Festspiele am 12. August 1945. Zuerst erklang eine Serenade von Mozart, ihr folgte Musik von Johann Strauss und Franz Lehár. In den Opern-Aufführungen der Nachkriegsjahre erreichte auch in Salzburg jenes Wiener Mozart-Ensemble Berühmtheit, dem heute als etwas Unwiederbringlichem nachgetrauert wird. So manche seiner Mitglieder (P. Schöffler, E. Kunz, M. Cebotari, G. Hann, J. Patzak, M. Cunitz, A. Dermota) waren schon vor 1945 in Mozart-Rollen bekannt geworden. Der einzige Unterschied war der, daß dieses Ensemble in Salzburg wieder italienisch sang und sein führender Dirigent Josef Krips wurde. (Karajan 1948 »Le nozze di Figaro«, Furtwängler 1949 »Zauberflöte« und 1950 »Don Giovanni«, Böhm 1953 »Così fan tutte«). Die Neubearbeitung der »Clemenza di Tito« (Paumgartner und H. Curiel) blieb 1949 erfolglos. Außerhalb der Oper ist der Klavierkonzert-Abende mit Edwin Fischer und natürlich der Rückkehr Paumgartners nach Salzburg zu gedenken. Eine wenig beachtete Novität brachte ein Paumgartner-Konzert mit dem Wiener Philharmonikern 1946, bei dem für die Arie KV 505 der obligate Klavierpart auf einem »Walter-Flügel aus Mozarts Zeit« ausgeführt wurde. Die Zeit des »ganzen« Mozart und der Werktreue begann nun sogar beim größten Festival anzubrechen. Wie eh und je ging aber die internationale Ausstrahlung stärker von den Opernaufführungen aus. Das Wiener Mozart-Ensemble (hinzu kamen E. Schwarzkopf, H. Güden, I. Seefried und S. Jurinac) erreichte etwa bei einem Gastspiel der Staatsoper im Londoner Covent Garden 1947 große Erfolge. 1950 wurde nach elfjähriger Pause das Glyndebourne-Festival wiedereröffnet. Unter den zahlreichen sonstigen Neuinszenierungen fanden erhöhtes Interesse: 1946 »Don Giovanni« in Berlin (Bühnenbilder von J. Fenneker), 1947 »Figaro« in Düsseldorf (Bühnenbilder von R. Pudlich), 1949 »Don Giovanni« in München (unter G. Solti und R. Hartmann, mit Bühnenbildern von H. Jürgens), 1950 »Die Zauberflöte« an der Mailänder Scala und »Così fan tutte« in Weimar; 1951 »Idomeneo« in Glyndebourne (in der Bearbeitung von H. Gal unter F. Busch), 1954 »Die Zauberflöte« in Berlin/Ost (in der Inszenierung von W. Felsenstein).

Welches Ausmaß die Mozart-Pflege innerhalb eines Jahrzehnts nach Kriegsende angenommen hatte, zeigen die weltweiten Aktivitäten anläßlich des 200. Geburtstags 1956. Für jedes Land, das sich als Kulturnation versteht, war es eine Ehrenpflicht, offizielle Feiern abzuhalten. Trotz der Fülle von Veranstaltungen sind gewisse Gewichtungen erkennbar. Es versteht sich von selbst, daß das »Mozart-Jubeljahr« in Österreich, besonders in Wien und Salzburg, von allen nur erdenklichen Musikinstitutionen und in den unterschiedlichsten Formen vom »Siebenten Salzburger Mozartfest« bis zum Wiener Mozart-Kongreß mit großem Gepränge (aus dem ein aufrichtiges Bedürfnis ebenso wie die Kulturpolitik des »Musiklandes« spricht) begangen wurde. In allen deutschsprachigen Ländern und Gebieten (auch in Südtirol und dem niederdeutschen Holland) stand das Interesse dem in Österreich kaum nach. Eine von der Internationalen Stiftung

Mozarteum herausgegebene Chronik »Mozart in aller Welt« verzeichnet nicht weniger als 84 Orte der Bundesrepublik Deutschland, in denen Feiern veranstaltet wurden. In der Tschechoslowakei (mit auffällig starker Pflege des Instrumentalwerks), in Frankreich (neben Paris ist das Festival in Aix en Provence hervorzuheben) und England (mit Konzerten der bedeutenden Londoner Orchester unter J. Krips, O. Klemperer und M. Sargent) ergab sich die Intensität des Gedenkens zwanglos aus der Rezeptionsgeschichte; ähnliches gilt für Belgien, Luxemburg und die skandinavischen Länder. In Italien wurde in Rom, Mailand, Neapel und Verona, wo Mozart als Kind aufgetreten war, entsprechend bevorzugt seiner gedacht. Die meisten außereuropäischen Feiern verzeichnen die USA, viele fanden in Mittel- und Südamerika sowie in Australien statt. Zu nennen sind schließlich jene in Ägypten, Marokko, Israel, Libanon, in Südafrika, Indien, Vietnam, Japan (in Verbindung mit der 1955 gegründeten Tokyoer Mozart-Gemeinde) und in der Volksrepublik China (mit einer »Gedenkfeier des Koryphäen der Weltkultur W. A. Mozart« in der neuerbauten Pekinger Staatsoper). Treibende Kräfte waren vielfach die über die ganze Welt verstreuten Mozart-Gemeinden.

Bei einer Diskussion anläßlich eines Kongresses 1984 in Salzburg wurde den anwesenden Gelehrten, Regisseuren, Dramaturgen, Dirigenten und Sängern die Frage gestellt, warum wir heutzutage soviel Mozart spielen und hören. Die meisten reagierten erstaunt, und es blieb bei der Antwort: Weil es ihn eben gibt. Mozarts Rang außer Frage zu stellen, ihn zu lieben, das hat Tradition; andererseits lehrt die Geschichte aber auch, daß dem nicht immer so war. Es wäre also schon wert, darüber nachzudenken, warum wir einen Höhenflug der Bewunderung für Mozart und der Pflege seines Werkes miterleben. Sehr wahrscheinlich wird die Chronik für das Jahr 1991 noch viel umfangreicher als die für 1956 ausfallen. Quantität und zeitliche Nähe behindern den Überblick über das, was in den letzten drei Jahrzehnten die Rezeption inhaltlich bestimmt haben mag. Jenes Dilemma, das vor einem halben Jahrhundert zu Entscheidungen herausforderte, hat sich aber nicht als gegenstandslos aufgelöst, es ist nur von der Woge der Begeisterung und der ihr nachfolgenden Flut an Vermarktung überschwemmt worden.

Eine auch inhaltliche Umgewichtung bezweckt die seit Jahrhundertbeginn verfolgte Ausweitung der Werkkenntnis. Symbol dafür ist die Aufwertung der »Così fan tutte«. Die Produktionen in Glyndebourne brachten da ebenso eine Erfüllung wie die Böhm-Schuh-Inszenierung 1953 und die Böhm-Rennertsche Fassung (ab 1961) in Salzburg. Ähnliches erbrachte das gestiegene Interesse für die Jugendwerke, besonders auf dem Gebiet der Instrumentalmusik. Das mag als einseitiges Urteil anmuten; mir scheint aber doch, daß jenes Dämonische, das Alfred Heuß entdeckt zu haben meinte und das die expressionistische »Don Giovanni«-Interpretation überspitzte, gerade unter dem Druck schlimmer Zeiten immer mehr von einem Bedürfnis nach einer anderen, heiteren Welt kontrapunktiert und auch überlagert wurde. Sicher spielt die antiromantische Tendenz der Jugendbewegung und des Neoklassizismus aus der Zeit vor dem Zweiten Weltkrieg mit herein. Der Motor des Erkundens von Mozarts Instrumentalmusik war über Jahrzehnte hin der Anti-Stardirigent Paumgartner, der persönliche Ausstrahlung mit einer temperamentvollen, aber ungelenk wirkenden Orchesterleitung (ähnlich der Paul Hindemiths) verband. Seine Matineen (ab 1949) atmeten den frischen Geist der Spielmusik, auf Konzertniveau gehoben. Zur Institution wurde das zunächst esoterische Ideal, Mozart sozusagen als Ganzes, mit seinem vollständigen Œuvre vor sich zu haben, in der Salzburger »Mozartwoche«, die die Internationale Stiftung Mozarteum seit 1956 alljährlich in der letzten Jännerwoche veranstaltet. Im Laufe der Jahre wurde dabei nicht nur Konzertmusik im eigentlichen Sinne (bis hin zu Entlegenem wie etwa den Händel-Bearbeitungen) geboten. Mittlerweile kam auch eine Reihe von konzertanten Aufführungen sämtlicher Jugendopern, die inzwischen alle auch auf Schallplatten vorliegen, zum Abschluß. Einige von ihnen wurden unabhängig davon bei den Salzburger Festspielen szenisch dargeboten (1960 »La finta semplice«, 1965 »Die Gärtnerin aus Liebe«, 1967 »Ascanio in Alba«, 1969 »Bastien und Bastienne«, 1970 »Mitridate«). Ein jüngstes – als Reaktion wiederum auf Erhabenheit abzielendes? – Phänomen ist die Aufwertung der opera seria Mozarts, die aus jahrzehntelangen unglücklichen Bearbeitungsversuchen am »Idomeneo« hervorging. »Idomeneo« und »Titus« sind seit 1973 jeweils etwa 65mal herausgebracht worden. Der »Mitridate« wurde in Schwetzingen, Zürich, Aix en Provence, »Lucio Silla« in Zürich, an der Mailänder Scala und zuletzt in der Regie Patrice Chéreaus in Brüssel gegeben.

All diese Bemühungen haben uns einen unbekannten Mozart nähergebracht. Auch ist der Abstand Mozarts zu seinen Zeitgenossen verständlicher geworden, wenngleich er sich nicht auf einen persönlichen Entwicklungsprozeß von der Stilnachahmung zur qualitativen Überlegenheit reduziert. Das, was an Genialität beim frühen Mozart immer wieder aus der Konvention hervorbricht, macht seinen Abstand noch nachdrücklicher bewußt. Trotz diesem Gewinn blieb das Bemühen um den ganzen Mozart nicht unangefochten. Zweifel bestehen, ob es nicht das Bild zuungunsten der Meisterwerke verzerre und damit dem Ansehen Mozarts sogar schade, und ob es nicht den besten Werken der Zeitgenossen, die kaum jemals aufgeführt werden, Unrecht tue. Dieser Einwand gibt zu denken, zumal er in praxi nicht entkräftet ist; hier mehr als bisher lebendige Anschauung zu vermitteln, wäre eine Aufgabe künftiger »Mozartwochen«.

Es ist merkwürdig und zugleich einleuchtend, daß sich in den letzten Jahrzehnten die größten interpretatorischen Anstrengungen auf die selben Werke wie schon in der Zeit um 1800, »Zauberflöte« und »Don Giovanni«, konzentrieren. Darin ist kein Nachgeben vor Rezeptionsgewohnheiten zu sehen, im Gegenteil, gerade die lange Geschichte der Deutungen und das, was sie in Anbetracht der Gegenwart unbefriedigt läßt, fordert offensichtlich mehr heraus als es ein »unbekannter« und »unbeschwerter« Mozart vermag. Das Publikum bevorzugt eindeutig die »Zauberflöte«, vor allem im deutschen Sprachraum, sie ist aber auch sonst auffällig stark vertreten (Toscaninis bewußter Einsatz für diese in Italien stets als fremdartig empfundene Oper ist symptomatisch). Die Bewunderung für den »Don Giovanni« wurde deshalb nicht geringer, aber seine Interpretation, soweit sie nicht in konventionellen Bahnen verläuft, mündete in einer Verstiegenheit, die aufgrund der bereits in den 20er Jahren erreichten extremen Positionen unvermeidlich schien. Sie ergibt sich in der Regel aus der einseitigen Überbetonung eines bestimmten Deutungsansatzes. Noch gemäßigt erscheint diese Neigung bei der Neuinszenierung während der Salzburger

Festspiele 1953. Clemens Holzmeister baute in der Felsenreitschule eine »Don Giovanni-Stadt« (in Anlehnung an seine »Faust-Stadt« 1933 für Max Reinhardt). Aus Salzburger Barockträumen ging »Don Giovanni« als Mysterienspiel (in der Regie Herbert Grafs, unterstützt durch die breit-feierlichen Tempi Furtwänglers) hervor, eine Einengung des Stückes, die allerdings durch die Bühnenpräsenz Cesare Siepis und Elisabeth Schwarzkopfs ausgleichende lebhaftere Züge erhielt. Völlig anders richtete Walter Felsenstein seine Berliner Inszenierung 1966 aus. Er griff nach vierzig Jahren die expressionistische »Don Giovanni«-Auffassung wieder auf, löste sie sowohl von den letzten Resten der Romantik wie von der Italianità; für ihn war der Titelheld kein Dämon oder Ausnahmemensch mehr, sondern ein unersättlicher Kraftprotz, der seiner sozialen Umgebung würdig ist. Noch mehr als für die sozialkritische Komponente trifft für die Auswirkungen der psychoanalytischen das Wort von der einengenden Verstiegenheit zu. Otto Rank hatte schon 1922 den Ödipuskomplex Don Giovannis entlarvt und Leporello als Doppelgänger, der Furcht und Gewissen seines Herrn repräsentiert, betrachtet. Freuds Ansicht, daß Bühnencharaktere Projektionen aus dem Unbewußten ihres Schöpfers sind, griff Brigid Brophy 1964 ebenso auf wie die alte Parallele Mozart – Shakespeare, um, frei nach »Hamlet«, den »Don Giovanni«, der kurz nach dem Tod von Mozarts Vater entstand, als Produkt von Schuldgefühlen aufzufassen, die Mozart zögern ließen, Don Giovanni für das Verbrechen des Vatermordes zu bestrafen. Unter diesem Gesichtspunkt müßten eigentlich Da Ponte und seine Vorgänger bei Behandlung des Don Juan-Stoffes an solchen Schuldgefühlen gelitten haben. Komplexe und Schuldgefühle kommen in einer Oper schwer zur unmittelbaren und eindeutigen Bühnenwirksamkeit; der aufklärerische Impetus so mancher Regiekonzepte geht aber unverkennbar auf den Einfluß der Psychoanalyse zurück und sein Ergebnis ist sicherlich ein neuartiges Pathos. Es kommt auch bei ursprünglich anders motivierten Experimenten zum Vorschein. Gian-Carlo Menotti hat für eine »Don Giovanni«-Inszenierung bei seinem Spoletiner »Festival zweier Welten« den berühmten englischen Bildhauer und Zeichner Henry Moore als Ausstatter gewonnen und in der Folge sich völlig dessen Vorstellungen von einem zu erzeugenden Eindruck höchster Beklemmung unterworfen. Das Fazit eines Kritikers lautete: »Mozart spielte dieses Spiel nicht mit.« Manchmal wird das Schielen auf aktuelle Trends, die an sich mit Mozart nichts zu tun haben, offenkundig, wenn es darum geht, einerseits Mozart zu aktualisieren und andererseits der Aktualität durch Mozart das Gewicht einer Bedeutsamkeit zu geben. Ein 1969 im Amsterdamer Theater Carré uraufgeführtes Stück »Reconstructie«, das eine Gruppe junger niederländischer Komponisten vertont hatte, zeigt Don Juan als Handlanger des US-Imperialismus in Südamerika; seine sexuellen Kraftakte werden zum stupiden Symbol politischer Gewalt. Peter P. Pachl kommentiert seine Kasseler Inszenierung 1981 als »Denkspiel im abstrakten Modell des menschlichen Gehirns« und bietet doch handfeste Science-fiction-Assoziationen. Die Frauenbewegung triumphiert (oder persifliert sich selbst) in einer »Donna Giovanni«, mit der sieben freizügige mexikanische Schauspielerinnen derzeit erfolgreich durch die Welt ziehen; ein Bericht über die Damen, »die Mozarts ›Don Giovanni‹ entmannten«, in der Wochenzeitung »Die Zeit« trägt den Titel: »Was tät da der Wolferl sagen?«. Die beklemmende Wirkung einer mit erhobenem Zeigefinger verfolgten Absicht stellt sich auch bei der ernüchternden Abkehr von allem neuen und alten Zauber ein. Wenn August Everding in Paris 1975 den Steinernen Gast im zweiten Finale nicht mehr auftreten läßt, bleibt die Frage, was Mozarts dazugehörige Musik noch soll. Anders liegt das freilich bei Max Frischs »Don Juan oder die Liebe zur Geometrie« (1953); denn ohne Musik kommt der Einfall, Don Juan selbst seinen Untergang zur allgemeinen Befriedigung der Gesellschaft inszenieren zu lassen, als jener frivole Spaß, der er sein soll, auch an.

Noch nicht in einem derart nach allen Richtungen hin ausgedeuteten Zustand wie der »Don Giovanni« gelangte die »Zauberflöte« in den Gesichtskreis der Gegenwart. Die Überfülle der Möglichkeiten, gepaart mit einer ähnlichen Spannweite zwischen seria und buffa, fasziniert Praktiker und Theoretiker. Es mußten nur die ägyptisierende Architektur, die überladenen Dekorationen und die ohnehin unanschauliche Deutschtümelei um die »Zauberflöte« zurückgedrängt werden, um neuen Interpretationen Raum zu geben. Überraschenderweise wurde nicht das Komödiantische akzentuiert, obwohl dies die Neubelebung der opera buffa nahegelegt hätte, sondern die »Zauberflöte« erhielt ihre Tiefe als Märchen- und Mysterienspiel. Der Grund dafür liegt weniger beim unerwünschten Erbe der Rezeptionsgeschichte, als vielmehr konkret in der Wirkung Richard Wagners. 1906 hatte Arthur Drews die Gemeinsamkeit der »Zauberflöte« mit Wagners »Parsifal« erläutert. Die Nutzanwendung eines solchen Vergleichs brachte die Mannheimer Inszenierung Ludwig Sieverts 1916. Ihre Konzeption geht von der Überzeugung aus, daß die »Zauberflöte« weder »ein philosophisches noch ein geschichtliches Tendenzstück« sei, »mit der Freimaurerei wenig, mit Aegypten aber garnichts zu tun« habe, dagegen als »Märchen-Mysterium« zu verstehen sei. Sievert versuchte durch die Beleuchtung (Blau-Violett für die Königin der Nacht, Gelb-Weiß für Sarastro, bunte Farben für Papageno) eine Symbolwelt vorzustellen. In der weiteren Folge dieses Inszenierungsansatzes wurde unter Verzicht auf Dekoratives der Bühnenraum als solcher mehr und mehr bedeutsam. 1930 verwendete Ewald Dülberg in der Berliner Krolloper abstrakte Raumplastiken. Josef Svoboda (1970 in München) löste die Grenzen zwischen Raum und Zeit durch den Einsatz moderner Technik zu einer »vierten Bühnendimension« hin auf. Die Feuer- und Wasserprobe wurde zu einem Raum-Lichtspiel, das er mit Hilfe der Reflexion von Laserstrahlen auf Strukturgläsern erzeugte. Ein neutraler Raum, verstärkte Lichtregie und stets präsente einfache Symbole bestimmen die Richtung einer Aussage, die der des »Parsifal« in der Regie Wieland Wagners nahekommt. Moderne geistige Bezugspunkte für diese Konzepte geben weniger die Psychoanalyse Freuds als die Archetypenlehre C. G. Jungs ab.

Statt des Mysteriums wird häufig auch das Märchen stärker hervorgehoben. Eine sehr geglückte Realisierung sind Jürgen Roses Bühnenbilder für München 1978. Phantastik, naive Direktheit, Traum und Alptraum, Zeitloses und Historisches, Schein und Wahrheit vereinte Ingmar Bergman zu einer zarten Märchenwirklichkeit. Psychoanalytische Traumdeutung hatte Mozart sicherlich nicht beabsichtigt, und doch löst Bergman mit den Mitteln des Films diese »Fehldeutung« in eine Bilderwelt auf, die jedermann wie Kindheitserinnerungen vertraut berühren. Wohl aus ähnlich intimen Seelentiefen entstand bei Marc Chagall (New

York 1967), Oskar Kokoschka (Salzburg 1955, Genf 1964), Ernst Fuchs (Hamburg 1977) und warum nicht auch bei David Hockney (Glyndebourne 1978) der Wunsch, »Zauberflöten«-Inszenierungen mit überdimensionalen Tafelbildern auszustatten. Als Werkinterpretationen sind diese megalomanen Versuche, gleich einer Schutzmantel-Madonna Mozarts musikalisches Spiel zu umfangen und als Teil des eigenen Ichs erscheinen zu lassen, rundweg verfehlt. Aber wer ein Sensorium für Chagalls Farben und Chiffren besitzt, wird auch seine Traum-Vision von der »Zauberflöte« nachempfinden können und das Wahre an Chagalls Bekenntnis, ein Leben lang immer nur seine Gefühle über Natur gemalt zu haben und aus Mozarts Musik diese Natur herauszuhören, verstehen. Chagalls Mozart ist eben ein anderer als der Kokoschkas, so wie die jeweils expressive Farbigkeit ihrer Bilder sehr unterschiedlich ist. Distanz zu sich selbst gewann darüber hinaus Ernst Fuchs dadurch, daß er seinen eigenen phantastischen Realismus funktionalisierte, der sinnlichen Sphäre in der »Zauberflöte« zuordnete und ihn durch elementare abstrakte Formen für die geistige Sphäre der Priester kontrapunktierte. Zum Prinzip wird die wechselseitige Bespiegelung in den Bühnenbildern des Pop-Künstlers Hockney, der die Geschichte der Werkinterpretation zum Puzzle der bekanntesten »Zauberflöten«-Bilder machte und diese Bilder auf ihren einfachen Raster hin durchleuchtete, raffiniert montierte und mit neuen Rahmen versah. Die Frische und Klarheit seiner Bühnenbilder bezieht Hockney ausdrücklich auf die der Musik Mozarts. Wer wollte leugnen, daß er damit der Idee nach recht hat.

Beim Aufzählen dieser Beispiele drängt sich die Frage nach dem Ziel all der interpretatorischen Unterschiede auf, die ich noch etwas weiter herausfordern möchte. Gelegenheit gibt die Inszenierungsgeschichte der »Zauberflöte« bei den Salzburger Festspielen. Es ist dort üblich geworden, daß neue Interpretationen der immer wieder gespielten Mozart-Opern auf ihre jeweiligen Vorgänger sowohl in szenischer wie musikalischer Hinsicht reagieren. Toscanini 1937 war nach Böhm und Krauss 1949 der völlig anders gestaltende Furtwängler gefolgt. Herbert Graf, der 1937 Regie führte, tat dies auch 1955, nun in Zusammenarbeit mit Georg Solti und Oskar Kokoschka. Nach Günther Rennert (mit G. Szell) 1959 und Otto Schenk (mit I. Kertesz) 1963 versuchte

Oscar Fritz Schuh (nach seiner Inszenierung 1949) 1967 (mit W. Sawallisch) etwas ganz anderes. Ausdrücklich nannte er die Ausrichtung der Regie auf die Raimund-Zeit, das Mysterienspiel, das Märchen oder auf Symbole als nicht mehr tragbare Möglichkeiten. Überdruß wird spürbar und tut seine Wirkung. Auch Schuh und sein Bühnenbildner Teo Otto wollten ein »Lebenspanorama« gestalten, faßten aber den Scopus ihrer Interpretation im manieristischen Begriff des »Labyrinths«. Die »Theater-Magie« von sichtbar gemachten Maschinen kehrt ebenso bei Giorgio Strehler (mit H. v. Karajan) 1974 wieder, aber unter völlig anderen Vorzeichen. Strehler wollte wiederum ein »Urmärchen«, »die gerettete Kindheit, die ewige Kindheit« inszenieren. Sein Nachfolger findet das »Märchen nicht interessant genug«, obwohl sich viele Regisseure (auch Götz Friedrich 1978 in Hamburg) nach wie vor von Adornos berühmtem Wort beeindruckt zeigen, manche der »authentischsten Opern«, zu denen die »Zauberflöte« zähle, hätten ihr »wahres Heimatrecht in der Kindervorstellung«. Jean-Pierre Ponnelles Fassung einer »unverschlüsselten Parabel« verdankt ihren großen Erfolg seit 1978 (mit J. Levine) wohl ihrem unprätentiösen Erscheinungsbild. Weder gezielter Tiefsinn noch dessen gestelzte Parodie, sondern Menschen von Fleisch und Blut beleben die Bühne; sogar die Königin der Nacht spricht im ersten Aufzug mit Tamino zu ebener Erde. Doch was muß dieser ungewohnten Natürlichkeit notwendig folgen? Ebenfalls 1978 hatte August Everding bei seiner Münchner Inszenierung stärker als Ponnelle Papageno in den Mittelpunkt gerückt und die Altwiener Volkskomödie ausgespielt. 1980 sucht Ruth Berghaus in ihrer Frankfurter Inszenierung die »Zauberflöte« zu entzaubern, während Achim Freyer 1982 in Hamburg sie in eine phantastische Welt nahtlos ineinandergreifender Bilder transponiert. Berghaus zeichnet den Kampf der Geschlechter, der keine Apotheose mehr zuläßt; bei Freyer träumt Tamino die ganze Geschichte, in der sowohl die Königin der Nacht wie Sarastro als Popanze figurieren. Peter Mussbacher (Kassel 1982) taucht alles ins Abgründige, Absonderliche und Humorlose (Papageno wird zum ältlichen Männchen).

Welch ein verwirrendes qui pro quo wir, natürlich nicht nur bei der »Zauberflöten«-Interpretation, vor uns haben, hat keiner so köstlich wie Karl Schumann formuliert: »Der ›Don Giovanni‹ in großer Opernpracht, auf der Simultanbühne, vor einer Freiluft-Szenerie, mit und ohne G-Dur-Finale des zweiten Akts; ›Die Hochzeit des Figaro‹ nach gründlichem Studium des Beaumarchais-Vorbilds aus dem sozialen Charakter der einzelnen Personen entwickelt, zur handfesten Posse der Triebe und Gelüste umgemünzt, zur Komödie der Seelenregungen sublimiert, mit der effektsicher typisierenden Comedia dell'arte verschwistert; ›Die Entführung aus dem Serail‹ auf dem Marionettentheater, als kindlich spassige Geschichte vom geprellten Türken, oder mit der Empfindsamkeit der ›Werther‹-Zeit angereichert; Così fan tutte‹ als fadenscheinige Frivolität, als primitive Verwechslungsposse oder als ironisches Spiel von der Fragwürdigkeit der menschlichen Gefühle; ›Die Zauberflöte‹ mit der Pracht eines entfesselten Spectaculums, als Reminiszenz an das Wiener Vorstadttheater, als tief schürfende Menschheitspredigt und als einfaches Zaubermärchen; Mozart auf der Guckkastenbühne, im Behelfsraum, auf der Stilbühne, im Freien, vor Parks und vor Architektur, nach Hoftheaterart und auf experimentelle Weise vor schwarzen Vorhängen, – allen diesen Varianten ... ist man in den jüngsten Jahren begegnet ...« Was Schumann 1960 empfand, gilt heute unverändert. So spielen Jean-Pierre Ponnelle in der »Figaro«-Fernsehfassung 1977 oder Peter Zadek in der Stuttgarter Sozialgroteske 1983 nach wie vor Beaumarchais gegen Mozart und Da Ponte aus. Unfreiwillig mehr Aufregung löste dagegen eine Augsburger Inszenierung 1962 aus. Der Bühnenbildner Hans-Ulrich Schmückle hatte Teile von recht freizügigen Gemälden Bouchers, Fragonards, Carraccis und Buonascaris in auffälliger Weise eingesetzt. Vom harmlosen Beginn durch einen Leserbrief ausgelöst, schaukelten sich die Emotionen soweit auf, daß der Generalstaatsanwalt und eine Reihe von Opern- und Mozart-Spezialisten zum Lokalaugenschein des obszönen »Figaro« anreisen mußten, bevor das Verfahren niedergeschlagen werden konnte. Neu war auch das nicht, erinnert man sich an den berühmten »Reigen«-Prozeß in Berlin 1921. Obwohl sich alles im Kreise dreht, ist jeder Interpret überzeugt, das Ei des Columbus gefunden zu haben, und muß es auch sein.

Die gesuchte Linie, die aus dem Kreis herausführt, braucht ein Ziel über den Augenblick hinaus, und das hat unweigerlich mit Ideologie zu tun. Ist sie mit Phantasie und Präzision gepaart wie bei Walter Felsenstein, so kann daraus eine ganze Schule der Interpretation entstehen. Ihre theoretischen Grundsätze faßte Stephan Stompor in seinem Aufsatz »Mozart als Musikdramatiker heute« zusammen. Mozart im Sinne eines »modernen musikalischen Theaters« setze das Herausarbeiten des humanistischen Grundgehaltes bei jedem seiner Werke voraus. Stompor vertritt die Auffassung, bei der »Entführung« gehe es um Leben und Tod, Freiheit und Sklaverei; beim »Figaro« um eine realistische Aussage, die bei Figaros Arie »Will der Herr Graf den Tanz mit mir wagen« anzusetzen habe; hier wie beim »Don Giovanni« müsse gegen eine »Rokoko-Schönfärberei« angekämpft werden; Stompor beruft sich auf Kierkegaard, um den Untergang Don Giovannis als Konsequenz seines asozialen Lebens zu erklären; »Così fan tutte« zeige das Rokoko ungeschminkt, so wie es wirklich war, und müsse daher ironisch-kritisch dargestellt werden. Der Hoffnung aber, daß gerade durch diese Art Mozart-Interpretation das musikalische Theater zu einem »wahren Volkstheater von erhabener, erzieherischer und ethischer künstlerischer Darstellung« werde, steht jene Phantasie, die dazu reizt, das Unerhörte zu wagen, entgegen. Weniger bei Felsenstein selbst als bei seinen aus der Deutschen Demokratischen Republik stammenden Nachfolgern Götz Friedrich, Joachim Herz, Harry Kupfer und Ruth Berghaus zeigen sich vielfältige interpretatorische Wege, die, gewollt oder nicht, aus der Linie wieder heraus und in den erwähnten Kreis zurückführen.

Bei der Salzburger Opern-Diskussion 1984 behauptete Ruth Berghaus: »Die Aufführungstradition ist gebrochen.« Aber wodurch soll sie gebrochen worden sein, wo sie doch in vielen Details und in den dahinterstehenden Topoi des Mozart-Verständnisses bis ins 18. Jahrhundert zurückreicht – höchstens also durch die nivellierende Überfülle der Interpretationen. Der aufklärerische Impetus, der Berghaus in ihrer vieldiskutierten Frankfurter Inszenierung der »Entführung« 1981 Konstanzes Marternarie als unbeschönigte Vergegenwärtigung von Gewaltakten auffassen ließ, zielt auf das Eigentliche einer eben ungeschminkten Wahrheit. Das zu erreichen, erfordert einen emanzipatorischen Akt, durch den in das Rätsel des Kunstwerks, von dem Berghaus ebenfalls sprach, hic et nunc vorgedrungen wird. Diese Ansicht ist in den letzten Jahrzehnten alles eher als ungewöhnlich geworden und entspricht in etwa dem, was Adorno über das Dunkle in der Kunst ausführte. Es fragt sich nur, ob der Interpret auf diese Weise tatsächlich der Entfaltung eines hegelianischen Weltgeistes dient, oder sich nur im Kreis subjektivistischer Verstiegenheit dreht.

Das Wort Verstiegenheit ist zugegebenermaßen zu negativ gewählt. Kritik ist eher an dem, meiner Meinung nach, scheinheiligen Manöver angebracht, Mozarts angeblich unverständlich gewordene Werke der Gegenwart zu vermitteln, zwischen dem 18. und 20. Jahrhundert neue Beziehungen herstellen zu müssen. Die Mehrzahl des Publikums ist jedenfalls nicht überzeugt, daß ihm durch Interpretationen auf der Basis einer »gebrochenen Tradition« Mozarts Werke nähergebracht werden.

Das breite Interesse konzentriert sich viel eher auf den Sensationswert einer vermuteten Blasphemie. Wenn ich vorhin sagte, daß das Suchen nach immer neuen/alten Ansätzen für die Interpretation einem Überdruß am Vorhandenen entspringe, so ist auch das nur die halbe Wahrheit. Das Positive des »Regie-Theaters« sehe ich allerdings in einer Vorgangsweise, die die Interpreten selbst in der Regel verleugnen. Bei jeder Aufführung einer Oper, Sinfonie usw. geht es um eine Aktualisierung. Ebenso selbstverständlich hat es seine Gründe, daß gerade unbestrittene Meisterwerke viel und auch »verstiegen« interpretiert werden. Die Sachlage ist nun die: Die Aktualität einer Mozart-Oper, ihre Lebendigkeit also, geht von der Musik aus. Sie hat sich erhalten und mit ihr entstand eine Aufführungstradition, eine Vertrautheit mit dem Werk als Ganzes, es entstanden auch Bequemlichkeit und Schlamperei, und immer von Neuem das Bedürfnis, etwas an den Konventionen zu ändern. Die aktuelle Notwendigkeit, ein solches Meisterwerk in der praktischen Darbietung wie dem Geiste nach zu entrümpeln, bleibt unbestritten; eine Vermittlung aber ist unnötig, da sie ohnehin durch die, auch noch so schlecht gespielte, Musik Mozarts erfolgt; und das schon gar in einer Zeit, in der jeder Notenkopf einer Mozart-Partitur für sakrosankt gilt. Legitimes Interesse jedes Interpreten ist es, seine künstlerische Aussage über die Rampe zu bringen. Selbst dann, wenn sie sich sehr ungewohnt gibt, ist sie weder Störfaktor noch unerlaubter Kommentar zum Werk, sie ist aber auch keine dienende Interpretation oder Vermittlung. Vielmehr wird sie zur »Kunst über

Kunst«. Basis sind die Bekanntheit und Qualität der Musik und auch die alten Regiegewohnheiten (und an sich auch die musikalische Aufführungstradition), mit der souverän gespielt wird, bzw. der es eine andere Ebene entgegenzustellen gilt. Aus dieser Spannung zwischen dem in der Aufführung Sicht- und Hörbaren und dem als bekannt und gleichsam objektiv Vorausgesetzten entsteht ein Phantasieakt wechselseitigen Bespiegelns, eben die ästhetische Aussage, die ja auch beim Publikum Kenntnis und Phantasie voraussetzt. Das heißt, im Raum der vielfältigen Interpretationen vermag sich nur der Kenner sinnvoll zu bewegen, der seine Orientierungshilfen selbst mitbringt. Das klingt nach »Glasperlenspiel« und »imaginärem Museum«, auch nach Blochs Utopie. Es ist jedoch mehr als l'art pour l'art, denn das künstlerische Ereignis kann zum Durchbruch der Wahrheit, auch einer sozialkritisch verstandenen, werden. »Volkstheater« wird es nicht, sondern Esoterik. Doch lehrt gerade das Beispiel der Mozart-Rezeptionsgeschichte, wie sehr Kunst Kennerschaft und Liebhaberei erfordert, damit in einem wesentlichen Sinn exklusiv ist, aber auch, wie sehr Meisterwerke die »verstiegensten« Umdeutungen vertragen.

Wenngleich die Opernregie die größere Publizität erreicht, halten sich selbstbewußte Mozart-Kenner mehr an die rein musikalischen Interpretationen. Deshalb muß die Beziehung Regisseur – Dirigent nicht von Rivalitäten gezeichnet sein; aber daß das Regie-Theater gerade dort, wo es anspruchsvoll ist, und auch dann, wenn es musikalisch einfühlsam vorgeht, die Aufmerksamkeit des Publikums zuungunsten der Musik auf sich zieht, ist nicht zu leugnen. Das im Vergleich zu anderen Opern auffällige Zurücktreten der Regieambitionen in der Aufführungsgeschichte der »Così fan tutte« förderte das Gewahrwerden großer musikalischer Ensemble- und Dirigentenleistungen, die wiederholt in Glyndebourne und in Salzburg glückten. Der Nachfolger Karl Böhms (bis 1977) in Salzburg, Riccardo Muti, (ab 1982) konnte so, wie Böhm selbst, zum Ansehen eines hervorragenden Mozart-Dirigenten gelangen. Wenn die Sängerin der Dorabella, Agnes Baltsa, meinte, Muti habe das »Böse« des Werks herausgebracht, so heißt das nicht weniger, als daß spürbar von der musikalischen Interpretation eine Umgewichtung vom heiteren Spiel zur Psychologisierung der Oper ausging; ihre insgesamt ausgewogene Verwirklichung ehrt den geschmackvollen Regisseur Michael Hampe.

Das Bild vom Kreis, in dem sich die Suche nach Originalität dreht, gilt prinzipiell auch für die Interpretation der absoluten Musik Mozarts. Dirigenten, Solisten, Orchester, Konzertunternehmen und Schallplattenfirmen reagieren auf ihre jeweilige Konkurrenz. Der Ansporn zu Spitzenleistungen ist also gegeben, nur richtet sich die Publikumserwartung bei Mozart relativ wenig auf interpretatorische Sensationen. Dieses Image leitet sich nicht so sehr von der Musik selbst als von ihrer Interpretationsgeschichte ab. Zunächst verblüfft eine Aussage Arthur Honeggers aus dem Jahre 1956, Mozart sei ein »Komponist, der von dem Publikum der großen Konzerte nicht sehr geschätzt und nicht wirklich gekannt wird«. Sicher übertreibt Honegger, auch hat sich seit seiner Zeit manches geändert; und doch findet seine Klage, daß nach wie vor immer nur die letzten drei Sinfonien ständig gespielt werden, der Tendenz nach in den Schallplattenkatalogen ihre Bestätigung. Orchesterpraxis und allgemeine Repertoirevorstellungen legen es nahe, Mozart als einen Komponisten vor Beethoven darzustellen: seine Musik entweder der Beethovens anzunähern, ihr Gewichtigkeit zu geben, oder von der selben Basis ausgehend sie zu einer einleitenden Spielmusik hin zu verdünnen.

Eine genauere Untersuchung der Interpretationsgepflogenheiten fällt schwer. Zum Beispiel verzeichnet der Bielefelder Katalog 1–1981 die enorme Zahl von 32 verschiedenen, im deutschen Handel erhältlichen Schallplatteneinspielungen der »Jupiter«-Sinfonie. Böhm und Karajan sind jeweils mit vier verschiedenen Aufnahmen vertreten. Die Spannweite reicht von einer Interpretation Bruno Walters mit den New Yorker Philharmonikern bis zu einer des Collegium aureum. Mit einem großen, vielfach unpräzis agierenden Orchesterapparat bevorzugt Walter ein wuchtiges (Menuett), in den Tempi breites und schwelgerisches (Andante cantabile) Musizieren. Ferenc Fricsay läßt das RIAS-Symphonieorchester Berlin in straffem, auch sehr raschen (Finale) Tempo spielen; oft unvermittelt hereinbrechende Kontraste haben ihr Modell in Fricsays berühmten Bartók-Interpretationen. Spieltechnisch höchstes Niveau bietet die Aufnahme mit den Berliner Philharmonikern unter Böhm; im Vergleich zu Walter wirkt Böhms Auffassung musikantisch und unsentimental. Dennoch rücken diese drei sehr unterschiedlichen Interpretationen näher zusammen, sobald man sie mit der Einspielung des 25-Mann-Ensembles Collegium aureum, das auf alten Instrumenten spielt, konfrontiert. Der schlanke Klang macht eine Lebhaftigkeit bei mäßigen Tempi und eine ungezwungene Balance zwischen Streichern und Bläsern möglich.

Bringt die »Werktreue« entscheidend Neues in der Aufführungspraxis? Die Ambitionen, Mozarts Musik von Verfälschungen zu reinigen, bestanden schon am Anfang der Mozart-Renaissance unseres Jahrhunderts. Sie kamen offensichtlich zu keinem Ziel und bringen insofern immer wieder Neues. Die Werktreue muß ihren Weg zwischen Buchstaben und Geist der Musik suchen und wurde so zu jenem »am liebsten mißverstandenen Begriff«, von dem sein Befürworter Paumgartner sprach. Die beliebten sommerlichen Schloßkonzerte mit Musikern in Livree und mit Perücke haben allerdings nichts mit Werktreue zu tun. Das historische Exterieur hat hier eine ähnlich animierende Funktion wie die Musik Mozarts in der Werbung: es soll etwas veredelt werden. Doch auch die ernsthafte sachliche Auseinandersetzung hat ihre Gefahren. Der Wille zur historischen Richtigkeit im Musizieren kann zu einer falschen Rigidität führen; falsch deshalb, weil die Erforschung der Aufführungspraxis in der Mozart-Zeit zeigt, daß sie damals im Umbruch stand und durchaus nicht streng einheitlich gehandhabt wurde. Die Spannung zwischen Buchstaben und Geist ist außerdem gebunden an die Notwendigkeit eines Kompromisses zwischen historischer Andersartigkeit und Verbindlichkeit zur gegenwärtigen Praxis. Diesen Zusammenhang bestätigte zuletzt der Erfolg Nikolaus Harnoncourts. Das Überraschende daran ist, daß Harnoncourt interpretatorisch von der Barockmusik und nicht wie üblich vom Repertoire des 19. und 20. Jahrhunderts her zu Mozart gelangte. Und nicht ins gewohnte Bild paßt auch seine Bereitschaft, mit bekannten Orchestern und Solisten, die nicht auf alte Instrumente und Spieltechniken eingestellt sind, zusammenzuarbeiten; zuletzt sogar mit den Wiener Philharmonikern und Gidon Kremer. Das Erstaunliche dieser Bereitschaft ist natürlich auch umgekehrt, von den in Sachen Mozart Arrivierten her, zu sehen. Kaum Konzessionen macht Harnoncourt in der Artikulation, Dynamik,

Rhythmik und Tempowahl. Auch bleibt er dem kantigen Gegenbild eines Pultvirtuosen treu, steht einem solchen aber an Sendungsbewußtsein, das überzeugt, auf seine Art nicht nach.

Harnoncourt versteht »Musik als Klangrede«. Wenngleich er dabei von Bach und Monteverdi ausgeht, ist sein Ansatz, vom Historistischen in der Instrumentalpraxis abgesehen, nicht grundsätzlich neu. Weill sprach vom gestischen Charakter; Yehudi Menuhin berichtet, daß ihm George Enescu 1932 eingeschärft habe, Mozart sei stets in seiner Musik Dramatiker, »ein Musiker der Silben und Gesten«. Harnoncourt geht es um das geprägte Detail und einen kontrastreichen Aufbau vom Detail her. Wie er sich von der alten Vorstellung (vor allem der Vorklassik), Musik sei primär Ereignis der Aufführung, Überraschung, leiten läßt, so neigen Dirigenten wie Muti von der anderen Seite her ebenfalls einem Chiaroscuro, einem Mozart als »dialektischen Komponisten« zu. Auch Karl Böhm hat im Alter ebenso einen heroischen wie einen Rokoko-Mozart abgelehnt und einbekannt, daß er in zunehmendem Maße »das Bild des Revolutionärs« in Mozart zu erkennen gelernt habe: »Es hat im Gegensatz zum Anmutig-Graziösen seine feurigen, ja sogar faustischen Elemente.« So schwer diese Polarität in der Praxis zu verwirklichen ist, so oft wurde sie im Laufe der Geschichte, mit den Mozart-Shakespeare-Vergleichen beginnend, gefordert. Welche Interpretation ihr heute am besten oder richtigsten entspricht, bleibt Geschmackssache. Das Nebeneinander unterschiedlicher Lösungen hat zweifellos seinen Reiz. Die Wiener Philharmoniker spielen Mozart außer mit Harnoncourt derzeit vor allem mit James Levine und Leonard Bernstein auf Schallplatte ein.

Die einen kritisieren ein geschmäcklerisches Bestaunen des Interpretations-Karussells, die anderen loben die Abwechslung als Werkstatt-Geist. Woran soll man sich halten? Diese Frage gilt auch für die folgende Diskrepanz: Seit Beginn der Schallplattenindustrie steht Mozarts Musik weltweit im Spitzenfeld des Angebots, Kaufs und wohl auch Gebrauchs innerhalb der Sparte ernster Musik. Harnoncourt kommentierte 1982, ähnlich wie andere vor ihm, diese offensichtliche Wertschätzung mit der einschränkenden Feststellung: »In der Praxis aber geht man über den größten Teil seiner Werke desinteressiert hinweg, um ihm

Werke vorzuziehen, deren geringe Qualität man ohne weiteres zugibt.« Das uralte Klischee, über den Ungeist der Gegenwart zu klagen, hat die Geschichte der Mozart-Rezeption von Anfang an begleitet und ist als Argument insgesamt nicht so dramatisch zu nehmen, wie es uns manche theatralische Gesten suggerieren. Nicht zuletzt bezeugen extreme Reaktionen von großen Außenseitern unseres Musikbetriebs (man könnte sie auch als an ihrer Etabliertheit leidende Künstler bezeichnen) dafür, daß die Herausforderung durch Mozart weiter besteht. In besonderem Maße muß sie für Pianisten gelten. Für viele von ihnen sind Werke Mozarts ein schönes und heikles Vorspiel zur großen Literatur geblieben, manche fanden einen Ausgleich (Edwin Fischer, Arthur Schnabel, Wilhelm Backhaus), manche konzentrierten sich auf Mozart (unvergleichlich Clara Haskil). Die Extrempositionen vertraten in jüngster Zeit am deutlichsten Friedrich Gulda und Glenn Gould. Gulda spielt reine Mozart-Abende, gern unter dem Titel »Mozart for the people«. Treue zum Geist des Werks gegen alle Konvention lebt in seinem Spiel. Die eskalierenden Auseinandersetzungen Guldas mit Konzertunternehmen, Kritikern und Publikum, sein Kampf für »zeitgemäße musikalische Bestrebungen« (die er sehr ungewöhnlich auswählt und wertet), all das stützt sich auf das Phänomen Mozart, das er den »gelähmten Hundertjährigen« entreißen will. Sicher, Gulda kompromittiert sich immer mehr – als eine Mozart-Figur unserer Zeit? Jedenfalls ist für ihn Mozart ein Synonym für musikalische Präsenz und Neuheit. Der Kanadier Gould, ein Liebhaber des verhangenen Regenhimmels, mochte Mozart, das heißt wohl das strahlend apollinische Mozart-Bild, nicht. Dabei hatte er den Mozart-Dirigenten Josef Krips zum hochverehrten väterlichen Freund. Gould provozierte, nannte Mozart einen mittelmäßigen Komponisten, der eher zu spät als zu früh gestorben sei. Die g-Moll-Sinfonie, die »Zauberflöte«, die beliebtesten Werke waren ihm unerträglich. Diese Haltung richtete sich gegen Guldas »gelähmte Hundertjährige«. Gould wurde aber auch konkret und gab Vorschläge, wie angebliche Mängel etwa im zweiten Satz des Es-Dur-Konzerts KV 482 zu beheben wären. Er versuchte satztechnische Kühnheiten Mozarts verständlicher zu machen und begab sich damit, auch inhaltlich, auf eine Linie mit Mozart-Kritikern seit bald zweihundert Jahren. Vermutlich hat Gould es nötig gehabt, dem strahlenden Mozart Dunkles an Harmoniefolgen vorzuhalten und sich Distanz zu ihm zu schaffen, um so ungewöhnlich und intensiv – Bach und Brahms spielen zu können.

Etwas unterscheidet die Interpretation der Opern von der der Instrumentalmusik: letztere hat ausschließlich mit Mozarts sakrosanktem Notentext zu tun (der Freiraum, den sich Gulda durch gelegentlich eingeschobene Verzierungen und leichte Paraphrasierungen schuf, entspricht ebenso den Gewohnheiten Mozarts und seiner Zeit wie er den heutigen widerspricht). Gemeinsam ist beiden neben dem aktuellen Dilemma mit den Zielvorstellungen die in Mozarts Reputation gefundene Stütze, um sich im kulturellen Pluralismus zu orientieren. An dieser grundsätzlichen Funktion ändert die Entscheidung nichts, ob man Mozarts Werk dienen will oder es als Absprungbasis für etwas anderes benutzt. Unter den Facetten dieser Bezugnahme tritt jene »Werktreue« mit dem größten aufklärerischen Pathos auf, hinter der ihrerseits die Arbeit der Musikwissenschaft steht. Große Zeiten der Mozart-Forschung müßten demnach längst angebrochen sein. Zahl und Themenvielfalt der in den Bänden der »Mozart-Bibliographie« genannten Schriften ist in der Tat enorm. Bei einer Kongreß-Diskussion 1964 über den »gegenwärtigen Stand der Mozart-Forschung« sprach Wolfgang Plath in einem vielbeachteten Grundsatzreferat jedoch von einer »komplexen Krise«. Zwanzig Jahre später liegen erstmals eine wissenschaftlich edierte und kommentierte Gesamtausgabe der Briefe Mozarts, eine reiche Sammlung von Dokumenten seines Lebens und eine Ikonographie vor; die Neue Mozart-Ausgabe geht ihrem Abschluß entgegen. Trotzdem zweifle ich, ob Plath die Krise inzwischen für überwunden hält.

Worum geht es? Vor allem die deutsche Musikwissenschaft hat sich gemeinsam mit ihren Nachbardisziplinen in der ersten Hälfte unseres Jahrhunderts der Geisteswissenschaft im Sinne Diltheys, also einer »Erfahrungswissenschaft der geistigen Erscheinungen‹, zugewandt. Nach 1945 wurde ihre idealistische Tradition zurückgedrängt, und in Sozialwissenschaften und Philologie auf konkretere Empirie Wert gelegt. Die Mozart-Forschung spiegelt diese Entwicklung allgemein wider. Die Diskussionen 1964 zeigten deutlich, daß es »die« Mozart-Forschung als Monolith oder gar als Sekte aufeinander eingeschworener Wissender nicht gibt. Was sicherlich positiv zu werten ist. Weniger ermutigend war das diffuse Bild aus allen möglichen, teils eher hermeneutischen, teils eher analytisch-positivistischen Denkansätzen, die auf Plaths Provokation hin als Ergänzung oder Erwiderung angeboten wurden.

Also doch eine Krise? Für besonders bedenklich hält Plath die Wirkung der großangelegten Untersuchung von Wyzewa und Saint Foix, weil sie der Stilkritik den Anschein einer Sicherheit in Fragen der Datierung und Echtheit von Kompositionen gab, die sie nicht besitzt. Auch Alfred Einstein sei bei seiner dritten Auflage des Köchel-Verzeichnisses von da her irregeleitet worden. Was den beiden Autoren darüber hinaus vorgeworfen werden muß, ist ihre Überzeugung, mit dem Instrument des Kausalnexus den Geniebegriff entschlüsseln zu können. Doch war letzteres für Plath kein vordringliches Problem. Zur umfassenden Kritik zwangen ihn vielmehr die tagtäglichen Schwierigkeiten bei der Arbeit an der Neuen Mozart-Ausgabe. Das allzulang als gesichert angenommene Gebäude der Materialüberlieferung erwies sich als sehr brüchig. Skepsis gegen alles Überlieferte sei geboten; die Rückkehr zur historisch-kritischen Methode, die Jahn und Köchel in die Mozart-Forschung eingebracht hatten, sei zu fordern; alle verfügbaren Kräfte sollten sich der Erstellung einer verläßlichen Materialbasis widmen.

Plath sieht zwei Tendenzen in der Mozart-Forschung, eine »künstlerische« (im Sinne Diltheys) und eine »gelehrt-wissenschaftliche« (basierend auf der historisch-kritischen Methode). Ihr Nebeneinander entspricht seiner Meinung nach nicht den Forderungen aus dem Forschungsstand. Die Bemühung um das Material müsse »erste Aufgabe« sein; das Verstehen des geistigen Phänomens Mozart sei als »Formalziel« die »vornehmste Aufgabe« der Forschung. Allerdings vermochte die historisch-kritische Methode auch bei Jahns Mozart-Bild nicht die Vorurteile des Autors aufzulösen. Ziel ist trotzdem die objektivierende Abstraktion der Methode vom Subjekt der Forschung mit seinen persönlichen Wünschen. Die Versöhnung von strenger Textkritik und Deutung wurde in den Diskussionen von verschiedenen Gelehrten für möglich angesehen. 1964 mag auch sie nicht vordringlich gewesen sein; spätestens mit Abschluß der Neuen

Mozart-Ausgabe wird sie es sein. Wie sie aussehen könne, visierte Plath selbst an: natürlich »nicht als Summe der Fakten, aber als integraler Sinngehalt des Faktischen«. Nichts anderes will von jeher die Philologie, die ihre erste Aufgabe im Herstellen möglichst authentischer Texte sieht, sich aber nichtsdestoweniger als Wissenschaft der Deutung von Texten versteht.

Jedoch gerade in ihrer konsequenten Anwendung entgeht die historisch-kritische Methode jener verengenden, vorschnell systematisierenden Festlegung Mozarts, gegen die sich Nietzsche gewandt hatte. Es gilt, so gesehen, von der Bestimmtheit der Relationen im Detail zu höheren und umfassenderen Graden der Bestimmtheit vorzudringen und sich der »künstlerischen« Neigung zum »Bild« von einer Sache zu enthalten. Bei dem Wust an großen Worten, den Panegyriker durch zwei Jahrhunderte Mozart-Rezeption anhäuften und unter dem Fakten und Legenden austauschbar wurden, bereitet die Lektüre nüchtern penibler Spezialuntersuchungen in ihrer Offenheit für weitere Zusammenhänge sogar ein befreiendes intellektuelles Vergnügen.

Die Nachteile des Verharrens auf der »ersten Aufgabe« zeigen sich anderswo. So ist es zum Beispiel heute unbestritten, daß es bei Datierungs- und Echtheitsfragen zunächst auf die Quellenbewertung und nicht auf die Stilkritik ankommt. Doch in vielen Fällen führt die Quellenkritik zu keinen eindeutigen Ergebnissen. Dann bleibt nur der Griff zur »schlechteren« Methode. Bei einschlägigen Diskussionen und Polemiken (sie sind in den Mozart-Jahrbüchern nachzulesen) zeigt sich, daß wohl alles Mögliche an Argumenten zusammengetragen wird, aber die Kriterien dessen, was möglich ist und was nicht, vage oder zu subjektiv bleiben. Noch einleuchtender werden die Bedenken beim Blick auf die Erforschung von Mozarts Leben. Das Material ist kritisch gesichtet und publiziert. Viele zweifelhafte Überlieferungen sind durch Otto Erich Deutsch u. a. richtiggestellt worden. Die Fundamente sind gelegt und warten auf den Baumeister. Der Hinweis auf zu erwartende neue Einsichten (etwa zum Thema »Mozart als Schüler und Lehrer«) entschuldigt nicht dessen Ausbleiben. Freilich gibt es nach wie vor eine Fülle von Mozart-Biographien, belletristische nach altem Muster und auch kulturhistorisch beschreibende wie die von Erich Schenk. Ein Deutungsdefizit bleibt bestehen. Es ist doch auffällig:

Dort, wo die Mozart-Forschung Schwierigkeiten mit ihrer Materialbasis hat, beim Werk, beginnen ihre Ergebnisse, die Neue Mozart-Ausgabe und Untersuchungen zur historischen Aufführungspraxis, langsam in die musikalische Praxis hineinzuwirken – dort aber, wo sie diese Unsicherheit überwunden hat, bleibt sie faktisch wirkungslos. Daß Außenseiter diese Lücken effektvoll ausfüllen, darf nicht verwundern. Schon gar nicht, wenn sie so prominent und geistvoll sind wie Wolfgang Hildesheimer, der sich zudem ausdrücklich für der »Zunft« nicht zugehörig erklärte. Die Fragen, die ihn bewegten, wurden bei der Diskussion 1964 über den Stand der Mozart-Forschung kaum erwähnt. Umso mehr wird begreiflich, was an sich naheliegt, daß die Insider über den Erfolg des Outsiders je nach Temperament aufgeregt reagierten oder vornehm schwiegen. Und eine hohe Publizität erreichte der 1977 erschienene »Mozart« Hildesheimers zweifellos. Die Persönlichkeit Mozarts ist wieder ins Gespräch, wenn nicht gar ins Gerede gekommen.

Bei Büchern gilt offenbar ähnliches wie bei praktischen Interpretationen: Aus irgendwelchen Gründen müssen sie Sensation machen und muß sich die Maschinerie der Werbung ihrer bemächtigen, damit eine breitere Öffentlichkeit sie wahrnimmt und auch eine ernsthafte Auseinandersetzung in Gang kommt. Das besagt natürlich nichts über die Qualität des Angepriesenen. Trotzdem gebe ich zu, mich über die Ankündigung geärgert zu haben, Hildesheimer habe das »erste reale Mozart-Porträt« geschaffen. Das klingt nach Enthüllungs-Stories in Illustrierten. Bei einer Lesung (Hildesheimer trug den Abschnitt über die »Zauberflöte« vor) wurde mir klar, daß es ihm darum ging, Mozart gegen seine Biographen in Schutz zu nehmen, Übermalschichten abzutragen und in dieser Oppositionshaltung der Realität des Rätsels Mozart näherzukommen. Aufklärerischer Impetus und ein Geist der Kritik verbinden Hildesheimer kurioserweise mit Plath. Hildesheimer ist auch dankbarer Nutznießer der historisch-kritisch gearbeiteten Brief- und Dokumentenausgabe. Dem Mozart-Bild Jahns, Aberts, auch Einsteins und der viel weiter reichenden, kulturhistorisch bedeutsamen Tendenz zur Idealisierung und Harmonisierung Mozarts will er widerstehen. Als Mittel dazu setzt er die Psychoanalyse ein, die der Mozart-Forschung fremd geblieben war. Sie auf Mozart anzuwenden, lag nahe, zumal sie in der aktuellen Künstlerbiographik mit Vorliebe eingesetzt wird, wenn auch selten mit ihr so vorsichtig umgegangen wird, wie dies Freud selbst einst gegenüber Michelangelo und Goethe tat. Hildesheimers Mozart ist nicht mit dem von anderen Autoren malträtierten Schubert zu vergleichen. Fragt sich bei letzteren, was der Einblick in Schuberts Sexualneurose eigentlich bringt, so fragt Hildesheimer seine Leser, denen er Mozarts sexuelle Phantasie und seine zur Koprolalie neigende Anal-Erotik erklärt, ob Mozart deshalb kleiner, beschmutzt oder verächtlich erscheine. Warum er Mozart von dieser meist als unappetitlich verdrängten Seite und von exzentrischen Zügen her, die nicht in ein Heroenbild passen, zu begreifen sucht, hat seinen Grund darin, daß sie eben nicht ins Bild passen, stören und so einen Blick in tiefere Schichten erhoffen lassen.

Ob Hildesheimers dionysischer Mozart dem realen eher entspricht als der apollinische, weiß ich nicht. Sicher aber wird in seinem Buch die marmorblasse Verklärung Mozarts ebenso überwunden wie die Verniedlichung zu einem »Menschen wie du und ich« und auf jene Fremdheit des Genies verwiesen, die dem frühen Biographen Ulibischef selbstverständlich war und die dem romantischen Künstlerbild E. T. A. Hoffmanns wieder näherkommt. Und was das Entscheidende ist, diese typologische Zuordnung ist nicht Hildesheimers letztes Wort. Das Äußerste ist vielmehr sein Versuch, das eigene Scheitern vor dem Gegenstand mitzudenken. Damit öffnet sich sein Überzeugungswille einem letztlich nicht Durchschaubaren. Die Möglichkeit, daß alles sich anders verhalten haben könnte als mit kritischer Begeisterung dargestellt wurde, entspricht atmosphärisch vielleicht sogar Mozarts eigener Denkweise, jedenfalls aber jener Aufklärung, die sich idealiter nicht nur gegen von außen kommende, sondern auch gegen selbst erzeugte Dogmen richtete. Diese, meinem Empfinden nach wesentliche Annäherung an den Gegenstand bestimmt die Darstellungsweise. Wie Hildesheimer selbst sagt, strebte er eine Art »action writing«, einen Arbeitsbericht an; sein Buch bringe »weniger eine Entwicklung des Themas, als die verschiedenen Sichten auf ein nicht erschöpfbares Phänomen«. Die Loslösung vom Verfolgen eines Ziels hin zu etwas Raumhaften, das den Leser umfängt und zur Umschau einlädt, hat als Tendenz eine prinzipielle Verwandtschaft mit dem besprochenen Gesamtzustand der praktischen Interpretation der Werke Mozarts heute.

Seinem Anspruch wird Hildesheimer besonders dadurch gerecht, daß er in einem nachträglich gehaltenen Vortrag »Die Subjektivität des Biographen« sich selbst einer gewissen Naivität in der Anwendung der Psychologie zeiht. Gemeint ist seine Hoffnung, durch Erkenntnisse aus einer an sich selbst erfahrenen Psychoanalyse in der Lage zu sein, die jeweils nötige Relation zwischen Distanz zum und Identifikation mit dem Gegenstand bestimmen und positive wie negative Affekte ausschalten zu können, und im weiteren fähig zu sein, das Wissen über typische Reaktionen der Psyche als Biograph anzuwenden, dabei aber Distanz zu möglichen eigenen Reaktionen zu halten. Dazu vermutet er nunmehr, im »Glauben an die Psychoanalyse zuweit gegangen« zu sein.

Hildesheimers Skepsis gegenüber der Sekundärliteratur ist stärker als seine Kritik historischer Quellen. Sophie Haibls und Caroline Pichlers Schilderungen von Mozarts exzentrischen Verhaltensweisen deshalb für völlig verläßlich zu halten, weil die Berichterstatterinnen phantasielos waren, ist ein sehr selbstsicherer Schluß. Der späte Zeitpunkt ihrer Aussagen läßt ebensogut vermuten, daß sie sich interessant machen wollten und auch konnten. Für symptomatisch im negativen Sinne (ich überzeichne durch die Wahl des Beispiels meinerseits, um etwas Dahinterstehendes aufzuzeigen) halte ich Hildesheimers Ausführungen zur »Zauberflöte«. Er mag das Stück nicht, hält es für »von je her überschätzt«. Wohl deshalb hat er gerne die einschlägigen Passagen aus seinem Buch für seine Lesungen ausgewählt und darüber mit anderen schriftlich und mündlich diskutiert. Drei Argumente führt er gegen die »Zauberflöte« an: Erstens attestiert er dem Libretto Unlogik und innere Unwahrhaftigkeit, ein alter Vorwurf, über den sich ohne Ende streiten läßt. Zweitens moniert er das Männerbündlerische, Frauenfeindliche der »Eingeweihten« in auffälliger Parallele zu gängigen Regiegepflogenheiten nicht nur bei Mozart-Opern. Und verknüpft drittens damit die Behauptung einer teilweise mangelnden inneren Anteilnahme Mozarts bei der Komposition. Gemeint ist der von Männern zu singende Teil der Musik. Beim Lob für Paminas g-Moll-Arie spielt Hildesheimer ausnahmsweise sogar mit dem Gedanken an autobiographische Züge in der Klage Paminas. Die kompositorische Gestaltung des Tamino findet keine Erwähnung; die Priestermusik wird heruntergemacht. Mir leuchtet nicht ein, warum Mozart etwa bei der Komposition des Priesterduetts »Bewahret Euch vor Weibertücken« nicht recht bei der Sache gewesen sein soll. Die heitere Musik zu dem Text »Tod und Verzweiflung war ihr Lohn« könnte zu allen möglichen Überlegungen, etwa über den Schalk Mozart, der da hervorlugt, Anlaß geben; kaum zufällig spielt Mozart in einem Brief an seine Frau recht doppeldeutig auf eben diese Stelle an. Wäre Mozart nicht bei der Sache gewesen, hätte er das Duett eben konventionell, eindeutig und mit ernst erhobenem Zeigefinger komponiert. Im Falle der »Zauberflöte« will Hildesheimer einfach nicht hören, was die Musik bietet. Stattdessen baut er einen negativen Helden auf, der seit 150 Jahren durch die Mozart-Literatur geistert: den seinerzeitigen Mitarbeiter Schikaneders und später als Naturforscher zu Ehren gekommenen Karl Ludwig Giesecke. Schikaneder hatte sich schon 1795 gegen andere angebliche Autoren der »Zauberflöte« zur Wehr gesetzt. Da es sich beim Libretto um kein literarisches Kunstwerk handelt wie bei den Dramen Goethes oder Schillers, ist es im Grunde gleichgültig, ob Schikaneder allein jede Zeile verfaßte oder ob auch die »Firma Schikaneder« an der Ausarbeitung beteiligt war. Der misogyne Giesecke, bei dem zweifelhaft bleibt, »ob er Damen überhaupt gern angeredet hatte«, paßt in Hildesheimers Argumentationskette für die angebliche Frauenfeindlichkeit des »Zauberflöten«-Librettos, die Mozart musikalisch in ihr Gegenteil zu wenden trachtete. So gesehen kann Schikaneder, der dem weiblichen Geschlecht sehr zugetan war, allerdings nicht der Autor gewesen sein.

Gegen diese Detailkritik läßt sich einwenden, sie werde Hildesheimers eigener Einschätzung seiner Arbeit nicht gerecht. Sie dient aber der Klärung dessen, was Hildesheimers Buch sein will und was nicht: Literatur und nicht Wissenschaft. Er fordert von den Biographen eine scharfe Scheidung zwischen Mitteilung und Spekulation; sieht für sich aber als einzig richtigen Weg den, »durch Intersubjektivität ein objektives Bild« zu erreichen. Vertrautheit und Distanz zum Gegenstand haben beim Autor zur

Voraussetzung, daß ihm die »geheimen Regungen einer Seele bekannt« sind und er den »kreativen Zwang« des Künstlers selbst erfahren hat. Damit schließt sich der Kreis der Betrachtung dieses Buches. Was dem Nicht-Psychoanalytiker und dem Nicht-Künstler draußen vor der Tür als Trost bleibt, ist die heimliche Genugtuung, Wunschbilder und Vorurteile zu durchschauen, die nicht aus der Zunft der Musikforscher, sondern aus der der Freudianer stammen. Und geht er einen Schritt weiter, kann er vermuten, was »Mozart« für Hildesheimers künstlerische Entwicklung bedeutet. Nach Romanen, »Tynset« und »Masante«, mit autobiographischen Zügen, löst sich Hildesheimer in seinem »Mozart« von sich selbst. Er entwickelt an Mozart einen Begriff vom Genie, das »sich nicht in Relation zur Welt« sieht, ja sich überhaupt nicht sieht. Kennzeichen des Pseudo-Genies (er nennt Rilke als Beispiel) sei die Selbstreflexion, auftrumpfend bei Erfolgen, wehleidig über persönliche Einsamkeit.

Aus diesem Grund insistiert Hildesheimer so sehr auf der Fremdheit Mozarts, die Annette Kolb vierzig Jahre zuvor von einem anderen Ansatz her ebenfalls als der Weisheit letzten Schluß sah: »Nie hebt sich die Nacht über Mozart. Wie er ging, wie er stand, sein Blick, sein Gebaren, wer sich ein Bild davon machen kann, der melde sich zum Wort.«

Ob Mozart als Beispiel für einen bestimmten Geniebegriff dient oder ob darüber hinaus die Suche nach dem Absoluten im Leben in ihm einen Halt findet, läßt sich nicht entscheiden. Ich vermute bei Hildesheimer letzteres. Dies bringt ihn in einen prinzipiellen Zusammenhang nicht nur mit der langen Geschichte der Idealisierung Mozarts, sondern sogar mit der Vorgangsweise etlicher Theologen unseres Jahrhunderts. Ich weiß, daß ich damit Widerspruch provoziere. Um es nochmals zu sagen, ihre Ansichten sind im einzelnen völlig gegensätzlich; gemeinsam ist ihnen aber einerseits die Einsicht in die Fremdheit Mozarts und andererseits der irrationale Glaube, ihn trotzdem zu verstehen. Es verbindet sie auch der Widerspruch oder die höfliche Reserve der Musikfachleute. Die stets präsente Frage, wie man sich sinnvoll zu Mozart verhält, beantwortet die amerikanische Schriftstellerin Joyce Carol Oates in einer Weise, die auch Licht auf den Widerstand der Musiker wirft. In ihrer Erzählung »Nightmusic« bietet sie zwei verschiedene Happy Ends zur Wahl: das eine liegt im »song inside the music«, der der Sensationsgier des ahnungslosen Publikums widersteht; das andere erfüllt sich in der musikalischen Identifikation eines konzertierenden Pianisten mit Mozart, der freilich die Berufskollegen mißtrauen, weil sie nur an ihr eigenes Happy End glauben: »But why resist?«

Eine theologische Deutung der, paradox gesagt, glasklaren Unfaßbarkeit, mit der Mozart alle Gegensätze durchleuchtet, begibt sich in einen heiklen Bereich. Das, was Mozart mit ihr bezweckte, könnte ja auch etwas Diabolisches sein, ein virtuoser Spaß, ein Nihilismus hinter dem Anschein liebevollen Verständnisses, eine höhere Form der Amoral. Nach Karl Barths Ansicht ist gerade das Entscheidende, daß Mozart nichts bezweckte, keine Botschaft und auch kein Lebensbekenntnis verkündete, sondern in Weltüberlegenheit über allem Hader stand und auch als Musiker nicht revoltierte, sondern sich im gesetzten Rahmen immer freier bewegte. Die Naivität des Genies (nach der Tradition der Raffael-Vergleiche) trifft sich mit seiner Souveränität über alle Gegensätze (nach der der Shakespeare-Vergleiche) in einem Bild der Freiheit, in dem »das Schwere schwebt und das Leichte unendlich schwer wiegt«. Die Analogie Mozarts mit der Musik der Engel liegt nahe. Barth sucht Mozarts Freiheit in einer christianisierten Vorstellung von der Sphärenharmonie, aber auch im konkreten Detail und findet sie in Mozarts Fähigkeit zur »köstlichen Wendung«: etwas, das Mörike in der Dichtung darstellte und Thrasybulos Georgiades an den Partituren theoretisch untersuchte. Einen köstlichen Traum erzählt Barth in seinem »Dankbrief an Mozart«: Er mußte Mozart in Theologie examinieren und mühte sich, ihn nicht durchfallen zu lassen, vergeblich, denn Mozart wußte nicht, was Dogma und Dogmatik sei. Dasselbe Problem der Freiheit greifen auch die so unterschiedlich veranlagten katholischen Theologen Hans Küng und Hans Urs von Balthasar auf. Die historische Abhängigkeiten und Lehren übersteigende Einzigartigkeit Mozarts sieht Küng in seiner höheren und in der Freiheit wurzelnden Einheit, im Kantschen »intelligiblen Charakter« also. »Mozart selbst« setzt er in eine Analogie zum »unterscheidend Jesuanischen«, die erst vom »unterscheidend Christlichen« überragt wird. Balthasar geht noch weiter und nähert Mozart sogar dem auferstandenen Christus in der Vision an, Mozart steige als »verklärtes Ich mit

Leib und Seele in den Tönen der Zauberflöte nach oben«. Diese Himmelfahrt Mozarts zu einem durchgeistigten Leben erinnert an die spätantike Philosophie Plotins. Balthasar, der eine berühmte »theologische Ästhetik« schrieb, geht über eine philosophische Deutung noch insofern hinaus, als er in der Erscheinung Mozarts »die endgültige, allen Abschied überholende Offenbarung der ewigen Schönheit in einem echten irdischen Leibe« erkennt.

Wenn wir uns der vehementen Kritik gegen ein bestehendes Mozart-Bild bei Karl Kraus oder in Hesses »Steppenwolf« erinnern, so muten die Worte der Theologen beschönigend an. Sie suchen aber ebenso Hoffnung und Trost in Mozarts Musik wie selbst jene Dichter, die ihre radikalen Zweifel an einem höheren Sinn unserer Welt artikulieren. Mozart wird als Ideal einer absurden Gegenwart entgegengestellt. Diese Grundfigur der Mozart-Rezeption verliert alle klischeehaften Züge, wenn der Theologe Dietrich Bonhoeffer 1944 wenige Monate vor seiner Hinrichtung im Konzentrationslager in einem Brief die Hilaritas Mozarts und Raffaels beschwört. Um einige andere Beispiele zu nennen: Der Provencale Jean Giono greift im »Triomphe de la vie« die Rokoko-Begeisterung des Fin de siècle auf. Aber die Bewunderung für den Einklang Mozarts mit seiner Zeit erhält etwas Angestrengtes; Giono sieht in Mozart ein Ideal, das aus den Verstrickungen der Hölle ins Freie führt. Für Antoine de Saint-Exupéry ist unter dem Eindruck des Zweiten Weltkriegs Mozart ein zeitloses Symbol menschlicher Harmonie geworden, das uns heute fehlt; Mozart sei zum Tode verurteilt. Thomas Mann bringt im Teufelsgespräch des »Doktor Faustus« eine Anspielung auf Kierkegaards »Don Giovanni«-Deutung und bezeichnet in der Rede »Deutschland und die Deutschen« 1945 die Musik als ein »dämonisches Gebiet«. Damit meint er auch seine eigene Vorliebe für die Musik Wagners und Beethovens. Seine Sehnsucht nach Weltüberlegenheit läßt gegen Ende seines Lebens sein Interesse für Mozart erwachen (angeregt durch Einsteins Buch). Ihn fasziniert das »Celeste«, das Naturfremde, ganz auf die Musik Konzentrierte, das Aristokratische an Mozart. Einen ähnlichen, aber intensiver auf Mozart bezogenen und viel weltflüchtigeren Weg ging Hesse, für den schon in dem Gedicht »Flötenspiel« (1940) Musik zum Ausdruck eines ewigen Sinnes wird. Mozart als »magisches Zeichen« verbürgt, daß die Welt einen Sinn hat. Bei

Hesse, aber auch bei Ernst Weiß, liegt dieser Sinn in einer fernöstlich inspirierten, anti-faustischen Harmonie. Sehr viel schärfer formuliert die Antiposition zur Gegenwart Eugène Ionesco in seiner Eröffnungsrede der Salzburger Festspiele 1972. Sie ist voll apokalyptischer Prophezeiungen. Mozart ist der ganz andere, erfüllt von Freude und jenem »kindlichen Erstaunen«, das uns Bergman in den Bildern zu Anfang seines »Zauberflöten«-Films nahebringt. Bei allen Genannten fungiert die Musik als Rettung vor Schrecklichem, so wie sie Mozart selbst in der Prüfungsszene der »Zauberflöte« eingesetzt hatte.

Bleibt es unmöglich, Mozart zu entmythisieren? Ingeborg Bachmann versucht es. In ihrem »Blatt für Mozart« spricht sie nicht von himmlischer Musik, sondern von einer, die von dieser Welt ist, »nur die vollkommene Variation über das von der Welt begrenzte, uns überlassene Thema«, ein Thema des Begehrens, von dem »die gefallenen Engel und die Menschen voll« sind. Einen ebenfalls ungewöhnlichen Gedanken führt die tschechische Schriftstellerin Věra Linhartová in ihrer Erzählung »Requiem für W. A. Mozart« aus. Im Zentrum steht die harte Einsicht, daß Mozart durch seine bloße Existenz zwar tröstliche Bedeutung hat, aber zu keinerlei Hoffnung berechtigt; sein Werk stellt sich uns in den Weg, um uns vor dem Nichts zu bewahren. Weder die Musik noch das Studium der Quellen bringen eine Annäherung an das Phänomen Mozart. Verständlich macht die Erzählerin, daß es daran nichts aufzuklären gibt, indem sie die Hauptperson, einen über Mozart schreibenden Studenten, einen unsinnigen, zufälligen Tod wie Mozart sterben läßt. Hier beginnt für sie das Verstehen. Linhartová läßt ihren Protagonisten auch an eigenen zufälligen Begegnungen mit Unbekannten, die ihn an den »Grauen Boten« erinnern, das Geheimnis zwischen der Aufklärung einer Sache und der Identifikation mit ihr erfahren. Gerade die bittersüßen Legenden um Mozarts letztes Lebensjahr und seinen Tod behalten so über alle Nüchternheit hinweg etwas von erfahrbarer Nähe und Vertrautheit.

Was bei Linhartová Andeutung bleibt, wird in der Belletristik und im Film zu Highlights. Bis herauf zu den Fernsehfilmen von Marc Dumaine und Marcel Bluval aus jüngster Zeit und zu der Verfilmung von Peter Shaffers Theaterstück »Amadeus« durch Milos Forman, das derzeit Sensation macht. Die eindrucksvollen

Bilder einer grob psychologisierenden Gleichsetzung von Mozarts Vater mit dem Komtur in »Don Giovanni« und dem Grauen Boten werden sehr viele Kinobesucher lange im Gedächtnis behalten. Das Schaurige als Kontrapunkt zum blendend ausgestatteten Festtaumel macht insgesamt Hildesheimers These vom dionysischen, seiner selbst unbewußten Mozart zum Hollywood-Klischee. Das Grundproblem des Konzepts ist allerdings schon in Shaffers Stück enthalten. Der Gedanke ist zweifellos faszinierend, die Differenz zwischen Talent und Genie einmal vom Talent und seinen psychischen Belastungen her aufzufassen. Auch ist Shaffer die künstlerische Freiheit zuzugestehen, Salieri und Mozart selbst und vieles in der Handlung völlig anders darzustellen, als historisches Wissen es uns lehrt. Wenn er dabei zugleich den Anschein der Authentizität erweckt, so enthüllt er damit das Grundproblem derartiger Unternehmungen: eine mit der Publikumserwartung spekulierende Absicht.

Das Spektrum derartiger Darstellungen reicht von der künstlerischen Technik, sich auf Vorhandenes zu beziehen, es verschieden zu beleuchten und zu verarbeiten, bis hin zur Vermarktung Mozarts, der es um anderes als um Kunst geht. Hier objektiv zu richten, ist keinem möglich, der sich als Künstler, Gelehrter oder Kritiker mit Mozart beschäftigt. Nutznießer seines Ruhms sind wir alle, auch der Schweizer Kabarettist mit dem Violoncello, Franz Hohler, der in einem Lied sarkastisch den Rummel um Mozarts Auftreten in der Gegenwart imaginiert, ebenso wie Gisela Mahlmann, die einem kritischen Fernsehfilm den Titel »Vom Wunderkind zur Mozartkugel – Über die Vermarktung eines Genies« gab und sich darüber mokierte, daß die Stiftung Mozarteum ein Honorar für die Dreherlaubnis in den Gedenkstätten forderte, das für Restaurierung und Mozart-Forschung ausgegeben wird. Sicher, was hat Mozart mit Pralinen, Wäsche, Kaffee, Zügen, Hotels usw. zu tun, die nach ihm benannt sind? Nichts natürlich, aber die Geschäftsleute wollen ihr Produkt ebenso wie ihre Kritiker die Kritik aus dem grauen Einerlei des jeweiligen Angebots zu etwas Besonderem emporheben. Unbestrittenermaßen ist vieles an dem, was da geschieht, ärgerlich. Am meisten die Sensationsmache mit Mozarts Tod. So holt etwa der angesehene englische Historiker und Rußland-Kenner Francis Carr in seinem Buch »Mozart & Constanze« (London 1984) das alte Gerücht um Franz Hofdemel, der Mozart aus Eifersucht ermordet haben soll, hervor. Im noblen Seebad Brighton spielte man gar Tribunal und einigte sich nach demokratischer Abstimmung auf Hofdemel als den wahrscheinlichsten Mozart-Mörder, gefolgt von Süßmayr und Salieri. Genüßlich-Kritisches war darüber im »Spiegel« (vom 17. Dezember 1984) zu lesen. Dagegen wirkt etwa das zwischenstaatliche Abkommen zwischen Österreich und der Bundesrepublik Deutschland aus dem Jahre 1918, wonach nur Österreich Mozartkugeln und nur Deutschland Westfäler Schinken exportieren darf, bloß komisch; denn hier wird nichts mit höheren Zwecken bemäntelt. Die weltweite musikalisch-interpretatorische Pflege Mozarts ist aber ein größeres Geschäft als das mit den Mozartkugeln, doch zugleich ist sie Kunst und dient noch, nach den Worten Friedrich Heers, dem guten Zweck: »Japaner, Chinesen, Russen, Afrikaner, Amerikaner, Europäer kommunizieren heute, wenigstens für jenen Herzschlag, den sie sich dem Werk Mozarts hingeben.«

Bei musikalischen Neuschöpfungen und Bearbeitungen ist die Situation ähnlich. Der von Lonzo gesungenen Pop-Version des »Bona nox« die verfälschende Vermarktung vorzuwerfen, ist leicht, doch pharisäisch. Die nach wie vor publizierten Bearbeitungen, vom Pop bis zur Spielmusik für Schulorchester reichend, dienen, positiv gesehen, einer Kunst-ins-Volk-Bewegung. Sie können aber auch Ergebnis einer von jeglichem Verdacht der Trivialisierung freien Einfühlung in Mozarts Stil sein; die Instrumentierung des »Requiems« durch Franz Beyer steht Mozart sicherlich näher als die alte Süßmayrsche Fassung und dient damit dem Werk. Hommage-Kompositionen (von C. Bresgen, H. Eder, G. Wimberger u. a.), die die Stiftung Mozarteum in Auftrag gab, setzen sich in vielfältiger Weise mit Mozart auseinander. Die Palette an Möglichkeiten gleicht prinzipiell derjenigen der Regiekonzeptionen bei den Opern. Doch auch über den Hommage-Gedanken hinausgehend, verhalten sich heute bekannte Komponisten recht unterschiedlich zu Mozart. Ihn zu loben, ist in der Tat ein Klischee. Dmitri Schostakowitsch reihte in einem Gedenkartikel 1956 alle abgegriffenen großen Worte aneinander und faßte sie im Puschkin-Zitat »Welche Tiefe! Welche Kühnheit und welches Ebenmaß!« zusammen; doch der Ton der Begeisterung, in dem er all dies mit eigenen Kindheitserinnerungen verknüpft, ist echt und überzeugt. Hans Werner Henze sprach 1960 mit noch mehr Emphase von einem »herabgestiegenen Gott«; Mozart gab ihm offensichtlich die Rückversicherung im Aufbau einer Alternative zur Avantgarde, bis Henze sie woanders, nämlich in der Politisierung der Kunst, zu suchen begann. Wer würde bei Mauricio Kagel das Vorbild Mozarts vermuten? Und doch bekennt Kagel, daß die Folgerichtigkeit der Musik Mozarts seit Anfang der 70er Jahre eine »Geheimquelle« seiner verschlungenen kompositorischen Wege bildet. Die mit Verdis »Falstaff« einsetzende Rekonstruktion der Tradition bringt immer neue Ergebnisse hervor. Der Blick des Komponisten auf die Opern Mozarts ist auch in Henzes »Der junge Lord« nachvollziehbar. Ins Extrem führt dieses kombinatorische Spiel mit vorgegebenem Material Strawinsky in seiner Oper »The Rake's Progress« (Uraufführung 1951). Von Bildern William Hogarths inspiriert, entstand aus der Feder des Dichters Wystan H. Auden und des Bühnenpraktikers Chester Kallman eine englische Paraphrase des Don-Juan-Themas mit viel Mozart-Modellen, vor allem aus »Così fan tutte«. Zum Beispiel zitiert Strawinsky in Anne's Cabaletta, einer einzigen Arie also, neben Mozart noch Händel, Gluck, Rossini, Weber und Verdi. Eine Tendenz der Zeit, die uns in verschiedensten Erscheinungsformen begegnete, wird hier zum Kunstwerk.

Geschichte als Entwicklung wird zur Metahistorie eines kaleidoskophaften Nebeneinander. Wird die Zukunft der »zeugenden Kraft« Mozarts in der Wiederkehr und Kombination immer der gleichen Bilder und Konzeptionen liegen, anstatt, wie zu Beginn des Kapitels vermutet, in einer Entwicklung hin zur interpretatorischen Werktreue, zum Überblick über das Gesamtschaffen, zu einem authentischen Mozart-Bild? Nietzsche meinte vor 100 Jahren: »Wir sind späte Musiker. Eine ungeheure Vergangenheit ist in uns vererbt. Unser Gedächtnis citiert beständig . . . Auch unsere Zuhörer lieben es, daß wir anspielen: es schmeichelt ihnen, sie fühlen sich dabei gelehrt.« Erfüllt sich diese Einsicht in ungeahntem Ausmaß als Prophezeiung nunmehr am Ende des 20. Jahrhunderts? Die spätzeitliche Larmoyanz nützt freilich wenig. Daher schließe ich lieber mit einigen Versen aus Audens »Metalogue to the Magic Flute«; sie gehen heiter und nachdenklich zugleich über alle nach außen getragene Tiefgründigkeit hinweg und lassen so eher etwas von Mozarts Wesen spüren:

> We who know nothing – which is just as well –
> About the future, can, at least, foretell,
> Whether they live in air-borne nylon cubes,
> Practise group-marriage or are fed through tubes,
> That crowds two centuries from now will press
> (Absurd their hair, ridiculous their dress)
> And pay in currencies, however weird,
> To hear *Sarastro* booming through his beard,
> Sharp connoisseurs approve if it is clean
> The F in alt of the *Nocturnal Queen*.

LITERATURHINWEISE

Seite

9 Stefan Zweig, Die zehn Wege zum deutschen Ruhm. Eine Rechenaufgabe für junge Schriftsteller, in: Der Ruf, Karneval-Heft 1912, S. 15f.

10 Ernst Ludwig Gerber, Historisch-biographisches Lexicon der Tonkünstler, 1. Teil, Leipzig 1790, Sp. 979; ders., Neues historisch-biographisches Lexikon der Tonkünstler, 3. Teil, Leipzig 1813/14, Sp. 494 (Nachdruck Graz 1966 und 1977).

11 Johann Peter Eckermann, Gespräche mit Goethe, hrsg. v. F. Bergemann, Ausgabe Wiesbaden 1955, S. 354 (3. Februar 1830).

16 Walter Salmen, Johann Friedrich Reichardt, Freiburg 1963, S. 189 und 314.

17 Karl Gustav Fellerer, Zur Mozart-Kritik im 18./19. Jahrhundert, in: Mozart-Jahrbuch 1959, S. 80ff.
Georg Nikolaus Nissen, Biographie W. A. Mozarts, Leipzig 1828, S. 633.

18 Franz Friedrich von Boeklin, Beyträge zur Geschichte der Musik, Freiburg im Breisgau 1790, S. 19.
Carl Bär, Mozart. Krankheit – Tod – Begräbnis, Salzburg 1966 (Schriftenreihe der Internationalen Stiftung Mozarteum, Bd. 1).
Mozart. Die Dokumente seines Lebens. Gesammelt und erläutert von Otto Erich Deutsch, Kassel 1961, S. 367ff. (=Mozart. Dokumente); dazu: Addenda und Corrigenda. Zusammengestellt von Joseph Heinz Eibl, Kassel 1978, S. 73ff., bes. S. 75 (=Mozart. Dokumente. Addenda).

19 Joseph Haydn, Gesammelte Briefe und Aufzeichnungen, hrsg. v. D. Bartha, Kassel 1965, S. 269.
Zu Boßler siehe: Walter Serauky, W. A. Mozart und die Musikästhetik des ausklingenden 18. und frühen 19. Jahrhunderts, in: Kongreßbericht Wien 1956, Graz 1958, S. 579f.

20 Mozart. Briefe und Aufzeichnungen. Gesamtausgabe. Herausgegeben von der Internationalen Stiftung Mozarteum Salzburg, gesammelt und erläutert von Wilhelm A. Bauer und Otto Erich Deutsch, Bd. IV, Kassel 1963, S. 175 (=Mozart. Briefe).
Mozart. Dokumente, S. 369ff. und 379.

21 Mozart. Briefe, Bd. VI, S. 431; Nissen, Biographie, S. 581; einen Bericht über die Akademie bringt die »Preßburger Zeitung« vom 31. Dezember 1791, s. Mozart. Dokumente, S. 379 (O. E. Deutsch bezweifelt die dortigen Angaben, s. Mozart. Dokumente, S. 377).

22 Mozart. Dokumente, S. 391ff., 380 und 369.

24 Robert Münster, Zur Mozart-Pflege im Münchener Konzertleben bis 1800, in: Mozart-Jahrbuch 1978/79, S. 159ff.
Wolfgang Suppan, Steirisches Musiklexikon, Graz 1962–1966, S. 397.
Gösta Morin, W. A. Mozart und Schweden, in: Kongreßbericht Wien 1956, S. 420.

25 Mozart. Dokumente, S. 409, 416ff. (s. auch Mozart. Briefe, Bd. VI, S. 448) und 389.

26 Mozart. Dokumente, S. 416.
Mozart. Briefe, Bd. IV, S. 204f.
Zur Geschichte des »Requiems« siehe Leopold Nowaks Vorwort zum entsprechenden Band der Neuen Mozart-Ausgabe.

27 Mozart. Dokumente, S. 424f.; Mozart. Briefe, Bd. VI, S. 495f.
Mozart. Dokumente, S. 412.
Barry S. Brook, Piraterie und Allheilmittel bei der Verbreitung von Musik im späten 18. Jahrhundert, in: Beiträge zur Musikwissenschaft 1980, S. 217ff.

28 Mozart. Briefe, Bd. VI, S. 454f.
Mozart. Dokumente, S. 421.
Mozart. Briefe, Bd. VI, S. 481, 484 u. ö.; Wilhelm Hitzig, Die Briefe Franz Xaver Niemetscheks und der Marianne Mozart an Breitkopf & Härtel, in: Der Bär, Jahrbuch von B & H auf das Jahr 1928, Leipzig 1928, S. 101ff.

29 Mozart. Dokumente, S. 410; Mozart-Dokumente. Addenda, S. 79; Mozart. Briefe, Bd. IV, S 179 und Bd. VI, S. 432f.
Mozart. Dokumente, S. 405.

30 Mozart. Dokumente, S. 423.
Mozart. Dokumente. Addenda, S. 88; W. Hitzig, a.a.O., S. 110.

31 Oskar von Hase, Breitkopf & Härtel. Gedenkschrift und Arbeitsbericht, Bd. 1, Leipzig 1917, S. 158.
Mozart. Briefe, Bd. III, S. 53 (Brief vom 11. Dezember 1780).
Erich Reimer, Idee der Öffentlichkeit und kompositorische Praxis im späten 18. und frühen 19. Jahrhundert, in: Die Musikforschung 1976, S. 130ff.
Hans-Christoph Worbs, Komponist, Publikum und Auftraggeber, in: Kongreßbericht Wien 1956, Graz 1958, S. 754ff.

32 Die heute bekannten frühen Mozart-Drucke verzeichnet das Répertoire International des Sources Musicales, Bd. A/I/6, Kassel 1976, S. 44–253; einen guten Überblick gibt Richard Schaal im Artikel »Mozart« der Enzyklopädie »Die Musik in Geschichte und Gegenwart« (=MGG), Bd. 9, Kassel 1961, Sp. 812ff.

34 Siehe MGG, Bd. 9, Sp. 815f.
Imogen Fellinger, Mozartsche Kompositionen in periodischen Musikpublikationen des späten 18. und frühen 19. Jahrhunderts, in: Mozart-Jahrbuch 1978/79, S. 203ff.
Joseph Müller-Blattau, Alt-Saarbrücker Hausmusik zur Goethezeit, in: Saarbrücker Hefte, 1958, S. 58ff.

35 Rudolf Elvers, Die bei J. F. K. Rellstab in Berlin bis 1800 erschienenen Mozart-Drucke, in: Mozart-Jahrbuch 1957, S. 157 und 160.

36 Wolfgang Matthäus, Johann André. Musikverlag zu Offenbach am Main, Tutzing 1973.
Hans-Christian Müller, Bernhard Schott. Hofmusikstecher in Mainz, Mainz 1977.

37 Jan La Rue, Mozart Listings in some rediscovered Sales-Catalogues, Breslau 1787–1792, in: Mozart-Jahrbuch 1967, S. 46ff.

38 Alexander Weinmann, Wiener Musikverleger und Musikalienhändler von Mozarts Zeit bis gegen 1860, Wien 1956; Nachdruck des Traeg-Verzeichnisses, in: Beiträge zur Geschichte des Alt-Wiener Musikverlages, hrsg. v. A. Weinmann, Reihe 2, Bd. 17, Wien 1973.

40 Otto Biba, Grundzüge des Konzertwesens in Wien zu Mozarts Zeit, in: Mozart-Jahrbuch 1978/79, S. 132ff.
Carl Ferdinand Pohl, Mozart und Haydn in London, Bd. 1, Wien 1867, S. 142f.

41 Leipziger Allgemeine Musikalische Zeitung (=AMZ); siehe Eberhard Preußner, Die bürgerliche Musikkultur, 2. Auflage Kassel 1951, S. 73.
AMZ 1802, Sp. 346.
François Lesure, L'Œuvre de Mozart en France de 1793 à 1810, in: Kongreßbericht Wien 1956, S. 344ff.
Paul Nettl, Frühe Mozartpflege in Amerika, in: Mozart-Jahrbuch 1954, S. 78ff.
G. Morin, a.a.O., S. 417ff.

43 Gelehrter Nachrichten XXVIstes Stück, Beilage zum Wiener Diarium 84, 1766; auch in: Ignaz de Lucca, Das gelehrte Österreich, Bd. 1, Wien 1778, S. 311; s. Kurt Blaukopf, Musikland Österreich, in: Musikgeschichte Österreichs, Bd. II, Graz 1979, S. 536.
Klaus Winkler, Alter und Neuer Stil im Streit zwischen den Berlinern und Wienern zur Zeit der Frühklassik, in: Die Musikforschung 1980, S. 37ff.

44 Rudolf Eller, Artikel »Leipzig« in MGG, Bd. 8, Kassel 1960, Sp. 555.
E. Preußner, a.a.O., S. 72ff.
AMZ 1801, Sp. 549.

45 Eduard Hanslick, Geschichte des Concertwesens in Wien, Bd. I, Wien 1869, S. 24 und 34.
Arnold Schering, Musikgeschichte Leipzigs, Bd. III, Leipzig 1941, S. 613 und 654.

46 Alfred Loewenberg, Annals of opera, 2. Auflage Genf 1955; Elisabeth Jeannette Luin, Mozarts Opern in Skandinavien, in: Kongreßbericht Wien 1956, S. 391.

47 Alfons Rosenberg, Die Zauberflöte, München 1964.
Bernhard Paumgartner, Eine Text-Bearbeitung der »Zauberflöte« von 1795, in: Festschrift O. E. Deutsch, Kassel 1963, S. 129ff.
Erich Valentin, Geschichtliches und Statistisches zur Mozartpflege, in: Neues Mozart-Jahrbuch, 3. Jg., Regensburg 1943, S. 249.

48 Hans Erdmann, Mozart in norddeutscher Resonanz, in: Kongreßbericht Wien 1956, S. 156ff.
Wolfgang Ruf, Die Rezeption von Mozarts »Le Nozze di Figaro« bei den Zeitgenossen, Wiesbaden 1977, bes. S. 137ff.

49 Siegfried Anheisser, Für den deutschen Mozart. Das Ringen um gültige deutsche Sprachform der italienischen Opern Mozarts, Emsdetten 1938; Kurt Helmut Oehl, Beiträge zur Geschichte der deutschen Mozart-Übersetzungen, Mainz 1954.

50 Gabriele Brandstetter, So machen's alle. Die frühen Übersetzungen von Da Pontes und Mozarts »Così fan tutte« für deutsche Bühnen, in: Die Musikforschung 1982, S. 27ff., bes. S. 44.
Musikalische Monatsschrift, 5. Stück, November 1792, S. 137.

51 Willi Schuh, Über einige frühe Textbücher zur »Zauberflöte«, in: Kongreßbericht Wien 1956, S. 571ff.

52 Mozart. Dokumente. Addenda, S. 86 (Goethes Brief an Wranitzky vom 24. Januar 1796).
S. oben, S. 80.

53 S. oben, S. 84.
Mozart. Dokumente, S. 413.

54 Mozart. Dokumente. Addenda, S. 83f.
Dragotin Cvetko, J. B. Novak – ein slowenischer Anhänger Mozarts, in: Kongreßbericht Wien 1956, S. 103ff.; Karol Musiol, Mozart und die polnischen Komponisten des XVIII. und der ersten Hälfte des XIX. Jahrhunderts, in: Mozart-Jahrbuch 1967, S. 288.
Volker Scherliess, Clementis Kompositionen »alla Mozart«, in: Analecta Musicologica 18, Köln 1978, S. 308ff.
Mozart. Dokumente, S. 370.

55 Mozart. Dokumente, S. 362 und 383.
Walter Serauky, W. A. Mozart und die Musikästhetik des ausklingenden 18. und frühen 19. Jahrhunderts, in: Kongreßbericht Wien 1956, S. 579.

56 Egon Friedell, Kulturgeschichte der Neuzeit, Bd. 2, München 1928, S. 288.
H. Erdmann, a.a.O., S. 159.
Mozart. Dokumente, S. 413.
Mozart. Dokumente, S. 406, 387 und 409.

57 Mozart. Dokumente. Addenda, S. 75.
Gernot Gruber, »Introduction« und »Die Zauberflöte (Peroration)« zu »Opera and Enlightenment«, in: Kongreßbericht Berkeley 1977, Kassel 1982, S. 212f. und 250ff.

58 Friedrich Schiller, Briefwechsel mit Körner, Bd. 3, Stuttgart 1896, S. 117; Wolfgang Seifert, Christian Gottfried Körner. Ein Musikästhetiker der deutschen Klassik, Regensburg 1960.

59 Johann Georg Sulzer, Allgemeine Theorie der schönen Künste, 2. Auflage Leipzig 1793, Bd. 3, S. 431f. (Nachdruck: Hildesheim 1967).
Carl Dahlhaus, Die Idee der absoluten Musik, Kassel 1978, S. 10 u. ö.

60 Der Briefwechsel zwischen Schiller und Goethe, hrsg. v. H. G. Gräf und A. Leitzmann, Bd. 1, Leipzig 1912, Nr. 394; Goethes Briefe, Bd. 2, in: Hamburger Ausgabe, hrsg. v. K. R. Mandelkow, Hamburg 1964, S. 322, Nr. 675.

61 Mozart. Dokumente. Addenda, S. 83.
Gisela Jaacks, Höllenfahrt und Sonnentempel. Das Bühnenbild der Mozart-Opern, in: Mozart. Klassik für die Gegenwart, Hamburg 1978, S. 99 und 108f. (enthält umfangreiches Bildmaterial).
Willi Schuh, »Die Zauberflöte« im Mannheimer Nationaltheater 1794, in: Festschrift O. E. Deutsch, S. 168ff. und 174.

62 W. Salmen, a.a.O., S. 55, 317 und 266.
Johann Peter Eckermann, Gespräche mit Goethe, Wiesbaden 1955, S. 318 (8. April 1829).

63 W. Schuh, a.a.O., S. 181. Die Textbearbeitung von Christian August Vulpius ist wahrscheinlich ohne Überwachung oder Mitarbeit Goethes entstanden (s. Hans Löwenfeld in der Neuausgabe der Vulpius-Bearbeitung, Leipzig 1911, S. 120f.). Auch geht aus Goethes Probennotizen hervor, daß er die »Zauberflöte« zweiaktig – und nicht, wie von Vulpius vorgesehen, dreiaktig – aufführte (s. Weimarer Ausgabe, Bd. 12, S. 390f.).
Walter Weiss, Das Weiterleben der »Zauberflöte« bei Goethe, in: Mozart-Jahrbuch 1980–1983, S. 227ff.

64 Hugo von Hofmannsthal, Gesammelte Werke, Bd. Prosa IV (1924), S. 177.
Hans Georg Gadamer, Die Bildung des Menschen. Der Zauberflöte anderer Teil, in: H. G. Gadamer, Kleine Schriften, Bd. 2, Tübingen 1967, S. 118ff.;

Arthur Henkel, Goethes Fortsetzung der Zauberflöte, in: Zeitschrift für Deutsche Philologie 1951, S. 64ff.
A. Henkel, a.a.O., S. 68.
G. Gruber, a.a.O., S. 251f.
Rheinische Musen, Bd. 1, s. W. Schuh, a.a.O., S. 178.

65 Triest, Bemerkungen über die Ausbildung der Tonkunst in Deutschland, in: AMZ 1801.
Nachdruck Darmstadt 1969, S. VII, 226 und 316.

66 Heinrich Christoph Koch, Musikalisches Lexikon, Frankfurt am Main 1802, S. 441; ders., Versuch einer Anleitung zur Composition, Bd. III, Leipzig 1793, S. 326f.

67 Musikalische Realzeitung, Speyer 1790, S. 137; s. W. Serauky, a.a.O., S. 579.
Dies gilt nicht nur für Deutschland, sondern auch für die internationale Verbreitung durch Pariser und Amsterdamer Verleger. S. Karl Gustav Fellerer, Zur Rezeption von Mozarts Oper um die Wende des 18./19. Jahrhunderts, in: Mozart-Jahrbuch 1965/66, S. 39ff., bes. S. 45.

68 Friedrich Rochlitz, Veranlassung zu genauer Prüfung eines musikalischen Glaubensartikels, in: AMZ 1801, Sp. 677ff.

69 Friedrich Schlichtegroll, Nekrolog auf das Jahr 1791, Gotha 1793; Neuausgabe Kassel 1954, mit einem Nachwort von Richard Schaal; in französischer Übersetzung: Notice biographique sur J. C. W. Th. Mozart par Th. F. Winckler, Paris 1801. Zu Schlichtegroll s. Mozart. Briefe, Bd. VI, S. 433.
Franz Xaver Niemetschek (Niemeczek, Němeček), Leben des K. K. Capellmeister Wolfgang Gottlieb Mozart nach Original-Quellen, Prag 1798, 2. Auflage 1808; Faksimile der 1. Auflage mit den Lesarten und Zusätzen der 2. Auflage, hrsg. v. E. Rychnovsky, Prag 1905; weitere Nachdrucke; englische Ausgabe London 1956. S. bes. S. 1, 30, 25, 41, 44f., 1, 57, 45, 58, 45f., 27, 56 und 47 (nach Ausgabe Prag 1905).

73 Gerhart von Graevenitz, Geschichte aus dem Geist des Nekrologs, in: Deutsche Vierteljahrsschrift für Literaturwissenschaft und Geistesgeschichte 1980, S. 131.

74 Monumente deutscher Tonkünstler, in: AMZ 1800, Sp. 417ff., bes. 420f.
Abbildung der Münze in: Mozart. Klassik für die Gegenwart, a.a.O.

77 AMZ 1800, Sp. 421; AMZ 1801, Sp. 857, 25ff. und 52ff.

79 Alexander Hyatt King, Mozart im Spiegel der Geschichte 1756–1956, Kassel 1956, S. 17.

80 Berlinische musikalische Zeitung (=BMZ) 1806, S. 67.
Hugh J. McLean, Mozart parodies and Haydn perplexities: new sources in Poland, in: Studies in music from the University of Western Ontario, London/Ontario, Nr. 1, 1976, S. 1ff.

81 Armand E. Singer, Don Juan in Amerika, in: Don Juan. Darstellung und Deutung, hrsg. v. B. Wittmann, Darmstadt 1976, S. 161 (Erstdruck in englischer Sprache 1960).
Theophil Antonicek, Musik im Festsaal der Österreichischen Akademie der Wissenschaften, Wien 1972.

82 E. Preußner, a.a.O., S. 48f. und 73.

83 BMZ 1805, S. 120 und 128.
Arnold Schering, Künstler, Kenner und Liebhaber der Musik, in: Jahrbuch der Musikbibliothek Peters für das Jahr 1931, S. 9ff., 22f.

Friederike Zaisberger, Mozart im Spiegel der Salzburger Presse um 1800, in: Mozart-Jahrbuch 1980–1983, S. 136ff.

84 Walter Hummel, W. A. Mozarts Söhne, Kassel 1955.

Ignaz Franz Castelli, Memoiren meines Lebens, München 1969 (Erstdruck 1861), S. 226f.

86 Carl Maria von Weber, Kunstansichten. Ausgewählte Schriften, Wilhelmshaven 1978, S. 209.

BMZ 1805, S. 6.

87 Christof Bitter, Wandlungen in den Inszenierungsformen des »Don Giovanni« von 1787 bis 1928, Regensburg 1961, S. 90.

88 AMZ 1816, Sp. 798; Karin Werner-Jensen, Studien zur »Don-Giovanni«-Rezeption im 19. Jahrhundert (1800–1850), Tutzing 1980, S. 155.

Johann Gottfried Herder, Sämtliche Werke, Bd. 24, S. 336 (Neudruck 1967).

BMZ 1805, S. 149ff.

89 F. X. Niemetschek, a.a.O., Ergänzung zu S. 47.

A. H. King, a.a.O., S. 22.

90 C. Dahlhaus, Die Idee der absoluten Musik, S. 68.

91 Ernst Lichtenhahn, Zur Idee des goldenen Zeitalters in der Musikanschauung E. T. A. Hoffmanns, in: Romantik in Deutschland, Stuttgart 1978, S. 508.

Emil Staiger, Ludwig Tieck und der Ursprung der deutschen Romantik, in: Stilwandel, Zürich 1963, S. 175.

92 E. Lichtenhahn, a.a.O., S. 506 und 503.

Nora E. Haimberger, Vom Musiker zum Dichter. E. T. A. Hoffmanns Akkordvorstellung, Bonn 1976, S. 46.

Ernst Theodor Amadeus Hoffmann, Gesammelte Schriften (1924), Bd. XIV, S. 50 und 55. Der Gedanke findet sich ansatzweise schon in der 1807 entstandenen Rezension zu Beethovens C-Dur-Messe (GS, Bd. XIII, S. 135); vgl. dagegen Lichtenhahn, a.a.O., der den Text über Mozarts »Requiem« für seine Argumentation nicht heranzieht.

Franz Gluck, Ein Don-Juan-Relief von 1787, in: Studien aus Wien, Wien 1957, S. 81ff.

Rudolf Steglich, Über die Wesensgemeinschaft von Musik und Bildkunst, in: Musik und Bild. Festschrift Max Seiffert, Kassel 1938, S. 23ff. Vgl. auch die Darstellung im Taschenbuch »Orphea« 1825 (wiedergegeben in: Mozart. Klassik für die Gegenwart, Hamburg 1978, S. 118, dort weitere Abbildungen).

93 W. Salmen, a.a.O., S. 317.

Norbert Miller, Das Erbe der »Zauberflöte«, in: Sprache im technischen Zeitalter 1979, S. 62.

94 N. Miller, a.a.O., S. 73 und 76.

Klaus Kropfinger, Klassik-Rezeption in Berlin (1800–1830), in: Studien zur Musikgeschichte Berlins im frühen 19. Jahrhundert, Regensburg 1980, S. 325.

95 Ludwig Tieck, Schriften, Bd. XI, Berlin 1829, S. LIII; vgl. Roman Nahrebecky, Wackenroder, Tieck, E. T. A. Hoffmann, Bettina von Arnim. Ihre Beziehung zur Musik und zum musikalischen Erlebnis, Bonn 1979, S. 72f.

L. Tieck, Schriften, Bd. XI, S. XLIX.

L. Tieck, Schriften, Bd. XI, S. LI.
Vgl. Norbert Siara, Szenische Bauweise des Erzählers Eichendorff nach dem Opernvorbild Glucks und Mozarts, Frankfurt/Main 1973, S. 48.

96 L. Tieck, Schriften, Bd. XI, S. LI f.
C. M. v. Weber, a.a.O., S. 210.

97 Dorothee Sölle und Wolfgang Seifert, In Dresden und in Atlantis, in: Neue Zeitschrift für Musik 1963, S. 260ff.
R. Nahrebecky, a.a.O., S. 74ff.
Zitiert nach N. Siara, a.a.O., S. 39f.

98 BMZ 1805, S. 48.
Leo Schrade, Mozart und die Romantiker, in: Kongreßbericht Salzburg 1931, Leipzig 1932, S 28f.
AMZ 1800, Sp. 153.
Jean Paul, Sämtliche Werke, Abt. III/Bd. 4, Berlin 1960, S. 2 (Brief an Herder v. 8. Oktober 1800).
R. Homann, Artikel »Erhaben, das Erhabene«, in: Historisches Wörterbuch der Philosophie, Bd. 2, Darmstadt 1972, Sp. 627ff. und 631ff.

99 BMZ 1805, S. 180f.
C. Dahlhaus, a.a.O., S. 66.
W. Serauky, a.a.O., S. 584.
Wilhelm Friedrich Wackenroder, Werke und Briefe, Heidelberg 1967, S. 255.

100 G. Jaacks, a.a.O., S. 101.
Daniel Heartz, Mozarts »Titus« und die italienische Oper um 1800, in: Hamburger Jahrbuch für Musikwissenschaft, Bd. 5, o. O. 1981, S. 255.
Franz Horn, Musikalische Fragmente, in: AMZ 1802, Sp. 824.

101 Friedrich Rochlitz bedenkt die Urteile von Kennern über Gluck und Mozart (Verschiedenheit der Urtheile über Werke der Tonkunst, in: Für Freunde der Tonkunst, Leipzig 1824, S. 182): »Woher nun diese Verschiedenheit der Urtheile selbst in jenen Kreisen? Woher anders, als aus der Verschiedenheit derer, die sie ausfüllen?«
W. Salmen, a.a.O., S. 112.
BMZ 1806, S. 11.
Vgl. dagegen K. Kropfinger, a.a.O., S. 327.
Hugo Riemann, Geschichte der Musik seit Beethoven (1800–1900), Berlin 1901, S. 151.

102 Der Sammler 1810, S. 574.
E. T. A. Hoffmann, Sämtliche Werke, Bd. V, S 61f., und Bd. III, S. 89; Norbert Miller, Hoffmann und Spontini, in: Studien zur Musikgeschichte Berlins, a.a.O., S. 460f.
E. T. A. Hoffmann, Sämtliche Werke, Bd. XIV, S. 131.
N. Miller, a.a.O., S. 465.

103 E. T. A. Hoffmann, Sämtliche Werke, Bd. V, S. 127.
BMZ 1805, S. 301.

104 Die besprochenen Bilder sind vorhanden im Archiv der ISM.
Johann Philipp Schmidt 1814; s. K. Kropfinger, a.a.O., S. 333.
Arno Forchert, »Klassisch« und »romantisch« in der Musikliteratur des frühen 19. Jahrhunderts, in: Die Musikforschung 1978, S. 408.

105 AMZ 1800, Sp. 417ff.

106 W. F. Wackenroder, Werke, S. 264 und 131.

107 K. Werner-Jensen, a.a.O., S. 141.
AMZ 1800, Sp. 117.
BMZ 1805, S. 200.
AMZ 1799, Sp. 146.
F. X. Niemetschek, a.a.O., S. 2.
108 Hermann August Korff, Geist der Goethezeit, Bd. 3, Leipzig 1940, S. 58ff.
W. F. Wackenroder, Werke, S. 25.
Johann Friedrich Reichardt, Vertraute Briefe aus Paris, geschrieben in den Jahren 1802 und 1803, 3. Teil, 2. verbesserte Auflage, Hamburg 1805, S. 246.
Franz Grillparzer, Werke, Bd. IV, 1965, S. 393.
Ernst Bloch, Don Giovanni, alle Frauen und die Hochzeit, in: Don Juan, a.a.O., S. 81f. (Erstdruck 1928).
109 F. X. Niemetschek, a.a.O., S. 57.
Ludwig Tieck, Shakespeare's Behandlung des Wunderbaren, in: Ausgewählte kritische Schriften, Tübingen 1975, S. 7 und 25.
AMZ 1798, Sp. 152.
110 K. Werner-Jensen, a.a.O., S. 142.
BMZ 1805, S. 299f.
111 AMZ 1801, Sp. 677ff., bes. 684–686.
C. Dahlhaus, a.a.O., S. 17 und 62f.
F. Horn, a.a.O., Sp. 401ff., bes. 811, 423, 421, 422, 452, 423, 421, 452, 454 und 844f.
René Wellek, Geschichte der Literaturkritik, Bd. 1, Darmstadt 1959, S. 274.
112 Gernot Gruber, Robert Schumann: Fantasie op. 17, 1. Satz, in: Musicologica Austriaca 4, Föhrenau 1984, S. 101ff.
114 C. Dahlhaus, a.a.O., S. 69.
115 Zitiert nach L. Schrade, a.a.O., S. 31.
F. Horn, a.a.O., Sp. 829.
E. T. A. Hoffmann, Sämtliche Werke, Bd. I, S. 49.
117 Jean Rousset, Don Juan und die Metamorphosen einer Struktur, in: Don Juan, a.a.O., S. 281f. (Erstdruck 1967).
Berliner Allgemeine musikalische Zeitung 1824, S. 319.
118 N. Siara, a.a.O., S. 9.
August Apel, Musik und Poesie, in: AMZ 1806, Sp. 449ff.
120 C. M. v. Weber, Kunstansichten, S. 124.
Alfred Einstein, Schubert, Zürich 1952, S. 238.
121 Horst Heussner, Louis Spohr und W. A. Mozart, in: Mozart-Jahrbuch 1957, S. 200ff.
122 Hermann Abert, Mozart und Beethoven, in: ders., Gesammelte Schriften und Vorträge, Halle 1929, S. 491 und 485.
123 Hans Gal, Die Stileigentümlichkeiten des jungen Beethoven, in: Studien zur Musikwissenschaft 4 (1916), 58ff.
125 Walther Vetter, Der Klassiker Schubert, Bd. 1, Leipzig 1953, S. 154.
127 Gustav Gärtner, Eine Parallele bei Mozart und Schubert, in: Musica 1954, S. 117ff.
128 BMZ 1806, S. 252.
AMZ 1804, Sp. 145f.; s. K. Kropfinger, a.a.O., S. 339.
BMZ 1805, S. 174, und 1807, S. 19.
E. T. A. Hoffmann, Sämtliche Werke, Bd. XIII, S. 42.

Ähnlich sieht K. Kropfinger (a.a.O., S. 366) diesen Sachverhalt; ausschließlich von Hegel her deutet ihn Gudrun Henneberg (Der Einfluß der Philosophie Hegels auf das Mozart-Bild in der ersten Hälfte des 19. Jahrhunderts, in: Mozart-Jahrbuch 1980–1983, S. 257ff.).

129 Berliner Allgemeine musikalische Zeitung 1824, S. 447.

130 AMZ 1822 und in: Für Freunde der Tonkunst, Bd. 2, Leipzig 1825, S. 244f.
Franz Stoepel, Grundzüge der Geschichte der modernen Musik, Berlin 1821, S. 82f.
Johann Vesque von Püttlingen, Eine Lebensskizze aus Briefen und Tagebuchblättern zusammengestellt, Wien 1887, S. 16; Theophil Antonicek, Biedermeierzeit und Vormärz, in: Musikgeschichte Österreichs, Bd. II, Graz 1979, S. 238.

131 F. Rochlitz, Für Freunde der Tonkunst, Bd. 3, S. 382ff. (1800 geschrieben).
Neben der Tradition Thibauts u. a., die den Begriff der Klassik an Palestrina und dem alten Kirchenstil prägten (s. Ludwig Finscher, Zum Begriff der Klassik in der Musik, in: Deutsches Jahrbuch der Musikwissenschaft 1967, S. 19f.), stehen Versuche (zunächst bei Niemetschek), das Klassische an der Musik Mozarts zu erläutern.
Rudolf Pečman, Mozart oder Beethoven?, in: Beethoven-Kongreßbericht Berlin 1977, Leipzig 1978, S. 345ff.

132 Wilhelm Hitzig, Gottlieb Christoph Härtel und die Musik seiner Zeit, in: Der Bär 1929/30, Leipzig 1930, S. 12.
Zitiert nach K. Kropfinger, a.a.O., S. 361 und 375.

133 Th. Antonicek, a.a.O., S. 231f.
G. L. P. Sievers, Mozart und Rossini, in: Wiener Zeitschrift für Kunst, Literatur, Theater und Mode 1821, S. 409ff., bes. 412.
K. Werner-Jensen, a.a.O., S. 167f.

134 Giuseppe Pintorno, Stendhal alla Scala, Mailand 1980, S. 128.
AMZ 1823, Sp. 810; s. K. Werner-Jensen, a.a.O., S. 159.
Berliner Allgemeine musikalische Zeitung 1824, S. 318ff.; K. Kropfinger, a.a.O., S. 325.

135 Clemens Höslinger, Mozarts Opern im Wiener Biedermeier, in: Mozart-Jahrbuch 1980–1983, S. 100 und 102.
AMZ 1798, Sp. 84f.
Zitiert nach K. Kropfinger, a.a.O., S. 370.
Brief vom 24. Oktober 1777.
BMZ 1805, S. 187 und 1806, S. 94.
Vossische Zeitung vom 25. November 1820; s. Ch. Bitter, a.a.O., S. 95.

136 Von G. W. Fink in AMZ 1839, Sp. 477, mitgeteilt; Walter Gerstenberg, Authentische Tempi für Mozarts »Don Giovanni«?, in: Mozart-Jahrbuch 1960/61, S. 58ff.
Texte von Toreinx sind enthalten in: Music and Aesthetics in the 18th and early-19th Century, Cambridge 1981.

137 BMZ 1805, S. 48.
Christoph-Hellmut Mahling, Typus und Modell in Opern Mozarts, in: Mozart-Jahrbuch 1968/70, S. 145ff.

138 André-Ernest-Modeste Grétry, Mémoires ou Essai sur la musique, Paris 1789.
Romain Rolland, Musiker von ehedem, München 1927, S. 337.

BMZ 1805, S. 48, 28 und 115.
Rudolph Angermüller, »Les Mystères d'Isis« (1801) und »Don Juan« (1805, 1834) auf der Bühne der Pariser Oper, in: Mozart-Jahrbuch 1980–1983, S. 32ff.

139 Herbert Schneider, Probleme der Mozart-Rezeption im Frankreich der ersten Hälfte des 19. Jahrhunderts, in: Mozart-Jahrbuch 1980–1983, S. 23ff.
Rudolph Angermüller, Sigismund Neukomm, München 1977, S. 32.

140 Zitiert nach Floyd Bradley St. Clair, Stendhal and music, Ph. D. Stanford University 1968, S. 196 und 194.

141 Zitiert nach Erich Valentin, Mozart in der französischen Dichtung, in: Acta Mozartiana 1983, S. 72.

142 H. Schneider, a.a.O., S. 26 und 24.

143 Albert Palm, Jérôme-Joseph de Momigny. Leben und Werk, Köln 1969, S. 53 und 250ff.
C. F. Pohl, a.a.O., S. 144ff.
H. Schneider, a.a.O., S. 30.

144 A. Hyatt King, Vignettes in early nineteenth-century London editions of Mozart's operas, in: The British Library Journal 1980, S. 26.

145 Doris Ann R. Clatanoff, Poetry and music: Coleridge, Shelley, and Keats and the musical milieu of their day, Ph. D. University of Nebraska 1973.
Fl. St. Clair, a.a.O., S. 187.

146 Pietro Lichtenthal, Cenni biografici, Mailand 1816, S. 40.
Werner Kümmel, Aus der Frühzeit der Mozart-Pflege in Italien, in: Analecta Musicologica 7, Köln 1969, S 145ff.; Werner Bollert, Mozart-Pflege in Italien 1791–1935, in: Aufsätze zur Musikgeschichte, Bottrop o. J., S. 3ff.

147 Giuseppe Bridi, Brevi notizie intorno ad alcuni più celebri compositori di musica, Rovereto 1827.

149 G. Morin, a.a.O., S. 419.
E. J. Luin, a.a.O., S. 388.

150 R. Angermüller, Neukomm, S. 20.
Gottfried Weber, Ueber eine besonders merkwürdige Stelle in einem Mozartschen Violinquartett aus C, in: Caecilia 1832, S. 1ff.; Karl Gustav Fellerer, Mozart in der Betrachtung H. G. Nägelis, in: Mozart-Jahrbuch 1957, S. 25ff.; Arno Lemke, Jacob Gottfried Weber. Leben und Werk, Mainz 1968, S. 215.

155 W. R. Griepenkerl, Das Musikfest, S. XIVff., 6, 13, 60ff., 27, 67f., 245 und 297f.

157 L. Finscher, a.a.O., S. 21f.
K. Werner-Jensen, a.a.O., S. 163.

159 Friedrich Sengle, Biedermeierzeit, Bd. 1, Stuttgart 1971, S. 350.
Zu Kierkegaards Mozart-Deutung siehe zuletzt: Hans Joachim Kreutzer, Der Mozart der Dichter, in Mozart-Jahrbuch 1980–1983, S. 224ff.; Rüdiger Gierner, »Die Zauberflöte« in Kierkegaards »Entweder-Oder«, in: Mozart-Jahrbuch 1980–1983, S. 247ff.

161 Arnold Schering, Aus den Jugendjahren der musikalischen Neuromantik, in: Jahrbuch der Musikbibliothek Peters für das Jahr 1917, S. 45ff.
Karl Gustav Fellerer, A. W. Zuccalmaglios Bearbeitungen Mozartscher Opern, in: Mozart-Jahrbuch 1976/77, S. 21ff.

162 Ähnliche kulturgeographische Transpositionen der »Così fan tutte« aus der

selben Zeit nennt: Klaus Hortschansky, Gegen Unwahrscheinlichkeit und Frivolität: die Bearbeitungen im 19. Jahrhundert, in: Così fan tutte, Bayreuth 1978, S. 56.
Hans-Peter Glöckner, Die Popularisierung der Unmoral: Così fan tutte in der Belletristik, in: Così fan tutte, S. 113f.

163 K. G. Fellerer, Mozart im Programm der frühen Niederrheinischen Musikfeste, in: Mozart-Jahrbuch 1962/63, S. 32ff.

164 A. Schering, a.a.O., S. 54f. und 50f.

165 Hans Spatzenegger, Neue Dokumente zur Entstehung des Mozart-Denkmals in Salzburg, in: Mozart-Jahrbuch 1980–1983, S. 147ff.

166 Carl Gollmick, Feldzüge und Streifereien im Gebiete der Tonkunst, Darmstadt 1846, S. 139ff., bes. 146.
Constantin Schneider, Geschichte der Musik in Salzburg von der ältesten Zeit bis zur Gegenwart, Salzburg 1935, S. 173.

167 Carl Santner, Musikalisches Gedenkbuch, 1. Jg., Wien und Leipzig 1856.
Franz Grillparzer, Sämtliche Werke, München 1962ff., Bd. IV, S. 695.

168 G. Gruber, »Mozart, das Lieblingskind Österreichs«. Musiksoziologisches zur Bildausstattung der Wiener Hofoper, in: Österreichische Musikzeitschrift 1980, S. 596ff.

170 F. Grillparzer, Werke, Bd. III, S. 880, 252 und 236.

171 Raphael Georg Kiesewetter, Geschichte der europaeisch-abendlaendischen oder unserer heutigen Musik, 2. Auflage Leipzig 1846, S. 97.
L. Finscher, a.a.O., S. 22.
Karl Koßmaly, Anmerkungen zur Übersetzung von: Alexander Ulibischeff, Mozart's Opern. Kritische Erläuterungen. Einleitung von A. Kahlert, Leipzig 1848, S. 372 und 381; A. Schering, a.a.O., S. 55.
Josef von Heukelum, Stifter und Mozart, in: Die Musikforschung 1957, S. 137ff.

172 A. Forchert, a.a.O., S. 421.
F. Grillparzer, Werke, Bd. IV, S. 145.
Adolph Bernhard Marx, Zur Beherzigung, in: Berliner Allgemeine musikalische Zeitung 1825, S. 119a.
Eduard Hanslick, Aus dem Opernleben der Gegenwart, 3. Auflage, Berlin 1889, S. 128; ders., Die Moderne Oper, Berlin 1892, S. 30.

174 K. Werner-Jensen, a.a.O., S. 219f.
Hermann Ulrich, Alfred Julius Becher, Regensburg 1974; F. Grillparzer, Epigramm Nr. 855.

176 Jean Auguste Ingres, Ecrits sur l'art, Paris 1947, S. 60.
Ludwig Lade, Schwind und Mozart, in: Neue Zeitschrift für Musik 1939, S. 477.
Walther Vetter, Die musikalischen Wesensbestandteile in der Kunst Moritz von Schwinds, in: Musik und Bild. Festschrift Max Seiffert, Kassel 1938, S. 119.
Christopher Raeburn, Mosel und Zinzendorf über Mozart, in: Festschrift O. E. Deutsch, S. 156.
F. Sengle, a.a.O., Bd. 2, S. 224.

178 C. Gollmick, a.a.O., S. 127ff.
Wolfgang Plath, Requiem-Briefe, in: Mozart-Jahrbuch 1976/77, S. 175.

179 A Mozart Pilgrimage. Being the Travel Diaries of Vincent & Mary Novello in the year 1829, London 1955.
Alexander Ulibischeff, Nouvelle biographie de Mozart, suivie d'un apercu sur l'histoire générale de la musique et de l'analyse des principales œuvres de Mozart, 3 Bde., Moskau 1843; deutsche Übersetzungen von A. Schraishuon, Stuttgart 1847, K. Koßmaly, Leipzig 1848, und L. Gantter, Stuttgart 1869. Zitate nach deutscher Ausgabe 1847, S. XII, 3ff.
180 A. Ulibischeff, a.a.O., Bd. II, S. VII.
181 Eduard Mörike, Mozart auf der Reise nach Prag. Erläuterungen und Dokumente, Stuttgart 1976; F. Sengle, a.a.O., Bd. III, S. 737ff.; H. J. Kreutzer, a.a.O., S. 219ff.
182 E. Mörike, Werke in einem Band, München 1977, S. 910, 944, 930 und 962.
183 E. Mörike, Erläuterungen, S. 60 und 65.
Joseph Müller-Blattau, Das Mozartbild Mörikes und seines Freundeskreises, in: Von der Vielfalt der Musik, Freiburg 1966, S. 521ff.
185 G. Gruber, Die Mozart-Forschung im 19. Jahrhundert, in: Mozart-Jahrbuch 1980–1983, S. 10ff.
187 E. Mörike, Erläuterungen, S. 81f.
188 Friedrich Nietzsche, Schriften, Musarionausgabe, Bd. VI, S. 286.
G. Gruber, Divergenzen und Gemeinsamkeiten in der Musikästhetik Schopenhauers und Wagners, dargestellt anhand der Mozart-Rezeption, im Druck.
190 C. Dahlhaus, Klassizität, Romantik, Moderne, in: Ausbreitung des Historismus über die Musik, hrsg. v. W. Wiora, Regensburg 1969, S. 275.
Adolf Nowak, Hegels Musikästhetik, Regensburg 1971, S. 156.
Heinrich Heine, Säkularausgabe, Bd. 7, Berlin/Paris 1970, S. 279.
F. Grillparzer, Werke, Bd. III, S. 890.
191 Rezension des Klaviertrios in d-Moll, op. 49 (1840).
F. Sengle, a.a.O., Bd. II, S. 274.
Brief an Zelter vom 15. Februar 1832; s. Susanne Großmann-Vendrey, Mendelssohn und die Vergangenheit, in: Die Ausbreitung des Historismus, S. 78.
Günther Weiß, Eine Mozartspur in Felix Mendelssohn-Bartholdys Sinfonie A-Dur, op. 90, in: Mozart. Klassik für die Gegenwart, S. 87ff.
192 Franz Liszt, Chopin (1851/52 in französischer Fassung), in: Schriften zur Tonkunst, Leipzig 1981, S. 155.
Thomas A. Regelski, Music and painting in the Paragon of Eugène Delacroix, Ph. D. University of Ohio 1970, S. 167; Christine Sieber-Meier, Untersuchungen zum »Œuvre littéraire« von Eugène Delacroix, Bern 1963.
193 Franz Giegling, Zu Robert Schumanns Mozart-Bild, in: Mozart-Jahrbuch 1980–1983, S. 263ff.
Arno Forchert, a.a.O., S. 422.
Günter Katzenberger, Materialien zu Clara (und Robert) Schumanns Mozart- und Beethovenauffassung, in: Festschrift E. Valentin, Regensburg 1976, S. 61ff.
194 Imogen Fellinger, Brahms und Mozart, in: Brahms-Studien 5, Hamburg 1983, S. 141ff.
195 Franz Liszt, Mozart, in: Schriften zur Tonkunst, Leipzig 1981, S. 263ff.

196 Richard Wagner, Gesammelte Schriften und Dichtungen (=G. S.), 4. Auflage, Bd. I, S. 135.
R. Wagner, G. S., Bd. I, S. 187f.
197 R. Wagner, G. S., Bd. I, S. 161, 140 und 148.
198 R. Wagner, G. S., Bd. I, S. 147ff. und 206.
199 R. Wagner, Mein Leben. Einzige vollständige Ausgabe, München 1963, Bd. I, S. 284.
R. Wagner, G. S., Bd. III, S. 91.
200 R. Wagner, G. S., Bd. III, S. 245, 247, 288 und 320.
201 R. Wagner, G. S., Bd. X, S. 97; Bd. VIII, S. 128; Bd. IX, S. 264ff.
202 Johann Peter Lyser, Mozart-Album 1856, S. 33.
R. Wagner, G. S., Bd. VII, S. 126.
H. Riemann, a.a.O., S. 66.
203 R. Wagner, Mein Leben, Bd. II, S. 568.
R. Wagner, G. S., Bd. X, S. 173.
204 Cosima Wagner, Die Tagebücher 1869–1883, Bd. II, München 1977, S. 247.
C. Wagner, Tagebücher, Bd. II, S. 195.
R. Wagner, G. S., Bd. III, S. 287.
205 Karl Jaspers, Nietzsche. Einführung in das Verständnis seines Philosophierens (1936), 3. Auflage Berlin 1950.
G. Gruber, Friedrich Nietzsches Aussagen über Mozart, in: Mozart-Jahrbuch 1980–1983, S. 262ff.
F. Nietzsche, Schriften, Musarionausgabe, Bd. IX, S. 431, 262 und 267.
F. Nietzsche, Gesammelte Briefe, Berlin 1900, Bd. 5, S. 607.
206 F. Nietzsche, Schriften, Bd. XVII, S. 345.
Pierluigi Petrobelli, Don Giovanni in Italia, in: Analecta Musicologica 18 (1978), S. 41f.
207 Herbert Schneider, Urteile über Opernkomponisten und die Frage der Rezeption der Oper in den Schriften von Cornelius, in: Peter Cornelius als Komponist, Dichter, Kritiker und Essayist, Regensburg 1977, S. 219ff., auch S. 106 und 130.
208 Rudolf von Freisauff, Mozart's Don Juan 1787–1887, Salzburg 1887, S. 71, 74 und 105ff.; Ernst Possart, Ueber die Neueinstudierung und Neuinszenierung des Mozart'schen Don Giovanni (Don Juan) auf dem Kgl. Residenztheater zu München, München 1896, S. 4 und 7.
209 R. v. Freisauff, a.a.O., S. 75 und 179.
C. Bitter, a.a.O., S. 106f. und 111f.
210 Charles Gounod, Mozarts Don Juan. Autorisierte Uebersetzung von Adolf Klages, Leipzig 1891, S. 119f.
Georges Bernard Shaw, Musik in London, Berlin 1957, S. 41.
Zitiert nach R. v. Freisauff, S. 178.
211 Ch. Gounod, a.a.O., S. 2.
Johann Evangelist Engl, W. A. Mozart in der Schilderung seiner Biographen, Salzburg 1887, S. 52ff.
G. B. Shaw, a.a.O., S. 63f.
212 Heinrich Adolf Köstlin, Geschichte der Musik im Umriß, 2. umgearbeitete Auflage, Tübingen 1880, S. 307ff.
Ferdinand Adolf Gelbcke, Classisch und Romantisch, in: Neue Zeitschrift für Musik 1881, S. 187ff.

213 F. Sengle, a.a.O., Bd. III, S. 738.
Jacob Burckhardt, Weltgeschichtliche Betrachtungen, Stuttgart 1955, S. 220f. und 226.
Friedrich von Hausegger, Unsere deutschen Meister, München 1901, über Mozart S. 53–93.
Johann Gustav Droysen, Historik, München 1960, S. 291.

215 Georg Feder, Gounods »Meditation« und ihre Folgen, in: Die Ausbreitung des Historismus über die Musik, S. 106.

216 Franz Zagiba, Tschaikovskij. Leben und Werk, Zürich 1953, S. 258ff.

217 Winton Dean, Georges Bizet. His life and work, London 1965, S. 239f. und 250.
Otakar Šourcek/Paul Stefan, Dvořák. Leben und Werk, Wien 1935, S. 67f.
C. Wagner, Tagebücher, Bd. I, S. 198.

218 G. B. Shaw, a.a.O., S. 67f.
R. v. Freisauff, a.a.O., S. 174.

219 Loewenberg, Annals, a.a.O.; A. Hyatt King, a.a.O., S. 27.

223 Mozarts Bäsle-Briefe. Hrsg. und kommentiert von Joseph Heinz Eibl und Walter Senn. Mit einem Vorwort von Wolfgang Hildesheimer, Kassel/München 1978.

224 E. Possart, a.a.O., bes. S. 36.
Heinrich Bulthaupt, Dramaturgie der Oper, 2. neubearbeitete Auflage, Bd. 1, Leipzig 1902, S. 231f.
Alfons Ott, Die Münchner Oper von den Anfängen der Festspiele bis zur Zerstörung des Nationaltheaters, in: Musik aus Bayern I, Tutzing 1972, S. 314ff.

225 Carl Hagemann, Münchens Mozart-Renaissance, in: Oper und Szene, Berlin 1905, S. 207ff.

226 Bernhard Paumgartner, Gustav Mahlers Bearbeitung von Mozarts »Così fan tutte« für seine Aufführungen an der Wiener Hofoper, in: Musik und Verlag, Kassel 1968, S. 476ff.; Robert Werba, Mahlers Wiener Mozart-Taten, in: Mozart-Jahrbuch 1978/79, S. 246ff.

228 Felix Weingartner, Zurück zu Mozart?, in: Akkorde. Gesammelte Aufsätze, Leipzig 1912, S. 108ff.
Paul Hirsch, The Salzburg Mozart Festival 1906, in: Music Review 1946, S. 149ff.

229 Ferruccio Busoni, Mozart-Aphorismen zum 150. Geburtstag des Meisters, in: Von der Einheit der Musik, Berlin 1922, S. 78ff.
Joachim Herrmann, Mozart und die Musik der Gegenwart. Das Mozart-Bekenntnis Ferruccio Busonis, in: Acta Mozartiana 1956, Heft 2, S. 2ff.
F. Busoni, a.a.O., S. 1ff.

230 Alfred Heuß, Das dämonische Element in Mozart's Werken, in: Zeitschrift der Internationalen Musikgesellschaft 1906, S. 175ff., bes. 177.
Siegmund von Hausegger, Stiefkinder, in: Süddeutsche Monatshefte 1905, S. 563ff.
Bollert, a.a.O., S. 32.

231 Roswitha Vera Karpf, Beiträge zur österreichischen Wagner-Rezeption im 19. Jahrhundert, in: Richard Wagner 1883–1983, Stuttgart 1984, S. 234.
Paul Zschorlich, Mozart-Heuchelei. Ein Beitrag zur Kunstgeschichte des 20. Jahrhunderts, Leipzig 1906, bes. S. 14 und 97.

232 Hermann von der Pfordten, Mozart, Leipzig 1908.

233 Richard Beer-Hofmann, Gedenkrede auf W. A. Mozart, Berlin 1906, S. 15f.

234 Carl Krebs, Mozart. Rede zur Feier des Allerhöchsten Geburtstages seiner Majestät des Kaisers und Königs am 27. Januar 1906 in der öffentlichen Sitzung der Königlichen Akademie der Künste, Berlin 1906, bes. S. 5.
Hermann Abert, W. A. Mozart. Neubearbeitete und erweiterte Ausgabe von Otto Jahns Mozart, Leipzig 1919–1924 (7. Auflage Leipzig 1955).
H. Abert, a.a.O., S. V.

238 Erich Valentin, »Wir brauchen nötigst viel, viel Mozart«, in: Acta Mozartiana 1973, S. 1f.

239 Wolfgang Schmidt, Der »konservative Revolutionär« Arnold Schönberg. Ein Schüler W. A. Mozarts, in: 23. Deutsches Mozartfest Augsburg 1974, S. 42ff.
Alan Walker, Schönberg's classical background, in: Music Review, S. 285ff.

240 F. Busoni, a.a.O., S. 191, 304 und 349ff.

241 Kurt Weill, Ausgewählte Schriften, Frankfurt 1975, S. 39 (Zeitoper), 42 (Über den gestischen Charakter der Musik) und 30 (Bekenntnis zur Oper).

242 Helmuth Osthoff, Mozarts Einfluß auf Richard Strauss, in: Schweizerische Musikzeitung 1958, S. 409ff.; Hans Mayer, Hugo von Hofmannsthal und Richard Strauss, in: Ansichten, Hamburg 1962, S. 9ff.; G. Gruber, »Die Zauberflöte« und »Die Frau ohne Schatten«, im Druck.

244 Josef Kaut, Die Salzburger Festspiele 1920–1981, Salzburg 1982, bes. S. 35ff.

245 Rudolf Flotzinger und G. Gruber, Einleitung, in: Musikgeschichte Österreichs, Bd. I., Graz 1977, S. 19f. (Max von Millenkovich-Morold, Die österreichische Tonkunst).

247 Friedrich Herzfeld, Magie des Taktstocks, Berlin 1959, S. 66.

248 Edward J. Dent, Mozart's Opera, 2. Auflage London 1947, S. IXf.
William Mann, Test match opera, in: Glyndebourne Festival 1984, S 109ff.

249 Paul Alfred Merbach, Die deutschen Übersetzungen und Bearbeitungen des Don-Juan-Textes, in: Die Scene 1917, S. 102ff.; Max Kalbeck, Zur Frage des deutschen »Don Giovanni«, in: Der Merkur 1918, Heft 2, S. 59f.
Karl Eberts, Der Mannheimer Don Juan, in: Die Scene 1917, S. 129ff.

250 Eugen Schmitz, Zur Inszenierung von Mozarts »Don Giovanni«, in: Allgemeine Musik-Zeitung 1924, S. 507ff.
Eugen Kilian, Mozart-Probleme, in: Neue Züricher Zeitung vom 1. Oktober 1917.
Hans Loewenfeld, Gedanken zu einer nicht ausgeführten Don-Juan-Inszenierung, in: Die Scene 1917, S. 131ff.
C. Bitter, a.a.O., S. 129ff.

252 Wilhelm Weber, Max Slevogts bildnerische Interpretationen Mozartscher Musik, in: Mozart und Slevogt. Ausstellung Zweibrücken Juni 1966, S. 5ff.

253 Karl Kraus, Beim Anblick eines sonderbaren Plakats, in: Die Fackel 1915, S. 149f.
Ernst Bloch, Geist der Utopie. Nachdruck der zweiten Fassung von 1923, Frankfurt 1973, bes. S. 75, 173, 113f., 63f.

255 Hermann Hesse, Der Steppenwolf. Erzählung, Ausgabe Frankfurt 1974, bes. S. 148, 65, 49, 51, 34, 70 und 222ff.

257 W. A. Mozart. Hrsg. zur Mozartwoche des Deutschen Reiches in Zusam-

menarbeit mit dem Reichsministerium für Volksaufklärung und Propaganda und dem Reichsstatthalter in Wien von Walter Thomas, Leipzig 1941.

258 Hermann Cohen, Die dramatische Idee in Mozarts Operntexten, Berlin 1915, bes. S. 21, 113.
Wilhelm Dilthey, Von deutscher Dichtung und Musik, Leipzig 1933, bes. S. 286.

259 W. A. Mozart, a.a.O., S. 96.
Richard Benz, W. A. Mozart. Gedenken zu des Meisters 150. Todestages, Dortmund 1941, S. 4.

260 Werner Erdmann Böhme, Mozart in der schönen Literatur in: Kongressbericht Salzburg 1931, Leipzig 1932, S. 257f. und 279f.

261 Mozart im XX. Jahrhundert. Ausstellung Salzburg 1984 (erarbeitet von R. Angermüller), bes. S. 55f.
Siehe das von Hans Jaklitsch zusammengestellte Aufführungsverzeichnis, in: J. Kaut, a.a.O., S. 241ff.

262 Walter Hummel, Mozart in aller Welt. Die Weltfeier 1956, Salzburg 1956.

266 Otto Rank, Die Don-Juan-Gestalt, in: Don Juan, S. 32ff. (Erstdruck 1922).
Brigid Brophy, Mozart the Dramatist, New York 1964, S. 242ff.
Klaus Geitel, Luftschutz-Lemuren und Don Giovanni als Batman, in: Don Juan, S. 411ff.

267 »Rekonstruktion.« Liebe im Amazonas. »Spiegel«-Rezension, in: Don Juan, S. 419ff.

268 Arthur Drews, Mozarts »Zauberflöte« und Wagners »Parsifal«, in: Richard-Wagner-Jahrbuch 1906, S. 326ff.
Vgl. die Referate zur »Zauberflöte«, in: Werk und Wiedergabe. Musiktheater exemplarisch interpretiert, Bayreuth 1980, S. 99ff.
Stefan Kunze, »Die Zauberflöte« – Möglichkeiten und Grenzen der Interpretation, in: Werk und Wiedergabe, S. 147.

269 Dale Harris, The Chagall-Rennert staging of »Die Zauberflöte« at the Metropolitan Opera House, in: Werk und Wiedergabe, S. 172.

270 R. Angermüller, »Die Zauberflöte« manieristisch, maschinistisch, unverschlüsselt, in: Werk und Wiedergabe, S. 150ff.
Karl Schumann, Mozart – Abgott und Spielball, in: Deutsches Mozartfest Augsburg 1960, S. 22.

272 Stephan Stompor, Mozart als Musikdramatiker heute, in: Musik und Gesellschaft 1955, S. 283ff.

275 Neue Zeitschrift für Musik 1982, Heft 10, S. 51.
Aufnahme Fricsay/Deutsche Grammophon (1953) 2535 709; Walter: Philips A 01271 L; Böhm: Deutsche Grammophon 138 815; Collegium aureum: Harmonia mundi 1 C 065-99 673 Q.

276 B. Paumgartner, a.a.O., S. 476.
Nikolaus Harnoncourt, Musik als Klangrede, Salzburg 1982; ders., Der musikalische Dialog. Gedanken zu Monteverdi, Bach und Mozart, Salzburg 1984.

277 Yehudi Menuhin, Unvollendete Reise. Lebenserinnerungen, Kassel 1979, S. 124.
Österreichische Musikzeitschrift 1969, S. 435.
N. Harnoncourt, Klangrede, S. 268.

278 Die Presse, Wien 15./16. Dezember 1984, Spektrum, S. IV.

Glenn Gould im Gespräch mit Bruno Monsaingeon, Mozart aus persönlicher Sicht, Schallplatten-Beilage CBS 79501. Allerdings nahm Gould auch Mozart auf Platten auf.

279 Wolfgang Plath, Der gegenwärtige Stand der Mozart-Forschung, in: Kongreßbericht Salzburg 1964, Bd. I, Kassel 1964, S. 47ff.; Symposium, ebendort, Bd. II, Kassel 1966, S. 88ff.
A. Diemer, Artikel »Geisteswissenschaften«, in: Historisches Wörterbuch der Philosophie, Bd. 3, Darmstadt 1974, Sp. 211ff.

282 Wolfgang Hildesheimer, Mozart, Frankfurt 1977, bes. S. 319ff.

284 Wolfgang Hildesheimer, Die Subjektivität des Biographen, in: Das Ende der Fiktionen, Frankfurt 1984, S. 123ff.

286 Annette Kolb, Mozart, Wien 1937, S. 18.
Joyce Carol Oates, Marriages and infidelities, London 1974, S. 489ff.

287 Karl Barth, W. A. Mozart 1756–1956, Zollikon 1956.
Thrasybulos Georgiades, Aus der Musiksprache des Mozart-Theaters, in: Mozart-Jahrbuch 1950, S. 76ff.
Hans Küng, Christ sein, München 1974, S. 540f.
Hans Urs von Balthasar, Das Abschieds-Terzett, in: Mozart-Aspekte, Olten 1956, S. 279ff.

288 Martin Staehelin, Mozart und Raffael, in: Schweizerische Musikzeitung 1977, S. 323.
Hans E. Valentin, Mozart heute. Aspekte aus der Literatur, in: Mozart. Klassik für die Gegenwart, S. 130ff.
Walter Wiora, Mozarts »Don Giovanni« in der seltsamen Deutung Kierkegaards und Thomas Manns, in: a.a.O., S. 120ff.
Erich Valentin, Die goldene Spur. Mozart in der Dichtung Hermann Hesses, Augsburg 1966.

289 Ingeborg Bachmann, Ein Blatt für Mozart, in: Acta Mozartiana 1973, S. 54f. (bzw.: Gedichte, Erzählungen, Hörspiel, Essay, München 1964).
Vera Linhartová, Requiem für W. A. Mozart, in: Geschichten, Frankfurt 1965.

291 Dmitri Schostakowitsch, Über Mozart, in: Musik und Gesellschaft 1956, Heft 3, S. 14f.

292 Ernst H. Flammer, Politisch engagierte Musik als kompositorisches Problem, dargestellt am Beispiel von Luigi Nono und Hans Werner Henze, Baden-Baden 1981, S. 116f.
Mauricio Kagel, Wut bisher unbekannter Art, in: Journal. Musikhochschule Köln, 1984, Nr. 1, S. 1.
Robert Herold Danes, Strawinsky's The Rake's Progress: Paradigma of Neoclassical Opera, Ph. D. Washington University 1972.
Friedrich Nietzsche, Werke VIII/3, Berlin 1972, Nachgelassene Fragmente, S. 36.
Wystan H. Auden, Collected Shorter Poems 1927–1957, London 1966, S. 276ff.

BILDNACHWEIS

Seite

7 Wolfgang Amadeus Mozart. Buchsbaum-Relief von Leonard Posch; Mai 1789. Internationale Stiftung Mozarteum, Salzburg.

75 Wolfgang Amadeus Mozart. Stahlstich von Franz Burchard Dörbeck; 1. Hälfte 19. Jahrhundert. Internationale Stiftung Mozarteum, Salzburg.

153 Ausschnitt aus dem Ölbild »Mozart am Spinett. Vision« von Anton Romako; 1877. Internationale Stiftung Mozarteum, Salzburg.

221 Ausschnitt aus »Mozart und das Köchel-Verzeichnis«. Graphik von Raymond La Roche; 1976. Internationale Stiftung Mozarteum, Salzburg.

NAMENSREGISTER

INHALT

Herzlich danke ich dem Residenz Verlag für Geduld und Verständnis, der Lektorin Frau Renate Buchmann für ihr großes Engagement, der Internationalen Stiftung Mozarteum und ihren Mitarbeitern für ihre Hilfe, Frau Sigrid Wiesmann und den Herren Otto Biba, Wolfgang Hildesheimer, Wolfgang Rehm und Wolfgang Ruf für die gewährte Einsichtnahme in noch unveröffentlichte Manuskripte.

Gernot Gruber